D1445623

Das große
Lingen Universal Lexikon

Das große

Lingen Universal Lexikon

Band 2

Lingen Verlag

DAS GROSSE LINGEN UNIVERSAL LEXIKON IN FARBE
Ständig aktualisierte Nachauflage 1984

© Fotos: Uitgeverij Het Spectrum bv, Utrecht, Niederlande 1982; Lingen Verlag, Köln
© Zeichnungen und Grafik: International Visual Resource nv, Amsterdam, Niederlande 1982;
Lingen Verlag, Köln
Text- und Bildredaktion: Lingen Verlag, Köln und Freiburg
Satzarbeiten: Zobrist & Hof AG, Pratteln, Schweiz
Einbandgestaltung: Roberto Patelli
Gesamtherstellung: Richter Druck, Würzburg
Printed in West Germany © 1982 by Lingen Verlag, Köln
Nachdruck, auch auszugsweise, nicht gestattet
Alle Rechte vorbehalten

Allgemeine Hinweise

Alphabetisierung
Die Stichwörter sind alphabetisch nach den Regeln der deutschen Rechtschreibung geordnet. Aus mehreren Wörtern bestehende Stichwörter sind durchalphabetisiert. Die Umlaute ä, ö, ü und ae, oe, ue sind wie a, o, u behandelt, außer wenn bei ae, oe und ue das e eigens gesprochen wird. Adelsbezeichnungen (von, de, di u. a.) stehen hinter dem Namen bzw. Vornamen.
Bei gebräuchlicher verschiedenartiger Form eines Begriffs werden die Zweitformen im allgemeinen hinter dem Stichwort in Kursivdruck aufgeführt und bestehen an entsprechender Alphabetstelle Verweisstichwörter unter diesen Formen.

Unterstichwörter zu einem Hauptstichwort stehen kursiv in dessen laufendem Text, oder es wird auf sie als besondere Stichwörter verwiesen.
Unter C nicht gefundene Stichwörter suche man unter K oder Z, für C, Cs und Cz unter Tsch, für Ch unter Sch oder Tsch, für Dj und J unter Dsch, für J auch unter Y, für Sh unter Sch, für V unter W und jeweils umgekehrt.

Verweisungen
Verweisungen im Text dienen dazu, in Querverbindung Begriffserklärungen, Erläuterungen, Zusammenhänge und Erweiterungen zu einem Stichwort an anderer Stelle anzuzeigen. Sie werden durch Pfeil (→) kenntlich gemacht.

Schriftart
Die Stichwörter sind **halbfett,** Unterstichwörter, Zweitnamen und Vornamen, Fachgebiete, Texthervorhebungen sowie Werktitel *kursiv* gedruckt.

Aussprache
Für fremdsprachliche Stichwörter und Eigennamen ist in Klammern die Aussprache in einer vereinfachten Form beigefügt. Sie ermöglicht, das betreffende Stichwort so zu lesen, wie es in der Fremdsprache lautet. Hierfür werden – abgesehen von den normal auszusprechenden deutschen reinen Buchstaben – folgende Sonderbuchstaben und Zeichen verwendet:

å	=	dunkler a-o-Laut
ã	=	nasales a
ä	=	offenes e
ä̃	=	nasales ä
ch	=	hartes, rauhes ch
ᵉ	=	schwach anklingendes e
ⁱ	=	schwach anklingendes i
õ	=	nasales o
ṏ	=	nasales ö
ᵒ	=	schwach anklingendes ö
ʳ	=	schwach angeschlagenes r
s	=	stimmhaftes, weiches s
~~sch~~	=	stimmhaftes, weiches sch
ß	=	stimmloses, scharfes s
ß	=	stimmhaftes bzw. stimmloses englisches th, spanisches c (vor e und i) sowie z
ᵘ	=	schwach anklingendes u

Besondere Zeichen

*	=	geboren
†	=	gestorben

Abkürzungen

Im folgenden Verzeichnis nicht enthaltene wichtige Abkürzungen der Fachgebiete sind als Stichwörter zu finden. Auf die Aufnahme leicht zu ergänzender Endabkürzungen von Eigenschaftswörtern wurde verzichtet.

Abg.	Abgeordneter	Aggl.	Agglomeration	ASSR	Autonome
Abk.	Abkürzung	ahd.	althochdeutsch		Sozialistische
ad.	altdeutsch	allg.	allgemein		Sowjetrepublik
AG	Aktiengesellschaft	am.	amerikanisch	AT	Altes Testament

Bd, Bde	Band, Bände
Begr.	Begründer
ben.	benannt
bes.	besonders
Bev.	Bevölkerung
Bez.	Bezeichnung; Bezirk
BGB	Bürgerliches Gesetzbuch
Bisch.	Bischof
BRD	Bundesrepublik Deutschland
ca.	circa
CDU	Christlich-Demokratische Union
CSU	Christlich-Soziale Union
DDR	Deutsche Demokratische Republik
Dep.	Departement; Department
Distr.	Distrikt
dt.	deutsch
Dtl.	Deutschland
E.	Einwohner
eig.	eigentlich
Erzb.	Erzbischof
ev.	evangelisch
e. V.	eingetragener Verein
Ew.	Eigenschaftswort
Ez.	Einzahl
F.D.P.	Freie Demokratische Partei
Fkr.	Frankreich
Frh.	Freiherr
frz.	französisch
gegr.	gegründet
Gem.	Gemeinde
Ges.	Gesellschaft; Gesetz
Gew.	Gewicht
GG	Grundgesetz der BRD
gg.	gegen
ggf.	gegebenenfalls
Ggs.	Gegensatz
Gouv.	Gouvernement; Gouverneur
gr.	griechisch
haupts.	hauptsächlich
Hb.	Handbuch
hd.	hochdeutsch
Hptw.	Hauptwort
Hrsg.	Herausgeber
hrsg.	herausgegeben
Hst.	Hauptstadt
HW	Hauptwerk(e)
Hwb.	Handwörterbuch
Hzg.	Herzog
Hgt.	Herzogtum
i.e.S.	im engeren, eigentlichen Sinn
i.w.S.	im weiteren Sinn
jap.	japanisch
Jb.	Jahrbuch
Jh.	Jahrhundert
Jt.	Jahrtausend
Kard.	Kardinal
kath.	katholisch
Kg.	König
Kgr.	Königreich
Kr.	Kreis
Krst.	Kreisstadt
Ks.	Kaiser
Kt.	Kanton
Kw.	Kunstwort
l.	linker, links
lat.	lateinisch
Ldkr.	Landkreis
Lit.	Literatur
lt.	laut
Lw.	Lehnwort
MA	Mittelalter
md.	mitteldeutsch
MdB	Mitglied des Bundestags
MdL	Mitglied des Landtags
MdR	Mitglied des Reichstags
mhd.	mittelhochdeutsch
Mill.	Millionen
Min.	Minister
Min.-Präs.	Ministerpräsident
mlat.	mittellateinisch
mnd.	mittelniederdeutsch
Mz.	Mehrzahl
N	Norden
nam.	namentlich
nat.-soz.	nationalsozialistisch
n. Br.	nördlicher Breite
n. Chr.	nach Christi Geburt
nd.	niederdeutsch
nhd.	neuhochdeutsch
niederl.	niederländisch
nlat.	neulateinisch
NO	Nordosten
NT	Neues Testament
NW	Nordwesten
O	Osten
od.	oder
öff.	öffentlich
o. J.	ohne Jahr
ö. L.	östlicher Länge
Österr.	Österreich
österr.	österreichisch
Präs.	Präsident
Prof.	Professor
prot.	protestantisch
Prov.	Provinz
Ps.	Psalm; Pseudonym
r.	rechter, rechts
ref.	reformiert
Reg.-Bez.	Regierungsbezirk
Rep.	Republik
RSFSR	Russische Sozialistische Föderative Sowjetrepublik
RT	Registertonne
S	Süden
s. Br.	südlicher Breite
schweizer.	schweizerisch
Sekr.	Sekretär
SPD	Sozialdemokratische Partei Deutschlands
SPÖ	Sozialdemokratische Partei Österreichs
StGB	Strafgesetzbuch
Stw.	Stammwort
SW	Südwesten
TH	Technische Hochschule
tschsl.	tschechoslowakisch
TU	Technische Universität
u.	und
u. a.	und andere; unter anderem
übertr.	übertragen
UdSSR	Union der Sozialistischen Sowjetrepubliken
u. M.	unter dem Meeresspiegel
ü. M.	über dem Meeresspiegel
UN	United Nations (Vereinte Nationen)
Univ.	Universität
urspr.	ursprünglich
USA	United States of America (Vereinigte Staaten von Amerika)
usf.	und so fort
usw.	und so weiter
v. Chr.	vor Christi Geburt
Verf.	Verfassung; Verfasser
Vers.	Versammlung; Versicherung
Verw.-Bez.	Verwaltungsbezirk
vgl.	vergleiche
Vors.	Vorsitzender
VR	Volksrepublik
W	Westen
Wiss.	Wissenschaft
wiss.	wissenschaftlich
w. L.	westlicher Länge
WW	Werke
z. B.	zum Beispiel
ZGB	Zivilgesetzbuch
ZPO	Zivilprozeßordnung
Zschr.	Zeitschrift
Ztw.	Zeitwort
zw.	zwischen
z. Z.	zur Zeit

Bildnachweis

Herkunft der Photos und Illustrationen

Hinter der jeweiligen Quellenangabe sind die betreffenden Seiten angegeben, auf denen die Photos oder Illustrationen wiedergegeben sind.

Bei mehreren Abbildungen auf einer Seite werden die Quellen von links nach rechts und danach von oben nach unten mit a, b, c usw. angegeben. Wenn der Name des Photographen zugänglich war, steht dieser hinter den Seitenzahlen jeweils in Klammern.

ABC-Press 438
AGE Ilustración 348b, 359 (D. Dickins), 452 (A. Vinals), 477b (Orcajada)
Alusuisse 431
Australian Information Service 320
Ernst Barlach Haus 390
H. H. Baudert 358
Bayerische Staatsbibliothek 434, 436, 477
Belgisch Instituut voor Voorlichting en Documentatie INBEL 456
Bibliothèque Nationale 578a
Biofotos/Heather Angel 601
Bio-Historisch Institut 571b
The Bodleian Library 354b, 626
The Britisch Library 479a
Camera Press/ABC-Press 465 (H. O'Brien), 487, (E. Gyberg), 491b (Lenhartz), 493 (M. Klinko)
Peter Carmichael (Reflex) Ltd 368, 368b, CBS 499a
Bruce Coleman Ltd 341b (H. Reinhard), 389, 512a (J. Burton), 401, 454b (J. & D. Bartlett), 591a (J. Shaw), 620b
Mary Evans Picture Library 343
Explorer 374b
Agence Photographique Fotogram 404a, 405a
Frits Gerritsen 459a, 459b, 505a
Georg Gerster 484b
Photographie Giraudon 400, 440a, 462a, 476, 517, 540, 558, 560, 594
Foto Emile de Haas 317
Robert Harding Associates 472, 583
Heineken 549b
Jan den Hengst 577
Hirmer Verlag 476
Holle Bildarchiv 500
Hout Voorlichtings Instituut HVI 464
H. Hovinga 488
International Harvester Southern Pacific Transportation co. 419
Inter Nationes 347
Jacana 375, 386a, 428, 544, 572a, 572b, 573, 574

Keter Publishing House 536/537
Aart Klein 333b
Paolo Koch 484a
Koninklijk Instituut voor de Tropen 504, 512b
R. Korthals Altes 366a
Kövesdi International Press & Photo Agency KIPPA 439, 440b, 442
Kröller Müller Stichting 364
Lingen Verlag 404, 405
London Express Pictures/ABC-Press 322, 370a, 535
London Transport 324a
Magnum/ABC-Press 337 (Rodger), 380b (Barbey), 449a, 483 (E. Lessing)
The Mansell Collection 429b, 470b
National Portrait Gallery 316, 490
Paul C. Pet 366b, 447a, 566b, 567, 606
Photo News Service 503b
Photo Research International Photri 457
Picturepoint Ltd 494a, 494b, 521, 576
Polyvisie bv 381, 497a
Pressehuet/ABC-Press 539a (H. Nielsen)
Sem Presser 319c, 351, 397b, 418, 429a, 435, 443, 475a, 475b, 480a, 485, 514
Preußischer Kulturbesitz 397a, 579
Agence De Presse Photographique Rapho 463
Revija 369, 469b
Frits J. Rotgans 407b
Scala Istituto Fotografico Editoriale 330a, 331, 332a, 342b, 352, 354a, 374a, 387, 392, 395, 424a, 425a, 425b, 426a, 426b, 441, 447b, 474, 486b, 495a, 498a, 498b, 531, 593, 600, 619a, 619b
Kees Scherer 330b, 379, 455b, 468b, 496
Heinz Schrempp 407a
Servizio Editoriale Fotografico SEF 332b, 341a, 405b, 440c
Shostal Associates Inc. 315, 385, 421
SIPA/Rob Brijker Press Service 450
Pim Smit 550a
Snark International 444, 471
Sociëteit ‚De Kring' 570b, 571a
Foto-archief Spaarnestad 402, 562, 582a

VII

Uitgeverij Het Spectrum bv 325 b, 342 a, 376, 383 b, 393 b, 394 b, 411, 413, 424 b, 473, 478, 479 b, 495 b, 497 b, 499 b, 501, 502, 503 a, 507 b, 518 b, 518 c, 527, 528, 538, 552 a, 552 b, 553 a, 553 b, 570, 581 a, 597, 603, 620 a, 622
Nico van der Stam 534 a, 534 b
Stern / ABC-Press 391 a
Martin Stevens 430
Stichting Lichtbeelden Instituut 491 a
UNO-Press 340 b

Vandaag bv 486 a, 528 b
V-Dia-Verlag GmbH 422 a, 608
Vicon nv 338
M.V.A. de Vries-van Vugt 355 a
John Walmsley 533 a
Wieb van Willegen 510
World Photo Service 354 b
Zentrale Farbbild Agentur Zefa GmbH 355 b
(K. Hackenberg), 384 (G. Rettinghaus), 489 (Til), 542 (Schneiders)

Die Zeichnungen, Karten und Diagramme wurden hergestellt durch:

International Visual Resource nv
Uitgeverij Het Spectrum bv
Lingen Verlag, Köln

Ausländer *m*, wer eine andere Staatsangehörigkeit als die seines Aufenthaltslands besitzt; der A. ist v. der Wehrpflicht befreit, hat kein Wahlrecht, ist straf- u. privatrechtlich dem Inländer im allg. gleichgestellt.

Auslandsanleihen (Mz.), *Auslandsbonds*, v. Privatunternehmen, einem Staat od. einer Stadt im Ausland aufgenommenes Kapital.

Auslandsbonds (Mz.), → Auslandsanleihen.

Auslandskapital *s*, das vom Ausland in einer Volkswirtschaft investierte Geld- u. Sachkapital.

Auslandsschulden (Mz.), Forderungen fremder Länder an inländische öffentl. u. private Schuldner aus polit. od. Handelsverpflichtungen.

Auslassungszeichen *s*, der → Apostroph.

Ausläufer *m*, bei Erdbeere, Märzveilchen usw. oberird. Seitensprosse, an denen sich Wurzeln u. so neue Pflanzen entwickeln.

auslaugen, *ausziehen, extrahieren,* aus Gemenge fester od. flüssiger Stoffe bestimmte Bestandteile durch Lösungsmittel herauslösen.

Auslaut *m*, letzter Laut v. Silbe od. Wort.

Ausleger *m, Technik:* **1)** bei Brücken, Kränen od. Booten der über die Unterstützung hinausragende Träger, feste od. bewegliche Arm. Bei *A.brücken* ruht ein Mittelträger auf den weit ausladenden Enden der Seitenträger. – **2)** typische Form des Bootbaus in Indonesien u. in der Südsee. Balken aus leichtem Holz wird parallel zum Bootskörper durch Querbalken auf dem Wasserspiegel geführt, verhindert Kentern; *einfache* u. *Doppel-A.*

Auslegung *w, Interpretation,* Erforschung des Sinns v. Schriftwerken (z.B. Bibel, → Exegese, → Hermeneutik) od. Rechtsnormen unter Zugrundelegung ihres Wortlauts, Zwecks u. systemat. Zusammenhangs sowie des Willens des Gesetzgebers.

Auslese *w*, **1)** *Biol.:* natürliche A. → Selektion; künstliche A. → Züchtung. – **2)** *Sozialanthropol.:* das übermäßige Anwachsen einer Gruppe im Vergleich zu einer andern innerhalb einer Gesamtheit. – **3)** *Psychol.:* Auswahlverfahren nach Qualitätsrang, z.B. die A. v. Betriebsangehörigen hinsichtl. der Bestgeeigneten für einen bestimmten Arbeitsplatz. – **4)** *Weinbau:* Wein aus vollreifen, trocken geernteten, bes.

ausgelesenen, mit Edelfäule befallenen od. geschrumpften Trauben.

Auslieferung *w*, **1)** *Handel:* Warenlieferung. – **2)** *Post:* Übergabe der Sendungen an den Empfänger. – **3)** *Völkerrecht:* Übergabe v. Straffälligen an fremde Staaten zwecks Strafverfolgung od. -vollstreckung; setzt Antrag des ausländ. Staats voraus; keine A. eigener Staatsangehöriger; Asylrecht des GG der BRD schützt auch politisch verfolgte Ausländer vor A. od. Ausweisung.

Auslobung *w*, öffentl. Versprechen einer Belohnung für Vornahme einer bestimmten Handlung (z.B. Ermittlung eines Straftäters).

Auslösemechanismus *m, Verhaltensforschung: angeborener A. (AAM),* angeborene spezifische Reaktion bei Tieren, die durch Instinktbewegungen od. Erkennungssignale der Artgenossen ausgelöst wird, z.B. die angeborene Reaktion ,Füttern' bei Vogeleltern durch die rote Färbung der Schnabelinnenseite bei den Jungvögeln, also durch ein Farbsignal (→ Lorenz, K.); → Schlüsselreiz.

Auslosung *w*, **1)** Gewinnziehung einer Lotterie. – **2)** jährliche Ziehung zur Rückzahlung (Amortisation) eines bestimmten Teils einer → Anleihe, nam. zur Tilgung v. öffentl. Anleihen, meist in Nummerngruppen od. Serien.

Ausnahmegerichte (Mz.), Sondergerichte außerhalb der ordentl. u. außerordentl. Gerichtsbarkeit zur Entscheidung v. Einzel- od. Sonderfällen (z.B. nat.-sozialist. → Volksgerichtshof); in der BRD nach dem GG unzulässig.

Wein, der aus überreifen oder edelfaulen Trauben nach Ende der allgemeinen Weinlese gewonnen wird, bezeichnet man als Auslese

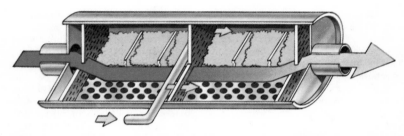

Auspuff. Die durch Verbrennung entstandenen Gase werden durch den Absorptionsfilter geleitet, in den zusätzliche Frischluft angesaugt wird. Die zweite Kammer dient als Resonanzschalldämpfer. An dessen Ende tritt das gereinigte Abgas aus

Ausnahmegesetze (Mz.), **1)** bestimmte Gruppen diskriminierende Sondergesetze; verstoßen gg. das Prinzip der Gleichheit vor dem Gesetz. – **2)** Notstandsgesetze bei Ausnahmezustand.

Ausnahmezustand *m,* staatl. Notstand (Krieg, Aufruhr, Epidemien, Naturkatastrophen), der außergewöhnliche Maßnahmen erzwingt.

Ausonius, *Decimus Magnus,* röm. Dichter, etwa 310–393; beschrieb eine Moselfahrt: *Mosella.*

Auspizien (lat., Mz.), **1)** Beobachtung des Vogelflugs durch die röm. Auguren zur Erkundung des Götterwillens. – **2)** *allg.:* Aussichten.

Auspuff *m,* Vorrichtung zur Ableitung der Verbrennungsgase bei Verbrennungsmotoren od. des Dampfs bei Dampfmaschinen ins Freie.

Auspufftopf *m,* Vorrichtung zur Schalldämpfung, die in die Auspuffleitung eingebaut ist.

Ausrufungszeichen *s,* Satzzeichen (!) nach Wörtern od. Sätzen mit Ausruf, Wunsch od. Befehl; auch nach der briefl. Anrede üblich.

Aussaat *w,* **1)** *natürl. A.:* Selbstverbreitung v. Pflanzen(arten) durch Samen od. Sporen. – **2)** Ausstreuen od. Legen v. Saatgut durch Menschenhand.

Aussage *w,* **1)** *allg.:* sprachl. Wiedergabe eines Sachverhalts, der subjektiven Bedingungen, wie Zeit, Interesse, Alter, Geschlecht usw., unterliegt. – **2)** *Logistik* u. *Math.:* sprachl. Ausdruck bzw. mathemat. Satz im Sinn einer für sich alleinstehenden Behauptung, die wahr od. falsch sein kann; → Aussagenlogik.

Aussagenlogik *w,* das Regel- u. Methodensystem der Überprüfung v. → Aussagen 2) in bezug auf Wahrheit od. Falschheit. Diese ergibt sich aus der Wahrheit od. Falschheit der Teilaussagen u. aus der Art ihrer Verknüpfung, z.B. ,und', ,oder', ,wenn, dann', ,genau dann, wenn'.

Aussagepsychologie *w, psycholog.* Teildisziplin, v. A. Binet u. W. Stern 1903 begr., befaßt sich mit der Analyse v. Aussagen u. dem, der sie macht, vor allem zum Zweck der Wahrheitsfindung (→ Forensische Psychologie); Methoden: bes. Test u. Verhaltensbeobachtung, auch → Lügendetektor.

Aussatz *m,* → Lepra.

Ausschabung *w,* → Auskratzung.

ausschalen, *Bauw.:* Lehrgerüst bzw. Schalung v. Betonkonstruktionen entfernen.

Ausschalung *w,* Wandverkleidung mit Holz; Entfernen v. Betonschalbrettern.

Die Aussaat erfolgt heute meist maschinell, wie hier das Auslegen der Saatkartoffeln

Ausscheidung *w*, 1) *Med.:* Absonderung. – 2) Kristallbildung bei Abkühlung v. Metallschmelzen, auch Bildung neuer Kristallarten bei Abkühlung v. festen Legierungen.

Ausscheidungsgewebe *s*, *Bot.:* Ausscheidungsprodukte abgebendes Pflanzengewebe.

Ausscheidungskämpfe (Mz.), sportl. Wettkämpfe zur Feststellung der Endkampfteilnehmer.

Ausscheidungsorgane (Mz.), die → Exkretionsorgane.

Ausschlag *m*, *Exanthem*, Krankheitserscheinungen auf der Haut (Flecken, Pusteln, Knötchen, Ekzeme).

Ausschlagung *w*, *A. der Erbschaft*, → Erbfall.

Ausschließung *w*, 1) Verhinderung einer Gerichtsperson an Amtsausübung wegen mögl. Befangenheit (Verwandtschaft, persönl. Beziehung zu Prozeßpartei od. -sache). – 2) Räumung des Gerichtssaals v. Publikum bei Gefährdung der öff. Ordnung, Sittlichkeit u.a.

Ausschluß *m*, im Buchdruck mit Bleisatz niedrige Lettern (ohne Schriftbild) für die Wortzwischenräume in der Zeile.

Ausschuß *m*, 1) *Technik:* wegen Werkstoffod. Herstellungsmängeln ausgesonderte Halb- u. Fertigfabrikate. – 2) aus größerer Körperschaft gewähltes Gremium zur Bearbeitung v. Einzelfragen.

Ausschüttung *w*, 1) Gewinnverteilung an die Gesellschafter eines Unternehmens. – 2) Verteilung der Konkursmasse an die Gläubiger u. ä.

Ausschwitzung *w*, *Exsudation*, Austreten flüssiger Blutbestandteile *(Exsudat)* aus den Blutgefäßen bei Entzündungen.

Aussee, *Bad Aussee*, → Bad Aussee.

Außenbordmotor *m*, Verbrennungsmotor zum Antrieb kleinerer Schiffe, bei dem die Schiffsschraube unmittelbar auf der verlängerten Motorwelle sitzt u. der an der Schiffsaußenwand befestigt wird.

Außenhandel *m*, gesamte Ein- u. Ausfuhr eines Landes, zwischenstaatlich durch bi- u. multilaterale Handelsverträge geregelt; A. bestimmt Außenwert einer Währung; *Handelsbilanz* gibt Übersicht über A. eines Staats. Der A. kann durch private Unternehmen sowie staatliche u. private Institutionen getätigt werden. Der internat. Güteraustausch ist Ergebnis der zwischenstaatl. Arbeitsteilung u. fördert unter normalen Bedingungen den Wohlstand aller beteiligten Länder durch optimale Nutzung der Produktionsquellen. A. umfaßt auch den internat. Dienstleistungs- u. Kapitalverkehr.

Außenhandelsbanken (Mz.), Banken für die finanzielle Abwicklung v. Ein- u. Ausfuhrgeschäften.

Außenhandelsmonopol *s*, Monopol eines Staats od. einer v. ihm bestimmten Gesellschaft für den gesamten Außenhandel eines Staats.

Außenhandelsstatistik *w*, die statist. Erfassung des Außenhandels.

Außenheirat *w*, die → Exogamie.

Außenpolitik *w*, Regelung der Beziehungen der Staaten untereinander u. der inter-

Außenbordmotoren werden besonders bei Kleinbooten verwendet. So bei Falt- und Schlauchbooten zum Wasserwandern und Fischen. Beliebt sind Außenbordmotorbootrennen

Auße

nat. Organisationen; umfaßt politische, wirtschaftl., rechtl., kulturelle u. militär. Beziehungen mit dem Ziel der Wahrung nationaler Interessen innerhalb der internat. Ordnung. – Ggs.: → Innenpolitik.

Außenseele w, seel. Kraft eines Menschen, die in ein Tier verlegt wurde, so daß mit dem Tod des Tiers auch der Mensch stirbt, da er seine Kraft verliert. → Totemismus.

Außenseiter m, Soziol.: Zugehöriger zu einer Gruppe od. Gesellschaft, der sich entweder selbst v. den gemeinschaftl. Aktivitäten ausschließt od. v. den andern Mitgliedern abgelehnt u. ausgeschlossen wird. Gründe dafür können sein: äußere Merkmale od. extreme, abweichende Vorstellungen, Meinungen u. Verhaltensweisen.

Außenstände (Mz.), noch nicht beglichene Forderungen an den Schuldner.

Beispiele für Außenwinkel

Außenweltbewußtsein s, → Bewußtsein.

Außenwinkel m, Winkel eines Vielecks, der durch die Verlängerung einer Seite entsteht. Die Summe der A. ist immer gleich 360°.

Außenwirtschaft w, Handels-, Kapital- u. Zahlungsverkehr eines Lands mit andern Ländern.

außereheliche Kinder → nichteheliche Kinder.

Äußere Mission, Verkündigung der christl. Lehre an nichtchristliche Völker.

außergalaktische Nebel (Mz.), → Nebel.

außergewöhnliche Belastungen (Mz.), die zumutbare Eigenbelastung übersteigenden Sonderaufwendungen für Krankheiten, Aussteuer, Geburt, Todesfall u.a.; in Einkommen- u. Lohnsteuer auf Antrag zu berücksichtigen.

außerordentlicher Haushaltsplan → Haushaltsplan.

außerordentlicher Professor, a.o. od. ao.

P., Inhaber eines planmäßigen außerordentl. Lehrstuhls an Univ. od. anderer Hochschule.

außerordentliches Gericht, das → Ausnahmegericht.

Außerrhoden, Halb-Kt. v. → Appenzell.

außersinnliche Wahrnehmung → Parapsychologie.

Aussetzung w, **1)** bei *Naturvölkern:* Ausstoßung einzelner wegen Krankheit, Alter u.a., bes. in Notzeiten. – **2)** strafbare Gefährdung des Lebens eines Hilflosen durch Verbringen eines Menschen in eine hilflose Lage od. Verlassen in einer solchen. – **3)** *Prozeßrecht:* Stillegung od. Unterbrechung eines laufenden Verfahrens.

Aussiedlung w, *Hofaussiedlung,* Verlegung eines Bauernhofs als *Aussiedlerhof* in günstigere Lage zu den zugehörigen Feldern od. mit Zusammenschluß v. Feldern in Zusammenhang mit einer Flurbereinigung.

Aussig, tschech. *Ústí nad Labem,* tschechoslowak. Stadt in Nordböhmen, an der Elbe, Hst. der Prov. Nordböhmen, 79 000 E.; bedeut. Hafen; vielseitige Industrie.

Aussonderung w, → Konkurs.

Aussperrung w, Arbeitskampfmittel der Arbeitgeberseite, die dem → Streik auf der Arbeitnehmerseite entspricht; führt zum Ausschluß auch der arbeitswilligen Arbeiter ohne Wiedereinstellungspflicht.

Ausstand m, → Streik.

Ausstattung w, **1)** *Familienrecht:* Zuwendung der Eltern an ein Kind zur Selbständig-

Jane Austen

machung od. Erhaltung der Selbständigkeit; *Aussteuer* an die Tochter bei ihrer Heirat; auf A. besteht kein Anspruch; im Erbfall ist sie ausgleichpflichtig. – **2)** A. einer *Anleihe:* Angabe über Zinsen, Ausgabe- u. Rückzahlungskurs. – **3)** *Theater:* die Requisiten, Masken, Dekorationen für die Inszenierungen.

Ausstellung *w,* öffentl. Zurschaustellung v. Kunst-, Gewerbe- u. Industrieprodukten in Fach- u. allg. A.en; dient zu Unterrichtung, Werbung, Förderung, Aufklärung u. Verkauf (Märkte, Messen). → Weltausstellung.

Aussterben *s,* vollständiger Untergang v. Tier- u. Pflanzenarten: lokal beschränkt od. auf der gesamten Erdoberfläche (so Mammut, Riesenhirsch u.a.); bedingt durch klimat. Änderungen, Austrocknung v. Binnengewässern u. Meeresteilen, Überflutung großer Gebiete, Auftreten neuer Feinde, Entartung od. sonstige natürl. Vorgänge, wie *Artenalterung,* schließlich Ausrottung durch den Menschen.

Aussteuer *w,* → Ausstattung.

Aussteuerung *w,* das Erlöschen der Ansprüche auf Versicherungsleistungen u. Unterstützungen, z.B. in der gesetzl. Krankenversicherung.

Aussteuerversicherung *w,* terminisierte Lebensvers. zur Bereitstellung einer für Aussteuer, Existenzgründung od. Studium eines Kinds benötigten Geldsumme.

Ausstrahlung *w,* Wärmeausstrahlung durch die Erdoberfläche u. die Atmosphäre während der Nacht. Die unteren Schichten der Erdatmosphäre kühlen sich dabei ab.

Austarierung, Ausgleich des Gewichts des Gefäßes beim Wiegen durch Gegengewicht.

Austastlücke *w,* für die Übertragung des Fernsehbilds nicht benötigter Teil des Bildschirms. Diese Bildzeilen (etwa 20) können zur Übertragung anderer Signale, die mit Hilfe eines speziellen → Decoders sichtbar gemacht werden, verwendet werden. Auf diese Weise können z.B. stehende Bilder od. Schriftseiten zusätzlich übertragen werden.

Austauschbau *m,* im Maschinenbau übliche Herstellungsweise, ermöglicht beim Zusammenbau od. bei Reparaturen, bestimmte Teile ohne weitere Bearbeitung zu ersetzen; z.B. Austauschmotor.

Die Auster kommt in flachen Küstengewässern vor. Künstliche Zucht der Auster ist eines der ältesten Beispiele der Aquakultur, die schon von den Römern betrieben wurde. Aus dem Laich gezogene junge Austern werden in einen sogenannten Austernpark umgesetzt. Hier ernähren sie sich von Plankton. Nach 18 Monaten werden die Parks abgefischt. Die Austern werden nun in Mastgärten gebracht, wo sie bis zu 5 Jahre bleiben. Alljährlich setzen sie eine neue Schicht an. Wenn sie ,gepflückt' worden sind, werden sie noch kurze Zeit zum Reinigen ins Meerwasser versetzt

Austauschertherapie *w,* Behandlung v. Krankheiten mit Ionenaustauschern.

Austauschkräfte, Kräfte, die zw. Elementarteilchen wirken u. sie zusammenhalten.

Austauschstoffe (Mz.), → Ersatzstoffe.

Austauschtransfusion *w,* Ersatz v. schwerkrankem Blut (z.B. bei Neugeborenen mit Erythroblastose) durch gesundes gruppengleiches Blut in fast der gesamten Menge.

Austen (:ǻßt'n), *Jane,* engl. Schriftstellerin, 1775–1817; realist.-iron. Romane des Landlebens. – WW: u.a. *Stolz u. Vorurteil* (1796/97); *Sense and Sensibility* (1811); *Mansfield Park* (1814).

Auster *w,* Muschelgattung, oft in Kolonien (*A.nbänke*) am Meeresboden festgewach-

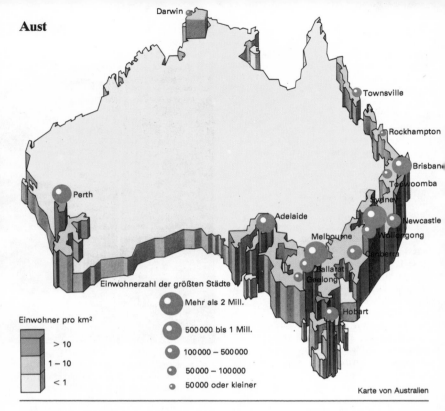

Darwin

Townsville

Rockhampton

Brisbane

Toowoomba

Perth

Sydney

Adelaide

Newcastle

Melbourne

Wollongong

Canberra

Ballarat

Geelong

Hobart

Einwohnerzahl der größten Städte

Einwohner pro km²

> 10

1 – 10

< 1

Mehr als 2 Mill.

500 000 bis 1 Mill.

100 000 – 500 000

50 000 – 100 000

50 000 oder kleiner

Karte von Australien

sen; eßbar, daher weitverbreitete *A. nzucht;*
ausgewachsene A. kann in einer Brutperiode über 1 Mill. Junge hervorbringen; verschied. Arten, in der westl. Nordsee, an westeurop. Atlantikküste u. in Nordamerika gezüchtet.

Austerity *w* (: åß-, engl.), staatl. Politik der Sparsamkeit.

Austerlitz, tschech. *Slavkov u Brna,* tschechoslowak. Stadt in Südmähren, 5000 E. – 1805 Dreikaiserschlacht, Sieg Napoleons über Russen (Zar Alexander I.) u. Österreicher (Ks. Franz II.).

Austernfischer *m,* an Meeresküsten Mittel- u. Nordeuropas lebender, schwarz-weiß gefärbter Schnepfenvogel; taubengroß; ernährt sich v. Würmern, Krabben u. Muscheln.

Austernpilz *m, Muschelpilz,* oben dunkler, unten weißer Blätterpilz; eßbar.

Austin (: åßt'n), Hst. des Staats Texas (USA), am Colorado River, 252000 E.; 2 Univ.; Zentrum v. Handel u. Verkehr; vielseitige Industrie; Flughafen.

Austin (: åßt'n), **1)** *Alfred,* engl. Schriftsteller, 1835–1913; Romane, Dramen, Satiren. – **2)** *Darrel,* am. Maler, *1907; moderne Landschaften. – **3)** *John,* engl. Jurist, 1790– 1859; einflußreicher positivist. Rechtsgelehrter. – **4)** *Warren Robinson,* am. Politiker, 1888–1962; unterstützte Roosevelt; 1946–53 Vertreter der USA im Sicherheitsrat.

austral (lat.), südlich.

Australasien, der Malaiische Archipel.

Australasiatisches Mittelmeer, Teil des Pazif. Ozeans, zw. Südostasien u. Australien.

Australide (Mz.), Menschenrasse Australiens, schlank, braunhäutig, verhältnismäßig klein, Männer stark behaart, muskulös, mit schmalem, langem Schädel u. niedriger, fliehender Stirn, welligem dunklem Haupthaar; Nase flach u. breit, Unterkiefer vorgeschoben; tiefliegende dunkle Augen; Sammler u. Jäger, an den Flüssen u. an der Küste Fischer; Totemismus u. Zauberglaube; mit eigenen verschied. Sprachen (Dialekten).

318

Australien, kleinster Kontinent der Erde, südl. des Äquators, 7,687 Mill. km², 14,25 Mill. E.; Hst. des *Austral. Bunds:* Canberra; Bundesstaat im brit. Commonwealth of Nations, umfaßt den Kontinent A. u. Tasmanien (6 Bundesländer) mit 1 Territorium u. 1 Bundesdistrikt sowie vorgelagerte Inseln. – A. weist geringe Gliederung auf, Küsten auf weite Strecken verkehrsfeindlich; flachschüsseliges Tafelland mit im O stärker erhöhtem Rand. Drei Hauptlandschaften. Randgebirge (im Mt. Kosciusko 2234 m hoch); Mittelaustral. Tiefland, v. einzelnen Bergzügen (Musgrave, Macdonnell Ranges) überragt; Westaustral. Tafelland. – *Klima:* Binnenklima mit heißen Sommern, kalten Wintern; N u. NO feuchtheiß, S u. SO warm gemäßigt, SW Winterregen. 50% abflußlose Trockengebiete, periodische Flüsse u. Seen; Hauptfluß: Murray-Darling; große Grundwasserbecken. – Die *Pflanzen*- u. *Tierwelt* umfaßt u.a. sehr alte, nur noch in A. anzutreffende Arten: Gras- u. Flaschenbaum, Kasuarine; Beutel-, Kloakentiere, Lungenfisch, Emu. – Über die Hälfte der großteils anglikan. *Bevölkerung* lebt in den Städten im O, S u. SW, die etwa 100000 Eingeborenen sind Sammler u. Jäger im Innern v. A. – *Wirtschaft:* durch Schafzucht bedeutendstes Wolland der Erde, im O u. SO Landwirtschaft (Weizen, Mais, Zuckerrohr, Obst u.a.). Bodenschätze: Kohle, Eisen, Gold, Silber, Kupfer, Blei, Nickel, Bauxit, Phosphate, Edelsteine, Erdöl u. Erdgas; Eisen-, Stahl-, Masch.-, Textil-, Nahrungsmittel- u.

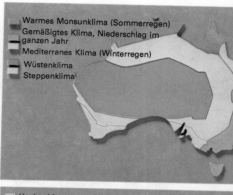

Die Klimazonen Australiens (oben) und die topographische Gestalt des Erdteils (unten)

Tanzritual der australischen Eingeborenen aus Anlaß der Beschneidung. Durch sie werden die jungen Männer als vollwertige Männer in die Gemeinschaft des Stamms aufgenommen

Die Wolle des Merinoschafs ist einer der wichtigsten Ausfuhrartikel Australiens. In Neusüdwales leben etwa 180 Millionen Schafe

sonstige Ind.; Ausfuhr haupts. v. Wolle u. landwirtschaftl. Produkte. – Bedeut. Straßen- u. Flug*verkehr,* nur an SO-Küste dichteres Bahnnetz. – *Geschichte.* A. 1601–44 v. Holländern (Neuholland), Portugiesen u. Spaniern entdeckt; 1770 Ostküste v. J. Cook für Engl. in Besitz genommen; 1788–1840 engl. Strafkolonie; ab Mitte 19. Jh. starke europ. Einwanderung; 1901 Gründung des Commonwealth of Australia aus den 6 ehem. Kolonien; im 1. u. 2. Weltkrieg auf Seite Englands. 1951 Abkommen v. San Francisco mit den USA u. Neuseeland (ANZUS); auch im Südostasienpakt v. 1954 (SEATO).

Australier (Mz.), amtl. engl. *Australian Aborigines,* eig. die eingeborene Bev. Australiens (Australide); Wildbeuter, Sammler, Jäger u. Fischer; Behausung sind Windschirm u. Bienenkorbhütte; Magie, Totemismus u. Animismus; kultureller Stand zw. Alt- u. Jungsteinzeit.

Australische Alpen, höchstes Gebirge Australiens, Teil des Ostaustral. Randgebirges, mit Mt. Kosciusko (2234 m).

Australische Bucht, *Große A.B.,* Meeresbucht an der Südküste v. Australien.

Australischer Bund → Australien.

australische Sprachen, Sprachen bzw. Dialekte der Ureinwohner Australiens; mit andern Sprachgruppen nicht verwandt.

Australopithecus *m* (lat.), aufrecht gehen-

der Prähominine, aus zahlr. Knochenfunden in Afrika (seit 1934) fixiert; mit menschenähnlichem Gebiß.

Austrasien, *Austrien,* Ostfranken.

Austreibung *w, A.speriode, Med.:* in der Geburtshilfe die Endphase vom Austritt des kindl. Kopfs durch den äußeren Muttermund bis zur völligen Geburt.

Austria *w,* lat. Bez. für Österreich.

Austrian Airlines (: åßtriᵉn äᵉᵉlains, engl.), *AUA,* österr. Luftverkehrsgesellschaft; Sitz: Wien.

Austria Presse Agentur *w, APA,* österr. Nachrichtendienst; Sitz: Wien.

Austriazismus *m* (nlat.), österr. Spracheigenheiten der dt. Umgangssprache.

Austrien → Austrasien.

austrische Phase, *Geol.:* Faltungsvorgang am Ende der unteren Kreide.

austrische Sprachen, zusammenfassende Bez. für die großen *austroasiatischen* u. *austronesischen* Sprachgruppen. Zu den weit verstreuten austroasiat. Sprachen in Vorder- u. Hinterindien gehören Semang v. Malakka, Mon- u. Khmer-Sprachen in Kambodscha, Munda-Sprachen, zerstreut in Vorderindien, Khasi in Assam, Nikobarisch usw.; zu den austrones. S. (v. Humboldt malaio-polynesische genannt) gehören die indonesischen, melanesischen u. polynesischen Sprachen, das Madegassische auf Madagaskar, die Sprachen v. Formosa u. den Philippinen, das Malaiische, das Javanische u. die sog. ozeanischen Sprachen der Inselwelt des Stillen Ozeans. Nicht a.S.: Papuasprachen Neuguineas u. australische Sprachen der Urbevölkerung Australiens.

Austrittsarbeit *w,* Arbeit, die geleistet wird, wenn ein Teilchen die Oberfläche eines Körpers verläßt; z.B.: Verdampfen v. Molekülen, Lösung v. Elektronen aus einer Metalloberfläche (→ Lichtelektrischer Effekt).

austroasiatische Sprachen → austrische Sprachen.

austrocknende Mittel (Mz.), *Exsiccantia,* Arzneimittel zum Entzug v. Feuchtigkeit, z.B. Puder auf der Haut.

Austrofaschismus *m,* politische Bewegung in Österreich nach 1. Weltkrieg, am it. Faschismus orientiert.

Austromarxismus *m* (nlat.), in Österr. vertretene Richtung des Marxismus zw. 1904 u.

1934 (M. Adler, O. Bauer, K. Renner, R. Hilferding); wendet sich gegen → Revisionismus u. → Bolschewismus; Ziel des A. ist die klassenlose sozialist. Gesellschaft, die sich durch die zunehmende Vergesellschaftung der Produktion u. durch die wachsende staatl. Kontrolle im Wirtschaftsbereich v. selbst durchsetze. Philosophisch knüpfte man an Marx u. Kant an, d.h., man versuchte, anhand der Erkenntniskategorien v. Kant aus der Theorie v. Marx eine ‚Theorie der sozialen Erfahrung' zu machen.

austronesische Sprachen → austrische Sprachen.

Ausverkauf *m,* verbilligter Warenverkauf; **1)** Total-A. bei Geschäftsaufgabe. – **2)** Teil-A. bei Räumung eines Teils des Warenlagers. – **3)** Saisonschlußverkauf (Sommer-, Winterschlußverkauf).

Auswahlverfahren (Mz.), Methoden zur Auswahl v. Elementen (Personen) aus einer → Population (Grundgesamtheit), die Rückschlüsse v. der Auswahl (→ Stichprobe) auf die Grundgesamtheit erlauben, z.B. v. den Merkmalen ausgewählter Bewohner der BRD auf alle Bewohner der BRD; → Zufallsauswahl, → Quotenauswahl.

Auswanderung *w,* Verlassen des eigenen Staats auf Dauer zur Ansiedlung in einem fremden Staat; freiwillig aus wirtschaftlichen u. andern Gründen, gezwungen aufgrund v. politischer, religiöser od. rassischer Verfolgung (→ Emigration).

Auswanderung aus Deutschland	
1871–1880:	62597, davon 55587 nach USA
1901–1910:	27965, davon 25517 nach USA
1933–1945:	stark zurückgegangen
	(1936/37: 14697)
1946–1954:	61614, davon 17881 nach USA

auswärtige Angelegenheiten, der Bereich der staatlichen Außenpolitik.

Auswärtiges Amt, das Außenministerium der BRD unter dem Bundesmin. des Auswärtigen; Sitz: Bonn.

Auswaschung *w, Chemie:* Übergießen mit nichtlösender Flüssigkeit.

Ausweichkurs *m,* an der Börse genannter Scheinkurs, um Börsenkurs zu beeinflussen.

Ausweisung *w,* Entzug der Aufenthalts- od. Niederlassungsgenehmigung für Ausländer; ggf. zwangsweise *Abschiebung.*

Auswertung *w, Sozialwiss.:* die Bearbeitung v. Rohdaten, die durch Methoden der Datenerhebung (Beobachtung, Test, Befragung, Experiment usw.) anhand statistischer Verfahren gewonnen wurden.

Auswinterung *w, Auswintern,* winterlicher Saatverlust an Wintergetreide, Raps u.a. durch Ausfrieren, Erfrieren od. Fäulnis.

Auswuchs *m,* vorzeitiges Keimen v. Getreidekörnern bei feuchtwarmer Luft.

Auswurf *m, Sputum,* Entfernung v. Absonderungen der Luftwege durch Husten, Räuspern; Diagnose des A. klärt eventuelle Lungen- od. Luftröhrenerkrankung.

Auszehrung *w,* die Lungentuberkulose.

Auszubildender *m,* Bez. für *Lehrling* u. *Anlernling* im → Berufsbildungsgesetz v. 1969 (1979), das Rechte u. Pflichten des Auszubildenden festlegt (→ Berufsausbildungsverhältnis).

Autarch *m* (gr.), der Selbstherrscher.

Autarkie *w* (gr., ‚Selbstgenügsamkeit'),

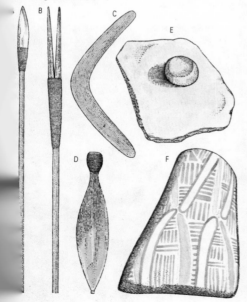

Die Aborigines (Australiden) leben vom Jagen, Fischen und Sammeln. Die Männer verwenden beim Jagen und Fischen u. a. Speere (A), Speerkeulen (D), Bumerangs (C) und Fischspeere mit zwei Spitzen (B). Die Frauen sammeln pflanzliche Nahrung mit Hilfe von Stöcken, hölzernen Tragebrettern, Mahlsteinen (E) und großen Tragetaschen (F)

Aute

Versorgung der Wirtschaft eines Landes mit allen erforderlichen Gütern ohne Inanspruchnahme ausländischer Märkte. Vielfach Ziel auf wirtschaftl. Unabhängigkeit gerichteter Politik totalitärer Staaten; Gegenpol völkerverbindenden Außenhandels.

Auteuil (:otöj), westl. Stadtteil v. Paris, bekannt durch Pferderennbahn am Bois de Boulogne.

Authari, Langobardenkönig, † 590; seit 584 Kg.; wehrte Byzantiner u. Franken ab; Gattin Theodelinde v. Bayern.

authentifizieren (gr.-lat.), nach Form beurkunden.

authentisch (gr.), echt, glaubwürdig.

authentisieren (gr.-lat.), beglaubigen.

Authentizität w (gr.), Glaubwürdigkeit, Echtheit.

Autismus m (gr.), Ich- od. Selbstbezogenheit, das Sichabschließen v. der Umwelt u. Verhaftetsein in der eigenen Phantasiewelt; tritt bei der Schizophrenie als traumhaftes, auch unlogisches Denken u. umweltabgewandtes Verhalten auf; bei Kindern schwere Kontaktstörung, die sich sehr negativ auf die geistige, vor allem sprachl. Entwicklung auswirkt.

autistisch (gr.), den Autismus betreffend.

auto... (gr.), in Zusammensetzungen: selbst..., eigen...

Auto s (gr.), **1)** *Automobil,* → Kraftwagen. – **2)** (span., ,Akt'), feierl. Akt; geistl. Spiel.

Autobahn w, nur dem Schnellverkehr mit Kraftfahrzeugen dienende kreuzungsfreie Straßen mit getrennter Fahrbahn.

Autobiographie w (gr.), *Selbstbiographie,* Beschreibung des eigenen Lebens; die biograph. Methode dient der Charakter- u. Persönlichkeitsanalyse; A. als Analyseinstrument bedarf der Berücksichtigung, daß es sich hierbei um ein subjektives Wunschbild handelt.

Autobus m (gr.-lat.), *Bus, Omnibus,* Kraftfahrzeug zur Personenbeförderung (ab 8 Personen).

Autocar m (:otokar, frz.), der Omnibus.

Autochromverfahren s, Verfahren zur Herstellung farbgetreuer Bilder zur Projektion.

autochthon (gr.: *auto,* ,selbst', *chthon,* ,Erde'), **1)** *allg.:* bodenständig, an Ort u. Stelle entstehend. – **2)** *Geol.:* Gesteine, die sich noch am Ort ihrer Entstehung befinden. – **3)** *Psychol.:* aus sich selbst heraus entstehend, z. B. *autochthone Handlungen,* Handlungen mit Eigenmotivation, die aufgrund der ihnen innewohnenden Dynamik gesteuert werden.

Autobahnen sind kreuzungsfreie Schnellstraßen mit getrennten Fahrbahnen. Die erste in Deutschland wurde 1931 zwischen Köln und Bonn eröffnet

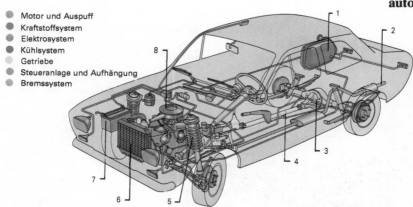

- Motor und Auspuff
- Kraftstoffsystem
- Elektrosystem
- Kühlsystem
- Getriebe
- Steueranlage und Aufhängung
- Bremssystem

Aufbau eines Autos mit Heckantrieb und Frontmotor: 1. Benzintank, 2. Auspuff, 3. Differential, 4. Kardanwelle, 5. Stoßdämpfer, 6. Kühler, 7. Akku, 8. Luftfilter

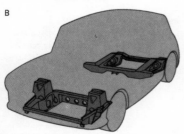

Selbsttragendes Chassis (A) – Bei andern Konstruktionen ist die Karosserie flexibel mit dem Rahmen verbunden (B)

Frontmotor (A), Heckmotor (B) und Mittelmotor (C). Letztere Anordnung vor allem bei Rennwagen

autochthone Ideen (gr., Mz.), Ideen mit Zwangscharakter, die als eingegeben erlebt werden, in gesteigerter Form bei Neurosen u. Psychosen.

Autochthonen (gr., Mz.), Ureinwohner eines Lands.

Autodafé *s* (portug.), Ketzergericht u. -verbrennung; die Verkündung u. Vollstreckung des Urteils eines Inquisitionsgerichts.

Autodidakt *m* (gr.), Person, die ihr Können u. Wissen durch Selbstunterricht erworben hat.

Autoerotik *w* (gr.), → Autoerotismus.

Autoerotismus *m* (gr.), das Bedürfnis nach Eigenerotik, eine Erotik, die auf die eigene Person bezogen ist, bei Kindern od. auch bei narzißtisch fixierten Erwachsenen; bei S. → Freud allg. frühkindl. Vorstufe der Objekterotik.

Autogamie *w* (gr.), **1)** *Bot.:* Selbstbestäubung bei Pflanzen. – **2)** Verschmelzen v. zwei Zellkernen in einer ungeteilten Zelle; → Zwitterbildung.

autogen (gr.), aus sich selbst entstanden.

autogenes Schneiden, das Schneiden v. Metallen durch die Hitze einer Gasflamme.

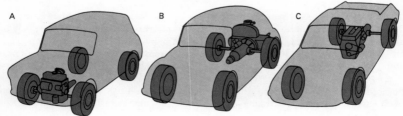

Der Doppeldecker-Autobus ist typisch für das englische Stadtbild

autogenes Schweißen, *Gasschmelzschwei-ßen,* Verbindung v. Metallen in der Hitze einer Gasflamme.

autogenes Training (gr.-engl.), autohypnotische Methode der Selbstentspannung (v. J. H. → Schultz entwickelt), bei der man durch stufenweise abgestimmte Konzentrationsübungen zu einer immer größeren Körperbeherrschung kommt, die sich auf autonome Funktionen (z.B. Schmerzabstellung), auf Leistungssteigerungen (z.B. Steigerung der Gedächtnisleistung) u. auf die Fähigkeit zur versenkten Selbstschau im Sinn psychotherapeut. Selbstbeeinflussung bezieht.

Einfaches Modell eines Autogiro

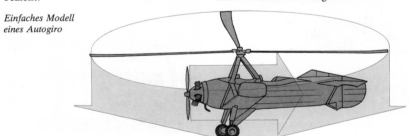

Autogiro *s* (:-chiro, gr.-span.), *Autogyro,* Flugzeug, das mit Hilfe v. Tragflügeln, die um eine senkrechte Achse rotieren, startet u. landet. Während des Flugs wird das A. durch Propeller an der Rumpfspitze angetrieben, während die Tragflügel ohne Motorantrieb durch den Flugwind rotieren.
Autogonie *w* (gr.), → Urzeugung.

Autogramm *s* (gr.), **1)** eigenhändige Unterschrift. – **2)** → Autograph.
Autograph *s* (gr.), *Autogramm,* Unterschrift od. Originalhandschrift zum Unterschied v. Abschrift (Kopie); A.e v. berühmten Persönlichkeiten sind v. kulturhistor. Interesse. *A.sammlungen* in Museen, Bibliotheken, Archiven u. bei Liebhabern.
Autographie *w* (gr.), veralt. Vervielfältigungsverfahren; mit Fettinte geschriebener Text od. Zeichnung wird auf Stein- od. Zinkplatte übertragen, v. der dann Abzüge gemacht werden.
Autogyro *s* (gr.), → Autogiro.
Autohypnose *w* (gr.), Selbsthypnose durch → Autosuggestion od. optische, akustische od. Berührungsreize. – Ggs.: *Heterohypnose.*
Autoinfektion *w* (gr.-lat.), Selbstinfektion (Selbstansteckung) durch Verbreitung v. schon vorhandenen Erregern, z.B. v. Eiter bei Furunkulose.
Autointoxikation *w* (gr.-lat.), Selbstvergiftung des Organismus durch Stoffwechselprodukte u. -schlacken, z.B. bei Harnvergiftung (→ Urämie).
Autokatalyse *w* (gr.), Selbstbeschleunigung einer chem. Reaktion, ausgelöst durch einen aus ihr selbst hervorgegangenen Katalysator.
autokephal (gr.), selbständig; mit eigenem kirchlichem Oberhaupt (nationale Kirchen der Ostkirche) u. administrativer wie jurisdiktioneller Selbständigkeit.

Autokinese *w* (gr.), Eigenbewegung.
autokinetisches Phänomen (gr.), die Wahrnehmung, daß sich ein Lichtpunkt nach längerem Betrachten in einem dunklen Raum zu bewegen scheint als Folge der → Autokinese der Augen.
Autokino *s* (gr.), Freilichtkino auf Parkplätzen; man sieht den Film vom Auto aus.

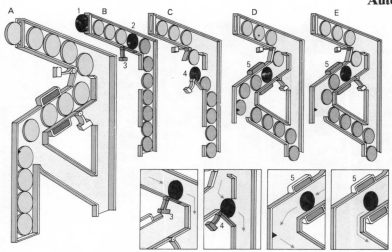

Funktion eines Münzautomaten: die Münze passiert den Münzkontrolleur, der Gewicht, Format und magnetische Eigenschaften der Münze prüft. Der Weg der Münze (A–E): Kontrolle der Größe und Dicke (B 1) und des Gewichts (2). Über die Balance (3), bei der eine falsche Münze durchfällt (4), rollt sie in die magnetische Kontrolle, wo die verkehrte Münze ausgeschieden wird (5)

Autoklav *m* (gr.-lat.), in der chem. Forschung u. Industrie verwendetes gasdicht verschließbares Gefäß, in dem Stoffe unter hohem Druck stark erhitzt werden können.

Autokrat *m* (gr.), Selbstherrscher.

Autokratie *w* (gr.), Staatsform der Alleinherrschaft durch einen einzelnen (Autokraten), der als Despot ohne jegliche institutionelle Beschränkung die Herrschaft ausübt.

autokratische Erziehung → autoritäre Erziehung.

Autolyse *w* (gr.), Selbstauflösung.

autolytisch (gr.), selbstauflösend.

Automat *m* (gr.), Vorrichtung, die einen bestimmten Bewegungsvorgang selbständig ablaufen läßt: **1)** *Warenautomat*, Gerät, das nach Einwurf v. Geld (meist in Form v. Münzen) Waren abgibt. – **2)** *Werkzeugautomat*, Maschine, die selbständig ein Werkstück herstellt. – **3)** sonstige A.en: *Fernsprech-A., Parkuhr, Wiege-A.,* eingegebene Münzen setzen Leistung frei.

Automatie *w* (gr. *automatos,* ,selbsttätig'), Tätigkeitsvollzug, der vom Willen nicht bewußt kontrolliert wird.

Automation *w* (gr.), *Automatisierung*, in den USA geprägter Begriff für Vollautomatisierung v. Arbeitsabläufen bzw. Selbstregulierung der industriellen Fertigung durch Einsatz elektronischer Regel- u. Steue-

Ein wichtiger Schritt im Automatisierungsprozeß war die Mechanisierung des Rechnens. Blaise Pascal konstruierte 1641 seine erste mechanische Rechenmaschine. Die abgebildete Zählmaschine konnte man seit Anfang dieses Jahrhunderts nahezu unverändert handhaben, bis sie in den siebziger Jahren von kleineren elektronischen Geräten verdrängt wurde

rungsvorrichtungen; macht den Einsatz einfacher Arbeit zunehmend überflüssig u.
bewirkt damit eine Verschiebung des Tätig-
keitsbereichs der Arbeit vom Fertigungs-
prozeß zur techn. Vorbereitung u. Kontrolle der Fertigung; wird teils als Fortführung
der Mechanisierung, teils als Produktionsprozeß auf einer neuen Stufe betrachtet.
automatisches Schreiben → Automatismus 3).
Automatisierung w (gr.), **1)** *Psychol.:* das
Erreichen automatisch ablaufender körperl. u. seel. Handlungen durch Üben u.
Wiederholen. – **2)** → Automation.
Automatismus m (gr., Mz.: *Automatis-
men*), **1)** *allg.:* Handlung ohne willentliche
Steuerung. – **2)** *Psychiatrie:* spontane
zwangshafte Handlungen od. Vorstellungen, die dem Willen nicht zugänglich sind. –
3) *Parapsychol.:* unbewußte Bewegungen,
die mit Hilfe v. Tischrücken, Pendeln, wan-
dernden Gläsern aufgenommen u. gedeutet
werden; z.B. automatisches Schreiben od.
Buchstabieren. – **4)** *Kunst:* spontanes
künstler. Schaffen aus Aktion u. Imagina-
tion. – **5)** *Wirtschaft:* selbsttätiger Ausgleich
der Preise u. der Zahlungsbilanz bei Gold-
währung.
Automatograph m (gr.), Apparat zum Auf-
zeichnen unwillkürlicher (automatischer)
Bewegungen.
Autometamorphose w (gr.), *Geol.:* Selbst-
umwandlung bei Gesteinsbildung.
Automobil s (gr.-lat., ‚selbstbewegend'),
→ Kraftwagen.
Automorphismus m (gr.), die Beurteilung
der Verhaltensweisen anderer Menschen
nach dem eigenen (subjektiven) Maßstab.
autonom (gr.), eigengesetzlich, selbständig.
autonomes Gebiet, innenpolitisch selb-
ständiges Staatsgebiet.
autonomes Nervensystem (gr.), → Autonomie 2).
Autonome Sozialistische Sowjetrepublik,
ASSR, autonomer Teil einer Unionsrep.
der UdSSR.
Autonomie w (gr.), **1)** *allg.:* Eigengesetz-
lichkeit, Unabhängigkeit. – **2)** *Physiol.:* die
unbewußte Selbststeuerung des Organismus durch das autonome Nervensystem (→
vegetatives Nervensystem). – **3)** *Ethik:* die
Selbstbestimmung der Person aus eigener
Vernunft u. Kraft; nach Kant die einzige

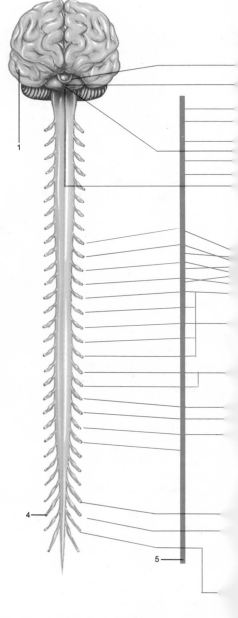

*Schematische Darstellung der wichtigsten para-
sympathischen und orthosympathischen Nerven-
bahnen (autonomes Nervensystem). Ein Teil des
Parasympathicus (blau) verläßt das Gehirn (1)
zusammen mit Gehirnnerven und führt, mit einer
Unterbrechung in einem Ganglion (2), zu den
Organen in Kopf und Hals. Der zehnte Gehirn-*

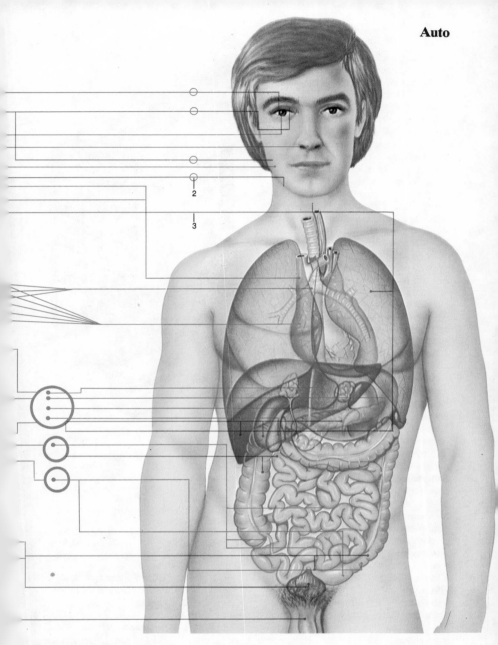

2

3

nerv, Nervus vagus (3), führt weiter in den Körper und versorgt Herz, Lungen und Baucheingeweide. Der zweite Teil des Parasympathicus kommt aus dem unteren Teil des Rückenmarks (4) und reguliert die Blase, die Geschlechtsorgane und den unteren Teil des Darms. Der Orthosympathicus (rot) entspringt allein aus dem Rückenmark. Die ersten Ganglien stehen durch den Grenzstrang (5) miteinander in Verbindung. Von hier aus gehen Nervenfasern zu allen Organen, manchmal von Ganglien unterbrochen. Die Regulierung der Geschlechtsorgane führt hauptsächlich über die sympathischen Fasern aus einem höher gelegenen Teil des Grenzstrangs

327

Auto

Triebfeder, die der Würde des sittlich reifen Menschen angemessen ist. – Ggs.: → Heteronomie. – **4)** *Politik:* Selbstverwaltung v. Ländern, Gemeinden usw.; Gemeinde-A. gehört zum Bestand der Demokratie; beschränkte A. auch für Provinzen, Bezirke, Kreise usw.; A. der Länder od. Einzelstaaten ist das Wesen des Bundesstaats (Bonner GG Art. 73). – Unterworfene Länder (Kolonien) od. nationale Minderheiten verlangen A. meistens als Vorstufe zur staatl. Lostrennung; weitgehende A. mit eigenem Heer u. dgl.: Halbsouveränität, → Souveränität; autonome Gebiete haben eigene Volksvertretung u. Regierung. – **5)** *Recht:* Privat-A. der natürlichen u. jurist. Person im Bezug auf ihre Rechtsgeschäfte; *Vereins-*A. der Vereine für ihre Satzung usf.; *Tarif-*A. der Sozialpartner, Arbeitgeber(verbände) u. Gewerkschaften, für Abschluß v. Tarifverträgen.

Autoplastik *w* (gr.), Verpflanzung v. körpereigenem Gewebe zur Deckung eines großen Hautdefekts.

Autopsie *w* (gr.), **1)** Augenschein. – **2)** → Leichenöffnung, Sektion einer Leiche.

Autopsychose *w* (gr.), Geisteskrankheit, die v. Orientierungsverlust u. falschen Vorstellungen über das eigene Ich gekennzeichnet ist.

Autor *m* (lat.), Urheber, Verfasser u. Rechtsinhaber einer schriftlich niedergelegten Arbeit (Drama, Roman, Übers. u.a.); → Urheberrecht.

Autoradiographie *w* (gr.-lat.), Nachweis radioaktiver Stoffe in Geweben u. Organen mittels photograph. Selbstabbildung *(Autoradiogramm).*

Autoregulation *w* (gr.-lat.), Selbstregelung im Sinn des → Regelkreises.

Autoreisezug *m*, Reisezug der Eisenbahn mit Liegewagen u. Transportwagen für Kraftfahrzeuge.

Autorisation *w* (lat.), Ermächtigung.

autorisieren (lat.), ermächtigen.

autoritär (lat.), **1)** *allg.:* diktatorisch, machtausübend. – **2)** *Politik:* Herrschaftsform ohne Kontrolle durch die Volksvertretung u. meist ohne die Möglichkeit zur demokratischen Willensbildung.

autoritäre Erziehung, *autokratische Erziehung,* eine Erziehung, die bestimmte Verhaltensweisen u. Einstellungen v. seiten des Erziehenden aufgrund v. Macht erreichen

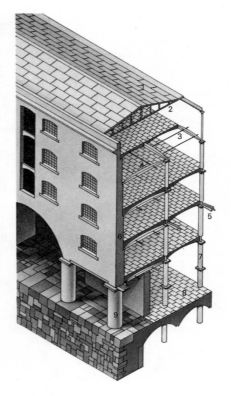

Die Packhäuser, Vorbild für spätere Autosilos, um das Albert Dock in Liverpool wurden 1839 von Liverpools Hafenmeister Jesse Hartley entworfen. Sie bestechen durch ihre für jene Zeit strenge, einfache Formgebung.
1. Eisendachpfannen; 2. Gußeisenbalken; 3. Gußeisenanker; 4. Flaches Gewölbe aus Backstein; 5. Eisenbalken; 6. Backsteinmauer; 7. Säulen aus Gußeisen; 8. Granitkai des Hafens und Boden des Packhauses; 9. Säule aus Gußeisen

will u. erreicht. Erziehungsmittel: Befehle, Drohungen, Tadel, Ablehnung u. Strafe; → autoritäre Persönlichkeit.

autoritäre Persönlichkeit, *antidemokratische Persönlichkeit,* nach T.W. Adorno u.a. eine Persönlichkeit mit den Hauptmerkmalen: → Antisemitismus, → Konservatismus (vor allem gegenüber Werten wie Arbeit u. Besitz u. in bezug auf Standes- u. Leistungsdenken), → Ethnozentrismus, → Autoritarismus u. mangelnde Flexibilität. Als Erklärungszusammenhang wird eine

→ autoritäre Erziehung im kleinbürgerl. Milieu genannt.

autoritäre Staaten, monarchisch-absolutistische od. demokratisch-plebiszitäre Staaten mit einer Regierung, die keiner Kontrolle durch eine Volksvertretung unterliegt.

Autoritarismus *m* (lat.), Einstellungsmuster, gekennzeichnet v. starkem Konformismus, d.h. v. der Verhaltensausrichtung nach den Normen u. Werten der Majorität, v. unkritischer Unterwerfung unter die Mächtigen u. Beherrschung der Schwachen sowie v. Unterdrückung der eigenen Gefühle.

Autorität *w* (lat., ‚Urheberschaft, Geltung, Ermächtigung‘), Ansehen, Einfluß, Geltung einer Person, Institution (z.B. Kirche) od. Sache (z.B. Philosophie); *Amtsautorität:* die A. einer Person kraft ihres Amts; *persönl. A.:* A. aufgrund besonderer persönl. Eigenschaften u. des damit zusammenhängenden Vertrauens anderer Personen; *Sachautorität:* A. aufgrund v. Fähigkeit u. Wissen.

autoritativ (lat.), auf Autorität beruhend, maßgebend, entscheidend.

Autoritätshierarchie *w* (lat.-gr.), die Rangfolge v. Anordnungs- u. Entscheidungsbefugnissen in einer Organisation.

Autoritätskonflikt *m* (lat.), *Jugendsoziol.:* die Weigerung vieler Jugendlicher, ihre Erziehungsberechtigten (Eltern, Lehrer, Lehrherrn usw.) als Autorität anzuerkennen, d. h. deren Wertvorstellungen ungeprüft zu übernehmen u. ihr Handeln danach auszurichten.

Autorkorrektur *w* (lat.), im Buchdruck die vom Autor (Verfasser) im Fahnen- od. Bogenabzug (diese selbst ebenfalls A. gen.) angebrachten Korrekturen.

Autorrecht *s,* → Urheberrecht.

Autorufdienst *m,* Telephonanlage zur Bestellung v. freien Taxen.

Autos (span.-portug., Mz.), die geistl. Schauspiele, an Festen öff. aufgeführt; nam. die v. Lope de Vega u. Calderón; *A. sacramentales* bes. an Fronleichnam.

Autosilo *m* (gr.-span.), Hoch- u. Tiefgaragen als Großparkplätze in Städten.

Autosomen (gr., Mz.), *Biol.:* nicht geschlechtsbestimmende Chromosomenpaare.

Autostereotyp *s* (gr.), *Selbstbild,* das Bild, das man v. sich selbst hat, meist v. einer positiven Einstellung gekennzeichnet.

Autostrada *w* (it.), Autobahn. – *A. del Sole,* die it. ‚Sonnenautobahn‘ Mailand–Salerno, 770 km lang.

Autostraße *w,* meist vierspurige Straße nur für Kraftwagenverkehr.

Autosuggestion *w* (gr.-lat.), bewußte u. unbewußte Selbstbeeinflussung des eigenen Verhaltens u. Erlebens durch die Erzeugung v. Wünschen, Ängsten, Sorgen, Erwartungen, Überzeugungen usw., die sich auch auf den körperl. Bereich auswirken können (→ Stigmatisierung). Die A. wird auch als psychotherapeut. Behandlungsmethode verwendet. Auf dem Mechanismus der A. bauen alle → Entspannungstechniken auf (→ autogenes Training).

autotelisch (v. gr. *telos,* ‚Ziel‘), ein auf sich selbst gerichtetes Verhalten betreffend; ein a.es Verhalten verfolgt kein Ziel, das außerhalb der Tätigkeit liegt, sondern die Aktivität selbst ist das Ziel.

Autotomie *w* (gr.), *Selbstverstümmelung,* durch Geisteskrankheit, Lebensgefahr od. auch Ängste ausgelöst.

autotroph (gr.), sich selbst ernährend; a. sind alle Pflanzen mit Chlorophyll. – Ggs.: *heterotroph.*

Die Erbeigenschaften von Mensch, Tier und Pflanze werden durch ein Riesenmolekül mit der Abkürzung DNS bestimmt. Man findet DNS in jeder lebenden Zelle als Grundstoff der Chromosomen und Autosomen. In einer pflanzlichen Zelle kommt DNS auch rund um den Kern vor (1), in den Mitochondrien (2) und den Chloroplasten (3). Diese DNS, die nicht zu den Chromosomen gehört (4), nennt man auch Satelliten-DNS. In den Mitochondrien und Chloroplasten dient die DNS als Hilfe bei der Herstellung einiger spezifischer Eiweiße, die für diese Organellen wichtig sind

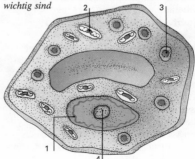

Relief an der Kathedrale von Autun: Eva pflückt den Apfel

Autotypie *w* (gr.), Reproduktionsverfahren im *Buchdruck:* Vorlage wird mittels eines Rasters in Punktnetz aufgelöst, das Rasterbild auf Metall (Zink) übertragen; die Druckplatte *(A.)* gibt Halbtöne der Vorlage wieder.

Autovakzine *w* (gr.-lat.), Impfstoff aus dem Körper des Kranken selbst entnommen u. gezüchteten Erregern; zur Anreicherung des Bluts mit Antikörpern.

Autoxidation *w* (gr.), Umsetzung v. chem. Stoffen mit Sauerstoff bei gewöhnl. Temperatur.

autumnal (lat.), herbstlich.

Autun (: otõ), Stadt im ostfrz. Dep. Saône-et-Loire, 20 000 E.; Kathedrale St. Lazare (12. Jh.), Meisterwerk des burgund.-roman. Stils v. Cluny; röm. Altertümer. – Das röm. *Augustodunum.*

Auvera, 1) *Jacob van der,* niederl.-dt. Bildhauer, 1672–1760; u.a. Mitarbeit an Ausstattung des Würzburger Schlosses. – **2)** *Johann Wolfgang,* dt. Bildhauer, 1708–75; Arbeiten an plast. Ausschmückung der Würzburger Residenz, an Kirchen in u. um Würzburg.

Auvergne (: owärnj), mittelfrz. Landschaft u. Region, 25 988 km², 1,33 Mill. E.; Hst.: Clermont-Ferrand; der mittl. Teil des frz. Zentralplateaus mit erloschenen Vulkanen (Cantal 1858 m, Puy de Sancy 1886 m, Puy de Dôme 1465 m); Weidewirtschaft; Ind.

Auwald *m,* → Auenwald.

Auwers, *Arthur v.,* dt. Astronom, 1838–1915; Hauptarbeitsgebiet: Ortsbestimmung der Fixsterne.

Auxerre (: oßär), Hst. des frz. Dep. Yonne, 38 500 E.; got. Kathedrale des 13.–15. Jh.; Industrie.

Auxine (gr., Mz.), Wuchsstoffe (Hormone), bestimmen u. steuern das Streckungswachstum der Pflanzen.

a.v., Abk. für **a**rbeitsverwendungsfähig.

Ava, *Awa,* ehem. Hst. v. Birma; verfallene Residenz.

Ava, *Frau A.,* erste dt. Dichterin, † 1127 als Klausnerin (?) bei Melk; geistl. Gedichte.

Lavarest früherer Vulkane im Hochland der Auvergne. Der Bergkegel besteht aus erstarrter Lava

Bad Kudowa, poln. *Kudowa Zdrój,* Kurstadt am Heuscheuergebirge, 10000 E.; Heilbad; seit 1945 unter poln. Hoheit.

Bad Landeck i. Schl., poln. *Lądek Zdrój,* schles. Kurort im Glatzer Bergland, rd. 10000 E.; Kurbad, Thermal- u. Moorbad; seit 1945 unter poln. Hoheit.

Badlands (: bädländs, engl., Mz.), erosiv angegriffene Landschaften.

Bad Langensalza, Krst. u. Schwefelbad im DDR-Bez. Erfurt, an Unstrut u. Salza, 16300 E.; u. a. Textil-, Möbel-, Leder-, Metallindustrie.

Bad Laer (: lar), niedersächs. Gem. u. Kurort im Ldkr. Osnabrück, 11100 E.

Bad Lauchstädt, Stadt u. Kurbad im DDR-Bez. Halle, im Kr. Merseburg, 5700 E.; eisenhaltige Quelle.

Bad Lauterberg im Harz, niedersächs. Stadt u. Kurort im Ldkr. Osterode, am Rand des Südharzes, 14100 E.; Kneippbad.

Bad Leonfelden, oberösterr. Gem., Kurort u. Wintersportplatz, im Mühlviertel, 750 m ü. M., 3000 E.; Moorbad.

Bad Liebenstein, Stadt u. Kurort im DDR-Bez. Suhl (Thüringen), 8600 E.; Mineralquellen.

Bad Liebenwerda, Krst. im DDR-Bez. Cottbus, an der Schwarzen Elster, 6500 E.; Moorbad.

Bad Liebenzell, b.-württ. Stadt u. Kurbad im Ldkr. Calw, an der Nagold, 6100, als Vereinbarte Verw.-Gemeinschaft 8000 E.; Thermalbad, Mineralquellen.

Bad Lippspringe, nordrh.-westfäl. Stadt u.

Ein Bad im Moor- oder Heilschlamm hilft besonders bei rheumatischen Beschwerden. In der Regel hat das Bad eine Temperatur von etwa 39 Grad Celsius

Heilbad im Lipper Bergland, an der Lippe, 11600 E.; Thermalbad.

Bad Marienberg (Westerwald), rheinl.-pfälz. Stadt u. Kurbad im Westerwald, im Westerwaldkreis, 5000, als Verbandsgem. 15800 E.

Bad Meinberg → Horn-Bad Meinberg.

Bad Mergentheim, b.-württ. Große Krst. u. Solbad im Taubertal, 19300, als Vereinbarte Verw.-Gemeinschaft 25200 E.; barocke Schloßkirche u. Deutschordensschloß.

Badminton (: bädmɪntᵉn, engl.), ein Federballspiel.

Bad Münder am Deister, niedersächs. Stadt u. Kurbadeort im Ldkr. Hameln-Pyrmont, 19800 E.; Ind.; Schwefel-, Stahl- u. Solbad.

Bad Münster am Stein-Ebernburg, rheinl.-pfälz. Stadt u. Solbad im Ldkr. Bad Kreuznach, an der Nahe, 3500, als Verbandsgem. 10700 E.; Solquellen.

Bad Münstereifel, nordrh.-westfäl. Stadt im Kr. Euskirchen, in der Eifel, 14700 E.; Kneippkurort.

Bad Muskau, Stadt u. Eisenmoorbad im DDR-Bez. Cottbus, an der Lausitzer Neiße, 5200 E.; Fürst-Pücklerscher Park; Glas- u. Keramikindustrie.

Bad Nauheim, hess. Stadt u. Kurort im Wetteraukreis, am Nordostabfall des Taunus, 26900 E.; Thermalquellen; balneolog. Institut.

Bad Nenndorf, niedersächs. Kurort im Ldkr. Schaumburg, 8400, als Samtgem. 14200 E.; Schwefelquellen, Solebäder.

Bad Neuenahr-Ahrweiler, rheinl.-pfälz. Krst., an der Ahr, 26000 E.; Thermalbad.

Bad Neustadt a. d. Saale, bayer. Stadt u. Kurbad im Ldkr. Rhön-Grabfeld, Unterfranken, an der Fränk. Saale, 14500 E.; u. a. Elektro-Ind.; Solbäder.

Badoglio (: -doljo), *Pietro,* it. Marschall, 1871–1956; war 1925–40 Generalstabschef, 1935 Oberbefehlshaber im it. Abessinienkrieg, 1943/44 Min.-Präs.; 1943 it. Separatfrieden mit den Alliierten.

Bad Oldesloe (: -lo), schlesw.-holstein. Stadt u. Kurbad im Kr. Stormarn, an der Trave, 20000 E.; Ind.; Sol-, Moor-, Schwefelbäder.

Bad Oldesloe – Land (: -lo-), schlesw.-holstein. Amt im Kr. Stormarn, 8500 E.

Bad Orb, hess. Stadt u. Solbad im Main-Kinzig-Kreis, 8300 E.; Moorbäder.

Bad Oeynhausen (: -ön-), nordrh.-westfäl.

Bad P

Stadt u. Heilbad im Kr. Minden-Lübbecke, im Ravensberger Hügelland, nahe der Westfäl. Pforte, 44 100 E.; Eisen-, Masch.-, Möbel-Ind. u.a.; Thermal- u. Solquellen.
Bad Peterstal-Griesbach, b.-württ. Kurort u. Heilbad im Schwarzwald, an der Rench, 400–1000 m ü.M., 3400 E.; Moor-, Kneipp-, Thermalbäder.
Bad Pyrmont, niedersächs. Stadt u. Kurbad im Weserbergland, im Emmertal, 21 900 E.; Sol- u. Eisenquellen.
Bad Ragaz, Schweizer Kur- u. Badeort im Kt. St. Gallen, 516 m ü.M., 3900 E.; Mineraltherme.
Bad Rappenau, b.-württ. Stadt u. Solbad im Ldkr. Heilbronn, 13 600, als Vereinbarte Verw.-Gemeinschaft 18 500 E.; Textil-, Masch.-Industrie.
Bad Reichenhall, bayer. Große Krst. im Berchtesgadener Land, an der Saalach, 473 m ü.M., 17 900 E.; Augustinerchorherrenstift mit Münster (12. Jh.); Sol- u. Moorbäder; Wintersportplatz.
Bad Reinerz, poln. *Duszniki Zdrój,* niederschles. Stadt u. Badeort im Glatzer Bergland, 560 m ü.M., ca. 6000 E.; Textil-Ind.; seit 1945 unter poln. Hoheit.
Bad Rippoldsau-Schapbach, b.-württ. Gem. u. Kurort im Ldkr. Freudenstadt, 2500 E.; Moorbad, Mineralquellen.
Bad Rothenfelde, niedersächs. Gem. u. Solbad im Teutoburger Wald, im Ldkr. Osnabrück, 6200 E.
Bad Sachsa, niedersächs. Stadt u. heilklimat. Kurort am Südharz, 8400 E.; Wintersportplatz.
Bad Säckingen, b.-württ. Stadt u. Kurbad am Hochrhein, 13 700, als Vereinbarte Verw.-Gemeinschaft 25 300 E.; got. Hallenkirche (barockisiert); verschied. Ind.; Mineralquellen.
Bad Salzbrunn, poln. *Szczawno Zdrój,* schles. Kurort im Waldenburger Bergland, 410 m ü.M., 7100 E.; Mineralquellen; seit 1945 unter poln. Hoheit.
Bad Salzdetfurth, niedersächs. Stadt u. Badeort im Ldkr. Hildesheim, 14 100 E.; Solquellen, Moorbäder.
Bad Salzschlirf, hess. Gem. u. Kurbad im Ldkr. Fulda, am Vogelsberg, 2500 E.; Mineralquellen; Wintersportplatz.
Bad Salzuflen, nordrh.-westfäl. Stadt u. Heilbad im Kr. Lippe, im Lipper Bergland, 51 200 E.; Mineralquellen.

Bad Salzungen, Krst. u. Kurbad im DDR-Bez. Suhl (Thüringen), 17 600 E.; Solquellen; u.a. Metallindustrie.
Bad Sankt Leonhard im Lavanttal, österr. Stadt u. Heilbad in Kärnten, 720 m ü.M., 5200 E.; Schwefelquellen.
Bad Sassendorf, nordrh.-westfäl. Gem. u. Solbad im Kr. Soest, 9500 E.
Bad Schandau, Stadt u. Badeort im DDR-Bez. Dresden, r. an der Elbe, 4500 E.; Eisenquelle; Touristik.
Bad Schönborn, b.-württ. Gem. u. Kurbad im Ldkr. Karlsruhe, 8400, als Vereinbarte Verw.-Gemeinschaft 12 600 E.
Bad Schussenried, b.-württ. Stadt u. Heilbad in Oberschwaben, 7700, als Vereinbarte Verw.-Gemeinschaft 10 000 E.; Moorbad.
Bad Schwalbach, hess. Krst. u. Kurort im Taunus, 9000 E.; Stahl- u. Moorbad.
Bad Schwartau, schlesw.-holstein. Stadt u. Heilbad nördl. v. Lübeck, 19 300 E.; Solquellen.
Bad Segeberg, schlesw.-holstein. Krst. u. Solbad, am *Großen S.er See,* 13 300 E.; Solquelle.
Bad Soden am Taunus, hess. Stadt u. Kurbad im Main-Taunus-Kreis, 18 600 E.; Kochsalzquellen.
Bad Soden-Salmünster, hess. Stadt u. Heilbad, im Main-Kinzig-Kreis, an der Salz, 11 200 E.; Kochsalztherme, Mineralquellen.

Die Ahmadija-Moschee von Bagdad. Ahmadija ist der Name einer islamischen Bewegung zu Beginn des 20. Jahrhunderts

Bad Sooden-Allendorf, hess. Stadt im Werra-Meißner-Kreis, an der unteren Werra, 9700 E.; Holz-, Metall-, Textil-, Papier- u. Süßwaren-Ind.; Gießerei; Solquellen.

Bad Steben, bayer. Markt u. Heilbad im Ldkr. Hof, 3800 E.

Bad Sulza, Stadt u. Kurbad im DDR-Bez. Erfurt, 5800 E.; Solbad.

Bad Teinach-Zavelstein, b.-württ. Stadt u. Kurbad im nördl. Schwarzwald, 2300 E.; Mineralquellen.

Bad Tölz, oberbayer. Stadt u. Kurort an der Isar, 657 m ü.M., 13100 E.; Jodbad; Touristik.

Bad Überkingen, b.-württ. Kurort im Filstal, 3500 E.; Mineralquellen.

Bad Vilbel, hess. Stadt u. Heilbad im Wetteraukreis, 25900 E.; kohlensäurehaltige Quellen.

Bad Waldsee, b.-württ. Stadt u. Heilbad im Ldkr. Ravensburg, 14300, als Vereinbarte Verw.-Gemeinschaft 16600 E.; Moor- u. Kneippbad; Holz-, Masch.-, Seidenindustrie.

Bad Warmbrunn, poln. *Cieplice Śląskie Zdrój,* niederschles. Stadt u. Thermalbad, 16000 E.; heiße Quellen, Moorbad; seit 1945 unter poln. Hoheit.

Bad Wiessee, oberbayer. Kur- u. Badeort am Westufer des Tegernsees, 4600 E.; Jod- u. Schwefelquellen.

Bad Wildungen, hess. Stadt u. Kurbad am Kellerwald, an der Wilde, 15500 E.; etwas Ind.; Mineralquellen.

Bad Wimpfen, b.-württ. Stadt, Bade- u. Kurort am Neckar, 5800 E.; Kaiserpfalz, got. Kirchen; Solbad.

Bad Windsheim, bayer. Stadt u. Heilbad in Mittelfranken, 11600 E.; Solquelle; etwas Industrie.

Bad Wörishofen, bayer. Stadt u. Heilbad im Ldkr. Unterallgäu, im schwäb. Alpenvorland, 625 m ü.M., 12700 E.; ältester dt. Kneippkurort, Luftkurort.

Bad Wurzach, b.-württ. Stadt u. Heilbad in Oberschwaben, Ldkr. Ravensburg, 11700 E.; Moorbäder.

Bad Zwischenahn, niedersächs. Gem. u. Heilbad am *Z.er Meer,* 23200 E.; u.a. Holz-, Masch.-, Textil-Ind.; Moorbäder.

Baffin (:bä-), *William,* engl. Seefahrer, 1584–1622; entdeckte *B.land* u. *B.meer.*

Baffinbai w (:bä-), *Baffinmeer,* bis 600 km breiter Meeresarm zw. Grönland u. Baffin-

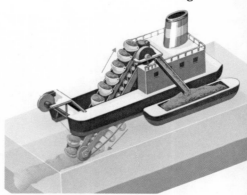

Die klassische Baggermethode arbeitet mit eimerartigen Gefäßen. Sie werden an Ketten bewegt und heben das Baggergut – Sand, Kies, Schlamm – nach oben, wo es abtransportiert wird

land, mit Atlant. Ozean durch Davisstraße, mit Nordpolarmeer durch Smith-, Jones- u. Lancastersund verbunden.

Baffinland s (:bä-), kanad. Insel zw. Hudsonstraße u. Baffinbai, rd. 500000 km²; größte, fast unbewohnte Insel des nordam.-arktischen Archipels.

Baffinmeer s (:bä-), → Baffinbai.

BAFöG, Abk. für → **B**undes**a**usbildungs**f**örderungsgesetz.

BAG, Abk. für **B**undes**a**rbeits**g**ericht.

Bagage w (:bagaschᵉ, frz.), **1)** Gepäck. – **2)** abwertend: Gesindel.

Bagasse w (frz.), Preßrückstand bei Rohrzuckerherstellung.

Bagatelle w (frz.), **1)** Kleinigkeit, Geringfügigkeit. – **2)** *Musik:* kurzes, leichtes Musikstück.

Bagatellsachen (Mz.), Rechtsstreitigkeiten um geringfügige Straftaten od. Sachen, die in vereinfachtem Verfahren (Schiedsurteil) zu entscheiden sind.

Bagdad, arab. *Baghdad,* Hst. der Rep. Irak, am Tigris, 3,2 Mill. E. (Aggl.); kultureller u. wirtschaftl. Mittelpunkt v. Irak, 2 Univ.; Bauten aus dem hohen MA u. 17. Jh.; bedeut. Handelsplatz, Teppich- u. Tuchfabrikation. – Im 8. Jh. v. den Arabern gegr., im 9. Jh. Metropole der islam. Welt u. Residenz der abbasid. Kalifen (Harun al Raschid), noch im 11. Jh. unter den Seldschuken v. Bedeutung. Im 13. u. 14. Jh. v. den Mongolen verwüstet; 1638 v. den Türken erobert; seit 1920 Hst. des Kgr., seit 1958 der Rep. Irak.

353

Bagdadbahn *w,* 2400 km lange Fortsetzung der *Anatol. Bahn* (Istanbul–Konya) v. Konya bis Basra, 1903–18 mit dt. Beteiligung zu 2 Dritteln ausgebaut, in den 30er Jahren fortgeführt, 1940 fertiggestellt.

Bagdadpakt *m,* → CENTO.

Baegert (: ba-), **1)** *Derick,* spätgot. dt. Maler, 1440–1515; Altartafelbilder u.a. – **2)** *Jan,* dt. Maler, etwa 1490–1535; Sohn v. 1); Altartafeln, Marienleben u.a.

Bagger *m,* Maschine zum Abgraben v. Sand, Erde, Schlamm, Kohle usw., z.B.: → Eimerketten-B., → Saug-B., → Greif-B., → Schwimm-B.

Baggesen, *Jens,* dän.-dt. Schriftsteller, 1764–1826; Gegner der Romantik; Gedichte, philos. Essays. – HW: *Das Labyrinth* (1792/93; Reisebericht); *Parthenais od. die Alpenreise* (1802) u. *Adam u. Eva* (1826), komische Epen.

Bagrationowsk, russ. für Preußisch-Eylau.

Baguette *w* (: -gät, frz.), **1)** langes, dünnes frz. Weißbrot. – **2)** rechteckige, stäbchenförmige Schlifform v. Edelsteinen, bes. v. Diamanten.

Bahaismus *m,* → Behaismus.

Bahamainseln → Bahamas.

Bahamas, *Bund der B.,* Staat Westindiens, umfaßt die *Bahamainseln* im westl. Atlant. Ozean zw. Florida u. Haiti, 13 939 km², 236 000 E.; Hst.: Nassau. Subtrop. Klima; Südfrüchte, Gemüse; Fischerei; Fremdenverkehr. – 1492 betrat Kolumbus auf San

Ehemaliger Gouverneurspalast in Nassau (Bahamas). Im Vordergrund ist einer der zahlreichen Touristenwagen zu erkennen. Auf der Treppe zum Palast steht ein Denkmal von Christoph Kolumbus

Tabakplantage in der Nähe der brasilianischen Stadt Bahia. Tabak ist einer der wichtigsten Exportartikel Brasiliens

Salvador erstmals am. Boden; die B. 1718 brit. Kronkolonie, 1964 innere Selbstverwaltung, seit 1973 volle Unabhängigkeit im brit. Commonwealth of Nations.

Baha Ullah (arab., ,Glanz Gottes‘), Begründer des → Behaismus, 1817–92.

Bahawalpur, pakistan. Stadt im südl. Pandschab, 140 000 E.; Handelszentrum; Seidenindustrie.

Bahia (: baia), **1)** ostbrasil. Bundesstaat am Atlantik, 561 026 km², 7,5 Mill. E.; Hst.: Salvador; gebirgiges Hochland mit Grassteppe u. Trockenwald, im Küstensaum feuchtheißes Klima mit Regenwald; an der Küste Anbau v. Kakao, Baumwolle, Kaffee, Zuckerrohr, Tabak in Großplantagen; Viehzucht; im Innern noch abgeschlossene Wildnis *(sertão).* – **2)** früher Name der brasil. Stadt → Salvador.

Bahía Blanca, argentin. Hafenstadt am Atlant. Ozean, im S der argentin. Prov. Buenos Aires, 183 000 E.; Univ.; Handelsplatz; Ausfuhrhafen für Fleisch, Weizen, Baumwolle, Leder u. Wolle.

Bahn *w,* **1)** *Verkehrstechnik:* Verkehrsweg od. Fortbewegungsmittel; Beispiele: → Eisenbahn, → Bergbahn, → Straßenbahn. – **2)** *Physik:* Weg, den ein Körper bei einer

Bewegung zurücklegt. – **3)** *Astronomie:* Weg, den ein Himmelskörper durchläuft. – **4)** *Sport:* Strecke od. Fläche, die zur Sportausübung bes. präpariert ist.

Bahndrehimpuls *m,* Drehimpuls eines Elektrons in der Elektronenhülle des Atoms, der durch die Umkreisung des Atomkerns entsteht. Zu unterscheiden vom Eigendrehimpuls (→ Spin).

Bahnelement *s,* Bestimmungsstück, aus dem die Bahn u. die Geschwindigkeit eines Körpers berechnet werden können.

Bahnhof *m,* **1)** Anlage für Abwicklung des Verkehrs u. Betriebs der Eisenbahn an deren Haltestellen (End-, Zwischenbahnhöfe u. Haltepunkte). Der B. umfaßt alle Einrichtungen zur Aufnahme u. Beförderung v. Personen u. Gütern. Ein *Personen-B.* enthält eine mehr od. weniger große Zahl v. Gleisen mit Bahnsteigen, Aufnahme- u. Dienstgebäude mit Betriebsräumen, Wartesälen usw.; er wird als Kopf- (End-, Sack-), Durchgangs- od. Insel-B. gebaut. *Güterbahnhöfe* dienen der Annahme u. Abgabe sowie Weiterbeförderung v. Gütern. *Abstell-* u. *Rangier-(Verschiebe-)*

In den Vereinigten Staaten werden die langen Güterzüge der Bahn häufig von mehreren schweren Lokomotiven gezogen

bahnhöfe mit Ausziehgleisen ermöglichen leichtes Trennen u. Neuordnen v. Zügen u. Verteilung der Wagen. – **2)** *Auto-B.,* Sammelplatz der Bahn-, Post- u. Städtebusse.

Bahnhofsbuchhandel *m,* Handel mit Druckerzeugnissen auf Bahnhöfen.

Bahnhofsmission *w, Ev.* u. *Kath.B.,* konfessionelle Hilfsorganisation zur kostenlosen Betreuung alleinreisender Frauen, Jugendlichen u. Kinder sowie Behinderten.

Teilansicht eines Containerbahnhofs

Bahn

Bahnkörper *m,* Unterbau der Eisenbahn für die Gleisanlagen.

bahnlagernd sind Transportgüter der Eisenbahn, die am Bestimmungsbahnhof vom Empfänger abgeholt werden.

Bahnpolizei *w,* Sonderpolizei zur Überwachung v. Ordnung u. Sicherheit im Eisenbahnverkehr.

Bahnpost *w,* Postdienststellen in Eisenbahnzügen, meist in besond. *B.wagen.*

Bahnsen, *Julius Friedrich August,* dt. Philosoph, 1830–81; Gymnasiallehrer; beeinflußt v. Hegel u. Schopenhauer, entwarf er ein Weltbild des Tragischen; lieferte Beiträge zur Charakterkunde.

Bahnsteig *m,* Teil der Personenbahnhöfe zur Abwicklung des Personen- u. Gepäckverkehrs zu u. v. den Zügen.

Bahnung *w, Psychophysik:* die zunehmende Vertiefung u. Beherrschung geistiger u. körperl. Leistungen durch ständiges Üben u. Wiederholen. Durch diese Prozesse kommt es im Zentralnervensystem zu einem ‚Einschleifen‘ v. Erregungsbahnen (→ Spuren), in denen die psychophysiolog. Leistungen gespeichert werden. Die B. erklärt auf neurophysiolog. Weg die Bedeutung des → Übens beim → Lernen.

Bahr *m* (:bachr, arab.), Gewässer.

Bahr, 1) *Egon,* dt. Politiker (SPD), *1922; 1969–72 Staatssekretär im Bundeskanzleramt (Verhandlungen mit der UdSSR, Polen u. der DDR für Ostverträge); 1972–74 Bundesmin. für besond. Aufgaben, 1974–76 für wirtschaftl. Zusammenarbeit, 1976–81 Bundesgeschäftsführer der SPD; seit 1972 MdB. – **2)** *Hermann,* österr. Schriftsteller u. Kritiker, 1863–1934; Essays, psycholog. Dramen, Lustspiele, Romane. – WW: u.a. *Die Überwindung des Naturalismus* (1891; Essay); *Himmelfahrt* (1916) u. *Die Rotte Korahs* (1919), Romane.

Bähr, *Georg,* dt. Barockarchitekt, 1666–1738; bedeut. Kirchenbauten in Dresden (Frauenkirche) u. um Dresden.

Bahrain, *Bahrein,* arab. Emirat im Pers. Golf (*Golf v. B.*), umfaßt die Gruppe der B.inseln, 33 Inseln vor der Küste Katars u. Saudiarabiens, 669 km², 364000 E.; Hst.: Al Manama; Land- u. Forstwirtschaft; Erdölfelder, Raffinerien; Fremdenverkehr.

Bahre *w, Trage,* trag- od. fahrbares Gestell zur Beförderung v. Kranken, Verunglückten, Verwundeten.

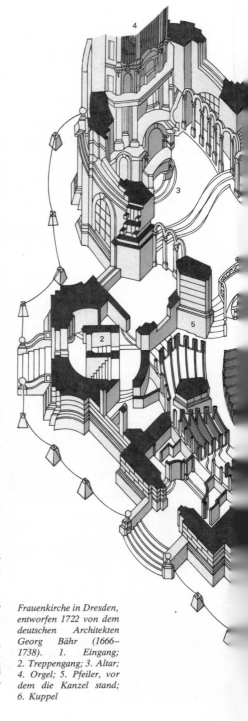

Frauenkirche in Dresden, entworfen 1722 von dem deutschen Architekten Georg Bähr (1666–1738). 1. Eingang; 2. Treppengang; 3. Altar; 4. Orgel; 5. Pfeiler, vor dem die Kanzel stand; 6. Kuppel

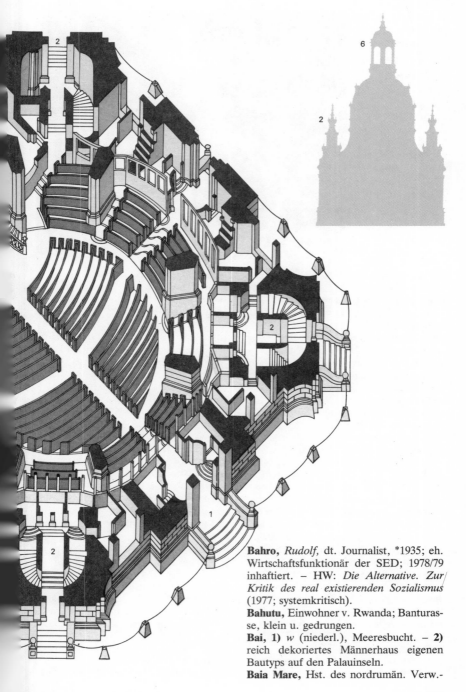

Bahro, *Rudolf,* dt. Journalist, *1935; eh. Wirtschaftsfunktionär der SED; 1978/79 inhaftiert. – HW: *Die Alternative. Zur Kritik des real existierenden Sozialismus* (1977; systemkritisch).

Bahutu, Einwohner v. Rwanda; Banturasse, klein u. gedrungen.

Bai, 1) *w* (niederl.), Meeresbucht. – **2)** reich dekoriertes Männerhaus eigenen Bautyps auf den Palauinseln.

Baia Mare, Hst. des nordrumän. Verw.-

357

Baie

Ein Bajazzo ist der Spaßmacher bei den Seiltänzern und Akrobaten. Er tritt häufig mit einem Musikinstrument auf

Gebiets Maramureş, 101000 E.; Bergwerke; Holz- u. Masch.-Ind.; Flughafen.

Baienfurt, b.-württ. Gem. im Ldkr. Ravensburg, 6400 E.; Papierindustrie.

Baiern → Bajuwaren, → Bayern.

Baiersbronn, b.-württ. Stadt u. Luftkurort im Schwarzwald, 14600 E.; Wintersportplatz.

Baikal-Amur-Magistrale *w, BAM,* sowjet. Eisenbahnlinie v. Ust-Kut nach Komsomolsk am Amur, seit 1974 im Bau; mit 3145 km um mehrere hundert km kürzer als die Transsibir. Eisenbahn.

Baikalsee *m,* mongol. *Dalai-nor,* fischreicher sibir. Gebirgssee der UdSSR, am Nordwestrand des *Baikalgebirges,* 455 m ü.M., 31500 km²; tiefster See der Erde (bis 1741 m); Überreste einer tertiären Süßwasserfauna; Baikalrobben; Fischerei.

Baikonur, *Bajkonur,* sowjet. Stadt in der Kasach. Steppe der Kasach. SSR, rd. 400 km nordöstl. des Aralsees; sowjet. Raketenversuchsgelände u. Satellitenabschußbasis; Kohlenbergbau.

Baile Atha Cliath (: bla kliᵉ), ir. Name v. Dublin.

Bailli *m* (: baji, frz.), **1)** seit 12. Jh. im Auftrag der Krone Vorsteher einer Stadt od. eines ländl. Bezirks, der engl. *Bailiff.* – **2)** v. da für Verwalter einer → Ballei übernommen.

Baily (: beⁱli), *Edward Hodges,* engl. Bildhauer, 1788–1867; klassizist. Denkmäler

(Nelson in London; Büsten v. Byron u. Wellington u.a.m.).

Bain (: beⁱn), *Alexander,* schott. Philosoph u. Psychologe, 1818–1903; Prof. in Glasgow u. Aberdeen; Vertreter der Assoziationspsychologie; B. machte als einer der ersten die Psychologie zu seiner Lebensaufgabe.

Baini, *Giuseppe,* it. Komponist, 1775–1844; Kirchenmusik im Palestrinastil.

Bainville (: bảwil), *Jacques,* frz. Politiker u. Geschichtsschreiber, 1879–1936; erforschte frz. u. dt. Gesch. des 19./20. Jh.

Bairâm *m, Beirâm,* 2 islam. Hochfeste: **1)** der große *Kurban-B.* (Opferfest zu Ende des 12. Monats, des Fastenmonats Ramadan). – **2)** der kleine *Ramadan-B.* am Ende des 9. Monats des mohamm. Jahrs.

Baird (: bäᵉd), *John Logie,* schott. Fernsehingenieur, 1888–1946; ihm gelang 1926 erste Fernsehübertragung; verdient um Farbfernsehen.

Baiser *m* (: bäse, frz.), **1)** Kuß. – **2)** Schaumgebäck aus Zucker u. Eiweißschnee.

Baisse *w* (: bäß, frz.), Tief, Sinken der Börsenkurse. – Ggs.: *Hausse.*

Baissier *m* (: bäßje, frz.), Börsenspekulant *à la baisse,* rechnet mit sinkenden Kursen u. handelt dementsprechend.

Baja (: båjå), ungar. Stadt in der Batschka, l. der Donau, 38000 E.; Hafen.

Bajä, altröm. Seebad bei Neapel.

Baja California (: bacha-), **1)** *B. C. Norte,*

mexikan. Bundesstaat, 70 113 km², 1,2 Mill. E.; Hst.: Mexicali; Weizen-, Baumwollanbau. – **2)** *B. C. Sur,* mexikan. Bundesterritorium, südl. v. 1), 73 677 km², 221 000 E.; Hst.: La Paz; Mais- u. Zuckerrohranbau.

Bajadere *w* (portug.), **1)** urspr. ind. Tempeltänzerin (Dewadasi). – **2)** dann ind. Berufstänzerin (Natschni) u. Sängerin.

Bajasid, türk. Sultane: **1)** B. I., 1347–1403; seit 1389 Sultan; unterwarf die Balkanländer; siegte 1396 über Kg. Sigismund; 1402 v. Timur besiegt. – **2)** B. II., 1447–1522; 1481–1512 Sultan; erfolgreiche Feldzüge nach Ungarn, Albanien, Steiermark u. Griechenland.

Bajazzo *m* (it.), urspr. Figur der it. Volkskomödie (Spaßmacher), dann auch Gaukler u. Seiltänzer; seit 18. Jh. der dt. Hanswurst.

Bajer, *Fredrik,* dän. Politiker, 1837–1922; gründete 1891 das Internat. Friedensbüro in Bern; 1908 mit K. P. Arnoldson Friedensnobelpreis.

Bajkonur → Baikonur.

Bajonett *s* (frz.), Nahkampfwaffe, auf Gewehr aufgepflanztes Seitengewehr in Messerform als Stichwaffe.

Bajonettverschluß *m,* leicht lösbare Verbindung zw. Rohr (Stange) u. Hülse; Stifte am Rohr (Nocken) schieben sich leicht in Schlitze (Nuten) an Hülse; Name v. der früheren Art der Befestigung des Bajonetts am Gewehr.

Bajuwaren, alter Name des Volkstamms der → Bayern.

Bakairi, Indianerstamm der Karaiben in Brasilien.

Bakchylides, griech. Dichter des 5. Jh. v. Chr.; Lyrik (Chorkampf- u. -siegeslieder), Sagenerzählungen im Balladenstil.

Bake *w* (nd.), **1)** Seezeichen (hohes Gerüst) zur Kennzeichnung der Fahrrinne. – **2)** Signaltafeln mit 3, 2, 1 Schrägstreifen: für Eisenbahn schwarz auf weißem Grund, für Straßen vor schienengleichem Bahnübergang rot auf weißem Grund. – **3)** Absteckpfahl bei Geländevermessung.

Bakelit *s,* ältester Kunstharzstoff (seit 1909), nach dem belg. Chemiker L. H. Baekeland (1863–1944); Handelsname.

Baker (: be¡k⁼ʳ), **1)** *Sir Benjamin,* engl. Ingenieur, 1840–1907; Erbauer des ersten Nilstaudamms bei Assuan. – **2)** *Janet,* engl. Sängerin, *1933; Mezzosopran (Konzerte,

Opern). – **3)** *Josephine,* am. Negersängerin u. -tänzerin, 1906–75; gründete im Dienst der Rassenversöhnung 1947 in Milandes (Fkr.) ein Heim für Waisenkinder verschied. Rassen. – **4)** *Sir Samuel White,* engl. Afrikareisender, 1821–93; erforschte Nilquellgebiet u. entdeckte u. a. 1864 den Albertsee.

Baker-Eddy (: be¡k⁼ʳ-), *Mary,* am. Gründerin der → Christian Science, 1821–1910.

Baker-Nunn-Kamera, Kamera, zur Beobachtung künstlicher Satelliten.

Bakersfield (: be¡k⁼ʳßfild), Stadt in Kalifornien (USA), nordöstl. v. Los Angeles, mit Vororten über 130 000 E.; Erdöl, Erdgas; Textil-Ind.; Baumwoll-, Wein- u. Obstbau.

Bakey (: be¡ki), *Michael Ellis de,* am. Mediziner, *1908; entwickelte gefäßchirurgische Operationstechniken.

Baki, *Mahmud Abdul,* türk. Dichter, 1527–1600; Gedichte klass. Stils.

Bakkalaureus *m* (lat.), *Baccalaureus,* seit 13. Jh. niedrigster akad. Grad; → Bachelor.

Bakkarat *s* (frz.), *Baccara,* Glücksspiel mit 104 Karten (2 frz. Spiele) zw. einem Bankhalter u. zwei Spielern.

Bakonywald (: båkoni-), südwestl. Teil des Ungar. Mittelgebirges, im Köröshegy 713 m hoch; mesozoisches Schollengebirge.

Bakr, *Ahmad Hassan Al B.,* irak. Politiker (Baathpartei), *1912; Offizier; 1968–79

Bajadere bei einer Aufführung in Indien

Baks

Staatspräs., seit 1978 auch Min.-Präs.; 1979 Rücktritt.

Bakschisch *s* (pers.), Almosen, Geschenk, Trink- u. Bestechungsgeld.

Bakst, eig. *Rosenberg, Leon Nikolajewitsch,* russ. Maler u. Bühnenbildner, 1866–1924; u.a. Kostümentwürfe u. Bühnenbilder fürs russ. Ballett; Illustrationen zu Gogol.

Bakterien (gr., ‚Stäbchen‘, Mz.), *Schizomyzeten* (Spaltpilze), in Boden, Luft, Wasser u. Lebewesen verbreitete, mikroskopisch kleine, zellkernlose, meist chlorophyllfreie pflanzliche Lebewesen; manche sind durch Geißeln od. Zillien beweglich; Vermehrung durch Spaltung (Querteilung), die alle 20 bis 30 Minuten erfolgen kann. Viele B. bilden Dauersporen v. erstaunlicher Widerstandsfähigkeit. Man unterscheidet die B. nach der Form: *Kugel-B. (Kokken, Coccen),* z.B. Staphylo-, Streptokokken; *Stäbchen-B. (Bazillen),* z.B. Typhusbazillus; *Schrauben-B. (Spirillen, Spirochäten, Vibrionen),* z.B. Syphilisspirochäten. Die Mehrzahl der B. ernährt sich v. organ. Stoffen u. lebt parasitisch od. zersetzt organische Reste (Heterotrophe); einzelne Arten leben als Autotrophe aus rein anorgan. Stoffen, so die nitrifizierenden B. od. Salpeterbildner. Die einen beziehen den nötigen Sauerstoff aus der Luft (Aerobier), andere können ohne diesen auskommen (Anaerobier). Nützlich sind Boden-B. (Stickstoff-, Nitrit- u. Nitrat-B.), Darm- u. z.T. Fäulnis-B. (die auch schädlich sein können). Die B. sind am Kreislauf des Stickstoffs, Kohlenstoffs, Wasserstoffs, Sauerstoffs, Schwefels, Eisens u. anderer Elemente in der Natur ausschlaggebend beteiligt durch den Abbau pflanzlicher u. tierischer Stoffe sowie durch Einbezug des Luftstickstoffs in den Kreislauf. Bestimmte Arten geben Energie in Form v. Licht (Leucht-B.) od. Wärme (Selbsterhitzung des Heus) ab. Sie vermögen die vielfältigsten chem. Stoffe zu bilden, z.B. Farbstoffe (Purpur-B.), Gifte u.a. Als Gärungserreger werden sie verwendet in der Bereitung v. Käse, Sauerkraut, Silofutter u.a.m. Von besonderer Bedeutung sind die pathogenen B., die bei Menschen, Tieren u. Pflanzen Krankheiten u. Seuchen hervorrufen.

Bakterienausscheider *m, Bakterienträger,* Dauerausscheider v. Bakterien noch Wochen nach überstandener Erkrankung (Typhus, Paratyphus, Diphtherie u.a.).

Bakterienbrand *m,* zwei gefährliche, v. Bakterien verursachte Pflanzenkrankheiten: B. des Stein- u. des Kernobsts; Infektion durch Insekten u.a.

Bakterienfilter *m* u. *s,* feinporige Filter zur Trennung v. Bakterien u. Flüssigkeit, so mit feingemahlenem gebranntem Kaolin, Kieselgur, Asbest.

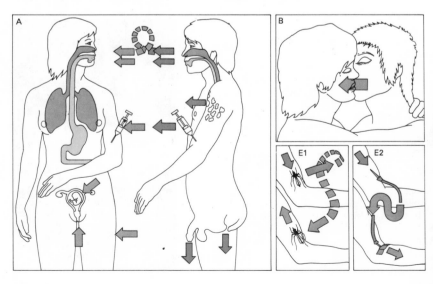

Bakterienflora w (gr.-lat.), die gesamten auf u. in einem Lebewesen lebenden Bakterien, so beim Menschen auf Haut u. Schleimhäuten, u.a. im Darm (Darmflora); manche v. deren Keimen können Krankheiten erregen, nam. bei geschwächten Abwehrkräften.

Bakterienfresser (Mz.), → Bakteriophagen.

Bakteriengifte (Mz.), die v. Bakterien abgegebenen Gifte: **1)** *Exotoxine*, für den Wirt giftige Stoffwechselprodukte v. Bakterien. – **2)** *Endotoxine*, erst bei Zersetzung abgestorbener Bakterien entstehende Giftstoffe.

Bakterienknöllchen, Anschwellungen an Pflanzenwurzeln durch Knöllchenbakterien.

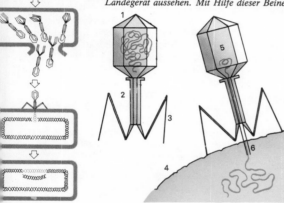

Viren, die sich in einer Zelle vermehren, können irrtümlich einen Teil des Erbmaterials der Zelle aufnehmen (A) und in eine zweite Zelle transportieren, wo es in deren Erbmaterial aufgenommen werden kann. Auf diese Weise können spezifische Gene (B) übertragen werden. Dies nennt man Transduktion. Ein Bakteriophage besteht aus einem mehr oder weniger kugelförmigen Kopfteil (1), an dem ein Stab (2) befestigt ist. Der Stab ist am Ende mit faltbaren Beinen (3) versehen, die wie eine Art Landegerät aussehen. Mit Hilfe dieser Beine kann das scharfe Ende des Stabs die Wand der Bakterienzelle (4) durchbohren, wonach die Virus-DNA oder -RNA aus dem Kopfteil (5) in die Bakterie übertragen wird (6)

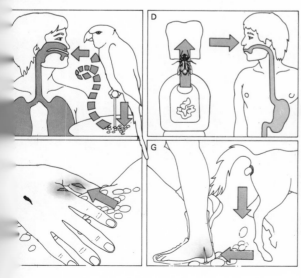

A. Bestimmte Bakterien oder andere Krankheitskeime (z. B. Viren) können Infektionskrankheiten verursachen. Die Krankheitskeime verlassen den Körper durch Aushusten, über den Stuhlgang, über die Schleimhäute der Geschlechtsorgane und des Munds, bei Blutabnahme, über Hautgeschwüre u. ä. Aufnahme von Krankheitskeimen ist möglich durch Einatmung, über die Nahrung, über Verwundungen, Injektionen und die Schleimhäute. Ungeborene Kinder können über die Mutter infiziert werden. Beispiele von Infektionskrankheiten: B. Pfeiffersche Krankheit: durch Küssen; C. Papageienkrankheit: Einatmen infizierter Staubteilchen; D. Paratyphus: Fliegen übertragen die Keime des infizierten Stuhlgangs auf die Nahrung; E1. Malaria: Moskitos saugen infiziertes Blut auf und übertragen es auf den Menschen; E2. Serumhepatitis: über Bluttransfusion; F. Syphilis: über kleine Wunden in der Haut, die mit Hautgeschwüren in Berührung kommen; G. Tetanus: Verwundungen, bei denen Straßenschmutz in die Wunde kommt, der durch Tierexkremente verunreinigt ist

Bakterienkrieg *m*, Verwendung v. bakteriolog. seuchenerregenden Krankheitskeimen im Kampf gg. die Streitkräfte od. die Zivilbevölkerung des Gegners; durch Genfer Protokoll v. 1925 untersagt.

Bakterienkultur *w* (gr.-lat.), auf einem Nährboden gezüchtete Bakterien. B.en dienen der Isolierung u. Bestimmung verschiedener Arten od. Stämme, zur Erforschung ihrer Eigenschaften u. Reaktionsweisen sowie zur Gewinnung v. Impfstoffen od. Antibiotika.

Bakterienträger → Bakterienausscheider.

Bakterienzüchtung *w*, künstl. Züchtung v. Bakterien in → Bakterienkultur.

Bakteriologie *w* (gr.), die Lehre v. den Bakterien, Teil der Mikrobiologie. Fachmann der B.: *Bakteriologe*.

bakteriologische Kampfstoffe, seuchenerregende Kampfstoffe; → ABC-Waffen.

bakteriologische Kriegführung → Bakterienkrieg.

Bakteriolyse *w* (gr.), Auflösung v. Bakterienzellen durch Fermente od. Bakteriophagen.

Bakteriolysine (gr., Mz.), nach Infektion im Blut auftretende bakterienauflösende Schutzstoffe.

Bakteriophagen (gr., Mz.), *Phagen, Bakterienfresser*, wie die Bakterien überall in der Natur sich findende, als Schmarotzer in Bakterien eindringende, sich nur in ihnen vermehrende zerstörende → Viren; bestehen meist aus zwei Teilen, dem sog. ‚Kopf‘ in Proteinhülle u. einem ‚Schwanz‘-Fortsatz. Das Innere enthält Desoxyribonukleinsäure (DNS), die durch den an der Bakterienmembran aufsitzenden u. diese auflösenden ‚Schwanz‘ in die Bakterienzelle gelangt u. hier zur Bildung neuer Phagensubstanz führt. Bei *virulenten B.* platzt das Bakterium schon nach 20–25 Minuten, die neugebildeten Phagen treten ins Freie des Mediums. Bei *temperierten B.* bleibt die DNS der Phage als ‚Prophage‘ über Generationen im Bakterium, ehe der Zerfall eintritt.

Bakteriose *w* (gr.-lat.), durch Bakterien entstandene Krankheit.

Bakteriostatika (gr.-lat., Mz.), das Wachs-

Die meisten Bakterien sind heterotroph, d. h., ihre organischen Stoffe sind abhängig von anderen Mechanismen. Eine kleine Gruppe kann, wie die Pflanzen auch, organische Stoffe selbst herstellen (autotroph). Die meisten Bakterien dieser letzten Gruppe holen die Energie dazu nicht aus Sonnenlicht, sondern aus allerlei chemischen Reaktionen.

A. Die heterotrophe Knollenbakterie lebt in Symbiose mit Schmetterlingsblütlern. Die Bakterie bindet den freien Stickstoff aus dem Boden zu aufnehmbaren Nitraten für die Pflanzen.

B. Actinomycetes, eine heterotrophe Fäulnisbakterie, lebt u. a. in Misthaufen und ist am Kompostierungsprozeß beteiligt.

C. Die Eisenbakterie Gallionella ist autotroph; die Energie für die Produktion von organischen Stoffen wird durch die Oxidation von Eisen geliefert.

D. Rhodospirillum ist ebenfalls autotroph; benötigt keinen Sauerstoff.

E. Rhodopseudomonas, autotrophe Schwefelbakterie, lebt in sauerstoffarmen Seen und Tümpeln; verursacht den ‚faulen‘ Geruch z. B. von Morastschlamm.

F. Leptospira ist ein echter Parasit, der u. a. im Gewebe des Menschen lebt.

G. Bacillus anthracis bezieht sowohl Sauerstoff als auch organische Stoffe

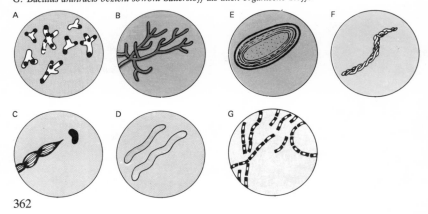

Vier Arten, in denen Bakterien den Körper angreifen: A. Eingedrungene Bakterien werden von weißen Blutkörperchen angegriffen, die Bakterien in sich aufnehmen (Phagozytose, 2). Bakterien können sich innerhalb der weißen Blutkörperchen vermehren und später wieder frei werden (3). B. Eingedrungene Bakterien können mit einer Kapsel ausgestattet sein (1), wodurch weiße Blutzellen sie nicht angreifen können (2). Es werden dann Antistoffe gebildet, wodurch Phagozytose stattfinden kann (3). C. Exotoxine spielen u. a. eine Rolle bei Tetanus (1). Eingedrungene Bakterien stellen diese Giftstoffe her (2). Die Gewebezellen werden dadurch ernsthaft beschädigt (3). D. Die ebenfalls giftigen Endotoxine werden erst frei, wenn die Bakterien zerfallen. Bakterientötende Stoffe können nicht immer als Medizin benutzt werden, da sie für den Menschen schädlich sind. Sulfaverbindungen (entdeckt von Domagk) bremsen das Wachstum und die Fortpflanzung bestimmter Bakterien (Pneumokokken und Staphylokokken), aber töten sie nicht. 1928 entdeckte Fleming das Antibiotikum Penizillin, einen Stoff, der von bestimmten Schimmelarten und Bakterien hergestellt wird und andere Bakterien tötet

tum der Bakterien hemmende Mittel: Antibiotika u. a.

bakterizid (gr.-lat.), bakterientötend.

Baktrien, am Oxus gelegene altpers. Landschaft im heutigen Afghanistan; Heimat des Zarathustra.

Baku, Hst. u. Hafen der Aserbeidschan. SSR in der UdSSR, an der Südküste der Halbinsel Apscheron am Kasp. Meer; 1,55 Mill. E.; Univ., weitere Hochschulen u. Bildungsstätten, Akad. der Wiss.; Zentrum der sowjet. Erdölförderung auf Apscheron, Ind.-Stadt u. Umschlaghafen; Flughafen.

Bakuba, *Buschongo,* Bantunegerstamm im Kongogebiet; eh. eigenes Kgr.; künstlerisch begabt (u.a. Schnitzereien).

Bakuba, Hst. der irak. Prov. Dijala, 36000 E.; Handel, Verkehrsknotenpunkt.

Bakunin, *Michail Alexandrowitsch,* russ. anarchist. Philosoph u. Revolutionär, 1814–76; Teilnehmer an den sozialist. Aufständen in Polen, Sachsen u. Böhmen; Haft u. Verbannung in Sibirien, 1861 Flucht nach Europa; beeinflußt v. Hegel, entwirft er eine Philosophie der Vernichtung, indem er das Negative im dialekt. Prozeß über das

Positive stellt; Begründer des kollektivist. → Anarchismus. – HW: *Dieu et l'état* (1871).

Baky, *Josef v.,* dt. Filmregisseur ungar. Herkunft, 1902–66; u. a. *Münchhausen* (1943); *Das doppelte Lottchen* (1950); *Sturm im Wasserglas* (1960).

Balaam → Bileam.

Balaguer (:-ger), *Victor,* span.-katalan. Schriftsteller, Politiker u. Kulturhistoriker, 1824–1901; Vorkämpfer der neukatalan. Renaissance; Lyrik (Balladen, Romanzen), Dramen u. literarhistor. Werke. – WW: u.a. *Montserrat* (1857); *Historia de Cataluña* (1885-89; 11 Bde).

Balakirew, *Milij Alexejewitsch,* russ. Komponist u. Dirigent, 1837–1910; Mitgründer der ‚Gruppe der Fünf‘, Haupt der jungruss. Schule, Begr. der russ. Volksliedforschung; Sinfonien, Orchester- u. Klavierwerke, Lieder.

Balaklawa, sowjet. Hafen u. Seebad an der Südwestküste der Krim; war schon alte griech. Kolonie; seit 1783 russisch.

Balalaika *w* (russ.), russ. Musikinstrument, mit dreieckigem Schallkörper, langem Hals u. 3 Zupfsaiten.

Balance *w* (:-läß^e, frz.), **1)** *allg.:* Gleichgewicht, Schwebe. – **2)** *Sozialwiss.:* die kognitive u. emotional ausgeglichene Beziehung des Menschen zu seiner Umwelt (zu anderen Personen, zu Gegenständen u. Sachverhalten). Nach den B.theorien führen Ungleichgewichte zu Spannungen, die das Individuum veranlassen, durch entsprechende Handlungen das Gleichgewicht wiederherzustellen. – **3)** *Ballett:* Schwebeschritt, der die Fähigkeit verlangt, das Körpergewicht zu verlagern, ohne sich zu bewegen. – **4)** *Seehandel:* Angabe über die Schiffsladung.

Balanchine, *George,* eig. *Georgi Melitonowitsch Balantschiwadse,* russ. Tänzer u. Choreograph, 1904–83; wurde 1924 Tänzer u. Choreograph an Diaghilews Ballets Russes in Paris; seit 1934 in den USA, gründete er 1948 das New York City Ballet; neuklass. Ballettstil.

balancieren (:-läßi-, frz.), die Balance halten.

Balanitis *w* (gr.), leichte Entzündung der Eichel des männl. Glieds u. des inneren Vorhautblatts; harmlos.

Balaschow, sowjet. Stadt nahe Saratow, Wirtschaftszentrum im Schwarzerdegebiet, 80 000 E.; u.a. Masch.-Industrie.

Balassa (:bålåschå), *Bálint,* ungar. Schriftsteller, 1554–94; Dichter der ungar. Renaissancelit.; religiöse, patriot. u. Liebeslyrik.

Balata *w* (indian.), harzreicher eingetrock-

Das Wort ‚Gleichgewicht‘ (Balance) suggeriert, daß man einen Gegenstand daran hindern kann, nach unten zu fallen, indem man ihn in geschickter Weise mit einem andern Gegenstand verbindet, der ebenfalls nach unten fallen möchte. Bei dieser Turmkonstruktion des Bildhauers Kenneth Snelson (*1927) kann ein Stahlrohr nur in eine niedrigere Position gelangen, indem man eines der andern Rohre, mit dem es durch Drahtseile verbunden ist, nach oben zieht. Während also jedes der Rohre nach unten fallen will, wird die Konstruktion doch im Gleichgewicht gehalten

neter Milchsaft v. tropischen am. Sapotaceen (Mimusops); für Treibriemen, Schuhsohlen, Isolationen u.a.

Balaton (: bålå-, ungar.), der → Plattensee.

Balawat, nordirak. Ruinenhügel zw. Tigris u. Zab, über der assyr. Stadt Imgur-Enlil; Palasttor des assyr. Kg. Salmanassar III. mit Bronzefriesen (9. Jh. v.Chr.).

Balbek → Baalbek.

Balbo, 1) *Cesare,* it. Politiker u. histor. Schriftsteller, 1789–1853; bemüht um Einigung Italiens; schuf 1848 die it. Verfassung. – 2) *Italo,* it. faschist. Politiker, 1896–1940; 1929–33 Luftfahrtmin., ab 1933 Generalgouv. v. Libyen.

Balboa, eh. *La Boca,* Hafenstadt am Westende des Panamakanals zum Stillen Ozean, 13 000 E.

Balboa, *Vasco Núñez de,* span. Entdecker, um 1475–1517 (hingerichtet); gelangte als erster Europäer über den Isthmus v. Panamá an den Pazifik.

Balch (: båltsch), *Emily Greene,* am. Frauenrechtlerin, 1867–1961; verdient um Friedensbewegung; 1946 Friedensnobelpreis.

Balchasch, *Balkasch,* sowjet. Ind.-Stadt in der Kasach. SSR, am Nordufer des B.sees, rd. 80 000 E.; Kupfererzbergbau; Fischverarbeitung.

Balchaschsee *m, Balkaschsee,* abflußloser Binnensee im Tiefland v. Turkestan, Kasach. SSR, 640 km lang, 26 m tief, 18 000–22 000 km²; im Westteil Süßwasser, im Ostteil Salzwasser; im Winter zugefroren.

Balchin (: båltschin), *Nigel,* engl. Schriftsteller, 1908–70; Erzähl., psychoanalyt. Romane (u.a. *Eine große Familie,* 1953) u. Essays.

Baldachin *m* (it.), 1) Seide aus Bagdad. – 2) Seide- od. Damasthimmel über Thron od. Bett, Prunkdach. – 3) Traghimmel bei Prozessionen. – 4) Überbau über Denkmälern u. Altären, Kanzeln, auch Kirchenportalen.

Balde, *Jakob,* neulat. Barockdichter, 1604–68; Jesuit; Epen, Dramen, Satiren; relig. u. patriot. Gedichte.

Baldeneysee *m,* südl. v. Essen gelegener Stausee der Ruhr, 9 Mill. m³.

Balder, *Baldr,* → Baldur.

Baldi, *Bernardino,* it. Gelehrter u. Schriftsteller, 1553–1617; histor. Werke.

Baldini, *Antonio,* it. Schriftsteller, 1889–1962; humorist. Romane u. Erzählungen.

Ibiza, eine der balearischen Inseln, wird wegen der weißen Häuser auch ,Weiße Insel' genannt

Baldo, *Monte B.,* Gebirgsstock der it. Südalpen, zw. Gardasee u. Etschtal, bis 2218 m hoch.

Baldovinetti (:-wi-), *Alesso,* it. Maler, 1425–99; Gemälde (naturgetreue Landschaften), Mosaiken, Fresken, haupts. in Florenz.

Baldower *m* (hebr.), Gauner, Dieb.

baldowern, *ausbaldowern,* auskundschaften.

Baldr, german. Gott, → Baldur.

Baldrian *m* (mlat.), Pflanzengattung der Baldriangewächse (Rötepflanzen), bis 2 m hohe Stauden mit gefiederten Blättern; aus Wurzelstock wird wertvolles Beruhigungsmittel gewonnen; aus *Katzen-* od. *Hexenkraut,* dem *Gemeinen B., B.öl, B.tee* u. *-tinktur* als beruhigende, blutdrucksenkende u. krampflösende Mittel.

Baldriantee *m,* Aufguß aus frischen od. getrockneten Wurzelstöcken des → Baldrians.

Baldriantropfen, Beruhigungsmittel, alkohol. Auszug aus der Wurzel des → Baldrian.

Balduin, Fürsten: *Belgien:* 1) → Baudouin I. – *Byzanz:* 2) B. I., Graf v. Flandern, 1171–1206; nach Eroberung Konstantinopels durch die Kreuzfahrer erster lat. Kaiser. – *Jerusalem:* 3) B. I., König v. Jerusalem, 1058–1118; Bruder Gottfrieds v. Bouillon; seit 1100 Kg. – *Trier:* 4) B. v. *Luxemburg,* Erzb. v. Trier, 1285–1354; seit 1307 Erzb.; brachte 1308 seinen Bruder Heinrich VII., 1314 Ludwig den Bayern u. 1346 Karl IV. auf den Königsthron; beteiligt am Kurverein v. Rhense.

Baldung, *Hans,* gen. *Grien,* dt. Maler,

Bald

Zeichner u. Kupferstecher, neben Grünewald bedeutendster oberrhein. Renaissancemeister; 1484/85–1545; Schüler Dürers; wirkte in Nürnberg, Straßburg u. Freiburg i.Br. (hier Hauptwerk: *Hochaltar* des Münsters, 1513–15). – Weitere WW: *Beweinung* (Berlin); *Ruhe auf der Flucht* (Nürnberg); *Die Frau u. der Tod* (Basel); *Karlsruher Skizzenbuch*.

Baldur, *Baldr, Balder,* nord. Gott des Lichts u. der Fruchtbarkeit, Sohn des Wodan (Odin) u. der Frigg(a); sein Tod durch Lokis List brachte (nach der Edda) den Untergang der Götter (Götterdämmerung).

Baldwin (: båld-,) **1)** *James Arthur,* am. Negerschriftsteller, *1924; Erzählungen, Romane, Dramen u. Essays zur am. Negerproblematik; führend in der Civil-Rights-Kontroverse 1963. – WW: u.a. *Geh hin u. verkünde es vom Berge* (1953); *Giovannis Zimmer* (1956); *Zum Greifen nah* (1978). *Schwarz u. Weiß* (1955; Essays). – **2)** *James Mark,* nordam. Philosoph, Entwicklungs- u. Sozialpsychologe, 1861–1934; Vertreter einer genetisch begründeten Entwicklungspsychologie. – **3)** *Stanley,* Earl of Bewdley, brit. konservativer Politiker, 1867–1947; war 1923, 1924–29 u. 1935–37 Premiermin.; für friedl. Ausgleich mit Dtl.

Balearen, *Islas Baleares,* span. Inselgruppe im westl. Mittelmeer: die Pityusen mit Ibiza u. Formentera, die Hauptinsel Mallorca mit der im S vorgelagerten Insel Cabrera u. Menorca nebst einer Anzahl kleinerer Felseneilande; 5014 km², 675000 E.; Hst.: Palma de Mallorca; Südfrüchte, Wein; Fremdenverkehr.

Balen (: bale), *Hendrik van,* fläm. Maler, 1575–1632; Altar- u. kleine Historienbilder aus Bibel u. Mythos.

Balfour (: bälf^er), *Arthur James,* Earl of, brit. konservativer Politiker, 1848–1930; 1902–05 Min.-Präs.; 1904 Mitbegründer der → Entente cordiale; 1916–19 Außenmin.; sagte 1917 in der *Balfour Declaration* den Juden eine Heimstätte in Palästina zu.

Balfour Declaration w (: bälf^er dekläre^i sch^en, engl.), brit. Regierungserklärung v. 1917 an die Juden (um sie für die Alliierten zu gewinnen), ihnen in Palästina ein ,nationales Heim' zu schaffen, ohne die polit. u. relig. Rechte der nichtjüd. Bevölkerung zu verletzen; → Balfour.

Indonesischer Ausdruckstanz auf Bali. Dargestellt wird eine Szene aus dem Ramayana-Epos

Eine der schönsten Inseln des indonesischen Archipels: Bali

Balg m (germ.), **1)** Fell u. Haut v. Tieren mit Haar bzw. Federn *(Vogelbalg).* – **2)** Vorrichtung zur Erzeugung eines Luftzugs durch Zusammenpressen eines luftdurchlässigen Sacks, Beutels od. dgl. aus Leder, Gummi od. Gewebe (z.B. Dudelsack, Ziehharmonika, Orgel, Handblasebalg). – **3)** zur Aufbewahrung v. Flüssigkeit abgezogene Tierhaut, angeschwellter Schlauch. –

4) auch Bauch (geschwollener Leib). – **5)** *Balgen,* faltbares Verbindungsstück zur Vergrößerung od. Verkleinerung des v. ihm umschlossenen Raums; z.B. an der photograph. Kamera.
Balgdrüsen (Mz.), die Haartalgdrüsen; → Talgdrüsen.
Balggeschwulst *w, Grützbeutel,* → Atherom.
Bali, 1) indones. Insel zw. Java u. Lombok, westlichste der Kleinen Sundainseln, 5561 km², über 2 Mill. E.; Hst.: Singaraja; im tätigen Vulkan Goenoeng Agoeng 3165 m hoch; der W v. Urwald bedeckt (Tiger, javan. Büffel); Anbau v. Reis (Bewässerungsterrassen), Mais, Baumwolle, Tabak, Kaffee. Die hinduist. Bevölkerung bewahrte zahlreiches altes Brauchtum. – **2)** Sudannegerstamm im afrik. Hochland v. Adamana.
Balingen, b.-württ. Große Krst. am Fuß der *Balinger Berge,* im Zollernalbkreis, 29600 E.; als Vereinbarte Verw.-Gemeinschaft 34700 E.; Schuh- u. Metallindustrie.
Balistraße *w,* Meeresstraße zw. Bali u. Java.
Balk, *Hermann,* erster Landmeister des Dt.

Ordens in Preußen, † 1239; gründete Thorn, Kulm, Marienwerder, Elbing.
Balkan *m* (türk., ‚Gebirge'), bulgar. *Stara Planina,* westöstlich ziehendes Faltengebirge im NO der B.halbinsel, in Bulgarien, 600 km lang, 20–50 km breit, im Botew 2375 m hoch. Auf der Nordflanke Buchen- u. Eichenwälder; zahlreiche befahrbare Pässe, darunter der Schipkapaß, 1333 m, u. Demir-Kapu, 1097 m. Der B. ist waldreich, mit Weidewirtschaft (Hochweiden), Landwirtschaft, Obst- u. Weinbau; stark besiedelt.
Balkanbund *m,* 1912 zw. Bulgarien, Serbien, Griechenland u. Montenegro geschlossener Bund gg. die Türkei.
Balkanentente *w* (: -ätät, frz.), *Balkanpakt,* Abkommen v. 1934 zw. Jugoslawien, Griechenland, Rumänien u. Türkei zur Sicherung ihres territorialen Stands; ab 1938 bedeutungslos.
Balkanhalbinsel *w,* gebirgige Halbinsel in Südosteuropa, ins Mittelmeer ragend, durch untere Donau u. Save im N begrenzt, 560000 km², 40 Mill. Einw.; umfaßt Altrumänien, Jugoslawien, Albanien, Bulgarien, Griechenland u. den europ. Teil der Türkei; im N vom Balkan u. Rhodopegebir-

Während des 19. und zu Beginn des 20. Jahrhunderts vollzog sich der Niedergang des Osmanischen Reichs, wodurch nationale Bewegungen im Balkan die Chance erhielten, entweder einen autonomen Status innerhalb des Osmanischen Reichs oder die Unabhängigkeit zu erreichen. Dieser Prozeß verlief allmählich und machte dadurch den Balkan zu einer fortdauernden Quelle von Konflikten zwischen Großmächten, die ihren Einfluß auf Kosten der osmanischen Türken zu vergrößern versuchten. Schließlich wurde die angespannte Situation im Balkan Anlaß für den ersten Weltkrieg

Türkei
1918 Jahr der Unabhängigkeit
1918 Gebietsabtretungen

ge, an der Westküste v. den Dinarischen
Alpen u. den sich südl. anschließenden
griech. Gebirgen durchzogen, zw. den Ge-
birgszügen, bes. im östl. Teil der B., fruchtbare Beckenlandschaften; an der Westküste u. im S Mittelmeerklima, Wein, Südfrüchte, Oliven. – *Geschichte.* Zwischen 4.
u. 6. Jh. n. Chr. Niederlassung der Slawen.
Im MA slaw. Großreiche: das 1. bulgar.
Reich unter Zar Simeon I. (893–927) u. das
serb. Reich unter Zar Stefan Dušan (1346–
55). Kroatien, 879–1091 unabhängig, erschloß sich dem Westen (röm.-kath.), Serbien dem Osten (seit 1219 griech.-ortho-
dox). 1354–1499 osman. Eroberung; 400
Jahre Türkenherrschaft. Zerfall der europ.
Türkei im 19. Jh., Beginn der Unabhängigkeit der Balkanvölker u. zugleich des
Kampfs zw. Europa u. Rußland um die
Vorherrschaft auf der B.: 1829 Friede v.
Adrianopel (Unabhängigkeit Griechen-
lands, Autonomie Serbiens u. Rumäniens);
1858 Vereinigung der rumän. Fürstentü-
mer; 1877/78 Russ.-Türk. Krieg, 1878 Berliner Kongreß. 1908 Annexion v. Bosnien u.
Herzegowina durch Österreich; 1912/13 →
Balkankriege. Im 1. Weltkrieg Bulgarien
auf seiten der Mittelmächte, Serbien, Rumänien u. Griechenland bei den Alliierten;
die Verträge v. Versailles, Trianon, Neuilly
u. St-Germain schufen Großrumänien u.
Jugoslawien (Kgr. der Serben, Kroaten u.
Slowenen). Im 2. Weltkrieg v. den Achsen-
mächten überfallen u. neu aufgeteilt; 1944/
45 mit sowjet. Hilfe befreit, Bildung v.
Volksdemokratien als sowjet. Satelliten-
staaten. → Albanien, → Bulgarien, →
Griechenland, → Jugoslawien, → Rumänien, → Türkei.

Balkankriege, 1) der Freiheitskampf der
Serben (1804–16) u. Griechen (1821–29)
gg. die türk. Fremdherrschaft. – **2)** zwei
Kriege 1912/13: *Erster Balkankrieg,* endete
mit Sieg der verbündeten Serben, Bulgaren, Montenegriner u. Griechen über die
Türkei, die im Londoner Frieden v. 1913
alle Gebiete westl. der Linie Enos–Midia
abtreten mußte. – *Zweiter Balkankrieg* aufgrund Streits zw. den Siegern des ersten, in
dem Griechen, Rumänen u. Türken über
Bulgarien siegten; 1913 Friede v. Bukarest.

Balkanpakt *m,* **1)** Vertrag v. 1953 zw.
Griechenland, Türkei u. Jugoslawien zur
polit., wirtschaftl., militär. u. kulturellen

Viehmarkt auf dem Balkan (Rumänien)

Zusammenarbeit; in Ankara geschlossen;
seit 1955 ohne Bedeutung. – **2)** → Balkanentente.

Balkasch, sowjet. Stadt, → Balchasch.

Balke, *Siegfried,* dt. Politiker (CSU),
*1902; 1953–56 Bundespostmin., 1956–61
Bundesmin. für Atomenergie u. Wasser-
wirtschaft; 1961–69 Präs. der Bundesver-
einigung der Dt. Arbeitgeberverbände.

Balken *m,* **1)** *Technik:* auf Biegung u. Schub
beanspruchtes Tragelement aus Holz (mit
meist rechteck. Querschnitt), Stahl (ge-
walzte Doppel-T-Träger, Fachwerk) od.
Beton bzw. Stahlbeton; dienen zur Übertragung v. Lasten auf Unterstützung. Mehrere B., nebeneinander verlegt, bilden eine
B.lage, wenn noch miteinander verbunden,
einen *B.-* od. *Trägerrost.* – **2)** *Anat.:* lat.
pons, Verbindung der beiden Großhirn-
hälften.

Balkon *m* (frz.), ein v. Trägern od. Konso-
len getragener offener Vorbau an od. in
Gebäuden (Theater).

Balkonpflanzen (Mz.), Zierpflanzen in besonderen Pflanzkästen u. ä. zum Schmuck v.
Balkonen u. Fenstern.

Ball *m* (ahd.), **1)** kugelförmiges Spiel- u.
Sportgerät (Fuß-, Hand-, Faust-, Tennis-,
Golf-, Base-, Rugby-, Kricket-, Korb-,
Wasser-, Basket-Ball u.a.); urspr. als Voll-
ball, später als aufpumpbarer Hohlball ent-
wickelt. – **2)** frz. *bal,* it. *ballo,* Tanz; als
gesellschaftl. Vereinigung zum Tanz seit 14.
Jh. am burgundischen, dann am frz., österr.
Hof u.a. gepflegt *(Ballhäuser* in Versailles,
Leipzig, Jena, Wien). Seit 1715 öffentliche
(Masken-)Bälle.

Ball, *Hugo,* dt. Schriftsteller, 1886–1927;

Mitbegründer des Dadaismus; zeitkrit. Schriften, Essays, Gedichte, Dramen u. Romane. – WW: *Zur Kritik der dt. Intelligenz* (1919); *Byzantin. Christentum* (1923); *Die Flucht aus der Zeit* (1927; Tagebuch); *Hermann Hesse* (1927) u.a.

Balla, *Giacomo,* it. Maler, 1871–1958; Mitbegründer u. Vertreter des Futurismus; Darstellung v. Bewegungsabläufen unter Verwendung v. kubist. Elementen; abstrakte, später gegenständliche Gemälde.

Ballade *w* (it.-provenzal., ‚Tanzlied‘), **1)** in der *Dichtung:* Erzählgedicht; halb legendenhafte, halb geschichtliche Ereignisse in einfachen Strophen v. lyrischer od. dramat. Stimmung; englische *Volks-B.* v. Einfluß auf die dt. Literatur; erste *Kunst-B.* v. Goethe 1771, Bürger 1773, Schiller 1797; in der Romantik v. Uhland, C. F. Meyer, Fontane u.a. gepflegt. – **2)** *Musik:* seit 12. Jh. südroman. Tanzlied mit Kehrreim, im 14. u. 15 Jh. → Gassenhauer, beliebte, kunstvolle Form des v. Instrumenten begleiteten Tanzlieds; im 19. Jh. Vertonung v.

Blick auf Sarajewo (Balkanhalbinsel)

B. **1)**, als *Solo-B.* für Singstimme u. Klavier od. *Chor-B.* mit Soli u. Orchester.

Ballad Opera *w* (: bälᵉd opᵉrᵉ, engl.), engl. ‚Liederoper‘, Singspiel mit Volksliedmelodien, z. B. *The Beggar's Opera* (Bettler-Oper, 1728); karikiert die it. Belcanto-Oper.

Ballast *m* (nd.), tote Last, wie Sand, Steine, Holz, Wasser, bei Schiff, Luftschiff u. Ballon zum Gewichtsausgleich; bei Schiffen, um notwendigen Tiefgang zu erreichen; bei Luftschiff u. Ballon zur Verbesserung der Manövrierfähigkeit.

Ballaststoffe (Mz.), unverdauliche Teile der Nahrung ohne Nährwert, doch verdauungsfördernd; z.B. Zellulose.

Ballei *w* (frz.), Verwaltungsbezirk bei Ritterorden *(Ordens-B.),* umfaßte mehrere Priorate (Komtureien); vom *Bailli* verwaltet.

Ballen *m*, **1)** Verpackungseinheit od. Zählmaß f. bestimmte Güter (Papier, Baumwolle u.a.) – **2)** nackte Wülste an Gliedmaßen v. Mensch u. Säugetier (Hand-, Fuß-B.).

Ballenblume *w*, knospenart. Hohlkehlenverzierung der engl. Gotik.

Ballenstedt, Stadt u. Luftkurort im DDR-Bez. Halle, am Unterharz; rd. 10000 E.; feinmechan. u. Gummi-Industrie.

Ballerina *w* (it.), Tänzerin im Ballett. – *Primaballerina,* erste Solotänzerin einer Tanzgruppe.

Ballett *s* (it.), aus dem Hoftanz entstandene tänzerische Darstellung einer Handlung; entwickelte sich im 16. Jh. in Italien als selbständige Kunstgattung od. Zwischeneinlage in Opern od. Schauspielen: chorische Tanzschöpfung ohne Wort u. Gesang. Das B. erreichte Höhepunkte unter Lully u. Beauchamps im 17. Jh. in Fkr., im 18. Jh. unter Angiolini u. Noverre; seit 1681 in Fkr. auch Tänzerinnen auf der Bühne. Ins 19. Jh. fällt die Entstehung des klass. B. Mit Maria Taglioni u. Fanny Elßler begannen romant. B. u. Spitzentanz. Neuen Aufschwung brachte 1907 das Russische B. mit der Truppe Diaghilew, der einige der größten Tänzer (Pawlowa, Karsawina, Nijinski, Massin, Lifar), Komponisten (Strawinsky, Satie), Bühnenbildner (Benoit, Bakst) u. Maler (Picasso, Braque) um sich versammelte. Mit dem Aufkommen der Neuen Musik eröffneten sich dem B. neue Ausdrucksmöglichkeiten, die v. vielen Meistern der Choreographie verwendet werden (M. Béjart, S. Lifar, Balanchine u.a.). Im 20. Jh. entsteht der moderne Ausdruckstanz mit H. Kreutzberg u. Mary Wigman als führenden Gestalten.

Balletteuse *w* (: balätös^e, frz.), Tänzerin in einer Tanzgruppe.

Ballettmusik *w*, die musikal. Grundlage für die tänzerische Gestaltung eines Balletts.

Ballettpantomime *w* (it.-gr.), dramatische Handlung, mit den Mitteln des Tanzes dargestellt, meist musikalisch untermalt; seit dem 15. Jh. bekannt.

Ballhaus *s*, Gebäude für Ballspiele u. Festlichkeiten (Bälle), in Fkr. seit Mitte des 15. Jh., bes. im 16./17. Jh.; →Ball 2).

Ballhausplatz *m*, Platz in der Wiener Innenstadt, mit österr. Bundeskanzleramt u. Außenministerium; B. = österr. Außenpolitik.

Ballismus *m* (gr.), Nervenkrankheit, bei der es zu plötzl. Schüttel- u. Schleuderbewegungen der Arme u. Beine kommt.

Balliste *w* (gr.-lat.), griech., röm. u. mittelalterl. Wurfgeschütz.

Ballistik *w* (gr.), Lehre v. den Bahnen eines geworfenen od. geschossenen Körpers. Nach der B. beschreibt der Körper je nach seiner Anfangsgeschwindigkeit u. nach dem → Gravitationsfeld, in dem er sich

Der wichtigste Gründer der russischen Ballett-tradition ist der Franzose Marius Pepita (1822– 1910). Seine Ballette werden noch immer aufgeführt (Photo), wie sein Don Quichote, der am 2. Weihnachtstag 1869 im Bolschoitheater in Moskau mit Musik von Léon Minkus (1827–90) seine Weltpremière hatte

bewegt, eine Parabel, Ellipse od. Hyperbel, wenn v. dem Luftwiderstand abgesehen wird.

ballistische Kurve, Flugbahn eines Körpers, die durch Anfangsgeschwindigkeit, Gravitationsfeld u. Luftwiderstand bestimmt wird.

Ballistisches Galvanometer, → Strommeß-

Viele genaue Bezeichnungen im klassischen Ballett sind zum Teil aus den ‚fünf Positionen' (A) hergeleitet; ferner beginnen und enden die meisten Bewegungen mit einer der ‚fünf Positionen'. Jeder Schritt, wie z. B. der ‚fouetté', und der ‚tournant' (B), besteht selbst wieder aus einer Reihe von Bewegungen; die für die Drehung benötigte Geschwindigkeit gibt der Tänzer (die Tänzerin) sich selbst mit dem freien Bein. Neben den vielen verschiedenen ‚tours' gibt es eine enorme Vielfalt an Sprüngen. Einige davon sind der ‚brisé' (C), der ‚entrechat' (D) und der ‚grand jeté' (E)

gerät, mit dem kurze Stromstöße gemessen werden können. Der Ausschlag eines B.G. ist der Ladung, die den Stromstoß erzeugt, proportional.

Ballon *m* (: balō, frz.), **1)** Luftfahrzeug aus Stoff, Gummi od. Kunststoff, das durch Gase, deren spezif. Gewicht leichter als Luft ist, od. durch erwärmte Luft (→ Heißluftballon) gefüllt wird. Der B. wird durch den statischen → Auftrieb emporgehoben. Beispiele: → Fesselballon, → Freiballon. – **2)** bauchige, dickwandige Glasflasche.

Ballonsport *m*, sportliche Wettbewerbe mit → Ballonen: Einzelrekorde u. Meisterschaften für Distanz, Höhe od. Dauer; auch Zielwettflüge u. hochalpiner B.

Ballotage *w* (: -tasche, frz.), Geheimwahl mittels weißer u. schwarzer Kugeln.

Ballspiele (Mz.), Spiele mit Schlag-, Hohl-, Vollball als Spielgerät; u.a. Fuß-, Hand-, Faust-, Base-, Basketball, Hockey, Krikket, Rugby. – B. schon v. den Ägyptern, Griechen, Römern, Indianern u.a. gepflegt, nam. auch im europ. MA.

Ballung *w*, *Soziol.:* Zusammenballung der Bevölkerung auf engem Raum als Folge der Verstädterung.

Balmer, 1) *Johann Jakob,* Schweizer Mathematiker u. Physiker, 1825–98; stellte die → Balmerserie dar. – **2)** *Wilhelm,* Schweizer Maler, 1865–1922; Bildnisse, bes. Kinderporträts; Fassadengemälde.

Balmerserie *w*, Spektrallinien, die v. einem angeregten Wasserstoffatom ausgesandt werden u. die 1885 v. J. → Balmer formelmäßig dargestellt wurden.

Balmes, *Jaime Luciano,* span. Philosoph, 1810–48; Anhänger der Lehren der Scholastik, die er weiterführte; unberührt v. der europ. Aufklärung, ein Vertreter der span. Tradition.

Balmoral Castle (: bälmor℮l kaßl), got. Schloß in Schottland, in der Grafsch. Aberdeen, seit 1882 Sommerresidenz des engl. Hofs.

Balneologie *w* (lat.-gr.), *Bäderkunde,* Lehre v. den Heilbädern u. ihren Wirkungen; Erforschung der physikal. u. chem. Eigenschaften der Heilquellen u. der medizinisch verwertbaren Schlamme u. Moore.

Balneotherapie *w* (lat.-gr.), Heilbadbehandlung; schon im Altertum (Industal; Römer) bei Kulturvölkern weit verbreitet, ebenso im MA, erneut im 17. u. 18. Jh.; neuer Aufschwung aufgrund der Erkenntnisse der Balneologie: Entdeckung physikalischer Faktoren mit direkter (Auftrieb, Druck) u. indirekter Wirkung (Temperaturreize) neben chem. Faktoren (Schwefel, Kohlensäure, Salze) usf.

Von den zahlreichen Bezeichnungen von Ballettschritten genießen einige größere Bekanntheit, wie z.B. die ‚arabesque‘ (A), von der hier drei Varianten wiedergegeben sind, und ‚plié‘ (B), die, am ‚barre‘ ausgeführt, Bestandteil des täglichen Ballettunterrichts sind, die ‚attitude‘ (C), von der inzwischen zahllose Ausführungen entstanden sind, die ‚cabriole‘ (D), die in verschiedenen Variationen vorkommt, ebenso wie die ‚pirouette‘, von der hier die ‚pirouette à la seconde‘ abgebildet ist (E)

Heißluftballon der Gebrüder Mongolfier von 1783. Die Luft im Ballon wird durch ein Feuer aufgewärmt, wodurch die Hülle Auftrieb erhält

Balparé *m* (frz.), großes Tanzfest.

Balsa *w,* **1)** Gruppe leichter Nutzhölzer in Süd- u. Mittelamerika *(Balsaholz),* leichter als Kork. – **2)** leichtes indian. Wasserfahrzeug, meist aus Binsenrollen.

Balsaholz *s,* → Balsa.

Balsam *m* (arab.), Gemisch v. Harz u. äther. Ölen aus der Rinde v. *B.baumgewächsen;* verwendet zu Lack, Firnis, Parfüm u. medizin. Salben.

Balsambaumgewächse (Mz.), Pflanzenfamilie der Balsampflanzen. Rinde der B. hat Balsamgänge; viele Arten liefern Balsamharze, die als Heil- u. Räuchermittel verwendet werden. Wichtigste Arten: *Arab. Weihrauchbaum, Echter Myrrhenbaum;* beide Arten liefern Weihrauch u. Myrrhe.

Balsamine *w,* Gattung der → Balsaminengewächse.

Balsaminengewächse (Mz.), Familie der Storchschnabelgewächse; wichtigste Vertreter: *Gartenbalsamine,* beliebte einjährige Gartenpflanze in zahlreichen Formen. Urheimat ist Indien. Das *Großblütige Springkraut* od. *Kräutchen rühr mich nicht an* ist bei uns in feuchten Wäldern verbreitet. Das *kleinblütige Springkraut* stammt aus Sibirien u. ist ein lästiges Unkraut.

Balsamkörner, Samen des Balsambaums; Räuchermittel.

Balsamkraut *s,* Wucherblume (aus Orient) u. Minze.

Balsamtanne *w,* nordam. Tanne; liefert Kanadabalsam.

Balsas, *Río de las B.,* mittelmexikan. Fluß, vom mexikan. Hochland zum Stillen Ozean, 685 km lang.

Balser, *Ewald,* dt. Schauspieler, 1898–1978; Helden- u. Charakterdarsteller; seit 1928 am Wiener Burgtheater; Filme: u.a. *Rembrandt* (1942); *Sauerbruch* (1953).

Baltard (:-tar), *Victor,* frz. Architekt, 1805–74; Großbauten in Eisenkonstruktion (z.B. die frühere Markthalle *Les Halles* u. die Kirche St-Augustin in Paris).

Balten (Mz.), die den Slawen verwandten → baltischen Völker.

Baltendeutsche (Mz.), ab dem 13. Jh. im Baltikum angesiedelte Deutsche; 1939 großenteils nach Dtl. umgesiedelt.

Balthasar, 1) einer der Drei Könige (Magier) des NT. – **2)** männl. Vorname.

Balthasar, *Hans Urs v.,* Schweizer kath. Theologe u. Schriftsteller, *1905; reiches Schrifttum. – WW: u.a. *Karl Barth* (1951); *Herrlichkeit. Eine theolog. Ästhetik* (3 Bde, 1961–67).

Die baltischen Länder Estland, Lettland und Litauen waren zwischen den beiden Weltkriegen unabhängige Staaten. Seit dem zweiten Weltkrieg gehören sie zur Sowjetunion

Balthus (: -tüß), eig. *Balthasar Klossowsky,* frz. Maler, *1908; Figuren, Porträts, Landschaften, Stilleben.

Baltijsk, russ. für Pillau.

Baltikum *s,* urspr. das Gebiet v. Kurland, Livland, Estland (russ. Ostseeprovinz) u. Ingermanland; seit 1918 die balt. Staaten Litauen, Lettland u. Estland (seit 1940 sozialist. Sowjetrepubliken der UdSSR) mit den vorgelagerten *Baltischen Inseln.*

Baltimore (: båltimå^{er}), größte Stadt im Staat Maryland (USA), zweitgrößter Hafen der am. Atlantikküste, an der Westküste der Chesapeakebai, rd. 1 Mill., Aggl. über 2 Mill. E.; Univ.; Schiffbau, Masch.-, Metall-, Tabak-, Konserven-, Textil- u. chem. Ind.; Ausfuhrhafen für Getreide, Tabak, Fleisch, Baumwolle u. Erdöl.

Baltische Inseln, die vor dem Meerbusen v. Riga gelegenen Inseln Dagö, Ösel, Moon u. Worms.

Baltischer Landrücken, *Baltische Seenplatte,* über 1000 km langes, hügeliges u. seenreiches Moränengebiet an der Ostseeküste.

Baltischer Schild → Fennoskandia.

Baltische Seenplatte → Baltischer Landrücken.

Baltisches Meer, die Ostsee.

baltische Sprachen, indogerman. Sprachzweig mit slaw. Einflüssen: Lettisch, Litauisch u. das ausgestorbene Altpreußisch. Das Litauische hat älteren Lautstand als das Lettische, in dem die Mundarten der Kuren, Semgaller u. Selen aufgingen. Enge Beziehungen zw. b. S. u. slaw. Sprachen nam. im Wortschatz.

Baltrum, Nordseeinsel u. Seebad, die kleinste der Ostfries. Inseln, 6,5 km²; Fremdenverkehr.

Baluba, *Luba,* Bantuvolk im südl. Kongo.

Baluchistan, amtlich für Belutschistan.

Balunda, *Lunda,* Bantuvolk in Zentralafrika u. Nordmalawi; das Kgr. Lunda bestand bis Ende des 19. Jh.

Baluschek, *Hans,* dt. Maler u. Graphiker, 1870–1935; Berliner Vorstadtbilder.

Balustrade *w* (frz.), durchbrochenes Brüstungsgeländer mit kleinen, profilierten, gedrehten (geschwellten) Säulen *(Balustren).*

Balve, nordrh.-westfäl. Stadt im Märk. Kr. 10500 E.; Luftkurort.

Balz *w,* Paarungszeit u. Begattungsvorspiel bei Vögeln (Auer-, Birk-, Haselhuhn); oft

Balz des Riesenalbatros (Diomedea exulans): ein kompliziertes Ritual von hörbaren wie sichtbaren Signalen.
A. Strecken des Halses und Schnabelklappen; B. Biegen des Kopfes; C. die Vögel strecken sich zueinander hin; D. das Männchen dreht sich mit gespreizten Flügeln um das Weibchen herum, das es mit den Blicken verfolgt; E. der Stand mit gestrecktem Hals und gespreizten Flügeln ist die Einleitung zur Paarung

an besond. *Balzplatz.* → Balzverhalten.

Bälz, *Erwin v.,* dt. Arzt, 1849–1913; Leibarzt des jap. Kaisers u. Prof. in Tokio; führend beteiligt am Neuaufbau des jap. Gesundheitswesens; nach ihm die *Bälzsche Krankheit* ben., eine infektiöse eitrige Entzündung der Lippenschleimhautdrüsen.

Balzac (: -sak), **1)** *Honoré de,* frz. Schriftsteller, 1799–1850; Begründer des soziolog.

Honoré de Balzac

Realismus im modernen Roman durch seine Romanreihe *Die menschl. Komödie* (über 40 Bde, 1829–54) über die nachnapoleon. frz. Gesellschaft; *Tolldreiste Geschichten* (1832–53; schwankhaft-sinnliche Erzählungen). Seine meist überwirklichen Gestalten sind fast nur v. Geiz, Machthunger, Begierden, Liebe u. Leidenschaften besessen. – **2)** *Jean-Louis,* frz. Schriftsteller u. Politiker, 1597–1654; Wegbereiter der frz. Klassik; philosoph. Essays, Briefe *(Premières Lettres,* 1618–37; *Lettres,* 1624 ff.). **Balzanpreis** *m,* seit 1956 v. der *Balzanstiftung* (nach E. Balzan, 1874–1953) jährlich verliehener Preis für besond. Leistungen zu Frieden, Humanität od. in Kunst u. Wissenschaft; verliehen durch Komitee aus it. u. schweizer. Vertretern (Rom/Zürich). **Balzverhalten** *s, Biol.:* Paarungszeremonien bei Tieren, z.B. Imponiergehabe, Ausscheiden von Duftstoffen usw., die die Paarungsbereitschaft ankündigen u. beim Partner erhöhen sollen. **BAM,** Abk. für **B**aikal-**A**mur-**M**agistrale. **Bamako,** Hst. der afrik. Rep. Mali, am Niger, 240000 E.; Hafenstadt; wirtschaftl. (Landwirtschaft) u. Verkehrsmittelpunkt; Ind.; Flughafen. **Bambara,** ehem. Sudannegerreich am oberen Niger; der Negerstamm B. in Mali, Guinea u. Ghana.

Bamberg, kreisfreie Stadt im bayer. Reg.-Bez. Oberfranken, an der Regnitz, 72000 E.; spätroman. Dom (13. Jh.) mit *B.er Reiter,* zahlr. Barockbauten (J. L. u. G. Dientzenhofer, B. Neumann); Textil-, Tabak-, Elektro-, Leder- u.a. Ind., Brauereien; Handel (Mainhafen am Rhein-Main-Donau-Großschiffahrtsweg). – Bistum 1007 v. Heinrich II. gegr., Siedlung 1088 erstmals erwähnt; bis 1802 im Besitz der B.er Bischöfe, danach zu Bayern. Seit 1817 B. Erzbistum (Suffragane Würzburg, Eichstätt u. Speyer). **Bamberger Halsgerichtsordnung,** Strafgerichtsordnung v. 1507 (durch Joh. Frh. v. Schwarzenberg) für die bischöflich bamberg. Lande. **Bamberger Reiter,** Steinskulptur an einem Pfeiler des Doms v. Bamberg. **Bambi** *m,* **1)** Filmfigur v. W. Disney (Rehkitz). – **2)** jährlich verliehener dt. Filmpreis, nach Publikumsbefragung durch Fernsehzeitschrift. **Bambino** *m* (it.), Kleinkind; in der it. Kunst: Jesuskind. **Bambocciade** *w* (:-botschade, it.), Bilder des Volks- u. Bauernlebens, ben. nach dem Spottnamen *Bamboccio* (Knirps) für den niederl. Maler *Pieter van Laer* (1590–1642), der in Italien bäuerl. Genrebilder malte. **Bambus** *m* (malai.), tropische → Gräser mit verholzendem hohlem, knotigem Stengel; schnellwachsend, waldbildend, bis 40 m hoch. Vielseitige Verwendung: u.a. Baumaterial, Papier- u. Faserrohstoff; junge Sprosse werden als Gemüse verwendet; einige Arten sind Zierpflanzen.

Bambushain im tropischen Südostasien

Bambusbär *m, Großer Panda,* Vertreter der → Kleinbären. Heimat: China, vom Aussterben bedrohte Art, Symbol des → World Wildlife Fund; lebt haupts. v. Bambussprossen.

Bambuti, die afrik. Zwergvölker der Akka, Basua u. Efe; im Urwaldgebiet am Ituri (nordöstl. Kongogebiet); niedrigste menschl. Wirtschaftsstufe, Wildbeutertum; nur 130–140 cm groß.

Bamm, *Peter,* eig. *Curt Emmrich,* dt. Schriftsteller, 1897–1975; Feuilletons, Kriegserinnerungen, Komödien, Hörspiele, satir. Essays, Biographien u. Reiseberichte. – WW: u.a. *Die unsichtbare Flagge* (1953); *Frühe Stätten der Christenheit* (1955).

Bammental, b.-württ. Gem. im Rhein-Neckar-Kreis, 5300 E.

Ban *m,* **1)** ehem. ungar. u. serbokroat. Würdenträger bzw. Beamter über eine *Banschaft (Banat).* – **2)** rumän. Münze.

Bana, ind. Dichter des 7. Jh. n.Chr. – WW: *Harsa-carita* (histor. Roman); *Kadambari* (Liebesroman; v. seinem Sohn vollendet).

banal (frz.), gewöhnlich. – Hw.: *Banalität.*

Banane *w* (afrik.-portug.), *Musa,* baumartige, bis zu mehreren Metern hohe großblättrige Pflanze mit unterirdischem Sproß u. Scheinstamm, der aus Blattstielen gebildet wird. Bestäubung der Blüten häufig durch Vögel od. Fledermäuse. Wegen der fleischigen Früchte weitverbreitete Kulturpflanze. Heimat: Tropen der alten Welt. – *a) Obst-B.:* samenlose Früchte, große Bedeutung im Welthandel. – *b) Mehl-B.:* wichtiges Grundnahrungsmittel der Tropen; die stärkehaltige Frucht wird gekocht od. getrocknet u. zu Mehl verrieben. – *c) Faser-B.:* Scheinstamm liefert → Manilahanf.

Bananenröhre *w,* → Fernsehröhre, die mit nur einem Elektronenstrahl farbige Bilder erzeugt.

Bananenstecker *m,* einpoliger Stecker in der Elektrotechnik.

Banat *s* (türk.), Landschaft im südöstl. Teil der Ungar. Tiefebene zw. Maros, Theiß, Donau u. Karpaten; im W Ackerbau (Weizen, Mais, Tabak u. Wein) u. Viehzucht, im O das waldreiche *B.er Bergland* mit Kohlen- u. Erzbergbau. – Unter den Türken verödet, 1718 durch Ungarn erobert, unter Maria Theresia mit Magyaren, Serben, Ru-

Bananenstaude

mänen u. Südwestdeutschen *(B.er Schwaben)* besiedelt. 1920 kam der W an Jugoslawien, der O an Rumänien. Die B.er Schwaben wurden 1945 ausgesiedelt.

Banater Bergland *s,* → Banat.

Banater Schwaben (Mz.), → Banat.

Banause *m* (gr., ‚Handwerker, Spießbürger'), kleinlich denkender, ungeistiger Mensch, Spießer.

Banca *w* (it.), die Bank; *B. d'Italia,* die it. Zentralnotenbank, seit 1893; Sitz: Rom.

Bances (:-ßeß), *Candamo Francisco Antonio de,* span. Schriftsteller, 1662–1704; Lyrik, Dramen, Komödien, Autos sacramentales.

Banchieri (:bangkiäri), *Adriano,* it. Komponist u. Schriftsteller, 1567–1634; Kirchenmusik, Opern; Novellen u. Lustspiele.

Banco, *Nanni d'Antonio di,* it. Bildhauer, 1375–1431; wirkte an Dom u. Or San Michele, Florenz.

Band *s,* **1)** *Textilind.:* langes, schmales Gewebe. – **2)** *Bautechnik:* streifenförmiges horizontales Mauerelement; auf Zug beanspruchtes versteifendes Bauelement. – **3)** eiserne Tür- u. Fensterbeschläge. – **4)** *Baukunst:* rechteckige längliche Platte für waagrechte Gliederung (in Antike, Renaissance u. Klassizismus); auch Bestandteil des *Bandgesimses* (mit Rundstab, Hohlkehle u.a.). – **5)** *Ligament,* derbe Faserzüge an Gelenken u. inneren Organen. – **6)** Ordens-

Band

B. – **7)** Bez. für Buch. – **8)** *Radiotechnik:* Wellen-B. – **9)** mechan. Vorrichtung zur Beförderung v. Werkstücken: Fließ-B., → Förderband, → Fließfertigung.
Band *w* (: bänd, engl.), moderne Tanzkapelle *(Jazz-B.).*
Banda, zentralafrik. Negervolk, nördl. des Ubangi.
Banda *w* (it.), Musikkapelle (Blechbläser).
Banda, *Hastings K.,* malaw. Politiker, *1905; 1963 Min.-Präs., seit 1966 Staatspräs. v. Malawi.
Banda Aceh (: -atsche), Hst. der indones. Prov. Aceh, auf Sumatra, über 51000 E.; Flughafen.
Bandage *w* (: -dasch͢e, frz.), **1)** *Med.:* Schutz od. Stützvorrichtung für verletzte od. schwache Körperteile (z.b. durch Binden u. Stützapparate). – **2)** v. Boxern unter den Boxhandschuhen getragene Binde. – **3)** *Fechtsport:* Schutzumhüllung der Fechter. – **4)** beim *Pferd* lange Fesselbinde.
Bandagist *m* (: -schißt, frz.), Hersteller v. Bandagen; Handwerksberuf.
Bandainseln, indones. Inselgruppe der Mo-

Bandbremssystem zur Regulierung der Geschwindigkeit eines Motors. Der Motor dreht mit konstanter Leistung und ist direkt mit der großen Scheibe verbunden. Diese schleift entlang einem Band, das mit vier Röllchen auf Spannung gebracht wird. Durch Verstellung der Röllchen verändert sich die Spannung auf dem Band und damit die Bremsleistung

lukken, in der *Bandasee*; rd. 100 km²; Hauptort: Bandaneira; Anbau v. Muskatnuß, Gewürznelken, Kokosnuß, Kopra, Sago; Fischerei. – 1512 v. Portugiesen entdeckt, 1619–1949 niederländisch; 1942–45 v. Japan besetzt; seit 1949 zu Indonesien.
Bandaranaike, 1) *Sirimavo,* srilank. Politikerin, *1916; Witwe v. 2); 1960–65 u. 1970–77 Min.-Präs. v. Sri Lanka (Ceylon). – **2)** *Solomon,* ceylones. Politiker, 1899–1959 (ermordet); 1956–59 Min.-Präsident.
Bandar Seri Begawan, Hst. v. Brunei, 75000 E.; Hafen- u. Handelsstadt; Flughafen.
Bandasee, Teil des australasiat. Mittelmeers, 742000 km², bis 7360 m tief.
Bandau, *Joachim,* dt. Plastiker, *1936; u.a. farbige Polyesterplastiken.
Bandaufnahmegerät *s,* Gerät zur Aufnahme u. Wiedergabe v. Ton- od. Bildsignalen durch magnetische Veränderungen auf magnetisierbaren Bändern.
Bandbreite *w,* urspr. durch Weltwährungssystem festgelegte Ober-u. Untergrenze für Kursschwankungen einer Währung gegenüber anderen Währungen, gemessen an der US-Dollar-Parität; weithin aufgegeben.
Bandbremse *w,* eine Reibbremse.
Bande *w* (frz.), **1)** *Soziol.:* abschätziger Begriff für eine Gruppe mit meist wenigen Mitgliedern, deren Zusammenschluß rein kriminellen Zwecken od. zumindest dem v. den gesellschaftl. Normen abweichenden Verhalten dient; im MA B. vor allem als Zusammenschluß v. Söldnern, die Plünderungen nachgingen. Soziolog. Merkmal der B. im Unterschied zur → Gruppe ist die starke soziale Kontrolle, die vom B.nführer ausgeübt wird. Zu unterscheiden ist zw. der *Verbrecherbande (Erwachsenenbande),* die Mitglieder verschiedenen Alters u. meist nach Spezialisten geordnet enthält, u. der *Jugendbande,* einer Gesellungsform im Bereich der → Jugendkultur, die mehr od. weniger eine ‚Ersatzheimat' für Jugendliche mit unzulängl. Familienverhältnissen darstellt. Jugend-B.n sind nicht nur aufgrund ihrer zunehmenden Gewalttätigkeit ein großes soziales Problem, das die Soziologen seit Jahrzehnten beschäftigt, sondern aufgrund ihrer Tendenz, durch ihre kriminalisierende Gruppenstruktur (‚Verbrechen als Mutprobe') reine Verbrecher-B.n zu werden.
Bandeira, *Manuel Carneiro de Sousa,* bra-

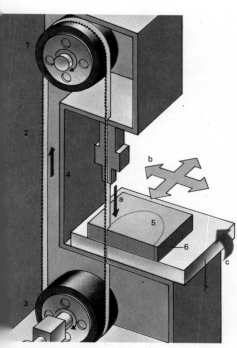

Bandsägemaschine.
Das zu einem Ganzen geschweißte Sägeband (2) wird über zwei große Rollen (1, 3) geführt, von denen die unterste angetrieben wird. Je dicker das Sägeband, desto größer müssen die Rollen gewählt werden. Die obere Rolle kann verstellt werden, um das Sägeband, das sich beim Sägen erwärmt und dehnt, auf Spannung halten zu können. Die Bandsäge ist geeignet zum Sägen von dicken Blöcken (6), jedoch nicht für großes Plattenmaterial, da der sich nach oben bewegende Teil des Sägebands und der Rahmen (4) der Säge im Weg sind. Jedoch ist es möglich, entlang einer gebogenen Linie zu sägen (5), wobei der minimal erreichbare Biegungsradius von der Breite des Sägebands abhängt.
Das Sägen wird durch die Hauptbewegung (a) besorgt, während der dabei zurückgelegte Weg durch die Ansatzbewegung (b) oder Einbringung (Einspeisung) bestimmt wird. Schließlich ist durch Verstellen der Tischplatte (7) eine Einstellungsbewegung (c) möglich, bei der ein Sägeschnitt schräg durch den Block realisiert werden kann

sil. Schriftsteller, 1886–1968; Lyrik. – WW: *Carnasal* (1919); *Poesias completas* (1940, 1951); *Poesia e Prosa* (1958).
Bandeisen *s, Bandstahl,* zu breiten Bändern ausgewalzter Flußstahl, mit rechteckigem Querschnitt.

Bandel, *Ernst v.,* dt. Bildhauer, 1800–76; *Hermannsdenkmal* im Teutoburger Wald.
Bandelier *s* (frz.), über die Schulter zu tragendes breites Wehrgehänge.
Bandello, *Matteo,* it. Schriftsteller, um 1485–1562; Bisch.; berühmteste Sammlung *Novellen* (1554–73) der Renaissance.
Bandelwerk *s,* Flächenornamentik aus mit Ranken u. Figuren verschlungenen Bändern; vor allem im 18. Jh. (Fkr., Dtl.).
Bandenkrieg *m,* 1) fr. Bez. für Partisanenkampf. – 2) gewalttätige Auseinandersetzung zw. rivalisierenden Verbrecher- u. Jugendbanden (→ Bande).
Bandenspektrum *s,* bei der → Spektralanalyse auftretendes Bild, das v. leuchtenden Molekülen ausgestrahlt wird. In der Regel bestehen die Bandenspektren fester u. flüssiger Stoffe aus kontinuierlichen Bändern, während sich die Bänder leuchtender Gase bei großem Auflösungsvermögen des → Spektralapparats in einzelne Linien auflösen.
Banderilla *w* (:-rilja, span.), vom *Banderillero* beim Stierkampf gebrauchter kurzer, mit Bändern u. Fähnchen geschmückter u. mit Widerhaken versehener Speer.
Banderole *w* (frz.), 1) Spruchband der Kunst des MA in Form einer Bandrolle. – 2) *Steuerw.:* Papierband als Zeichen bezahlter Verbrauchsteuer, z. B. bei Tabakwaren.
Bändertanz *m,* → Bandltanz.
Bändertone (Mz.), *Warven,* feingebänderte Sedimente mit Wechsel v. hellen u. dunklen Lagen in Schmelzgewässern des Gletschervorlands.
Bandeule *w, Saumeule,* ockergelber bis rötl.-brauner Eulenschmetterling; Nachtfalter.
Bandfilter *s,* aus Spulen u. Kondensatoren aufgebautes elektr. Gerät, das aus den v. ihm aufgenommenen → elektr. Schwingungen nur einen Teil mit bestimmter Wellenlänge durchläßt. Anwendungsgebiet: Rundfunktechnik.
Bandfink *m, Halsbandfink,* afrik. Weberfink.
Bandfisch *m,* mediterraner Stachelflosser, bis 50 cm lang, mit schiefem Maul; rot durchscheinend; der atlant. B. bis 6 m lang.
Bandgenerator *m, Van-de-Graaff-Generator,* elektrotechnisches Gerät, bei dem eine Hohlkugel über ein rotierendes Band aus isolierendem Material auf sehr hohe Span-

Band

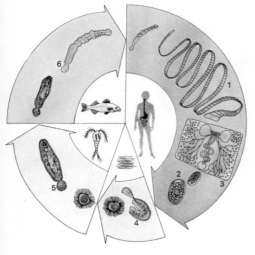

nungen aufgeladen wird (mehrere Mill. Volt). Anwendungsgebiet: Kerntechnik.

Bandgras s, Gartenziergras aus der Stammform *Glanzgras*.

Bandhaken m, Gerät, mit dem die Böttcher die Reifen über das Faß drücken.

Bandholz s, in der Mitte gespaltene Zweigruten zum Binden v. Fässern u. anderen Gefäßen.

Bandikut m (ind.), → Beuteldachs.

Bandinelli, *Baccio,* it. Bildhauer, 1493–1560; wirkte in Florenz.

Bandit m (it.), Räuber, Strolch.

Bandjarmasin → Banjarmasin.

Bandkeramik w, jungsteinzeitl. Keramik mit bandartiger Ornamentik; um 4000 v. Chr.; danach der *Kulturkreis der B.* in Mitteleuropa: Donauraum, Ukraine, Polen, Dtl., Elsaß, Belgien u. Niederlande.

Bandltanz m, *Bändertanz*, Tanz um den

Der ausgewachsene Bandwurm Diphyllobothrium latum (1) lebt beim Menschen im Dickdarm. Täglich kommen Millionen von Eiern (2) frei aus den hinteren Segmenten (3), die er abstößt. Über den Stuhlgang gelangen die Eier in Wasser, wo sie sich zu Embryonen (4) entwickeln, die von Wasserflöhen aufgefressen werden. In diesem Zwischenwirt wachsen sie zu Larven heran (5). Die Flöhe dienen als Futter für bestimmte Fischsorten, z. B. Forelle, Hecht und Barsch. Im Fisch setzt sich die Entwicklung der Larven fort (6). Wird ein solcher infizierter Fisch vom Menschen roh oder ungenügend erhitzt gegessen, dann entstehen in drei Wochen die Würmer aus den Larven

Maibaum, wobei die Bänder des Maibaums beim Tanz verschlungen u. wieder entschlungen werden.

Bandmaß m, schmales, meist aufrollbares Band mit mm-, cm- und m-Einteilung; bis 20 m lang.

Bandol (: bā-), *Jan (Jean),* od. *Hennequin de Bruges,* niederl.-frz. Buchmaler des 14. Jh.; Hofmaler Karls V. v. Fkr.; Illustrationen zu: *Bibel* (1372), *Civitas Dei* (1376); Vorlagen zu 103 Bildteppichen (davon 73 in der Kathedrale zu Angers).

Bandola w (span.), *Bandura,* der Mandoline ähnliches span. Musikinstrument mit 6 Saitenpaaren; eine Art B. auch russ. Begleitinstrument für Tanz u. Gesang.

Bandoneon s, *Bandonion,* kleine Ziehharmonika (nach *H. Band,* 1845); Vorgänger die *Konzertina*.

Bandoeng (: -dung), niederl. für → Bandung.

Bandornament s, *Bandwerk,* Schmuckmotiv der Kunst: Wellenbänder auf babylon. Reliefs, Flechtbänder auf griech. Vasen; v. besond. Bedeutung z. Z. der Völkerwanderung u. im frühen MA (Bauplastik).

Bandsäge w, → Säge, bei der ein mit Sägezähnen versehenes Metallband über Rollen als Sägeblatt verläuft.

Bandscheibe w, elastische, knorplige Scheibe zw. zwei Wirbelkörpern, die Beweglichkeit der Wirbelsäule ermöglichend; besteht aus innerem Kern u. bindegewebiger Hülle. → Bandscheibenschaden, → Bandscheibenvorfall.

Bandscheibendegeneration w, → Bandscheibenschaden.

Bandscheibenschaden m, Veränderung (Degeneration) der Zwischenwirbelscheiben im Alter, durch vorzeitigen Verschleiß od. Gewalteinwirkung.

Bandscheibenvorfall m, *Discushernie,* Vorfall der zw. den Wirbelkörpern liegenden → Bandscheiben od. ihrer Kerne in den Rükkenmarkskanal. Durch Druck auf das Rükkenmark ausstrahlende Schmerzen (→ Ischias), selten auch Lähmungen.

Bandschleifmaschine w, Maschine zum Schleifen v. Metall- od. Holzoberflächen durch ein mit Schleifmittel versehenes endloses Band.

Bandschneider m, Gerät zur Trennung magnetischer Stoffe v. unmagnetischen.

Bändsel s, ein dünnes Tau.

Bandstahl *m,* → Bandeisen.
Bandstuhl *m,* Webstuhl für Bänder.
Bandung, niederl. *Bandoeng,* Hst. der indones. Prov. Westjava, 715 m ü. M., 1,2 Mill. E.; Univ. u. weitere Bildungseinrichtungen; Mittelpunkt v. Handel u. Ind.; Flughafen.
Bandungkonferenz *w,* → Bandungstaaten.
Bandungstaaten (Mz.), 6 afrik. u. 23 asiat. Staaten; beschlossen 1955 auf der *Bandungkonferenz* vermehrte wirtschaftliche, kulturelle (u. polit.) Zusammenarbeit; die B. vertreten über die Hälfte der Weltbevölkerung.
Bandura *w,* Musikinstrument, → Bandola.
Bandurria *w,* span. mandolineähnl. Musikinstrument.
Bandweberei *w, Schmalweberei,* das Weben v. Bändern u. Borten.
Bandwerk *s,* → Bandornament.
Bandwürmer (Mz.), *Cestoden,* Ordnung der Plattwürmer, leben als Parasiten im Darm von Wirbeltieren; Körper meist aus zahlreichen *Gliedern (Proglottiden);* besitzen weder Verdauungs- u. Atmungsorgane noch Kreislaufsystem; dem Speisebrei des Wirtes entzogene Nahrung wird durch ganze Körperoberfläche aufgenommen; an dem als *Kopf (Scolex)* bezeichneten Vorderende sitzen Haftorgane (Saugnäpfe u. meistens ein Hakenkranz) zum Anhaften an Darminnenfläche; die Glieder werden nach hinten größer, sind zwitterig, zuerst männlich, dann weiblich geschlechtsreif. Während sich am Kopf ständig neue Glieder nachbilden, lösen sich die mit Eiern prall gefüllten hintersten Glieder ab und werden mit Kot des Wirtes ausgeschieden. Die Larve des Parasiten wird v. einem Zwischenwirt verschluckt u. gelangt durch die Darmwand in den Blutstrom. Als *Finne (Blasenwurm)* setzt sie sich in Muskeln, Leber od. Gehirn fest. Verzehrt der Endwirt das finnige Fleisch des Zwischenwirts, so entwickelt sich in seinem Darmtrakt durch Knospung aus dem Finnenkopf der gegliederte Bandwurm. – *a) Schweine-B.,* Zwischenwirt: Schwein; *Rinder-B.,* 4–10 m lang, ca. 2000 Glieder, Zwischenwirt: Rind; Infektion des Menschen durch finniges Rinder- od. Schweinefleisch seit Einführung der → Fleischbeschau selten. – *b) Grubenkopf* od. *Fisch-B.,* zwei Zwischenwirte; Fisch frißt infizierten Ruderfußkrebs. End-

wirte: Mensch, Hund, Katze; Infektion durch ungenügend gebratenes Fischfleisch. – *c) Hunde-* od. *Blasenwurm,* Zwischenwirt: u.a. Mensch, infiziert sich mit Eiern aus Kot vom Hund (Endwirt); Finnen wachsen in Leber, Lunge, Gehirn zu großen, flüssigkeitsgefüllten Blasen heran; Infektion oft tödlich, bei uns jedoch selten geworden. – *d) Quesen-B.,* Endwirt: Hund; verursacht bei Schafen (Zwischenwirt) die *Drehkrankheit.*

Der Tempel des ,Smaragdenen Buddha' ist einer der über 300 Tempel Bangkoks

Bandy (: bändi, engl.), 1) engl. Eishockeyspiel. – 2) Hockeyschläger.
Banff (: bämf), 1) Hst. der nordostschott. Region Highland, Ind.- u. Hafenstadt, 3700 E.; Lachs- u. Heringfischerei. – 2) *B. National Park,* kanad. Naturpark in den östl. Rocky Mountains, 6640 km²; Mineralquellen. – 3) klimat. Kurort in 2), am Bow River, 1300 m ü.M.; Fremdenverkehr.
Bang, 1) *Bernhard,* dän. Tierarzt, 1848–1932; Entdecker der B.schen Bakterien; → Bangsche Krankheit. – 2) *Herman Joachim,* dän. Schriftsteller, 1857–1912; Novellen, Romane, u.a. *Hoffnungslose Geschlechter* (1880); *Exzentrische Novellen* (1885); *Mikael* (1904; autobiograph./ Roman).
Bangali, die Staatsangehörigen v. Bangladesch.
Bangalore (: bäng⸱lor), *Bangalur,* Hst. des südind. Bundesstaats Karnataka (fr. Mysore), im Hochland v. Dekhan, 916 m ü. M., 1,7 Mill. E.; Hafen- u. Handelsstadt; staatl. Univ. u. a. Bildungsanstalten; Königshof

Bang

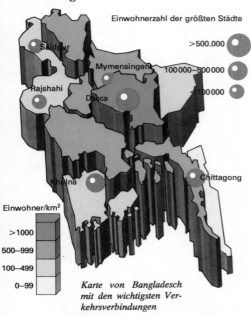

Einwohnerzahl der größten Städte

>500.000

100000–500000

–100000

Einwohner/km²

>1000

500–999

100–499

0–99

Karte von Bangladesch mit den wichtigsten Verkehrsverbindungen

mit buddhist. Tempel- u. Klosteranlagen; u.a. Textil-, Masch.-, Elektro-, chem. u. Flugzeug-Ind.; Flughafen.

Bangalur → Bangalore.

Bangert *m* (mhd.), Obstbaumgarten.

Bangi, afrik. Stadt, → Bangui.

Bangka, *Banka,* indones. Insel (mit kleineren Nebeninseln) vor der SO-Küste Sumatras, durch die *B.straße* v. Sumatra getrennt; 11340 km², rd. 350000 E.; Hauptort: Muntok; Zinnbergbau (untermeerisch); Pfefferanbau.

Bangkok, *Krung Thep,* Hst. u. größter Hafen Thailands, am Menam, 2,2 (Aggl. 4,35) Mill. E.; staatl. Univ. u. weitere Bildungsanstalten; Theater, Museen; Königshof mit buddhist. Tempel- u. Klosteranlagen; Mittelpunkt des thailänd. Handels u. der Ind.; Werft, Erdölraffinerie u.a.; Flughafen. – Seit 1955 Sitz der SEATO.

Bangladesch, *VR B.,* südasiat. Staat im brit. Commonwealth, das ehem. *Ostpakistan,* 143998 km², 90 Mill. E.; Hst.: Dacca. B. umfaßt den Ostteil des Tieflands v. Bengalen, im Delta v. Ganges u. Brahmaputra, ist einer der am dichtesten besiedelten Staaten der Erde (Bengalen, daneben Minderheiten der Bihari u. tibeto-birmanischer Stämme. Landwirtschaft mit Anbau vor allem

v. Reis, sodann Jute, Zuckerrohr, Tee, Ölfrüchte, Tabak; Baumwoll-, Jute-, Nahrungsmittel-, chem. u.a. Ind., Erdölraffinerie; Ausfuhr v. Jute, Juteprodukten, Tee, Häuten, Fellen u. Fischen. – 1971 Ausrufung der unabhäng. VR Bengalen, führte zu pakistan. Bürgerkrieg sowie Krieg zw. Indien u. Pakistan; Kapitulation der ostpakistan. Truppen.

Bangor (: bäng^(er)), 1) engl. Hafenstadt u. Seebad am Nordeinfluß des Menaikanals an der Nordküste v. Wales, 15000 E.; eine der ältesten Städte Englands; Kathedrale des 6. Jh.; Univ. – 2) nordir. Hafenstadt u. Seebad, an der Bucht v. Belfast, 15000 E.; Textil-Ind. – 3) am. Stadt in Maine (USA), am Penobscot, 33200 E.; Industrie.

Bangsche Krankheit, fieberhafte Infektionskrankheit mit wellenförmigem Temperaturverlauf, durch das Bakterium *Brucella abortus Bang* hervorgerufen. Wird v. Tieren (Rind; ruft hier seuchenartiges Verwerfen hervor) auf den Menschen übertragen; beim Menschen selten.

Bangui (: bǎgi, frz.), *Bangi,* Hst. der Zentralafrik. Rep., am Ubangi, 187000 (Aggl. 320000) E.; Handels- u. Ind.-Zentrum (Textilien, Kunststofferzeugnisse); Diamantschleiferei; wichtiger Flußhafen; Flughafen.

Bangweolosee *m, Bangweulusee,* verlandeter See in Sambia, Quellsee des Luapula zum Kongo. – 1868 v. Livingstone entdeckt.

Bani, 900 km langer r. Nebenfluß des Niger in Westafrika.

Bani-Sadr, *Abolhassan,* iran. Politiker, *1933; 1963–79 in Fkr. im Exil; Gegner des

Ein Flüchtlingsstrom verläßt Bangladesch in Richtung Westbengalen

Schahs; begleitete 1979 Chomaini bei Rückkehr nach Iran; 1980 erster Präs. der Islam. Rep. Iran, 1981 abgesetzt.

Baníva (: -wa), südamerik. Aruakstamm.

Banja Luka, jugoslaw. Stadt in Bosnien-Herzegowina, am Vrbas, 90 000 E.; Kastell, Moscheen; Braunkohlenbergbau; u.a. Elektro-, Textil-, Tabak-, Obstkonserven- u. Schwerindustrie.

Banjan (Sanskrit, Mz.), nord- u. westind. Kaufmannskasten.

Banjarmasin (: bandsch-), indones. Hafenstadt auf Borneo, am Martapura, 280 000 E.; Univ.; Flughafen.

Banjo *s* (: bändscho, engl.), Negergitarre der Jazzmusik, mit zweifelligem Tamburin als Schallkörper u. meist 5 bis 7 Zupfsaiten.

Banjul, fr. *Bathurst,* Hst. u. Hafenstadt v. Gambia, am l. Ufer der Mündung des Gambia, 44 000 E.; Flughafen.

Bank *w,* **1)** *Möbel* mit mehreren Sitzen in Wohnung u. im Freien. – **2)** *Geol.:* Gesteinsschicht, die v. andern Schichten eingefaßt ist; ferner die Sand- u. Kiesanhäufung in Gewässern *(Sandbank).* – **3)** → Banken. – **4)** Spielbank.

Banka, indones. Insel, → Bangka.

Bankakzept *s,* ein Wechsel, der auf eine Bank gezogen ist, die ihn akzeptiert hat.

Bankanweisung *w,* Auftrag einer Umbuchung an Kreditinstitut im Giroverkehr.

Bankausweis *m,* der wöchentl. Ausweis der Dt. Bundesbank zur Beurteilung der Währungs- u. Geldmarktlage.

Bankavis *m* (: -awi, frz.), verbindliche Bestätigung eines → Akkreditivs durch das Kreditinstitut.

Bankbruch *m,* der → Bankrott.

Bankdepot *s* (: -depo), Hinterlegung v. Wertpapieren bei einer Bank, z.B. durch Miete eines Tresorfachs. Bei offenem B. übernimmt das Kreditinstitut zugleich die Verwaltung der Wertschriften.

Bank deutscher Länder, *BdL,* 1948–57 zentrale dt. Notenbank, Vorgängerin der → Deutsche Bundesbank; 1948 durch Gesetz der Militärregierung mit Sitz in Frankfurt a.M. errichtet.

Bankdiskont *m,* der v. der Notenbank amtlich festgesetzte Diskontsatz.

Bankeisen *s,* gelochtes Flacheisen zum Befestigen v. Fenster-, Türrahmen u.a. am Mauerwerk.

Bänkelkind *s,* nichtehel. Kind.

Bänkelsang *m,* urspr. im MA v. Spielleuten v. einer Bank („Bänkel‘) aus vorgetragene Gesänge; später die v. den fahrenden *Bänkelsängern* auf Jahrmärkten vorgetragenen Moritaten, Mord- u. sonstige wüste, sensationelle od. schreckenerregende Geschichten.

Bänkelsänger *m,* Moritatensänger, → Bänkelsang.

Unbekannter Bankier. Gemälde von Holbein dem Jüngeren (1497–1543)

Banken (Mz.; v. it. *banco,* ‚Tisch‘ [des Geldwechslers]), öffentliche u. private Unternehmungen zur Vermittlung des Kredit- u. Zahlungsverkehrs. B. nehmen im *Passivgeschäft* verzinsliche Spar-, Termin- od. Sichteinlagen (→ Depositen) auf bzw. geben Noten (Noten-B.) u. Schuldverschreibungen, insbes. Pfandbriefe (Hypotheken-B.), aus. Im *Aktivgeschäft* gewähren B. Kontokorrentkredite, bei denen Kunde über Mittel der B. bis zur vereinbarten Höhe im Kontokorrent verfügen kann. B. diskontieren Wechsel *(Diskontgeschäft)* u. beleihen Waren u. Wertpapiere *(Lombardgeschäft).* Als Dienstleistungsgeschäft übernehmen B. ferner u.a.: Ausführung v. Zahlungsaufträgen u. Überweisungen (→ Giroverkehr), Einziehung fälliger Wech-

Bank

sel, Schecks, Zins- u. Dividendenscheine
sowie alle Börsengeschäfte, bes. auch Mitwirkung bei finanziellen Transaktionen,
wie Emissionen (Ausgabe) v. Aktien u.
Obligationen. B. beeinflussen Wirtschafts-
leben sowohl durch unmittelbaren Einfluß
auf die mit ihnen zusammenarbeitenden
Wirtschaftsunternehmen als auch durch
Einfluß, den sie als B.system auf den Grad
der Geldversorgung einer Wirtschaft ausüben. Wichtigste Arten: *a) Noten-B.,* ihnen
ist Ausgabe v. B.noten gestattet. Früher
sogenannte Zettel-B., heute nur noch Zen-
tral-B.; *b) Universal-B.,* betreiben alle Arten v. Bankgeschäften, wie in der BRD die
dt. Groß-B., u.a. Deutsche, Dresdner u.
Commerzbank; *c) Depositen-B.,* vornehmlich in Engl. u. Fkr., tätigen u.a. keine
Gründungsgeschäfte; *d) Hypotheken-B.,*
beleihen Grundstücke, verschaffen sich dazu erforderliche Mittel durch Ausgabe v.
Hypothekenpfandbriefen; *e) Teilzahlungs-*
finanzierungs-B. (Warenkredit-Gesell-
schaften usw.), finanzieren Konsum durch
Ausgabe v. Kauf- u. Warenschecks, mit
denen der Kunde Warenkäufe in den mit
diesen B. zusammenarbeitenden Einzel-
handelsgeschäften bezahlt.

Bankenaufsicht *w,* → Staatsaufsicht.
Bankenclearing *s* (:-kliring), Verrechnung
gegenseitiger Forderungen unter den
Banken.
Bankenenquete *w* (:-äkät, frz.), meist amt-
liche Untersuchung über das gesamte Kre-
ditgewerbe.
Bankenkonzentration *w,* Zusammenschluß
v. Banken u. Aufnahme v. kleineren Ban-
ken in eine Großbank.
Bankerott *m* (it.), → Bankrott.
Bankert *m, Bänkelkind,* nichtehel. Kind.
Bankett *s* (frz.), **1)** unterster Absatz einer
Fundamentmauer. – **2)** Randstreifen neben
Fahrbahnen. – **3)** Festmahl, Gelage.
Bankfeiertage (Mz.), die Werktage, an de-
nen die Banken geschlossen sind; in der
BRD die Samstage.
Bank für Gemeinwirtschaft AG, *BfG,* 1958
durch Zusammenschluß mehrerer v. Ge-
werkschaften u. Konsumgenossenschaften
gegr. Gemeinwirtschaftsbanken entstan-
den; eine der größten Banken der BRD;
Sitz: Frankfurt a.M.
Bank für internationalen Zahlungsaus-
gleich, *BIZ,* 1930 v. den Zentralbanken v.

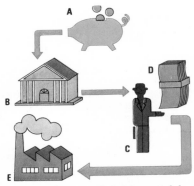

Die Anschaffung von Kapitalgütern wird durch
Ersparnisse von Unternehmern und Privatleuten
ermöglicht. Privatleute bringen ihre Ersparnisse
(A) zur Bank (B), die sie an Unternehmer (C)
ausleihen kann. Diese können mit dem Darlehen
sowie mit ihren eigenen Ersparnissen (D) Kapitalgüter (E) anschaffen, die im Produktionsprozeß eingesetzt werden

Belgien, Dtl., Fkr., Großbrit., Italien, Japan u. einer amerik. Bankengruppe gegr.
zur Förderung der Zusammenarbeit zw.
den Zentralbanken u. des internat. Zah-
lungsausgleichs; Sitz: Basel. 1950–58 als
Bank der Europ. Zahlungsunion tätig.
Bankgeheimnis *s,* Pflicht der Banken, gegenüber Dritten über Vermögensverhält-
nisse ihrer Kunden zu schweigen. Das B.
wird in Fällen der Auskunftspflicht des
Kreditinstituts gegenüber dem Finanzamt
durchbrochen. Beim Tod des Kunden sind
die Banken verpflichtet, dem Finanzamt
innerhalb eines Monats das in ihrem Ge-
wahrsam befindliche Nachlaßvermögen anzuzeigen. Besondere Regelungen bestehen
über die Meldepflicht der Banken an die Dt.
Bundesbank.
Bankgeld *s,* das → Giralgeld.
Bankgeschäfte (Mz.), die → Banken.
Bankgiro *s* (:-dsehiro, it.), bargeldloser
Zahlungsverkehr zw. Banken über Zentral-
stelle.
Bankhalter *m,* **1)** Unternehmer einer Spielbank (auch *Bankier*). – **2)** Spieler, gg. den
die andern am Spiel Beteiligten spielen.
Bankier *m* (:-kje, germ.-it.-frz.), **1)** Inhaber einer (Privat-)Bank, haftet persönlich
mit seinem Gesamtvermögen für die Ver-
bindlichkeiten der Bank. – **2)** auch Bez. für
die Vorstandsmitglieder einer Aktienbank.
– **3)** Geldgeber. – **4)** → Bankhalter.

Bankivahuhn s, südostasiatische Fasanenart, Stammform des → Haushuhns.

Bankleitzahlen (Mz.), *BLZ*, die achtstelligen Kennzahlen für die Kreditinstitute u. ihre Zweigstellen; wichtig für den unbaren Zahlungsverkehr.

Banknoten (Mz.), die v. Notenbanken, meist v. einer Zentralbank mit *B.monopol* ausgegebenen Papiergeldscheine; auf besond. *B.papier* gedruckt; als unbeschränkte gesetzl. Zahlungsmittel reine Geldzeichen; in der BRD ist nur die Dt. Bundesbank zur Ausgabe v. B. berechtigt.

Banknotenpapier s, Papier v. einer besond. stofflichen Zusammensetzung für den Druck v. Banknoten; erschwert Geldfälschung.

Bankplatz m, Ort mit einer Niederlassung der Zentralbank.

Bankrate w, der Diskontsatz der Notenbank.

Bankrott m (it., ‚zerbrochene Bank‘), *Bankerott, Bankbruch,* **1)** *Wirtschaft: Privat-B.,* Zahlungsunfähigkeit u. -einstellung eines Schuldners; → Moratorium, → Konkurs. – **2)** *Staats-B.,* Unfähigkeit eines Staats, seine Schuldenzinsen u. Schulden zu bezahlen, weil Steuereinnahmen nicht ausreichen od. zuviel Papiergeld ausgegeben

Bank-Billett über 50 Dukaten des ‚Banco Giro di Venezia‘ aus dem Jahre 1798

Banner, Pferde und Waffen gehörten im Mittelalter zur Standardausrüstung eines Ritters

wurde; *offener Staats-B.* durch Zahlungsverweigerung, *verschleierter* durch zwangsweise Umwandlung v. öff. Anleihen od. → Inflation; gelegentlich → Aufwertung.

Bankrotteur m (: -rotör), wer Bankrott gemacht hat.

Banks (: bänkß), *Thomas,* engl. klassizist. Bildhauer, 1735–1805.

Banksinseln (: bänkß-, Mz.), vulkanische Inselgruppe der Neuen Hebriden in der Südsee, 794 km².

Banksland (: bänkßländ), *Banks Island,* Insel des kanad.-arkt. Archipels, hügelig, 66 500 km²; vom Festland durch Amundsengolf getrennt.

Bankung w, Geol.: in Bänken gegliedertes Gestein.

Bank von England, *Bank of England,* die engl. Zentralnotenbank, London; 1694 gegründet.

Bank von Frankreich, *Banque de France,* frz. Zentralnotenbank, 1800 als Privatbank gegr., 1946 verstaatlicht; Sitz: Paris.

Banlieu w (: bãljö, frz.), → Bannmeile.

Bann m, urspr. Befugnis, bei Strafe zu gebieten (Befehl, Verbot). Im MA: **1)** die Befugnis nam. des Königs u. seiner Beamten zum Erlaß v. administrativen Anord nungen unter Androhung v. Buße. – **2)** die für Verletzung solcher Gebote *(Bannbruch)* angedrohte Strafe. – **3)** das der *Banngewalt* unterliegende Gebiet (Dorf-B., Bannwald, Markt-B., Bannmeile u.a.) od. Gegenstände (Heer-, Mühlen-, Brot-, Wein-B., Bannware usf.). – **4)** später Ausschluß aus der Gemeinschaft; → Acht; → Blutbann, → Kirchenbann.

Bannbruch *m,* **1)** *Schmuggel,* d.h. verbotene vorsätzliche Ein-, Aus- od. Durchfuhr v. zollpflichtigen Waren ohne ordentliche Zollerklärung. – **2)** → Bann 2).

Bannbulle *w,* päpstliche Bulle, die → Kirchenbann verhängte.

bannen, im Volksaberglauben Dämonen, böse Einflüsse u.a. durch Zauberspruch u. Magie vertreiben.

Banner *s* (frz.), **1)** *Panier,* im MA Feldzeichen, Fahne einer Truppe; auch diese selbst. – **2)** heute Wappenflagge an Querstange.

Bannerherr *m,* der im MA zum Führen eines → Banners berechtigte Lehnsherr od. Territorialherr.

Banneux (: banö), belg. Wallfahrtsort bei Lüttich.

Bannforst *m,* → Bannwald.

Banngut *s,* die → Konterbande 1).

Bänninger, *Otto Charles,* Schweizer Bildhauer, *1897; schuf Bildnisbüsten, Denkmäler u.a.

Bannmeile *w,* frz. *Banlieu,* **1)** im MA Schutzbezirk gg. fremde Handels- u. Gewerbetätigkeit, innerhalb dessen Bannverordnungen galten. – **2)** heute nächste Umgebung einer Stadt, bes. v. Parlaments- u. Regierungsgebäuden (Verbot öffentlicher Versammlungen).

Bannumzug *m,* bäuerlicher Brauch, am *Banntag* im Frühling die Gemeindegrenzen feierlich zu umgehen od. zu umreiten.

Bannwald *m,* unter Naturschutz stehendes Waldstück, in dem jeder vermeidbare menschl. Eingriff unterbleibt: kein Holzschlag, keine Beseitigung v. Baumleichen, keine Düngung, keine Schädlingsbekämpfung. Lediglich kontrollierte Jagd ist erlaubt, um in Europa ausgestorbene Großraubtiere (Luchs) zu ersetzen u. den Wildbestand zu regulieren. B. dient zur Erhaltung u. Schaffung ungestörter, naturnaher Waldlandschaft mit vielfältigem Bestand an Pflanzen- u. Tierarten, im Ggs. zu den →

Monokulturen der modernen Forstwirtschaft.

Bannware *w,* die → Konterbande 1).

Banque de France *w* (: bäk d° fräß), → Bank v. Frankreich.

Banse *w, Panse(n),* **1)** Getreidetenne. – **2)** Lagerraum, z.B. Kohlen-B.

Banse, *Ewald,* dt. Geograph, 1883–1953; Orientreisen.

Bansin, *Seebad B.,* Ostseebad auf der Insel Usedom, im DDR-Bez. Rostock, 2800 E.

Bantamgewicht *s,* Gewichtsklasse beim Boxen, Ringen u. Gewichtheben.

Banteng *m,* südostasiat. Wildrind, Stammform für das domestizierte *Balirind.*

Banti, *Guido,* it. Pathologe, 1852–1925; die v. ihm beschriebene *B.sche Krankheit* zeigt Milzanschwellung, Bauchwassersucht, Anämie u. Leberschrumpfung.

Banting, Sir *Frederick Grant,* kanad. Physiologe, 1891–1941; entdeckte 1921 mit Ch. H. Best das → Insulin; 1923 mit J.J.R. Macleod Nobelpreis für Medizin.

Bantische Krankheit → Banti.

Bantock (: bän-), *Granville,* engl. Komponist, 1868–1946; u.a. Opern, Chor- u. Kammermusik; Ouvertüren.

Bantu, in über 200 Stämme gegliederte Negervölker Südafrikas mit *B.sprachen* u. urspr. gemeinsamer Kultur; verkörpern neben den Sudannegern den eigentl. Negertyp. Ackerbauer, Viehzüchter u. Händler, auch Kunstgewerbler.

Bantusprachen (Mz.), die v. rd. 90 Mill. Bantus gesprochenen verschied. Sprachen, deren gemeinsamer Grundwortschatz (Urbantu) auf eine urspr. gemeinsame kul-

Typisch für Nachtbars ist das gedämpfte Licht

Nur Bantus wohnen in Khomas bei Windhuk (Südwestafrika). Die Siedlung wurde angelegt, um den afrikanischen Teil der Bevölkerung unter sich zu belassen

turelle Grundschicht schließen läßt; bedeutende B. sind Suaheli, Herero, Zulu u.a.

Bantustans (Mz.), *Bantuheimatländer, Bantu Homelands,* in der Rep. Südafrika seit 1913 geschaffene geschlossene Siedlungsräume für eingeborene Bantustämme, soweit sie nicht innerhalb v. Sperrzonen in Gebieten der Weißen wohnen; genießen beschränkte (innere) Autonomie; → Transkei erlangte 1976, → Bophuthatswana 1977 Selbständigkeit als eigene Republik.

Bantzer, *Carl,* dt. Maler, 1857–1941; Bauernbilder.

Banus *m,* der ungar. → Ban.

Banville (:bāwil), *Théodore de,* frz. Schriftsteller, 1823–91; Vertreter der Parnassiens; Gedichte, Erzählungen, Theaterkritiken.

Banyan *m* (ind.), Feigenbäume der Tropen Afrikas u. Asiens. Die zarten Sprosse der *Würgefeigen* wachsen rasch in die Länge u. stützen sich an benachbarte Bäume, um schnell das Sonnenlicht in der oberen Urwaldzone zu erreichen. Die Stützpflanze wird v. einem dichten Netz v. → Adventivwurzeln umgeben u. stirbt ab.

Banz, ehem. Benediktinerkloster in Ober-

franken, 1069 gegr.; im Dreißigjähr. Krieg zerstört; großzügige barocke Gesamtanlage mit hochbarocker Kirche 1710–18 durch J. Dientzenhofer u. B. Neumann; im 19. Jh. Schloß der Wittelsbacher.

BAnz, Abk. für **B**undes**anz**eiger.

Banzai (:-sai), jap. Ruf (dem ‚Hurra‘ entsprechend).

Baobab *m,* der afrik. → Affenbrotbaum.

Bao-Dai, ehem. Kaiser v. Annam, *1913; 1926 Ks., 1945 vertrieben; 1949–55 Staatsoberhaupt der Rep. Vietnam; Gegner v. Ho Tschi Minh.

Baptisten (gr., ‚Täufer‘, Mz.), im 17. Jh. in Engl. entstandene weitverbreitete christl. Freikirche calvinistischer Prägung; lehnen Kindertaufe u. Konfirmation ab (nur Bekehrte empfangen Taufe durch einmaliges Untertauchen), ebenso Staatskirchen; seit 1905 besteht ein *Baptist. Weltbund*; Sitz: London.

Baptisterium *s* (lat.), **1)** griech.-röm. Baderaum (Bassin). – **2)** *Taufkirche* neben od. später *Taufkapelle* (mit Taufstein) in einer Hauptkirche; die Taufkirche, ein für die Taufe bestimmtes kirchl. Bauwerk, meist als Zentralbau mit Nischen, Umgang, Nebenräumen u. mit *Taufbecken* (später *Taufstein*) in der Mitte. Beispiele: Florenz, Pisa; älteste Taufkirche aus dem 4. Jh.

Bar, 1) *Le Barrois,* nordostfrz. geschichtl. Landschaft an der oberen Maas. – **2)** *B.-le-Duc* → Bar-le-Duc. – **3)** *B. sur Aube,* nordfrz. Stadt im Dep. Aube, an der Aube, rd. 7000 E.

bar, 1) (germ.), in Bargeld (Münzen, Banknoten) zu bezahlen. – **2)** Zeichen für das → Bar 1).

Bar, 1) *s* (gr.), *bar,* Einheit des Drucks. 1 B. ist der Druck, den eine 75,01 cm hohe Quecksilbersäule auf ihre Auflagefläche ausübt. – **2)** *w* (frz.-engl.), kleine Schankwirtschaft; Nachtlokal. – **3)** Schanktisch.

Bär *m,* **1)** *Zool.:* → Bären. – **2)** *Astron.:* *Großer* u. *Kleiner B.,* zwei Sternbilder am nördl. Himmel. – **3)** *Rammbär,* Fallhammer bei Ramme u. Maschinenhammer.

Baer, 1) *Fritz,* dt. Maler, 1850–1919; zartgetönte nuancenreiche Landschaften. – **2)** *Karl Ernst v.,* dt. Naturwissenschaftler u. Philosoph, 1792–1876; Prof. in Königsberg u. Petersburg; entdeckte die Eizellen bei Säugetieren; Mitbegründer der modernen Entwicklungsbiologie.

Baer

Zwei junge Bären in den Wäldern Kanadas

Baer, *Joe,* am. Maler, *1929; Vertreter des Hard Edge.

Bar., Abk. für engl. → **Bar**onet.

Barabbas, jüd. Freiheitskämpfer gg. Römer (?), im NT v. Pilatus an Jesu statt freigegeben.

Baracke *w* (frz.), meist einstöckiger Behelfsbau in Holz; oft fabrikmäßig hergestellt u. zerlegbar.

Bárány (: baranj), *Robert,* österr. Ohrenarzt, 1876–1936; 1914 Nobelpreis für Med.; Erforschung des → Bogengangs. – HW: *Physiologie u. Pathologie des Bogengang-Apparates beim Menschen* (1907).

Baranya (: bårånjå), ungar. Komitat zw. Drau u. Donau; im 18. Jh. dt. Bauernsiedlungen *(Schwäb. Türkei).*

Barat (: bara), *Madeleine-Sophie,* frz. Gründerin der Dames de Sacré Cœur, 1779–1865; hl. (25. 5.).

Barathaschwili, *Nikolos,* russ. Dichter, 1816–75; Gedichte; u.a. *Merani.*

Baratthandel *m,* Tauschhandel.

Baratynskij, *Jewgenij,* russ. Dichter, 1800–44; Lyrik u. Epik.

Barbacena (: -ßena), brasil. Stadt im Staat Minas Gerais, nordwestl. v. Rio de Janeiro, 1140 m ü. M., 100000 E.

Barbados, mittelam. Staat im brit. Commonwealth, umfaßt die *Insel B.,* die östlichste Insel der Kleinen Antillen, 431 km², 250000 E. (meist Neger u. Mulatten); Hst.: Bridgetown; Hügelland mit gepflegter Kulturlandschaft (Zuckerrohr, Baumwolle, Bananen u.a.); Ölvorkommen; Textil-Ind. – Seit 1627 britisch; 1958–62 Teil der Westind. Föderation; wurde 1966 unabhängig als parlamentar.-demokrat. Monarchie.

Barbalonga, *Antonio,* it. Maler des röm. Barock, 1600–49.

Barbara, 1) Märtyrerin in Nikomedien, † 306; eine der 14 Nothelfer; hl. (4.12.). – **2)** weiblicher Vorname.

Barbaren (gr., Mz.), **1)** in der Antike Nichtgriechen u. Nichtrömer. – **2)** grausame, ungebildete Menschen.

Barbari, *Jacopo de',* dt. *Jakob Walch,* it. Maler u. Kupferstecher, 1440/50–1516; vermittelte die it. Frührenaissance an den Norden; v. Einfluß auf Dürer. – WW: u.a. *Rebhuhnstilleben* (1504).

barbarisch (gr.), roh, ungesittet.

Barbarossa (it., ,Rotbart‘), der Kaiser → Friedrich I.

Barbarossa, Deckname für den dt. Angriffsplan gg. die UdSSR im 2. Weltkrieg.

Barbarossahöhle *w,* Höhle am Kyffhäusergebirge, 1300 m lang, unter der Ruine Falkenburg (daher auch *Falkenburger Höhle*); in ihr erwartet nach der Sage Ks. Friedrich I. Barbarossa seine Rückkehr.

Barbe *w,* mitteleurop. Süßwasserkarpfen, Charakterfisch für schnellfließende, saubere, sauerstoffreiche Flüsse mit kiesigem Grund. Laich gilt als giftig.

Barbenkraut *s, Barbaraea,* Kreuzblütlergattung, meist zweijährige Kräuter mit gelben Blüten in Trauben; in Europa im Mittelmeergebiet, in Asien u. Nordamerika; teils Ackerunkraut.

Hafen von Bridgetown, der Hauptstadt von Barbados

Kaiser Friedrich I. Barbarossa verleiht an die Stadt Asti in Italien ein Privileg

Barber (:ba^rb^{er}), *Samuel,* am. Komponist, 1910–81; Orchester-, Kammermusik, Opern. – WW: *Sinfonie in einem Satz* (1936); *Vanessa* (1958; Oper); *Antonius u. Cleopatra* (1966; Oper).

Barberini, it. Adelsgeschlecht; aus ihm Pp. Urban VIII.; unter ihm Bau des *Palazzo B.* in Rom (Maderna, Bernini u. Borromini) mit Kunstsammlung u. *Biblioteca B.* (seit 1902 bei Vatikanbibliothek).

Barberino, 1) *Andrea da,* it. Schriftsteller, etwa 1370–1431; Übers. u. Bearb. v. frz. Ritterepen. – **2)** *Francesco da,* it. Schriftsteller, 1264–1348; lehrhafte Dichtungen.

Barbestand *m, Barreservebestand,* bei Kreditinstituten die Summe der *Barreserven* (Kassenbestand u. sofort fällige Guthaben bei der Notenbank).

Barbey d'Aurevilly (:barbädorwiji), *Jules Amédée,* frz. kath. Schriftsteller, 1808–89; Romane, Novellen, literar. Studien u. Kritiken; v. Einfluß auf Bernanos, Bloy u. Mauriac. – WW: u.a. *Eine alte Geliebte* (1851), *Ein verheirateter Priester* (1881), Romane; *Die Teuflischen* (1874, Novelle).

Barbier *m* (frz.), veraltet für Friseur.

Barbier (:barbje), **1)** *Henri Auguste,* frz.

Schriftsteller, 1805–82; polit. Satiren; Gedichte. – **2)** *Jules,* frz. Schriftsteller, 1822–1901; Dramen, Operntexte.

Barbiton *s,* altgriech. Musikinstrument, eine sechssaitige Leier, der Lyra ähnlich.

Barbiturate (Kw., Mz.), → Barbitursäure.

Barbitursäure *w,* Kondensationsprodukt aus → Malonsäure u. → Harnstoff. *Barbiturate (B.derivate)* sind starkwirkende Schlafmittel (z.B. Veronal, Luminal).

Barbizon (:-sõ), frz. Dorf bei Fontainebleau; bekannt durch die *Schule v. B.* od. *v. Fontainebleau* der frz. intimen Landschaftsmalerei (Corot, Dupré, Millet, Rousseau u.a.).

Barbusse (:-büß), *Henri,* frz. Schriftsteller, 1873–1935; Pazifist u. Kommunist; drastischer Antikriegsroman *Das Feuer* (1916).

Barby, Stadt im DDR-Bez. Magdeburg, im Kr. Schönebeck, an der Elbe, rd. 7000 E.; Lebensmittel-Ind.; Werft.

Barcarole *w* (it.), venezian. Schifferlied im ⅝ Takt; → Barkarole.

Barcelona (:barße-), **1)** span. Prov. der Landschaft Katalonien, 7733 km², 4,63 Mill. E.; Hst.: B.; bestbebautes (Wässerungskulturen), gewerbereichstes u. dich-

testbesiedeltes Gebiet Spaniens; Bergbau.
– **2)** Hst. v. 1) u. Kataloniens, bedeut.
Hafenstadt am Mittelmeer, 1,76 Mill. E.;
Kathedrale (13.–15. Jh.), Hauptwerk der
katalon. Gotik; Kirche Sta. María del Mar
(14. Jh.); Börse (got. Hallenbau, 14. Jh.);
barocke Kirche Nuestra Señora de Belén
(1681–1769) u. Sagrada Familia im neukatalon. Stil (seit 1882). Univ., TH, Konservatorium, Akad. u.a. Bildungsstätten; Oper,
Museen. Textil-, Metall-, Masch.-, chem.,
Papier-, Leder- u.a. Ind.; Bau v. Flugzeugmotoren, Autos u. Lokomotiven; Wirtschafts- u. Kulturzentrum für Katalonien;
Flughafen. – Das röm. *Barcino;* 415 v. den
Westgoten, 713 den Arabern, 813 den Franken eingenommen, Hst. der span. Mark;
1137 mit Aragonien vereint; 12.–15. Jh.
wichtige Handelsstadt; im 19. u. 20. Jh.
Mittelpunkt des katalan. Separatismus;
1939 im span. Bürgerkrieg (1936–39) v.
Franco eingenommen. – **3)** Hst. des venezolan. Bundesstaats Anzoátegui, am Karib.
Meer, rd. 80 000 E.; Agrarhandel, Erdölraffinerie, chem. Ind.; Flughafen.

Plaza de Cataluña in Barcelona

Barchent *m* (arab.), Baumwollgewebe mit
aufgerauhter faseriger Unterseite.

Barches *m* (hebr.), jüd. Sabbatbrot, geflochtenes Weizengebäck.

Barclay (: ba'kle¹), *John,* Pseud. *Euphormio,* engl. neulat. Schriftsteller, 1582–
1621; Romane. – WW: *Satyricon* (1603–07;
jesuitenfeindlich); *Argenis* (1621).

Barde *m,* altkelt. Dichter u. Berufssänger,
auch Volkssänger; nach langer Schulung an
B.nschule (bis 17. Jh.) lebte der B. meist in
eigenem *B.nhaus* am Hof eines Stammeskönigs.

Bardeen (: -din), *John,* am. Physiker,
*1908; erfand Transistor für Rundfunkgeräte, Hörapparate u. elektron. Rechenmaschine; mit W.H. Brattain u. W. Shockley
1956 Nobelpreis für Physik.

Bardem, *Juan Antonio,* span. Filmregisseur, *1922; u.a. *Tod eines Radfahrers*
(1955).

Barditus *m* (lat.), *Bar(r)itus,* Kriegsgeschrei u. Schlachtgesang der Germanen vor
Angriff (nach Tacitus, *Germania*).

Bardot (: -do), *Brigitte,* frz. Filmschauspielerin, *1934; erot. Filmrollen; u.a. in: *Mit
den Waffen einer Frau; Babette zieht in den
Krieg; Die Wahrheit; Shalako.*

Bardowick, niedersächs. Flecken (4200 E.)
u. Samtgem. im Ldkr. Lüneburg, 10 800 E.

Bareilly, *Bareli,* ind. Stadt im Bundesstaat
Uttar Pradesh, im oberen Gangestiefland,
320 000 E.; Moscheen des 17. Jh.; verschied. Ind.; Verkehrsknotenpunkt.

Bareli, ind. Stadt, → Bareilly.

Barelli, *Agostino,* it. Baumeister, 1627–um
87; Planer der Theatinerkirche in München
u. des Schlosses Nymphenburg.

Bären (Mz.), 1) *Ursiden,* Raubtierfamilie
vor allem der nördl. Erdhälfte, nicht in
Australien u. Afrika. Gemischtköstler,
pflanzliche Nahrung überwiegt; Einzelgänger, außer Eisbär alle im Wald lebend.
Vertreter: *Baribal, Braun-, Brillen-, Eis-,
Grisley-, Höhlen-, Kodiak-, Kragen-, Lippen-, Malaien-B., → Kleinbären. – 2) →*
Bärenspinner.

Bärenfluß *m,* 1) 600 km langer Fluß im
Bundesstaat Utah (USA), in den Großen
Salzsee. – 2) 130 km langer Fluß in Kanada,
vom *Bärensee* in die Mackenzie.

Bärenhüter *m,* das Sternbild → Bootes.

Bäreninsel *w,* norweg. Insel südl. v. Spitzbergen, 178 km².

Bäreninseln, sowjet. Inselgruppe im Ostsibir. Meer, nördl. der Kolymamündung;
etwa 300 km².

Bärenklau *m,* 1) *Herkuleskraut, Heracleum*

sphondylium, weißblühendes Doldengewächs, häufig auf Fettwiesen in Mitteleuropa; *H. mantegazzianum,* bis zu 3 m hohe Zierpflanze aus dem Kaukasus. – **2)** *Akanthus,* Familie mediterraner Pflanzen; → Akanthus 2).

Bärenkrebs *m,* mit der Languste verwandter Meereskrebs.

Bärenmakak *m,* langhaariger dunkelbrauner Affe, mit rotem Gesicht; Hinterindien bis China.

Bärenmaki *m,* nachtlebender → Halbaffe Westafrikas mit verkürztem Zeigefinger u. Stummelschwanz.

Bärenrobbe *w,* der → Seebär.

Bärensee, kanad. See, → Großer B.

Bärenspinner *m, Bär, Arktide,* auch tagsüber fliegender → Nachtfalter mit oft buntgefärbten Flügeln. Raupen stark behaart, ca. 3000 Arten; z.b. brauner Bär, Schönbär, spanische Flagge.

Bärentraube *w,* immergrüner Zwergstrauch der Heidekrautgewächse, in heimischen Nadelwäldern; weiß-rosa Blüten, rote Beeren; Verwendung als Heilpflanze bei Blasenleiden.

Barents, *Willem,* niederl. Polarfahrer, 1550–97; entdeckte Nowaja Semlja, Bäreninsel u. Spitzbergen; nach ihm *B.see* u. *B.insel* benannt.

Barentsinsel *w,* nach W. → Barents benannte Insel (Ostspitzbergen).

Barentssee *w,* nach W. → Barents benannter Teil des Nördl. Eismeers zw. Spitzbergen u. Nowaja Semlja.

Barentsz, *Dirck,* niederl. Maler, 1534–92; u.a. Schützenstücke.

Bärenwurzel *w,* → Bärenklau.

Barett *s* (frz.), mittelalterl. Kopfbedekkung, nam. im 15. u. 16. Jh., aus Wolle od.

Bärenspinner

Filz, mit od. ohne Krempe, oft mit Agraffen u. Federn geschmückt; heute nur noch in Amtstracht, z.b. der Richter.

Baretti, *Giuseppe,* it. Schriftsteller, 1719–89; Satiren; Vorläufer der modernen Literaturkritik; Verf. eines engl.-it. Wörterbuchs (1760).

Barfüßerorden *m,* relig. männl. u. weibl. kirchl. Orden, z.B. Franziskaner, Karmeliten, deren Mitglieder barfuß gehen od. nur Sandalen tragen.

Bargeld *s,* das Münzgeld u. die Banknoten. – Ggs.: → Giralgeld.

bargeldloser Zahlungsverkehr, Zahlung durch Überweisung (Bank, Postscheckamt), Wechsel od. Scheck (→ Giroverkehr); zur Erleichterung u. Beschleunigung des Zahlungsverkehrs; daher auch *bargeldlose Lohn-* u. *Gehaltszahlung;* vermindert Bedarf an Zentralbankgeld (Bargeld), ermöglicht Ausweitung des Geldvolumens; → Buchgeld, → Giralgeld.

Bargheer, *Eduard,* dt. Maler u. Zeichner, 1911–79; abstrakte u. gegenständl. Landschaften (Aquarelle), Bildbücher u. Bildnisse.

Bargteheide, schlesw.-holstein. Stadt im Kr. Stormarn, 9500 E.

Bargteheide-Land, schlesw.-holstein. Amt im Kr. Stormarn, 9900 E.

Bari, 1) it. Prov. in Apulien, 5129 km², 1,47 Mill. E.; Hst.: B. – **2)** *B. delle Puglie,* Hst. v. 1), bedeut. Hafenstadt am Adriat. Meer, 387000 E.; roman. Kathedrale (12. Jh.), Wallfahrtskirche S. Nicola (11. Jh.); Hafenkastell Friedrichs II. (13. Jh.); Univ.; Werften, Stahlwerke, Erdölraffinerie; Teppich-, Papier-, Masch.-, Metall-Ind.; Flughafen. – Das röm. *Barium,* 841–876 arabisch, dann bis 1071 byzantinisch, ab da normannisch; im 16.–18. Jh. erst bei Neapel, dann spanisch; 1860 zu Italien.

Baribal *m,* nordam. *Schwarzbär,* kleiner als Braunbär; wird in den Naturschutzparks zahm.

Bari delle Puglie (: -puljië), → Bari 2).

Barisches Windgesetz, v. → Buys-Ballot aufgestellte Regel, nach der die Luft, die v. Orten hohen Drucks nach Orten geringeren Drucks strömt, durch die Erdrotation seitlich abgeleitet wird.

Bariton *m* (it.), *Musik:* **1)** Stimmlage zw. Tenor u. Baß. – **2)** *Baryton,* Musikinstrumente: Gambe, Viola di bordone.

Bari

Barium *s* (gr.), *Ba*, chem. Element, Ordnungszahl 56, Massenzahlen 130–138; ein silberweißes Metall, das zur Gruppe der Erdalkalimetalle gehört u. durch Elektrolyse des B.chlorids gewonnen wird. In der Natur nur als B.verbindungen; die meisten sind giftig. Nachweis durch grüne Flammenfärbung. Das relativ weiche Leichtmetall wird an der Luft rasch oxidiert u. reagiert mit Wasser stürmisch zu Wasserstoff u. B.lauge.

Bariumcarbonat *s, Witherit,* Ausgangsmaterial für die Herstellung v. Bariumverbindungen.

Bariumchlorat *s,* Bariumsalz, liefert grüne Leuchtfarbe bei Feuerwerkskörpern.

Bariumchromat, *s,* hellgelbes Bariumsalz, das als *Barytgelb* od. *gelbes Ultramarin* als Farbstoff verwendet wird.

Bariumhydroxid *s,* → Bariumoxid.

Bariummanganat *s,* grünes Pulver, das als Farbstoff verwendet wird.

Bariumnitrat *s,* farbloses bis weißes Pulver, liefert grüne Farbe für Feuerwerkskörper.

Bariumoxid *s,* weißes Pulver, reagiert mit Wasser zu *Bariumhydroxid (Barytlauge, Barytwasser).*

Bariumplatinzyanür *s,* gelbgrüne Kristalle, die leuchten, wenn sie v. Röntgenstrahlen getroffen werden. Anwendung als Belag v. → Röntgenschirmen.

Bariumsulfat *s, Schwerspat, Baryt,* schwefelsaures Barium, das u.a. als weißer Farbstoff *(Barytweiß)* u. in der Medizin als Kontrastmittel bei Röntgenuntersuchungen v. Magen u. Darm verwendet wird.

Bariumsulfid *s,* weiße Masse, die u.a. zum Enthaaren v. Häuten dient.

Bark *w,* dreimastiges Segelschiff, mit Fock-, Groß- u. Besanmast; zuweilen 4-5 Masten.

Barka, 1) arab. Name der Cyrenaika. – 2) im MA verödete antike Stadt im westl. *Hochland B.* (Cyrenaika). – 3) zeitweilig arab. Name des ehem. Kgr. Libyen.

Barkarole *w* (it.), Gondel; auch Gondellied *(Barcarole).*

Barkasse *w* (v. lat. *barca*), 1) Motorboot im Hafenverkehr. – 2) größtes Beiboot eines Fahrgast- od. Kriegsschiffs.

Barke *w,* kleines Boot.

Barkeeper *m* (:-kip^{er}, engl.), Verwalter einer Bar; Büfettier.

Barker (: ba^{r}k^{er}), *George Granville,* engl.

Plastik von Ernst Barlach aus dem Jahr 1926

Schriftsteller, *1913; rhetor.-surrealist. Lyrik, Erzählungen u. Romane. – WW: u.a. *Der Dorn im Fleisch* (1950; Roman).

Barkhausen, *Heinrich,* dt. Physiker, 1881–1956; Hauptarbeitsgebiete: elektr. Schwingungen u. Magnetismus; entdeckte den → Barkhausen-Effekt.

Barkhausen-Effekt *m,* v. H. → Barkhausen 1919 entdeckte Erscheinung bei der Magnetisierung ferromagnetischer Stoffe. Der B.-E. besagt, daß die → Elementarmagnete sich nicht stetig im Magnetfeld ausrichten, sondern plötzlich umklappen.

Barkla (: ba^{r}kl^e), *Charles Glover,* engl. Physiker, 1877–1944; Hauptarbeitsgebiet: → Röntgenstrahlung; 1917 Nobelpreis für Physik.

Bar Kochba (hebr., „Sternensohn'), *Simon,* Führer im letzten großen jüd. Aufstand gg. die Römer, 132–135; nach Rückeroberung Jerusalems König; fiel 135 im Kampf um die Festung Bethar.

Barlach, *Ernst,* dt. expressionist. Bildhauer, Graphiker u. Schriftsteller, 1870–1938; ausdrucksstarke erdgebundene Gestalten in Holz u. Bronze sowie graph. Zyklen *(Mann u. Frau im Regen; Die Wandlungen Gottes* u.a.); Dramen: u.a. *Der tote Tag* (1912); *Der arme Vetter* (1918); *Der Findling* (1922); *Die Sündflut* (1924); *Die gute Zeit* (1929).

Bärlapp *m,* → Bärlappe

Bärlappe (Mz.), *Lycopodiales,* Klasse der Farnpflanzen mit kleinen, schuppenförmigen Blättern u. meist endständigen Sporenständen, immergrün. **1)** *Bärlappe i.e.S. (Lycopodiales):* v. den Tropen bis in kalte Zonen verbreitet; in Mitteleuropa auf Heiden, in Nadelwäldern. Beispiele: *Kolben-Bärlapp (Schlangenwurz),* Sporen früher als Wundpuder verwendet; *Tannenbärlapp (Huperzia).* – **2)** *Moosfarne (Selaginellales):* meist tropisch; alpin: *Selaginella helvetica.* – **3)** *Brachsenkräuter (Isoetales):* im Wasser od. auf feuchtem Boden lebend. – **4)** *Schuppen- u. Siegelbäume (Lepidodendrales):* fossile baumartige B., bis 30 m hoch, in der Steinkohlezeit wesentlich an der Kohlebildung beteiligt.

Bärlappgewächse (Mz.), → Bärlappe.

Keulenbärlapp

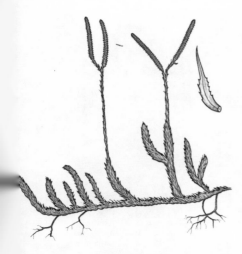

Bärlauch *m, Allium ursinum,* wilder Knoblauch, weiß blühend, stark duftend; häufig in heimischen Laubwäldern.

Barlauf *m,* altes dt. Lauf- u. Fangspiel zw. zwei Parteien mit je 12 Spielern.

Bar-le-Duc (:-l⁰dük), Hst. des frz. Dep. Meuse, 20000 E.; u.a. Uhren-, Textil- u. Gummiindustrie.

Christiaan Barnard

Barletta, südit. Hafenstadt am Adriat. Meer, nordwestl. v. Bari, 82200 E.; Handelsstadt; Burg; bronzene spätröm. Kaiserstatue *(Koloß v. B.);* Weinbau, Fischerei; chem. Ind.; Meersalzgewinnung.

Barlog, *Boleslaw,* dt. Regisseur, *1906; war 1951–72 Intendant des Schillertheaters in Berlin (West).

Bärme *w* (nd.), Backhefe.

Barmen, Stadtteil v. → Wuppertal.

Barmer Theologische Erklärung, sechs Artikel der *Barmer Synode* (1934) der → Bekennenden Kirche gg. die → Deutschen Christen.

Barmherzige Brüder, Name v. kath. männlichen Krankenpflegeorden.

Barmherzige Schwestern, Name v. mehreren kath. weibl. Orden u. Genossenschaften für Krankenpflege, wie Vinzentinerinnen u.a.

Barmstedt, schlesw.-holstein. Stadt im Kr. Pinneberg, 8400 E.; Schuh-, Papier-, Metall- u. Blechwarenindustrie.

Barn *s* (engl.), *barn, b,* Einheit des Wirkungsquerschnitts der Atomkerne; 1 B. = 10^{-24} cm².

Barnabas, Begleiter des Apostels Paulus auf dessen erster Missionsreise; hl. (11.6.).

Barn

Barnabasbrief *m*, frühchristl. Lehrschreiben (etwa 96–138), bes. über Verhältnis v. AT u. NT; fälschlich dem hl. → Barnabas zugeschrieben.

Barnard, *Christiaan,* südafrik. Chirurg, *1922; führte 1967 die erste Herzverpflanzung am Menschen durch.

Barnard (: baˈnᵉrd), *Edward Emerson,* am. Astronom, 1857–1923; entdeckte mehrere Kometen, 1892 den 5. Jupitermond u. den *B.schen Pfeilstern;* verdient um Entwicklung der Astrophotographie. Hrsg. des photograph. *Atlas der Milchstraße.*

Barnardo, *Thomas John,* engl. Philanthrop u. Arzt, 1845–1905; gründete Kinderkolonien.

Barnaul, Hst. der sowjet. Region Altai, im südl. Westsibirien, am Oberlauf des Ob, 533 000 E.; Masch.-, Textil-, Metall-, Nahrungsmittel-Ind.; Flughafen.

Barnay, *Ludwig,* dt. Schauspieler, 1842–1924; Helden- u. Charakterdarsteller; 1871 Gründer der Genossenschaft deutscher Bühnenangehöriger; 1883 Mitgründer des Dt. Theaters in Berlin.

Barnes (: baˈns), *Djuna,* am. Schriftstellerin u. Malerin, *1892; stellt menschl. Kontaktunfähigkeit dar in Kurzgeschichten, Erzählungen u. Dramen. – HW: *Nachtgewächs* (1936; Roman).

Barnet, *Miguel,* cuban. Schriftsteller, *1940; u.a. *Der Cimarrón* (1966; Lebensbericht eines aus Cuba entflohenen Negersklaven).

Barnim, märkische Moränenlandschaft nördl. u. östl. v. Berlin.

Barnowsky, *Viktor,* dt. Schauspieler u. Regisseur, 1875–1952; war 1905–33 Leiter v. Berliner Theatern; emigrierte in die USA.

Barnsley (: baˈnslⁱ), engl. Ind.-Stadt in York, am Diarne; 76 000 E.; Textil- u. Masch.-Ind.; Kohlenbergbau.

Barnstorf, niedersächs. Flecken im Ldkr. Diepholz, 5400 E.; *Samtgem. B.* 11 600 E.

Barntrup, nordrh.-westfäl. Stadt im Lipp. Bergland, Kr. Lippe, 8700 E.

Barocci (: barotschi), *Baroccio, Federigo,* it. Maler, um 1526/35–1612; relig. Bilder, Zeichnungen u. Bildnisse im Spätmanierismus u. Barock. – HW: *Madonna del Popolo* (1579; Florenz); *Kreuzigung* (1596; Genua); *Geburt Christi* (Mailand u. Madrid).

barock (portug.), **1)** dem → Barock eigen. – **2)** schwülstig, überladen.

Barock *m* u. *s* (it.-frz., wohl v. portug. *barocco,* ‚unregelmäßige Perle‘), europ. Kultur- u. Kunstepoche zur Zeit der Gegenreformation u. des Absolutismus bis in die Zeit der Aufklärung, etwa zw. 1600 u. 1720; urspr. abschätzig als schwülstig u. überladen gemeint, wurde ‚B.‘ erst im 19. Jh. als Stilbezeichnung üblich, nachdem die Kunstgeschichte den B. als selbständige, auf die → Renaissance u. den Übergangsstil des → Manierismus folgende Stilepoche ausgemacht hatte; er endete im → Rokoko (1720–70) als dem Übergangsstil zum → Klassizismus. Zunächst Stilbegriff der bildenden Kunst, wandte man den Begriff B. auch auf die Bereiche Musik u. Literatur an u. übertrug ihn schließlich auf die Gesamtkultur der Zeit u. ihre Epoche *(B.zeitalter).* – *Barockkultur:* Im Ggs. zum 16. Jh. strebte das 17. Jh. nach Stärkung der Zentralgewalt. Die Bewunderung der Antike wurde v. der Gegenreformation aus relig. Gründen bekämpft. Mathematik u. Physik begründeten die neue Philosophie (Spinoza, Descartes, Leibniz). Das relig. Leben verfiel in prot. Ländern in Erstarrung. In kath. Ländern herrschte die Gegenreformation unter Leitung des Jesuitenordens. Der B.mensch stand weltanschaulich in der Spannung zw. vergänglichem Diesseits u. dem allein beständigen Jenseits, zw. End-

Barockschrank von 1709 aus Florenz

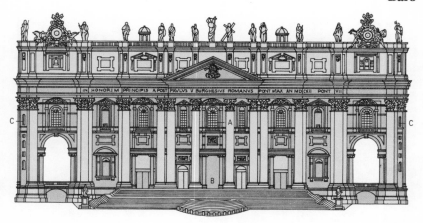

Zu den großen Unternehmungen des Barocks gehörte die Fertigstellung von Sankt Peter in Rom, mit der Carlo Maderna beauftragt wurde. Vorgiebel: A) Balkon, von dem aus der Papst die Gläubigen segnet, B) Eingang, C) Unterbau für Glockentürme

lichkeit u. Unendlichkeit. Im 18. Jh. übernahm die Philosophie der Aufklärung die Führung. Unter Philipp II. in Spanien bildeten sich absolute Monarchie u. Hofzeremoniell aus. Die Zeittracht stand anfangs unter spanischem, seit Ludwig XIV. unter frz. Vorrang (Federhüte, Halskrausen, dann Spitzenkragen; weite Faltenröcke der Damen). Unter Ludwig XIV. wurde alles auf

Neun Jahre arbeitete Giovanni Lorenzo Bernini (1598–1680) an der Kanzel der Peterskirche in Rom

Pracht gestimmt (Allongeperücke, Fontange). Größten Wert legte man auf Ausgestaltung der Gärten um den Palast. – *Kunst:* B. ist jene Gestaltungsweise, die in allem der klass. Auffassung widerspricht. Während in Architektur, Plastik, Malerei u. Kunstgewerbe der Renaissance das einzelne Formelement, in seiner Eigenart bestätigt, sich zwanglos u. harmonisch in den Gesamtzusammenhang fügte, wurde es im B. strenger u. unter weitgehendem Verlust dieser Eigenart einem grandiosen Gesamtkonzept untergeordnet. Jedes Einzelelement wird im Vergleich mit der Renaissance auf ein Höchstmaß seines Ausdrucks gesteigert. (Pilaster u. Gesimse treten stärker hervor, wirken als breitere Formakkorde usw.) In der Malerei: An die Stelle des in der Hochrenaissance aus den vollkommenen Formen Kreis u. Quadrat abgeleiteten Kompositionsschemas tritt im B. die spannungsvolle Diagonalkomposition, wie in vielen Werken v. Rubens. Die großen Themen sind: die einheitlich ausgestattete Kirche, das parkumgebene Fürstenschloß, die planmäßig angelegte Stadt. – Der B. ist in Rom entstanden (Jesuitenkirche Il Gesù v. Vignola, 1568–84). Als seine Väter darf man Michelangelo, Correggio, Tintoretto ansprechen. In Fkr. überwiegen klass. Elemente (Louis XIII., Louis XIV., Régence, Louis XV. [Rokoko]). – *Architektur:* Hauptaufgabe der Baukunst im B. war die

Georg Friedrich Händel

Johann Sebastian Bach

Zwei der bekanntesten Komponisten des 17. und 18. Jahrhunderts

großartige Raumgestaltung; nördlich der Alpen gelangte sie zu freier Verschmelzung der Räume; kennzeichnend ist die Bewegtheit der geschwungenen Grund- u. Aufrißformen, die Unterordnung aller Einzelglieder unter das Ganze. Einzelformen zeigen sich in geschweiften Fassaden, Giebelvoluten, gesprengten Giebeln. Hinzu kommt die malerische Ausgestaltung der Innenräume. In Italien waren außer Vignola u. Bernini in Rom Architekten aus dem Tessin führend: D. Fontana, C. Maderno, F. Borromini u.a. Nördlich der Alpen begann die B.architektur mit dem Dom v. Passau, erreichte Höhepunkte in Dtl. u. Österr. in

Selbstporträt Rembrandts (1600–69)

den Bauten der Fischer v. Erlach, J.L. v. Hildebrandt, B. Neumann, J. Prandtauer, der Familie Dientzenhofer u. der Brüder Asam; in Nord-Dtl. war neben Schlüter in Berlin Pöppelmann in Dresden (Zwinger) tätig. In Fkr. wurden vor allem Schloßbauten mit weiträumigen Parkanlagen errichtet, als unerreichte Vorbilder der Louvre in Paris u. das Schloß in Versailles. Bedeutende frz. Baumeister: F. Mansart, H. Levau u. J. Hardouin-Mansart; Gartenarchitekt: Le Nôtre. In der Schweiz bleiben bemerkenswert die Kirchen v. St. Gallen, Einsiedeln, Disentis, Luzern u. Solothurn. – Die *Barockskulptur* zeichnet sich durch ihre freie, malerische, stark bewegte Formgestalt aus. Hauptmeister der B.bildhauerei waren in Rom Bernini u. Algarde, in Österr. der dem Klassizismus nahestehende Donner, in Fkr. Puget; zu den dt. Bildhauern des Hoch-B. zählen A. Schlüter, B. Permoser u. M. Guggenbichler, zum Spätbarock P. Egell u. E.Q. Asam; J.A. Feuchtmayer nähert sich bereits dem Rokoko. – Die barocke *Malerei* betätigte sich im relig. Gemälde ebenso wie bevorzugt in Landschafts- u. weltlichen Genrebildern. Caravaggios Helldunkelstil wirkte für Europa vorbildhaft; neben ihm waren in Italien A. Carracci, Pietro da Cortona tätig, als letzter großer Meister Tiepolo. Die Franzosen N. Poussin u. Claude Lorrain waren Klassiker der Landschaft, Lebrun klassizist. Eklektiker. Als span.

Barockmaler seien Greco, Ribera, Velázquez, Murillo u. Zurbarán herausgehoben. Flämische B.maler waren neben Rubens A. van Dyck u. J. Jordaens, holländische neben Rembrandt F. Hals, Vermeer van Delft u. J. Ruisdael. Von dt. Malern wirkten im Früh-B. A. Elsheimer in Rom u. J. Liss in Venedig. In Dtl. selbst boten sich im Spät-B. die Altäre u. Decken der großräumigen Kirchen sowie die Schlösser für die Freskomalerei an, in der M. Günther, Maulbertsch u. Zick Hervorragendes leisteten. – Auch das *Kunstgewerbe* entwickelte sich im B. stilgerecht u. vielfältig, nam. in Prunkmöbeln, Fayencen, Porzellanen u. Gobelins. – Die *Literatur* des B. begann in den roman. Ländern u. in Engl. schon Ende des 16. Jh. Von Spanien ging die Hochblüte der Ritterdichtung *(Amadisroman)* aus. Bedeutendster Roman der B.zeit: *Don Quijote* des Cervantes; in Dtl. Grimmelshausens *Simplicissimus.* In der Lyrik steht neben schlichtem, verinnerlichtem der geschraubte Ausdruck: → Gongorismus in Spanien, → Marinismus in Italien, → Précieuses u. heroisches Pathos eines Corneille in Fkr., Schwulst (Lohenstein) in Dtl. – Das *Theater* ist, mit Ausnahme v. Fkr., durch Gegenreformation geprägt (relig. Schauspiele, Heiligendramen). Hauptvertreter: Calderón; bei Shakespeare barocke Einzelheiten. Steigerung der Bühneneffekte (Feuerwerk, Einschaltung v. Balletten usw.). – Unter *Barockmusik* faßt man das Musikgeschehen v. etwa 1570 bis 1730 zusammen, die Zeit zw. musikal. Renaissance u. Galantem Stil, bezeichnet als *Generalbaßzeitalter* od. *konzertierender Stil.* Beginnend mit dem Aufkommen der Generalbaßmelodie u. klangfreudiger Monodie, führt die B.musik gg. Ende zur lautstarken Instrumentalität u. zum eigentl. Orchester. Die Polyphonie der Renaissance wird weiterentwickelt; Oper, Kantate u. Oratorium, dazu Sonate u. Fuge sind bezeichnend. Lose Reihung (in Suite u. Variation) u. feste Bindung (Rezitativ-, Dacapo-Arie, Präludium-Fuge) standen nebeneinander. Purcell in Engl. schuf Virginal- u. Violenmusik, in Fkr. reichte Lullys beschwingte Musik schon ins Rokoko. Zum musikal. B. gehören Monteverdi, Carissimi, Frescobaldi, Schütz, Corelli, die Orgelmeister des 17. Jh., J.S. Bach u. Händel. Haydns u. Mozarts Musik, formal zum B. bzw. Rokoko gehörend, weist über beide hinaus.

Gemälde von Caravaggio (1573–1610)

Baro

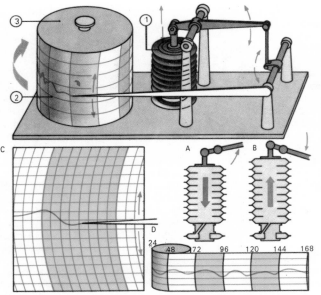

Wirkungsweise des Barographen:
1. luftdicht abgeschlossener Metallbehälter, der sich zusammendrücken läßt; 2. Papierstreifen auf drehender Trommel (3), auf dem die Veränderung des Drucks wiedergegeben wird. Registrierung von hohem Druck (A), niedrigem Druck (B). Barogramm (C) und Barogramm von einigen Tagen (D)

Baroda, ind. Stadt im Bundesstaat Gudscherat, nördl. v. Bombay, 470000 E.; Univ.; Industrie (Textilien, Schmuck). **Barogramm** *s* (gr.), Aufzeichnung des Luftdrucks u. seiner Veränderung mit Hilfe eines → Barographen. **Barograph** *m* (gr.), Aneroid-Barometer (→ Barometer 2), bei dem anstelle des Zeigers ein Schreibstift angebracht ist, der den herrschenden Luftdruck auf einem vorbeigleitenden Papierstreifen aufzeichnet (→ Barogramm). **Baroja y Nessi** (:-rocha i-), *Pío,* span. Schriftsteller, 1872–1956; pessimistische, sozialkrit., antikirchl. Romane, Essays. – WW: *La lucha por la vida* (1904; Trilogie); *Memorias de un hombre de acción* (1913–35; Romanfolge); *Las veladas del chalet gris* (1952). **Barolo** *m,* schwerer it. Rotwein (Piemont). **Barometer** *s* (gr.), Gerät zur Messung des → Luftdrucks. Hauptformen: **1)** *Quecksilber-B.:* In der einfachsten Form eine oben geschlossene, mit Quecksilber gefüllte Glasröhre, deren unteres Ende in ein offenes Gefäß mit Quecksilber eintaucht. Der Druck dieser Quecksilberröhre hält dem auf der Oberfläche des Quecksilbergefäßes lastenden Luftdruck das Gleichgewicht.

Bei mittlerem Luftdruck ist die Quecksilbersäule etwa 76 cm hoch. – **2)** *Aneroid-B.:* Der Luftdruck drückt eine luftleere Metalldose mehr od. minder zusammen. Die Verformung der Dose wird durch einen mit dem Deckel verbundenen Zeiger u. eine entsprechende Skala sichtbar gemacht. **barometrische Höhenformel** *w,* mathemat. Formel, nach der der → Luftdruck mit der Höhe abnimmt. **Baron** *m* (ahd.-frz.), Adelstitel: Freiherr; urspr. Lehnsmann, der Lehen direkt vom König hatte; seit 13. Jh. in Fkr., seit 14. in Engl. Ernennung zum B.; seit 17. Jh. in Dtl. Verleihung des Titels B. statt Freiherr. **Baronesse** *w,* Freifräulein, Freiin. **Baronet** *m* (:bärᵉnⁱt, engl.), *Bar., Bart.,* in Engl. erblicher erster niederer Adel. **Baronin** *w,* Freifrau. **Barothermometer** *s* (gr.), Gerät zur Höhenmessung, das das Absinken des Siedepunkts bei zunehmender Höhe ausnützt. **Barotse,** südafrik. Bantunegerstamm am oberen Sambesi; im *Barotseland* (Sambia). **Barquisimeto** (:barki-), Hst. des venezolan. Bundesstaats Lara, 564 m ü. M., 335000 E.; Ind.- u. Handelsplatz. **Barranquilla** (:-kilja), Hst. des kolumbian. Dep. Atlántico, Hafenstadt u. Handelsplatz am Magdalenenstrom, oberhalb dessen Mündung ins Karib. Meer, rd. 800 000 E.; Werft; Flughafen.

Barras *m*, umgangssprachl. für Militär, Kommiß, auch Kommißbrot.

Barras (: -raß), *Paul-Jean*, frz. Politiker, 1755–1829; entscheidend am Sturz Robespierres beteiligt; Förderer Bonapartes; v. diesem verbannt.

Barraud (: baro), **1)** *François*, Schweizer Maler, 1899–1934; Landschaften, Bildnisse, Akte u.a. – **2)** *Maurice*, Schweizer Maler, 1889–1954; Figürliches, Akte, Gemälde des Genfer Sees.

Barrault (: baro), *Jean-Louis*, frz. Schauspieler u. Regisseur, *1910; seit 1935 bedeut. Inszenierungen, u.a. an der Comédie Française; gründete 1947 mit seiner Frau Madeleine Renaud die ‚Compagnie M. Renaud – J.-L. B.‘ im Théâtre Marigny; 1959–68 Leiter des Théâtre de France, 1965–67 u. ab 1972 des Théâtre des Nations; wirkte in zahlreichen Filmen.

Barre *w*, **1)** Querstange, Schlagbaum. – **2)** Schlamm-, Sand- od. Kiesbank. – **3)** Brandung.

Barre (: bar), **1)** *M. Siyaad*, somal. Politiker, *1919; seit 1969 Staatspräs. v. Somalia. – **2)** *Raymond*, frz. Politiker, *1924; 1967–73 Vizepräs. der Kommission des Gemeinsamen Markts; 1976–81 Min.-Präsident.

Barrel *s* (: bärᵉl, engl.), am. u. engl. Hohlmaß v. unterschiedl. Größe, in den USA 115,63 l für Trockenstoffe, 119,24 l für Flüssigkeiten, in Großbritannien 163,61 l.

Barren *m*, **1)** Metallblock, -platte od. -stange; z.B. Gold-, Silber-B. – **2)** Turngerät:

Barrengold

Barrikaden in Berlin bei der Revolution 1848

zwei verstellbare parallele hölzerne Holmen auf je zwei Ständern.

Barrengold *s*, Gold, das in Barren unterschiedlicher Größe gegossen ist; Metallschatz der Notenbanken; auch private Kapitalanlage.

Barren Grounds (: bärᵉn graunds, engl., Mz.), unfruchtbare, seenreiche, meist vereiste Gebiete, Tundren, im N Kanadas u. Alaskas.

Barrès (: baräß), *Maurice*, frz. Schriftsteller u. Politiker, 1862–1923; Nationalist u. Antisemit; Romanzyklen, Tagebücher, Essays in glänzendem Stil. – WW: u.a. *La colline inspirée* (1913; Roman); *Chronique de la grande Guerre* (14 Bde, 1920–24).

Barreserve *w*, → Barbestand.

Barrett (: bärᵗt), *Elizabeth*, → Browning.

Barrie (: bäri), Sir *James Matthew*, schott. Schriftsteller, 1860–1937; Romane, gesellschaftskritische u. Märchendramen. – WW: u.a. *Quality Street* (1902); *Peter Pan* (1904; Märchenspiel).

Barriere *w* (frz.), **1)** *allg.:* Schranke, Hindernis; auf Verkehrswegen (Bahnen, Straßen), meist beweglich. – **2)** *Mil.:* festes Geländehindernis.

Barriereeis *s*, Schelfeis der Polargebiete.

Barrierriff *s* (: bäriᵉʳ-), ein 2000 km langes, bis 2 km breites Korallenriff vor der austral. Ostküste.

Barrikade *w* (frz.), behelfsmäßige Sperre zur Verschanzung im Straßenkampf.

Barrili, *Antonio Giulio*, it. Schriftsteller, 1836–1908; Journalist u. Sprecher Garibaldis; Novellen u. romant.-bürgerl. Romane.

Barring *w*, *Bootsdeck*, Gerüst am Oberdeck v. Schiffen, zur Aufbewahrung der Beiboote.

Barr

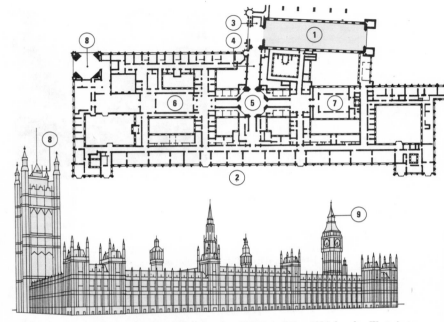

Sir Charles Barry baute die ‚Houses of Parliament', nachdem im Jahre 1834 der alte ‚Westminster Palace' bis auf Westminster Hall (1) abgebrannt war. Von der östlichen Fassade (2) blickt man auf die Themse. Der Eingang (3) ist von Westen. Man kommt dann von der St. Stephen's Hall (4) in die Central Hall (5). Links davon das House of Lords (6), rechts das House of Commons (7). An der Südwestseite steht der Victoria Tower (8) und im nördlichen Flügel der Clock Tower (9) mit dem berühmten Big Ben

Barrios, *Eduardo,* chilen. Schriftsteller, 1884–1963; psycholog. u. sozialanalyt. Romane, Dramen. – Romane: *Der Huaso* (1948) u. *Los hombres del hombre* (1957).
Barrister *m* (: bä-), Titel des engl. Rechtsanwalts.
Barritus *m,* → Barditus.
Barr-Körperchen *s,* wird bei der (Kern-) Geschlechtsbestimmung untersucht (z.B. Sportlerinnen). Bei Frauen am Rand der Körperzellkerne gelegene Verdichtung, entspricht dem zweiten X-Chromosom.
Barros (: baruseh), *João de,* portug. Schriftsteller u. Historiograph der Renaissance; 1496–1570; Ritterroman; portug. Kolonialgeschichte *Ásia* (4 Bde, 1552–1615).
Barrow *m* (: bäroᵘ), Fluß in Südostirland, 191 km lang; in den St.-Georgs-Kanal.
Barrow (: bäroᵘ), Sir *John,* engl. Forschungsreisender u. Schriftsteller, 1764–1848; Reiseberichte über China u. Südafrika.

Barrow-in-Furness (: bäroᵘ in föʳniß), nordwestengl. Hafen- u. Ind.-Stadt an der Irischen See, nördl. v. Blackpool, 70000 E.; Schwer-, Eisen-, Stahl-, Masch.-Ind., Werften; Leinen- u. Flachsspinnereien.
Barrowspitze *w* (: bäroᵘ-), *Kap, Point Barrow,* Nordspitze v. Alaska, der nördlichste Punkt der USA; Stützpunkt; Flugplatz.
Barrowstraße *w* (: bäroᵘ-), Meeresstraße in den nordam. arkt. Gewässern; ben. nach J. → Barrow.
Barry (: bäri), engl. Stadt in Wales, südwestl. v. Cardiff, 45000 E.; Kohlenausfuhrhafen.
Barry (: bäriʳ), **1)** Sir *Charles,* engl. Architekt, 1795–1860; schuf in London Bauten in histor. Stilen: *Travellors Club* (1820), *Coll. of Surgeous, Bridgewatershouse* (it. Renaissance); *Parlamentsgebäude* (1840–52; engl. Spätgotik). – **2)** *Edward Middleton,* engl. Architekt, 1830–80; Sohn v. 1); u.a. in London *Covent Garden Theatre* (1859/60); vollendete das Parlamentsgebäude. – **3)**

Philip, am. Schriftsteller, 1896–1949; gesellschaftskrit. u. psycholog. Dramen.

Barrymore (:bärimå^{er}), am. Bühnen- u. Filmschauspieler: **1)** *Ethel,* 1879–1959; Schwester v. 2) u. 3). – **2)** *John,* 1882–1942. – **3)** *Lionel,* 1878–1954.

Barsbüttel, schlesw.-holstein. Gem. im Kr. Stormarn, 8600 E.

barschartige Fische, *Barschartige,* größte Ordnung Knochenfische, hinzu Barsche, Makrelen, Grundeln, Schleimfische u.a.; haben stachlige weiche Rückenflosse, Schwimmblase ohne Darmverbindung.

Barsche (Mz.), in Süßwasser u. Meer lebende Fam. der → Knochenfische. *Flußbarsch* (Perca fluviatilis) u. *Zander* (Lucioperca) sind wertvolle Speisefische.

Barscheck *m,* in bar auszuzahlender Scheck. – Ggs: Verrechnungsscheck.

Barschel, *Uwe,* dt. Politiker (CDU), *1944; Politologe; seit 1982 Min.-Präs. v. Schleswig-Holstein.

Barsinghausen, niedersächs. Stadt am Deister, Ldkr. Hannover, 32700 E.; u.a. Metallindustrie.

Barsoi *m* (russ.), langhaariger russ. Windhund; schlanke, schmalköpfige u. langschnäuzige Haushunderasse.

Barsortiment *s, Buchhandel:* Vermittlungsorganisation (Buchbetrieb) zw. Verlag u. Sortiment, liefert an Buchhändler die Bücher verschiedener Verlage, vereinfacht so deren Bezug.

Barßel, niedersächs. Gem. im Ldkr. Cloppenburg, an der Soeste, 8500 E.

Bar-sur-Aube (:-bürob), frz. Stadt, → Bar.

Bart *m,* Haarwuchs an Wangen, Lippen, Kinn u. Hals als sekundäres männl. Geschlechtsmerkmal. Bei Frauen stärkerer B.wuchs infolge hormonaler Störungen u. im Alter. *Bartwuchs* nach Rasse unterschiedlich (bartarm z.B. Ostasiaten u. Indianer). *Barttracht* unterliegt der Mode: (z.B. Voll-B. der Juden im Altertum; Spitz-

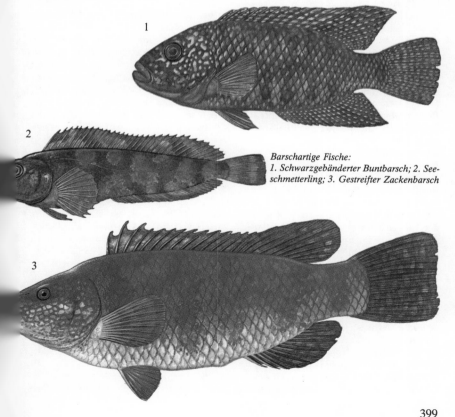

Barschartige Fische:
1. Schwarzgebänderter Buntbarsch; 2. Seeschmetterling; 3. Gestreifter Zackenbarsch

Bart

B. in Spanien, 16. Jh.; Kaiser-Wilhelm-B.
mit Schnurr- u. Backen-B.). B.wuchs auch
bei Säugetieren (z.B. Ziege) u. als Tasthaa-
re (Katze, Maus). – 2) Teil des Schlüssels,
Endstück, mit dem das Schloß ver- od.
entriegelt wird.

Bart (:bar), 1) *Baert, Jean,* frz. Seeheld,
1650–1702; kühner Freibeuter in Ludwigs
XIV. Kämpfen gg. Holland u. England;
durchbrach 1697 Blockade v. Dünkirchen.
– 2) *Jean,* eig. *Eugeniu P. Botez,* rumän.
Schriftsteller, 1874–1933; Reisebücher,
Novellen, Romane.

Bart., Abk. für engl. → Baronet.

Bartaffe *m,* 1) *Wanderu,* graubärtiger
schwarzer Affe der Makaken, in Südwestin-
dien; oft Haustier. – 2) *Bartsaki,* bärtiger
Affe Amerikas.

Barte *w,* 1) Beil, Streitaxt; Halbarte, Helle-
barde. – 2) Hornplatte im Oberkiefer der
Bartenwale; als *Fischbein* verwertet.

Bartel *m,* der Knecht Ruprecht.

Barteln (Mz.), *Bartfäden,* meist lange u.
dünne Hautanhänge in der Nähe des Mauls
vieler Fische; tragen Tast- u. Geschmacks-
sinnesorgane; z.B. bei Wels, Barbe.

Barten (Mz.), in zwei seitlichen Reihen vom
Oberkiefer der Bartenwale (→ Wale) her-
abhängende Hornplatten. Bilden Seihap-
parat zur Filtration v. Kleingetier aus dem
Meerwasser. Material für *Fischbein.*

Bartenstein, poln. *Bartoszyce,* ostpreuß.
Stadt, an der Alle, 15000 E.; seit 1945 unter
poln. Hoheit.

Bartenwale (Mz.), → Wale.

Bartfäden (Mz.), → Barteln.

Bartfinne *w,* → Bartflechte 2).

Bartflechte *w,* 1) *Bot.: Strauchflechte,* reich
verzweigte, fädige Flechte; häufig in feuchten Gebieten, hängt bartartig v. Zweigen
der Bäume herab. – 2) *Med.: Bartfinne,
Zykose,* durch Pilze od. Eiterbakterien verursachte Entzündung der Haarbälge im
Bereich des Barts; ansteckend.

Bartgeier *m, Lämmergeier (Gypaetus bar-
batus),* mit den Geiern verwandter Tag-
raubvogel; Aasfresser, kann auch Knochen
verdauen. Verbreitung: Pyrenäen, Gebirge
Asiens u. Afrikas; gilt in Tibet als heilig.

Bartgras *s, Bothriochloa,* seltenes Gras der
→ Trockenrasen. Nahe Verwandte sind
Futterpflanzen *(Mohren-, Zuckerhirse).*

Bartgrundel *m* u. *w, Schmerle, Grundel,*
mitteleuropäischer, bis 19 cm langer, oliv-

*Die Barte als Kampfmittel der Streiter um König
Chlodwig (466–511 n. Chr.). Miniatur aus dem
14. Jahrhundert*

gelber Bodenfisch klarer Gewässer; Speisefisch.

Barth, Hafenstadt am *B.er Bodden* im
DDR-Bez. Rostock, 12000 E.; Industrie.

Barth, 1) *Carl,* dt. Maler *1896; nam.
Bildnisse u. Landschaften des Magischen
Realismus. – 2) *Emil,* dt. Schriftsteller,
1900–58; Lyrik, Romane, Essays. – WW:
Der Wandelstern (1939; Roman); *Enkel des
Odysseus* (1951; Roman); Gedichte: *Toten-
feier* (1928); *Xantener Hymnen* (1948);
Meerzauber (1961). – 3) *Hans,* polit. Philo-
soph, 1904–46; Prof. in Zürich; beschäftigte
sich mit dem philosoph. Gedanken in der
Politik, d.h. mit ihrer Ideengeschichte. –
WW: *Wahrheit u. Ideologie* (1945); *Pesta-
lozzis polit. Philosophie* (1955); *Die Idee der
Ordnung* (1958). – 4) *Heinrich,* dt. Afrika-
forscher, 1821–65; erschloß Sahara u. als
erster den Westsudan. – HW: *Reisen u.
Entdeckungen in Nord- u. Central-Africa* (5
Bde, 1857–60). – 5) *Heinrich,* Schweizer
Philosoph, 1890–1965; Bruder v. 6); Prof.
in Basel; Vertreter eines krit. Idealismus; v.
der Existenzphilosophie beeinflußt, hielt er
an der Trennung zw. philosoph. Erkennen
u. Glauben fest. – WW: *Freiheit der Entscheidung im Denken Augustinus'* (1937);
Philos. der Erscheinung (1947–59). – 6)
Karl, Schweizer ref. Theologe, 1886–1968;
Prof. in Göttingen, Münster, Bonn u. nach

der Amtsenthebung durch die Nationalsozialisten in Basel; Wortführer der→ Bekennenden Kirche; als sozialist. Theologe Mitbegründer der dialekt. Theologie; viel beachtet seine Kritik des liberalist. Kulturprotestantismus (→ protestantische Ethik). − WW: *Der Römerbrief* (1918); *Das Wort Gottes u. die Theologie* (1924); *Evangelium u. Gesetz* (1935); *Rechtfertigung u. Recht* (1948); *Kirchl. Dogmatik* (1932–59). − **7)** *Paul,* dt. Philosoph u. Pädagoge, 1858–1922; Prof. in Leipzig; Pädagogik auf der Grundlage eines sittl. Endzwecks. − **8)** *Paul,* Schweizer Maler u. Lithograph, 1881–1955; u.a. Bildnisse, Landschaften u. Stilleben.

Barthel, 1) *Ludwig Friedrich,* dt. Schriftsteller, 1898–1962; Lyrik, Novellen, Romane (Erleben aus Kindheit, Liebe u. Krieg), Essays. − **2)** *Max,* dt. Schriftsteller, 1893–1975; in seiner Jugend Pazifist u. Kommunist; Lyrik, Erzählungen u. Romane. − WW: Gedichte: *Arbeiterseele* (1927); *Danksagung* (1938); Romane: *Das Land auf den Bergen* (1939); *Das Haus an der Landstraße* (1942).

Barthélemy-Saint-Hilaire (:-ßätilär), frz. Politiker u. Philosoph, 1805–95; 1880/81 Außenmin.; u.a. Aristotelesausg. (1832–91); *Die Logik des Aristoteles* (2 Bde, 1838); *Buddha . . .* (1862).

Barthes (: bart), *Roland,* frz. Literaturwissenschaftler u. Kritiker, *1915; Vertreter des Strukturalismus; Essays. − WW: u.a. *Sur Racine* (1963); *Le plaisir du texte* (1973); *Un regard politique sur le signe* (1974).

Bartholdi, *Frédéric Auguste,* frz. Bildhauer, 1834–1904; u.a. Löwe v. Belfort (1878, in Fels gehauen) u. Freiheitsstatue im Hafen v. New York (1886, in Kupfer).

Bartholin, *Kaspar,* dän. Mediziner, 1665–1738; entdeckte die → B.schen Drüsen.

Bartholinitis w, Entzündung der Sekretdrüse der großen Schamlippe.

Bartholinsche Drüsen, v. → Bartholin entdeckte paarige, bis haselnußgroße, bei geschlechtlicher Erregung schleimabsondernde Drüsen zu beiden Seiten des Scheideneingangs der Frau.

Bartholomäus, 1) Apostel, wohl identisch mit Jesu Jünger Natanael; wirkte vermutlich in Mesopotamien, Armenien u. Indien; hl. (24.8.). − **2)** nach ihm männl. Vorname.

Bartholomäusnacht w, *Pariser Bluthochzeit,* Nacht zum 24.8.1572 (Bartholomäustag), in der Tausende v. Hugenotten in Paris u. danach in der Provinz anläßlich der Hochzeit des prot. Heinrich (IV.) v. Navarra mit der kath. Margarete v. Valois ermordet wurden; auf Anstiften der Königinmutter Katharina v. Medici.

Bartholomé, *Albert,* frz. Bildhauer u. Maler, 1848–1928; u.a. Totendenkmal *(Monument aux Morts)* auf dem Pariser Friedhof Père Lachaise.

Bärtierchen (Mz.), *Tardigrata,* ca. 1 mm große, den Gliedertieren nahestehende Tiere; leben in Moosen, feuchter Erde, im

Südkaper (Schwarzer Glattwal) mit geöffnetem Maul, auf dem sich Seepocken festgesetzt haben. Das Gebiß ist bei den Bartenwalen völlig verschwunden und wird durch Hornplatten (Barte oder Fischbeine) ersetzt, die vom Gaumen schräg nach unten hängen. Dadurch wird Nahrung, die vornehmlich aus ganz kleinen Krebsen (Krill) besteht, aus dem Wasser gesiebt

Bart

Süßwasser u. im Meer. Gegen Austrocknen u. Temperaturschwankungen sehr widerstandsfähig, verfallen bei ungünstigen Lebensbedingungen in eine Trockenstarre (→ Anabiose).

Bartkauz *m,* 68 cm große graue Eule, in nördl. Nadelwaldgebieten Eurasiens u. Nordamerikas.

Bartling *m,* die männl. Hanfpflanze.

Baertling, *Olle,* schwed. Maler, *1911; kam über Expressionismus u. Kubismus zur abstrakten Kunst.

Bartmeise *w,* mittel- u. südeurop. braune Meise, in Schilfgebieten; nistet am Boden od. bodennah im Rohr.

Bartnelke *w,* farbenreiche zweijährige Nelkenart, in südeurop. Gebirgen; bis 50 cm hoch; Gartenpflanze.

Bartning, *Otto,* dt. Architekt u. Schriftsteller, 1883–1959; erbaute prot. Kirchen, Krankenhäuser u. Industriegebäude. – HW: *Stahlkirche* auf der Pressa (1928; Köln); *Auferstehungskirche* (1930; Essen); *Christuskirche* (1953; Bonn – Bad Godesberg).

Bartók (:bâr-), *Béla,* ungar. Komponist, Volksliederforscher u. Pianist, 1881–1945; v. Liszt, später Débussy, Strawinsky (Schönberg) beeinflußt, gelangte B. auf Grundlage der ungar. Volksmusik als Rhythmiker, Melodiker, Harmoniker zu eigenem Stil; neben Strawinsky u. Hindemith führender europ. Wegbereiter u. Vertreter neuer Musik; 1906 Prof. für Klavierspiel in Budapest; emigrierte 1940 nach New York und starb dort arm. B. sammelte mit Kodály ungarische Volkslieder u. Tän-

Béla Bartók

ze. – WW: Opern: *Herzog Blaubarts Schloß, Der hölzerne Prinz,* Ballette; Orchester-Suiten; 6 Streichquartette; 3 Klavierkonzerte; 1 Violinkonzert; Klaviersonaten u. -stücke; Kammermusik; Musik für Saiteninstrumente, Schlagzeug u. Celesta; Rhapsodien; Klavierwerke (u.a. *Mikrokosmos,* 1926 ff.); Volksliedbearbeitung für Instrumente, Einzelstimmen u. Chor.

Bartolini, 1) *Lorenzo,* it. Bildhauer des Klassizismus, 1777–1850; Statuen, Gruppen. – 2) *Luigi,* it. Schriftsteller, Maler u. Kupferstecher, 1892–1963; Literatur- u. Kunstkritiker; Gedichte, Erzählungen u. Romane. – HW: *Fahrraddiebe* (1946; verfilmt).

Bartolommeo, *Fra B.,* auch *Baccio della Porta,* it. Maler, Meister der Hochrenaissance, 1472–1517; ab 1500 Dominikaner; haupts. Altargemälde; Andachtsbilder.

Bartolommeo Veneto, it. Maler, tätig zw. 1502 u. 1530; nam. Bildnisse.

Bartolozzi, *Francesco,* it. Kupferstecher, 1727–1815.

Bartolus de Sassoferrato, it. Rechtsgelehrter (Bologna u. Perugia), 1314–57; durch seine Kommentare zum röm. Recht (Corpus Juris Civilis) v. Einfluß auf das dt. Recht.

Barton (:baᵗᵉn), *Derek Harold,* brit. Chemiker, *1918; Arbeiten zur Konformationsanalyse größerer Moleküle mit komplizierten Ringsystemen; 1969 mit O. Hassel Nobelpreis für Chemie.

Bartrobbe *w,* Gattung der Seehunde.

Bartsch *w,* poln. *Barycz,* 165 km langer Nebenfluß der Oder, mündet oberhalb Glogau.

Bartsch, 1) *Johann Adam* Ritter v., österr. Kupferstecher u. Kunstschriftsteller, 1757–1821; verf. das grundlegende Werk *Le peintre graveur* (21 Bde) über den europ. Kupferstich. – 2) *Rudolf Hans,* österr. Schriftsteller, 1873–1952; zahlreiche Novellen u. Unterhaltungsromane aus der Welt Altösterreichs.

Baertson, *Albert,* belg. Maler, 1866–1922; Landschaften, Küsten- u. Städtebilder.

Barttracht *w,* → Bart.

Bartvögel (Mz.), bunte, mit den Spechten verwandte trop. Vögel.

Bartwuchs *m,* → Bart.

Baruch, im AT Begleiter des Propheten Jeremia; nicht Verfasser des *Buchs B.*

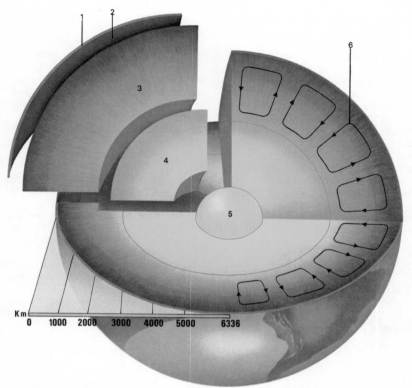

Die Erde setzt sich aus 'Schalen' (Schichten) unterschiedlichen spezifischen Gewichts zusammen. Die Kruste (1) ist ca. 10–50 km dick und besteht größtenteils aus Granit und Basalt. Sie wird durch die Asthenosphäre (2) vom Mantel (3) getrennt, der 2900 km dick, an der Außenseite fest und an der Innenseite plastisch ist. Hier finden Konvektionsströmungen (6) statt. Der äußere Kern (4) ist durch die Hitze flüssig; der innere Kern (5) ist durch den hohen Druck fest

Baruch, *Bernard Mannes,* am. Wirtschaftspolitiker, 1870–1965; schuf 1946 den *B.plan* zur internat. Atomenergiekontrolle.

Barwert *m,* der augenblickliche Wert erst später fälliger Gelder.

Barwig, *Franz,* österr. Bildhauer, 1868–1931; realist. Holzplastiken.

Bärwinden, Gattung der Windengewächse; darunter *Zaunwinde* mit weißen Blüten.

Bärwurz *w,* Doldengewächs der Gebirge mit scharfschmeckender Wurzel.

Bary..., **bary...** (gr.), in Zusammensetzungen: Schwer..., schwer...

Barye (: bari), *Antoine Louis,* frz. Bildhauer, 1795–1875; bewegte Tierplastiken (Gruppen), meist in Bronze; Zeichnungen u. Aquarelle.

Baryonen (gr., Mz.), Sammelbez. für die Atomkernteilchen → Nukleonen u. → Hyperonen.

Barysphäre *w* (gr.), *Siderosphäre,* innerster Erdkern, nam. aus Nickel u. Eisen (daher *Nife-Kern*).

Baryt *m* (gr.), *Schwerspat,* Mineral, Gänge od. Lager v. Bariumverbindungen; → Barium, → Bariumsulfat.

Barytgelb *s,* Bariumchromat.

Barytlauge *w,* → Bariumoxid.

Barytonon *s* (gr.), Wort mit unbetonter Endsilbe.

Barytweiß *s,* Farbe, → Bariumsulfat.

baryzentrisch (gr.-lat.), auf den Schwerpunkt bezüglich.

Baryzentrum *s* (gr.-lat.), Schwerpunkt.

Barzahlung *w,* **1)** Zahlung mit Bargeld statt Giralgeld (Überweisung u.a.). – **2)** Zahlung

Barz

bei Lieferung *(Barkauf)* od. Leistung der ganzen Kosten. – Ggs.: Kauf auf Kredit od. auf Raten (Abzahlung).

Barzahlungsnachlaß *m,* Preisermäßigung (Rabatt, Skonto) bei Barzahlung.

Barzel, *Rainer,* dt. Politiker (CDU), *1924; seit 1957 MdB; 1964–73 Vors. der CDU-CSU-Bundestagsfraktion, 1971–73 der CDU; 1982/83 Bundesmin. für innerdt. Beziehungen; seit 1983 Bundestagspräsident.

basal (gr.-nlat.), **1)** basisbildend, an der Basis, zu ihr gehörig. – **2)** an Grundfläche eines Körperteils od. Organs gelegen. – **3)** unterste Schicht einer geolog. Schichtenfolge bildend bzw. sie betreffend.

Basaldella, *Afro,* it. Maler, → Afro.

Basaliom *s* (gr.), Hautgeschwulst.

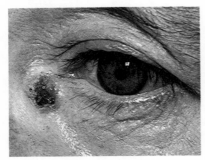

Basaliom. Die Geschwulst hat ihren charakteristischen Platz neben dem Auge

Basalkorn *s,* → Geißel.

Basalt *m* (gr.), schwarzes, basisches → Ergußgestein aus Feldspat, Augit, Olivin, Magnetit. Im Tertiär als Vulkanlava entstanden; oft in charakteristischen sechseckigen Säulen erstarrt.

Basaltemperatur *w* (gr.-lat.), Körpertemperatur, am Morgen vor dem Aufstehen rektal gemessen. Bei der Frau steigt die B. zum Zeitpunkt des Eisprungs an (B.sprung). Wichtig zur Bestimmung des → Befruchtungsoptimums.

Basaltlava *w,* → Basalt.

Basaltplateau *s* (gr.-frz.), → Basalt.

Basaltware *w,* schwarze engl. Steinzeugvasen u. -urnen des 18. Jh.; v. Wedgwood; mit Reliefdekor.

Basar *m* (pers.), *Bazar,* **1)** oriental. u. russ. Markt, Warenhaus, Kaufhaus. – **2)** im Orient das Händlerviertel einer Stadt. – **3)**

Verkauf v. Waren zu Wohltätigkeitszwecken.

Basargan, *Mehdi,* iran. Politiker, * um 1905; unter dem Schahregime mehrfach in Haft; wurde 1979 Min.-Präs., trat aber noch 1979 zurück.

Baschenis (: baßke-), *Evaristo,* it. Maler, 1607/17–77; u.a. Stilleben mit Musikinstrumenten.

Baschenow, *Bashenow, Wassilij Iwanowitsch,* russ. Architekt, 1737–99; gründete Bauschule in Moskau; baute Paläste in Moskau u. Leningrad (Petersburg).

Baschkiren (Mz.), urspr. wohl türkisches, später mit Finno-Ugriern vermischtes islam. Volk im südl. Ural.

Baschkirische ASSR, autonome Sowjetrep. der RSFSR, im südl. Ural, 143 600 km², 3,85 Mill. E.; Hst.: Ufa; Erzbergbau u. Ind.; Gewinnung v. Erdöl u. Erdgas.

Baschlik *m* (turkotatar.), kaukas. Kopfbedeckung, eine nur das Gesicht freilassende Wollkapuze.

Bascho, eig. *Matsuo Mussefusa B.,* jap. Dichter, 1644–94; einer der bedeutendsten Dichter Japans.

Base *w,* **1)** Kusine. – **2)** allg. weibl. Verwandte, insbes. Schwester des Vaters. – **3)** *Chemie:* → Basen.

Baseball *m* (: be¹ßbål, engl.), schlagballähnliches Ballspiel zw. zwei Mannschaften zu je

Basalt, der durch Abkühlung geschrumpft ist. Durch diesen Vorgang bilden sich die typischen, oft sechskantigen Säulen

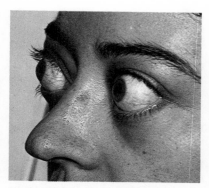

Basedowsche Krankheit. Typisches Erscheinungsbild sind die hervortretenden Augen

9 Spielern; für jugendliche Spieler: *Softball*.
Basedow (:-do), **1)** *Johann Bernhard,* dt.
Pädagoge, 1723–90; ,Prof. der Moral',
Gründer des Philanthropinums, einer Erziehungsanstalt in Dessau, die für viele
folgende Anstalten zum Vorbild wurde;
beeinflußt v. der aufklärerischen Theorie
Rousseaus einer natur- u. vernunftmäßigen
Erziehung, schuf er die Bewegung des →
Philanthropinismus. – HW: *Methodenbuch
für Väter u. Mütter der Familien u. Völker*
(1770). – **2)** *Karl Adolf v.,* dt. Arzt, 1799–
1854; Kreisarzt in Merseburg; beschrieb die
nach ihm ben. → Basedowsche Krankheit.
Basedow-Psychose (:-do-), → Basedowsche Krankheit.
Basedowsche Krankheit (:-do-), *Glotzaugenkrankheit, Hyperthyreose,* beruht auf
einer gesteigerten Hormonproduktion der
→ Schilddrüse, gekennzeichnet durch übermäßiges Hervortreten der Augen, durch
eine Vergrößerung der Schilddrüse (Kropf,
Struma) u. Herzfrequenzsteigerung; psychische Begleiterscheinungen sind gespannte Erregtheit, zunehmende Nervosität u. Angstzustände, die sich bis zur Geisteskrankheit in der Form v. Delirien u.
Verwirrtheitszuständen *(Basedow-Psychose)* steigern können. Ursachen: erbl. Anlagen, Jodmangel, Schwangerschaft, aber
auch psychische Belastungen (Schreckbzw. Schock-Basedow).
Basel, frz. *Bâle,* **1)** *Schweizer Kt.* im nordwestl. Teil der Schweiz, unterteilt in zwei
Halbkantone: *B.-Stadt,* 37 km², 207 000 E.;
Hauptort: Basel; umfaßt außer der Stadt B.
Riehen u. Bettingen r. des Rheins; stark
industrialisiert. – *B.-Landschaft,* 428 km²,
219 000 E.; Hauptort: Liestal; Anbau v.
Getreide, Obst (Kirschen); Seiden-, Baumwoll-, Eisen-, Uhren- u. chem. Ind. – **2)** Hst.
des Halb-Kt. *B.-Stadt,* zweitgrößte Stadt
der Schweiz, beiderseits des Rheinknies,
zw. Jura, Vogesen u. Schwarzwald am Südende der Oberrhein. Tiefebene, 185 000, als
Aggl. 367 000 E.; Univ. (älteste der
Schweiz), wiss. Institute, Museen, Theater
usw.; Altstadt mit Barockbauten; roman.-
got. Münster (11.–14. Jh.), Prediger-, Barfüßer-, Leonhardskirche; Rathaus, Spalentor; Handels- u. Messestadt mit vielseit.
Ind.; Rheinhafen; Flughafen B.-Mulhouse.
– Urspr. gall. Siedlung, als *Basilia* 374
erstmals erwähnt; um 600 fränkisch, 912 zu
Burgund, im 11. Jh. als Reichsstadt zum Dt.
Reich, 1501 zur Eidgenossenschaft; im Zug
der Reformation 1528/29 der Bischof der
Stadt verwiesen; im 19. u. 20. Jh. ein
Zentrum des europ. Geisteslebens.
Baseler Friede → Basler Friede.
Baseler Konzil → Basler Konzil.

Rathausturm in Basel

Baselland, *Basel-Landschaft,* → Basel 1).
Basen (Mz.), Gruppe v. chem. Stoffen, die
in wäßriger Lösung Hydroxylionen freisetzen, Lackmusfarbstoff blau färben u. →
Säuren neutralisieren, wobei Salze gebildet
werden; z.B. Metallhydroxide, Ammoniak, einige Salze, wie Soda, Pottasche.
Basensequenz *w,* → *Nukleinsäuren.*
BASF, Abk. für **B**adische **A**nilin & **S**oda-**F**abrik AG; Chemiekonzern, Sitz: Ludwigshafen a. Rh.; gegr. 1865; erzeugt Teerfarbstoffe, Gerb- u. Kunststoffe u. deren
Vorprodukte, Chemikalien, Dünge-,
Pflanzenschutzmittel, Tonbänder u.a.m.

Basi

Basic English *s* (: be¡ß¡k inglisch), *Grundenglisch,* als Welthilfssprache, auf 850 Wörter des prakt. Lebens beschränkt; 1930 v. C.K. Ogden veröffentlicht.

Basidienpilze, Gruppe v. Pilzen, die sich durch exogene Basidiosporen auf Ständern vermehren; so Brand-, Hut- u. Rostpilze.

Basidiomyzeten (gr., Mz.), die → Ständerpilze, → Pilze.

Basie (: be¡ß¡), *William (Count, Bill),* am. Jazzmusiker u. Pianist; *1904.

basieren (gr.), auf etwas fußen, beruhen, sich gründen.

Basil, *Otto,* Pseud. *Markus Hörmann,* österr. Schriftsteller u. Dramaturg, *1901; Lyrik, Erzählungen, Romane u. Biographien (Trakl, Nestroy), auch Übersetzungen. – WW: *Sonette an einen Freund* (1925); *Apokalypt. Vers* (1948); *Der Umkreis* (1933; Roman); *Wenn das der Führer wüßte* (1966; Roman).

Basilan, 1) philippin. Insel südwestl. v. Mindanao, 1283 km², zahlr. Vulkane; Kopra, Kokosöl, Kautschuk, Holzwirtschaft. – **2)** Hst. v. 1), Hafenstadt an der Nordküste, 127 000 E.

Basile, *Giovanni Battista,* Graf v. *Torone,* it. Schriftsteller, um 1575–1632; erster europ. Märchenerzähler. – HW: *Pentamerone* (Volksmärchensammlung im neapolitan. Dialekt).

Basileios (gr.), → Basilius.

Basileus *m* (gr., ‚König, Herrscher'), **1)** der zweite Archont im antiken Athen. – **2)** seit den Perserkriegen Titel der Perserkönige.

Basilianer (Mz.), mehrere Mönchsorden, so die unierten B. des griech. Ritus, im MA zahlreich in Süditalien; die B. des lat. Ritus u.a.

Basilicata, südit. Region, zw. Apulien u. Kampanien, 9992 km², 620 000 E.; Hst.: Potenza; umfaßt die Prov. Matera u. Potenza; Viehwirtschaft (Schaf- u. Ziegenzucht), Anbau v. Getreide, Oliven u. Obst.

Basilienkraut *s, Basilikum, Ocimum basilicum,* tropischer → Lippenblütler; uralte

---

Basidienpilze: Spangenbildung während der Teilung der Zweikernzellen. An der Zelle bildet sich eine Ausstülpung, die sich hakenförmig umbiegt (1). Anschließend findet die Teilung der beiden Kerne (2) statt, und einer der beiden Tochterkerne landet in der Ausstülpung (3). Inzwischen ist die Spange umgebogen und hat Kontakt aufgenommen mit der Zelle, so daß der neue Kern zum anderen Ende der Zelle transportiert werden kann (4). Nun wird eine Querwand gebildet, die die Spange am Ort des Entstehens abschließt (5), und eine andere Querwand, die die Zelle in zwei Hälften teilt (6). Das Resultat sind zwei Tochterzellen mit je zwei Kernen verschiedener Herkunft

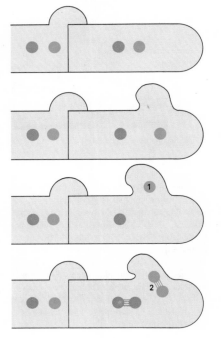 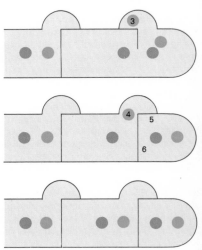

Basidienpilze in freier Natur

Kulturpflanze, Verwendung als Gewürz u. Heilpflanze (*Basilikumöl* wird aus den Blättern gewonnen). Verwandte Arten *(Buntlippe, Mottenkönig)* sind Zierpflanzen.

Basilika *w* (gr., ‚Königshalle‘), **1)** in der Antike Halle mit inneren Säulenreihen als Markt-, Gerichts-, Kult- u. Versammlungsraum. Die röm. B. hatte ihren Eingang in der Mitte der Breitseite, an den Schmalseiten meist eine große Halbrundnische, die Apsis. – **2)** frühchristl. Kirchengebäude, auf das Raumform u. Name v. 1) überging; entwickelte sich als längsgerichtete Kirche mit drei od. mehreren Schiffen, davon ein überhöhtes Mittelschiff, das eigene Beleuchtung durch Fensterzone über den Seitenschiffen erhält u. einen offenen Dachstuhl, flache Holzdecke od. Gewölbe hat. Das Mittelschiff endet meist in einer → Apsis. Als christl. Gemeindekirche in der Zeit Konstantins d.Gr. übernommen u. bis in die Gegenwart als Bautypus gebräuchlich. Variationen durch Einschiebung eines Querhauses zw. Mittelschiff u. Apsis u. Anlage einer Vorhalle *(Narthex),* der wiederum das Atrium *(Paradies)* als säulenumstandener Vorhof vorgelagert wurde. Die mittelalterl. Baukunst schob zw. Querhaus u. Apsis den Chor ein, durch den das Mittelschiff verlängert wurde *(Kreuz-B.)*;

Schnittpunkt des so gebildeten kreuzförmigen Grundrisses die Vierung, ihre Anlage maßgebend für zellenartigen Aufbau der Gesamtanlage. – **3)** päpstlich privilegierte Kirchen.

Basilikum *s,* → Basilienkraut.

Basilisk *m,* bes. auffällige u. prächtige Art der Leguane (→ Echsen) in Südamerika.

Basilius, *Basil(e)ios,* byzantin. Kaiser: **1) B. I.,** *der Makedonier,* 867–886 Ks.; Begr. der makedon. Dynastie (bis 1056); Höhepunkt der byzantin. Macht. – **2) B. II.,** *der Bulgarentöter,* Urenkel v. 1), 976–1025 Ks.; eroberte Bulgarien.

Basilius der Große, griech. Kirchenlehrer u. Mönchsvater, um 331–379; ab 370 Bisch. v. Cäsarea u. Metropolit v. Kappadokien; Gegner des Arianismus; Verf. der *B.regel* für das v. ihm gegr. Kloster, die v. großer Bedeutung für das oriental. Mönchtum *(Basilianer)* wurde; hl. (2.1.).

Basiliusregel *w,* Mönchsregel, → Basilius der Große.

basipetal (gr.), der Basis zustrebend.

Basis *w* (gr.), **1)** *allg.:* Grundlage, Ausgangspunkt. – **2)** *Baukunst:* Fuß v. Säule u. Pfeiler. – **3)** *Math.:* Grundzahl einer → Potenz. – **4)** *Geometrie:* Grundlinie u. -fläche. – **5)** *gesellschaftl. B.:* a) der Unterbau

Das Münster in Bonn wurde im 12. Jahrhundert in Form einer Basilika gebaut

Ikone des grausamen byzantinischen Kaisers Basilius II., des Bulgarentöters. Der Kaiser, von Christus gekrönt und von zwei Engeln begleitet, sieht auf die geschlagenen Bulgaren herab (Bibliotheca Marciana, Venedig)

einer Organisation, z.B. einer Partei od. Kirche, der in unmittelbarem Kontakt mit dem konkreten Leben steht *(Basisarbeit).* – b) *Historischer Materialismus:* B. als materielle u. ökonom. Grundlage des konkreten Lebensprozesses im Ggs. zum → Überbau.

Basisarbeit *w,* → Basis, gesellschaftliche (Basis 5).

basische Gesteine (Mz.), kieselsäurearme Erstarrungsgesteine, wie Basalt. – Ggs.: saure Gesteine.

Basiseinheiten (Mz.), Grundeinheiten der Maßsysteme.

Basissätze (Mz.), *Wissenschaftstheorie:* empirische Sätze, die Aussagen über beobachtbare Ereignisse unter bestimmten räuml. u. zeitl. Bedingungen machen; dienen im Unterschied zu den → Protokollsätzen der Überprüfung v. Theorien, unter der Voraussetzung, daß sie v. anderen Wissenschaftlern bestätigt wurden (→ logischer Positivismus).

Basit *m,* Bez. für die basischen Magmatite.

Basizität *w* (gr.), **1)** Eigenschaft der → Basen, Hydroxylionen zu bilden u. Lackmus zu bläuen. – **2)** Maß für die Stärke einer Base.

Basken (Mz.), durch Sprache (→ Baskisch), Körperbau u. Sitte v. der umgebenden span. u. frz. Bevölkerung unterschiedener vorindogerman. Volksstamm im südwestl. Fkr. u. vor allem den *Baskischen Provinzen* Nordspaniens (Pyrenäen). Die B. haben eigene Volkskultur (Bauweise, Tracht, Geräte, Kampfspiele) bewahrt.

Baskenmütze *w,* randlose Wollmütze der Basken, auch in manchen Truppenteilen in span., frz. u. andern Heeren.

Baskerville (: bäßk^{er}wil), *John,* engl. Schriftgießer u. Drucker, 1706–75; erfand Schrifttypen.

Basketball *m,* am. Korbballspiel zw. zwei Parteien mit je 5 Spielern; gilt als schnellstes u. fairstes Ballspiel; Regeln 1892 in den USA festgelegt.

Baskisch *s,* Sprache der → Basken, die einzige nichtindogerman. Sprache in Westeuropa; enthält roman. Elemente; volkstüml. Schrifttum (Lieder, Märchen, Dramen) u. Übers. v. geistl. Werken; moderne Kunstliteratur.

Baskische Provinzen, die nordspan. Provinzen Vizcaya, Guipúzcoa u. Álava.

Basküleverschluß *m,* Verriegelungsvorrichtung an Fenstern u. Türen, bei der durch Drehung des Handgriffs Stangen nach oben u. unten verschoben werden.

Die Basken haben ihre eigene Kultur bewahrt, z. B. in der Architektur, der Kleidung (bei den Männern u. a. die rote Carlistenmütze), in Musik und Tanz

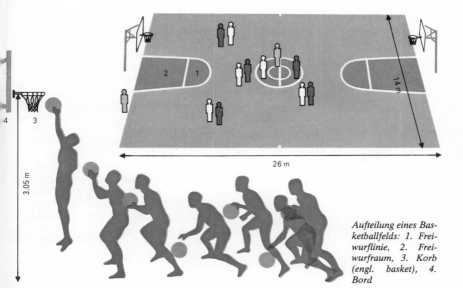

Aufteilung eines Basketballfelds: 1. Freiwurflinie, 2. Freiwurfraum, 3. Korb (engl. basket), 4. Bord

Basler Friede, 1) 1795 zw. Preußen u. der frz. Rep.; Preußen trat v. der Koalition zurück u. übergab seine linksrhein. Besitzungen vorläufig an Fkr. – **2)** 1795 zw. der frz. Rep. u. Spanien.

Basler Konzil, das 17. ökumen. Konzil 1431–49; letztes Reformkonzil vor der Reformation, v. Pp. Martin V. berufen, v. Pp. Eugen IV. 1437 aufgelöst, nach Ferrara u. 1439 nach Florenz, 1442 nach Rom verlegt; führte 1433 zu den *Prager Kompaktaten* (u. a. Gewährung des Laienkelchs an die Hussiten), 1439 zur vorübergehenden Union mit der griech. Kirche; die in Basel verbliebenen Konzilsväter setzten Eugen IV. 1439 ab u. wählten Amadeus VIII. v. Savoyen als Felix V. zum Pp., der aber 1449 abdankte, worauf das 1448 nach Lausanne verlegte B. K. sich auflöste, nachdem die weltl. Mächte sich für Eugen IV. entschieden hatten.

Basophobie *w* (gr.), Gehfurcht, organisch od. psychisch bedingt.

Basow, *Nikolai,* sowjet. Physiker, *1922; Arbeiten über Maser u. Laser (Quantenelektronik); 1964 mit Ch. Townes u. A. Prochorow Nobelpreis für Physik.

Basra, *Bassora,* **1)** irak. Prov., 18 022 km², 900 000 E.; Hst.: B. – **2)** Hst. v. 1), Hafenstadt am Schatt el-Arab, 315 000 E.; Handelsplatz; Univ.; Ausfuhr: Datteln, Wolle,

Sesam, Häute; Erdölraffinerie; Ende der Bagdadbahn; Flughafen.

Basrelief *s* (: ba-, frz.), das Flachrelief.

Bas-Rhin (: barã), nordostfrz. Dep. im Elsaß, 4755 km², 899 000 E.; Hst.: Straßburg.

Baß *m,* mlat. *Bassus,* it. *Basso,* **1)** tiefste Männerstimme. – **2)** Fundamentstimme einer Komposition. – **3)** Baßinstrumente: → Kontrabaß, B. klarinette u. a.

Bassani, *Giorgio,* it. Schriftsteller, *1916; Lyrik, psychologische Romane u. Erzählungen. – WW: u. a. *Ein Arzt aus Ferrara* (1958); *Ferrareser Geschichten* (1960); *Die Gärten der Finzi-Contini* (1962); *Der Reiher* (1968); *Der Geruch v. Heu* (1972).

Bassano, 1) *Giacomo (Jacopo),* eig. *da Ponte,* it. Maler, um 1517–92; Meister der it. Spätrenaissance; ländl. Genrebilder, Tierbilder u. Landschaften; bibl. u. mytholog. Themen. – **2)** *Leandro,* it. Maler, 1557–1622; Sohn v. 1); Gemälde, Heiligenbilder, Porträts.

Bassano del Grappa, nordit. Stadt in der Region Venetien, r. an der Brenta, 37 000 E.; Woll-, Seiden-, Leder-, Keramik-Ind.; u. a. Wein- u. Tabakhandel. – 1796 Sieg Napoleons über die Österreicher.

Baßbariton *m, Musik:* tiefer Bariton.

Baßbuffo *m,* Baßsänger mit besonderer Eignung für bewegliche, leichte, komische Rollen.

Bass

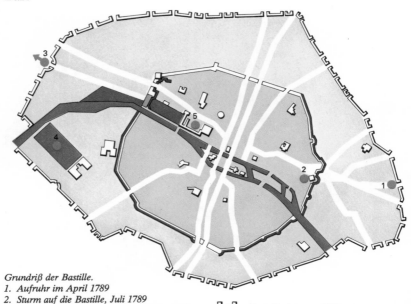

Grundriß der Bastille.
1. *Aufruhr im April 1789*
2. *Sturm auf die Bastille, Juli 1789*
3. *Marsch der Frauen nach Versailles, Oktober 1789*
4. *Blutbad auf dem Marsfeld, Juli 1791*
5. *Verwüstung der Tuilerien, August 1792*

Neue Stadtmauer 1785
Reste der alten Stadtmauer
Größere Wege und Straßen
Platz Ludwigs XV. mit Guillotine

Bassenheimer Reiter, roman.-frühgot. Sandsteinrelief (Martinusdarstellung) wohl des Meisters v. Naumburg (um 1240), in der Pfarrkirche v. Bassenheim bei Weißenthurm.

Bassermann, *Albert,* dt. Schauspieler, 1867–1952; psycholog.-naturalist. Charakterdarsteller (bei O. Brahm u. M. Reinhardt in Berlin); emigrierte 1933; spielte auch zahlr. Rollen im Stumm- u. Tonfilm.

Basse-Terre (: baßtär), Hst. des frz. Überseedep. Guadeloupe, Ausfuhrhafen der Insel, 16000 E., meist Neger u. Mulatten.

Bassetthorn *s,* Altklarinette in F, gekrümmt od. geknickt.

Baßgeige *w,* der → Kontrabaß.

Bassin *s* (: baßä, frz.), Wasserbecken; Flüssigkeitsbehälter; Hafenbecken.

Bassist *m,* 1) Baßsänger. – 2) Baßmusiker.

basso (it., ,tief'), *Basso m,* → Baß.

Basso continuo *m* (it.), → Generalbaß.

Basso ostinato *m* (it.), → Ostinato.

Baßschlüssel *m, Musik:* F-Schlüssel auf der 4. Linie (deren Ton = f).

Baßstraße *w,* Meeresstraße zw. Tasmanien u. Australien; engste Stelle 224 km.

Baßtölpel *m,* weißer, gänsegroßer Meeresvogel, brütet an steilen Felsküsten; taucht im Sturzflug nach Fischen.

Bassum, niedersächs. Stadt im Reg.-Bez. Hannover, südl. v. Bremen, 14000 E.

Bast *m,* 1) *Bot.: Sekundäre Rinde,* vom → Kambium nach außen abgeschiedenes Festigungsgewebe v. Holzpflanzen, besteht aus → Bastfasern; dient zur Erhöhung der Stammfestigkeit u. zur Leitung u. Speicherung v. Assimilaten. Verwendung als Spinnmaterial (B. v. Flachs, Hanf, Jute) u. Bindematerial (B. der Raphiapalme u. Linde). – 2) *Zool.:* behaarte Haut wachsender Hirschgeweihe. Dient der Ernährung u. Neubildung der Knochensubstanz; wird nach Beendigung der Geweihbildung an Bäumen abgerieben.

basta (it.), genug!

Bastard *m, Mischling* (botanisch: *Hybride),* Nachkommen v. Eltern a) zweier Arten, dann B. unfruchtbar (z. B. *Maulesel* als B. zw. Pferd u. Esel); b) zweier Rassen, dann B. meist fruchtbar (z. B. *Mestize* als Nachkomme v. Weißen u. Indianern, *Mulatte* v. Weißen u. Negern, *Zambo* v. Indianern u.

Negern). – Bei Pflanzen können B.e zweier Arten u. U. fruchtbar sein, → Kulturpflanzen.

Bastardschriften, Druckschriften zw. zwei Stilarten bzw. zw. Antiqua u. Fraktur.

Bastei *w,* 1) die → Bastion. – **2)** Aussichtspunkt im Elbsandsteingebirge, 317 m hoch.

Basterra, *Ramón de,* span. Schriftsteller, 1888–1928; Lyrik.

Bastfasern (Mz.), lange, faserförmige Zellen im Festigungsgewebe v. Pflanzen, mit dicker, mehr od. weniger verholzter Zellwand; erhöhen Zug- u. Biegefestigkeit des Gewebes.

Bastia, frz. Ind.- u. Hafenstadt an der Nordostküste v. Korsika, 53 000 E.; größter Handelsplatz der Insel; Flughafen.

Bastian, *Adolf,* dt. Ethnologe u. Forschungsreisender, 1826–1905; ab 1886 Dir. des Berliner Mus. für Völkerkunde; Begründer der neuzeitl. Völkerkunde im Sinne des ‚Völkergedankens'.

Bastianini, *Ettore,* it. Sänger, 1922–67; Baßbariton.

Bastiat (:baßti'a), *Frédéric,* frz. Sozialökonom, 1801–50; Vertreter des Wirtschaftsliberalismus (Freihandel), Gegner des Sozialismus.

Bastien-Lepage (:baßtjä lᵉpaseh), *Jules,* frz. Maler des beginnenden Impressionismus, 1848–84; gemäßigt sozialkrit. Genrebilder des Landlebens.

Bastille *w* (:baßtij', frz. ‚Bastei'), urspr. allg. befestigter Turm od. Schloß in Fkr.;

Bild von Batavia aus dem 18. Jahrhundert

dann die 1369–83 erbaute Burg beim Tor St-Antoine in Paris, Staatsgefängnis für polit. Häftlinge; wurde zu Beginn der Frz. Revolution 1789 im *Sturm auf die B.* zerstört; der Tag der Erstürmung (14. 7.) ist frz. Nationalfeiertag.

Bastion *w* (frz.), *Bastei,* aus einer Festungsanlage vorspringendes Bollwerk.

Bastkäfer (Mz.), Unterfamilie der Borkenkäfer; viele Pflanzenschädlinge.

Bastkohle *w,* feinfaserige Braunkohle.

Baston(n)ade *w* (frz.), alte oriental. Prügelstrafe: Stockschläge auf die Fußsohlen.

Bastseide *w,* 1) mit Seidenleim behaftete, nicht entbastete Rohseide. – 2) naturfarb. Rohseidengewebe in Taftbindung.

Basuto, südafrik. Bantustämme.

Basutoland, fr. Name v. → Lesotho.

Baesweiler (:baß-), nordrh.-westfäl. Stadt im Kr. Aachen, 23 500 E.; Kohlenbergbau.

BAT, Abk. für **B**undes**a**ngestellten**t**arif.

Bataille *w* (:bataij, frz.), veraltet für Kampf, Schlacht.

Bataille (:bataij), **1)** *Georges,* frz. Schriftsteller, 1897–1962; polit., philosoph. u. soziale Studien u. Essays; Erzählungen u. Romane um Tod u. Erotik. – WW: *Le coupable* (1944; Roman); *Abbé C.* (1950; Roman); *Der hl. Eros* (1957; Essay); *Gilles de Rais* (1965; Biogr.) u. a. – **2)** *Henry,* frz. Schriftsteller, 1872–1922; Dramen (u. a. *Madame Colibri,* 1904).

Bataillon *s* (:bataijõ, frz.; bataljon), militär. Einheit (3–4 Kompanien), im Regimentsverband od. selbständig.

Batajsk, sowjet. Ind.- u. Hafenstadt in der RSFSR, am unteren Don, südl. v. Rostow, rd. 90 000 E.; Getreideausfuhr.

Batak, malaiische Stämme auf Sumatra; mit eigener Kultur (Schrift, Holzschnitzerei) u. Religion; Kunstgewerbe; Reisbau; Pfahlbauhäuser.

Batalha (:-talja), portug. Ort bei Lissabon, mit hochgot. Klosterkirche v. 1416 (Emanuelstil); Nationalheiligtum.

Batangas, Hst. der gleichnam. Prov. an der Südküste der philippin. Hauptinsel Luzón, 125 000 E.; Erdöl- u. Zuckerraffinerie.

Batate *w* (indian.-span.), *Süßkartoffel, Ipomoea batate,* aus der Familie der Windengewächse, wichtigste Nahrungsgrundlage vieler tropischer u. subtropischer Länder; wird einjährig kultiviert, durch Stecklinge vermehrt. Die großen stärkereichen Wurzel-

Bata

knollen (1–2 kg schwer) werden wie Kartoffeln gekocht, geröstet od. getrocknet. Ursprüngliche Heimat: Mittelamerika, v. dort aus in alte u. neue Welt verbreitet.

Bataver (Mz.), german. Volksstamm des Rheinmündungsgebiets; seit 1. Jh. v. Chr. unter römischer, seit 4. Jh. fränk. Herrschaft.

Batavia, 1) lat. Name der Niederlande. – **2)** bis 1950 Name der indones. Hst. → Jakarta.

Batavische Republik, 1795–1806 Rep. des vom frz. General Pichegru eroberten Gebiets der Niederlande.

Bäte, *Ludwig,* dt. Schriftsteller, *1892; Lyrik, Erzählungen, Essays u. Romane.

Batenke *w* (schwäb.), Schlüsselblume u. andere Pflanzen.

Bates (: be͐tß), **1)** *Henry Walter,* brit. Erforscher des Amazonasgebiets, 1825–92. – **2)** *Herbert Ernest,* engl. Schriftsteller u. Journalist, 1905–74; Romane, Erzählungen, Kurzgeschichten (engl. Landleben). –

WW: u. a. *The Two Sisters* (1926); *In Fkr. notgelandet* (1944); *Rückkehr ins Leben* (1947); *Flucht* (1949); *Wo Milch u. Whisky fließen* (1977).

Bath (: baß), südwestengl. Badestadt *(City of B.),* am Avon, 85000 E.; got. Kathedrale (1499–1616), Rathaus (1775); Univ.; vielbesuchter Badeplatz (heiße Quellen); röm. Badeanlagen.

Batholith *m* (gr.), Tiefengestein, Eruptivmasse, die innerhalb der Erdkruste erstarrte.

Bathophobie *w* (gr.), Angst vor Schwindelgefühlen beim Anblick v. Höhen u. Tiefen.

Bathorden *m* (: baß-), ein engl. Verdienstorden.

Bathseba, *Bethsabee,* → Batseba.

Bathurst (: bäßö͐rßt), fr. Name v. → Banjul.

bathyal (gr.), zw. 200 u. 800 m tief liegender Meeresteil; lichtarm.

Bathykles, griech. Baumeister u. Bildhauer des 6. Jh. v. Chr.

Batiken ist eine alte Technik, um Stoff mit farbigen Verzierungen zu versehen. Dazu wird Bienenwachs oder Paraffin benutzt. Das Muster, das man mit Wachs anbringt, wird ausgespart, wenn man den Stoff in ein Farbbad taucht. Wenn die Farbe trocken ist, wird das Wachs entfernt, früher durch vorsichtiges Abkratzen, heute durch Abbügeln mit absorbierendem Papier.

1. a) Kessel, um Bienenwachs oder Paraffin aufzuwärmen
b) Rahmen, über den der Stoff gespannt wird
c) Pinsel
d) Pinsel für feine Linien
e) Tupfer
f) Papprolle zum Drucken

g) Blechdeckelchen mit Griff, ebenfalls zum Drucken
h) Traditionelles Batikwerkzeug
2. Anbringen des Wachses auf Stoff
3. Färben des Stoffs
4. Entfernen des Wachses mit einem Bügeleisen und fettabsorbierendem Papier

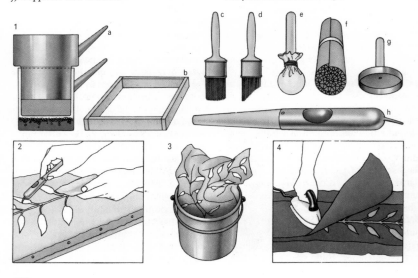

Wie häufig in der Geschichte der Niederlande machte der Frost das Land im Jahr 1795 militärisch hilflos. Der französische General Pichegru zog mit seinen Truppen über die großen Flüsse und eroberte in wenigen Tagen die Batavische Republik

Bathyskaph *m* (gr.), v. A. → Piccard entwickeltes Tauchgerät für große Tiefen. Der B. besteht aus einem etwa 15 m langen, mit Benzin gefüllten Auftriebskörper u. einer Stahlkugel v. etwa 2 m Durchmesser für die Besatzung u. die Forschungsgeräte. 1960 erreichte der B. eine Tiefe v. 10912 m.

Batik *m* u. *w* (javan.), seit alter Zeit in Ostasien geübtes, aus Java stammendes Verfahren zur Färbung v. Geweben (Baumwolle, Seide), seit etwa 1900 auch im europ. Kunstgewerbe eingeführt. Flüssiges heißes Wachs wird in Mustern auf Stoff verteilt; die so ‚reservierten' Stellen werden beim Einfärben nicht mitgefärbt, das Wachs hinterher abgeschmolzen, das Tuch für weiteren Färbegang auf gleiche Weise präpariert u. mit neuen Mustern eingewachst, der Vorgang wiederholt, bis alle Farben aufgebracht sind.

Batist *m* (frz.), sehr feinfädige, dicht gewebte Leinwand; so: Leinen-, Baumwoll-, Seiden-B. u. a.

Batjan (: batschan), *Batchian,* Insel der Molukken, bildet mit Obi, Kasiruta, Mandioli u. kleineren Inseln die *B.inseln;* Ausfuhr v. Gewürznelken, Gold u. Kupfer.

Batjuschka *m* (russ.), Väterchen.

Batjuschkow, *Konstantin Nikolajewitsch,* russ. Schriftsteller, 1787–1855; Gedichte, Übers. (Petrarca, Tasso).

Bâton *m* (: batõ, frz.), Stock, Stab.

Batoni, *Pompeo,* it. Maler des röm. Spätbarocks, 1708–87; Altargemälde, relig. u. mytholog. Bilder, Bildnisse.

batonnieren (frz.), mit Stock fechten.

Baton Rouge (: bätᵉn ruseh), Hst. des Bundesstaats Louisiana (USA), am Mississippi, 170000 E.; Hafenstadt; 2 Univ.; Erdölraffinerie; Masch.- u. chem. Ind.; Werft; Flughafen.

Batrachomyomachie *w* (gr.), ‚Froschmäusekrieg'), eine nicht v. Homer stammende Parodie der Homerschen *Ilias* des 6./5. od. 3. Jh. v. Chr.

Batschka, serbokroat. *Bačka,* ungar. *Bácska,* fruchtbare jugoslaw. Landschaft zw. Donau u. Theiß; Ackerbau (Getreide, Obst) u. Viehzucht; im 18. Jh. v. Deutschen besiedelt, 1944/45 großenteils vertrieben.

Batseba, *Bathseba, Bethsabee,* im AT die Frau des Urias, mit der David Ehebruch beging.

Battarismus *m* (gr.), überstürztes Stottern.

Battenberg, Prinzentitel der Nachkommen v. Prinz Alexander v. Hessen aus seiner morganat. Ehe mit der poln. Gräfin Julie v. Haucke, vom Großhzg. v. Hessen verliehen; ihr Sohn → Alexander I. v. Bulgarien; dessen Bruder Ludwig v. B. wurde engl. Admiral, 1913 Erster Seelord, erhielt 1917 den Namen *Mountbatten;* dessen Tochter Luise (*1889) war 2. Gemahlin Kg. Gustavs VI. v. Schweden. Dem engl. Zweig entstammt auch Hzg. Philip, Gemahl der engl. Königin Elizabeth II.

Battenberg (Eder), hess. Stadt an der Eder, im Ldkr. Waldeck–Frankenberg, 5100 E.

Batterie *w* (frz.), **1)** *allg.:* Gruppe miteinander verbundener Behälter od. Geräte. – **2)**

Batt

Technik: Hintereinanderschaltung mehrerer → galvanischer Elemente od. → Akkumulatoren. Die elektr. Spannung der Einzelelemente wird in einer B. addiert. – **3)** *Mil.:* kleinste Einheit der Artillerie.

Battersea (: bät^{er}ßi), südl. Stadtteil v. London, an der Themse.

Battke, *Heinz,* dt. Maler, 1900–66; surrealist. Landschaften, Tierbilder, Stilleben u. Bildnisse.

Batu, Mongolenfürst, †1255; unterwarf ab 1237 Rußland, drang ab 1241 in Polen, Schlesien u. Ungarn ein; der 1. Chan der Goldenen Horde.

Batumi, *Batum,* Hst. der Adschar. ASSR der UdSSR, Ausfuhrhafen u. Seebad an der Ostküste des Schwarzen Meers, 124000 E.; Seebad, Ausfuhr v. Erdöl u. Manganerz; Erdölraffinerien u. a. Industrie.

Batussi, die → Watussi.

Bätze *w,* **1)** Raubtierweibchen. – **2)** Hündin.

Batzen *m,* im 15./16. Jh. Silbermünze in Süd-Dtl. (= 4 Kreuzer) u. der Schweiz (später = 10 Rappen).

Bau *m,* **1)** *allg.:* Bauwerk. – **2)** Erdwohnhöhle v. Dachs, Fuchs u. a. Tieren. – **3)** *Bergbau:* ausgebauter, sicherer Hohlraum. – **4)** *Soldatensprache:* Arrest.

Bauabnahme *w,* **1)** Prüfung der Bauausführung bei Neu- u. Umbauten durch die Bauaufsichtsbehörde (Baupolizei). – **2)** die Übernahme des fertiggestellten Bauwerks durch den Auftraggeber.

Bauabstand *m, Bauwich,* der Abstand eines Gebäudes v. Nachbargebäuden u. -grenze; Vorschriften über Mindestabstände.

Die Bauchspeicheldrüse (1) liegt im Oberbauch zwischen der Milz und dem Zwölffingerdarm (2). Das Organ ist aus zahlreichen Drüseneinheiten aufgebaut (3), die in einem System von Abfuhrröhrchen (4) Enzyme ausscheiden. Diese Abfuhrröhrchen kommen im großen Abfuhrgang der Bauchspeicheldrüse (5) zusammen, der mit dem Gallengang (6) in den Darm mündet (7). Die Langerhansschen Inselzellen (8) produzieren Hormone, die in den kleinen Blutgefäßen (9) ausgeschieden werden

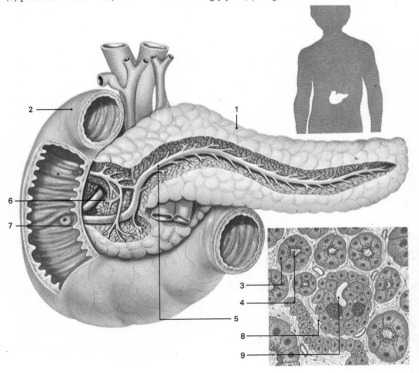

Bauanschlag *m*, 1) der Baukostenanschlag für Neu- od. Umbau. – 2) Anschlag des Eigentümers u. der Unternehmen bei Neubauten während der Erstellung: gesetzl. vorgeschrieben.

Bauantrag *m*, *Baueingabe, Baugesuch*, der schriftliche Baugenehmigungsantrag an die zuständige gemeindliche Baubehörde; Baupläne sind mit Unterschrift v. Antragsteller u. Architekt miteinzureichen.

Bauarbeiter *m*, der Fach- od. Hilfsarbeiter im Baugewerbe.

Bauauflage *w*, mit der Baugenehmigung v. der Baubehörde verbundene Verpflichtung, gewisse Auflagen auf das Baugrundstück zu übernehmen, z. B. Fernmeldekabel durch, elektrische Hochspannungsleitung über dem Grundstück; wird im Grundbuch eingetragen.

Bauaufsicht *w*, *Baupolizei*, besond. Verwaltungsbehörde *(Baubehörde)* bei Gemeinde, Landkreis, Reg.-Präsidium u. Innenministerium, zur Erteilung v. Baugenehmigungen, zur Bauberatung, -überwachung u. -abnahme.

Bauaufsichtsbehörde *w*, →Bauaufsicht.

Baubehörde *w*, → Bauaufsicht.

Baubeschläge (Mz.), Metallteile für Bauten, bes. Türen u. Fenster (Bänder, Riegel, Haken, Griffe, Schlösser u. a. m.).

Bauch *m*, *Abdomen*, Abschnitt des Rumpfs zw. Brust u. Becken. Die → Bauchwand umkleidet die *B.höhle*, die nach oben bis unters Zwerchfell u. nach unten bis in das knöcherne Becken reicht u. mit dem → Bauchfell ausgekleidet ist. Die B.höhle enthält die *B.eingeweide* (Magen, Dünn- u. Dickdarm, Leber u. Milz, die inneren Geschlechtsorgane der Frau); an der hinteren Bauchwand liegen Nieren, Nebennieren, Harnleiter, Aorta, untere Hohlvene, die Zwölffingerdarmschleife, Bauchspeicheldrüse u. die Dickdarmschenkel.

Bauch, *Bruno*, dt. Philosoph, 1877–1942; Prof. in Jena; Vertreter eines wertphilosoph. → Neukantianismus. – WW: *Luther u. Kant* (1904); *Wahrheit, Wert u. Wirklichkeit* (1923).

Bauchant (: boschã), *André*, frz. Maler, 1873–1958; Hauptvertreter der naiven Malerei; begann erst mit 46 Jahren zu malen: biblische, mytholog., histor. Themen.

Bauchdecke *w*, vordere Begrenzung der Bauchhöhle; → Bauchwand.

Bauchdeckenreflex *m*, durch Bestreichen der Bauchhaut ausgelöste Zuckung der Bauchmuskulatur. → Reflexe.

Bauchdeckenspannung *w*, bei Bauchfellentzündung auftretende reflektorische Verspannung der Bauchmuskulatur.

Bauchfell *s*, *Peritoneum*, glatte, seröse Haut, die Eingeweide u. Innenfläche des Bauchraums überzieht. Ermöglicht die Bewegung der Darmschlingen.

Bauchfellentzündung *w*, *Peritonitis*, sehr schmerzhafte Entzündung der den Bauchraum auskleidenden serösen Haut; entsteht z. B. bei Entzündung der Eingeweide (Blinddarmentzündung, Tuberkulose) od. durch Darminhalt bei Darmzerreißung (z. B. bei Unfall). Die Entzündung kann herdförmig lokalisiert bleiben (Abszeß) od. die ganze Bauchhöhle befallen. Häufig sofortige Operation notwendig.

Bauchflossen (Mz.), paarige Hinterflossen der Fische; entsprechen den Hinterextremitäten der Landwirbeltiere.

Bauchfüße (Mz.), *Abdominal-, Stummel-, Afterfüße*, meist Bewegungsorgane der Gliederfüßer; an deren Hinterleib.

Bauchganglienkette *w*, *Strickleiternervensystem, Bauchmark*, auf der Bauchseite gelegenes Nervensystem der Gliedertiere. → Ganglien u. Nervenfasern sind strickleiterartig angeordnet.

Über die ganze Welt verbreitet sind die verschiedensten Arten des Kartoffelbovist, der zu den Bauchpilzen zählt

Bauc

Bauchhöhle w, → Bauch.

Bauchhöhlenschwangerschaft w, Einnistung des befruchteten Eis in der freien Bauchhöhle anstatt in der Gebärmutter. → Extrauterinschwangerschaft.

Bauchi, *Bautschi,* **1)** Hochland u. Bundesstaat in Nordnigeria, 67647 km², 1,5 Mill. E.; Hst. B.; Zinnbergbau; Anbau v. Baumwolle, Hirse u. a. – **2)** Hst. v. 1), rd. 40000 E.

Bauchlandung w, Flugzeuglandung mit dem Rumpf (ohne Fahrwerk).

Bauchmark s, **1)** unterster Teil des Rückenmarks der Wirbeltiere *(Lendenmark).* – **2)** → Bauchganglienkette.

Bauchmuskel m, dreischichtiger → Muskel der Bauchwand.

Bauchpilze (Mz.), *Gastromyceten,* Ständerpilze mit kugeliger Form; platzen auf, um die reifen Sporen zu verstäuben; z. B. *Bovist, Stinkmorchel, Erdstern.*

Bauchpresse w, die Muskeln, die den Bauchraum zusammendrücken (Bauchmuskeln u. Zwerchfell). Auch Anspannung derselben, z. B. beim Stuhlgang.

Bauchpunktion w, Ablassen v. Flüssigkeit aus der Bauchhöhle mittels einer dünnen Nadel (→ Bauchwassersucht).

Bauchredner m, wer ohne Mundbewegung nach Einatmen nur mit Stellung der Stimmbänder, den Kehlkopfmuskeln u. dem Gaumensegel Töne u. Wörter (wie aus dem Bauch gesprochen) hörbar macht.

Bauchschmerzen (Mz.), Mißempfinden im Bereich des Bauchraums mit vielfältigen Ursachen, ausgehend v. den Eingeweiden (z. B. Darmverstimmung, Magengeschwür) od. vom Bauchfell (→ Bauchfellentzündung).

Bauchschnitt m, *Laparatomie,* chirurgische Eröffnung der Bauchhöhle.

Bauchspeicheldrüse w, *Pankreas,* 15–18 cm langes drüsiges Organ, an der hinteren Bauchwand in Höhe des Magens. Bildung u. Abgabe v. Verdauungssäften (→ Amylase, → Lipase, → Trypsin) über den B.ngang in den Zwölffingerdarm u. des für die Zuckerverwertung wichtigen → Insulins, das in das Blut abgegeben wird.

Bauchspeicheldrüsenentzündung w, *Pankreatitis,* mit gürtelförmigen Schmerzen einhergehende entzündliche Selbstverdauung der Bauchspeicheldrüse (z. B. durch übermäßigen Alkoholgenuß).

Bauchspiegelung w, *Laparaskopie,* Verfahren zur Betrachtung der Bauchhöhle u. der enthaltenen Eingeweide: die Bauchhöhle wird mit Luft aufgeblasen u. durch ein dünnes Rohr betrachtet, das durch einen kleinen Schnitt durch die Bauchwand eingeführt wird.

Bauchtanz m, oriental. Tanz, bei dem die Tänzerinnen die Tanzrhythmen nur mit Bauch- u. Hüftmuskulatur ausführen; urspr. zum Fruchtbarkeitskult gehörig.

Mögliche Ursachen von Bauchschmerzen. Bei einer Invagination haben sich Darmteile verschiedenen Durchmessers ineinandergeschoben. Vor allem dort, wo der Dünndarm (1) in den Dickdarm (2) mündet, kann dies geschehen. In A ist eine beginnende Invagination zu erkennen. Bild B zeigt, wie eine fortgeschrittene Invagination (3) den Darm tatsächlich ganz abschließen kann (4).
Nierensteine (1) und Gallensteine (2) können Koliken verursachen (C). Der Kolikschmerz entsteht dadurch, daß die Wand der Abführgänge gedehnt wird. Ein Mensch kann lange Zeit Steine haben, ohne dabei Beschwerden zu empfinden; Schmerzen treten jedoch auf, wenn ein Stein den Abführgang verschließt (3). Besonders Gallensteine gibt es in vielen Abmessungen (4)

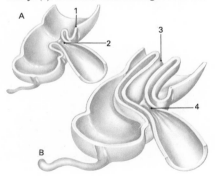

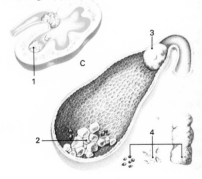

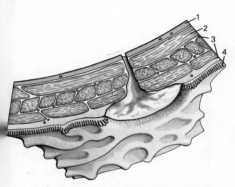

Auch Magengeschwüre können Bauchschmerzen verursachen. Zuerst wird die Schleimhaut (1) angegriffen, dann die Bindegewebeschicht (2). Besteht das Geschwür über längere Zeit, kann es in die Muskelschichten des Magens und der Därme eindringen (3) und die Wand sogar ganz durchbohren, was zu einer Bauchfellentzündung (4) führen kann

Bauchtrauma *s,* starke Gewalteinwirkung auf den Bauchraum, kann z.B. zur → Bauchfellentzündung führen.

Bauchwand *w,* bedeckt die Bauchhöhle, besteht aus oberflächlicher Haut (Cutis), Unterhautfettgewebe, Bauchmuskel u. Bauchfell.

Bauchwandbruch *m,* seltene Hernienform, bei der die Bauchmuskulatur auseinanderweicht. → Bruch.

Bauchwassersucht *w, Ascites,* Ansammlung v. bis zu mehreren Litern wäßriger Flüssigkeit in der freien Bauchhöhle bei Bauchfellentzündung, Leberzirrhose, Herz- u. Nierenleiden, kann durch → Punktion entlastet werden.

Bauchwelle *w, Sport:* → Felge.

Baucis, *Baukis,* Gattin des → Philemon in der griech. Sage.

Baud *s* (frz.), Geschwindigkeitseinheit beim Telegraphieren.

Baude *w* (mhd.-tschech.), **1)** Bauernhof. – **2)** Berggasthaus.

Baudelaire (: bodlär), *Pierre-Charles,* frz. Schriftsteller, 1821–67; überragender Lyriker v. europ. Geltung, Begr. des Symbolismus u. Surrealismus, einer der Parnassiens, Kunstkritiker; v. Einfluß auf Verlaine, Rimbaud, Mallarmé, Swinburne, d'Annunzio, Valéry, George, Rilke, E. Pound, T.S. Eliot u.a.; Übersetzer der Werke E. A. Poes. B. stellt aus der Spannung zw. Satanismus u. Idealität in sprachlicher

Schönheit u. Strenge das Abnorme, Bizarre, Böse, Morbide u. den Tod dar. – WW: u.a. *Die Blumen des Bösen* (1857; Gedichte; wegen Gefährdung der Sittlichkeit verboten); *Das künstliche Paradies* (1860); *Neue Blumen des Bösen* (1861); *Gedichte in Prosa* (1869); kunstkrit. Aufsätze: *Curiosités esthétiques* u. *L'art romantique* (1869).

Baudissin, 1) *Wolf Heinrich* Graf v., dt. Schriftsteller, 1789–1878; beteiligt an Shakespeare-Übers. v. Schlegel-Tieck; übersetzte Molière, Coppée, Gozzi, Goldoni u.a.; regte vergleichende Literaturwiss. an. – **2)** *Wolf Stefan Traugott* Graf v., dt. General, *1907; 1951–58 Leiter der Abt. ,Innere Führung' der dt. Bundeswehr; 1961–67 im NATO-Stab; 1971 Dir. des Inst. für Friedensforschung u. Sicherheitspolitik.

Baudouin I. (: boduä), König der Belgier, *1930; ältester Sohn Kg. Leopolds III.; 1950 Regent, 1951 Kg.; heiratete 1960 Doña Fabiola de Mora y Aragón.

Baudrexel, *Philipp Jakob,* dt. Komponist, 1627–91; Motetten, Messen.

Baudry (: bodri), *Paul,* frz. Maler des romant. Eklektizismus, 1828–86.

Baueingabe *w,* → Bauantrag.

Bauer *m* (mhd. *bure,* ,Dorfgenosse'), **1)** hauptberuflicher Landwirt als Eigentümer od. Pächter eines landwirtschaftl. Betriebs zur systemat. Nutzung des Bodens in Akkerbau u. Viehzucht, unter Mithilfe v. Familienmitgliedern od. v. fremden Arbeitskräften (Landarbeiter). Nach Betriebsgröße (Fläche u. Mitarbeiterzahl) unterscheidet man heute den *Groß-B.* (mit 20–100 ha) vom *Mittel-B.* (5–20 ha) u. *Klein-B.* (2–5 ha), der häufig einem Nebenerwerb nachgeht. Der Begriff B. als Beruf erhielt erst mit der Erwirtschaftung eines für den Markt bestimmten Ertragsüberschusses seinen Sinn. Die soziale Stellung des B. erfuhr im Lauf der Geschichte oft einschneidende Veränderungen. Schon zur Völkerwanderungszeit gab es bei den Germanen neben freien Großbauern Grundherrschaften mit zahlreichen abhängigen B. n. Von der Karolingerzeit, die außer unfreien B. n halbfreie Pächter u. freie B. n kannte, bis zur B. nbefreiung stand der europ. B. unter der z.T. drückenden Herrschaft des Feudalismus. Im MA entwickelten sich neben der hergebrachten Grundherrschaft im Westen u. der

Baue

Kühe auf der Wiese vor einem Bauernhaus. Die Idylle täuscht oft über die harte Arbeit und die wirtschaftlichen Schwierigkeiten des Bauernstands hinweg

Gutsherrschaft im Osten auch Dorfgemeinde u. Marktgenossenschaft. Seit dem Ausgang des MA wurde die Naturalwirtschaft u. überwiegende Selbstversorgung allmählich durch die Geldwirtschaft u. Erzeugung für den Markt abgelöst, womit sich das finanzwirtschaftliche Denken auch in der B.nschaft auszubreiten begann. Die Industrialisierung u. das Anwachsen der Städte führten zur → Landflucht, die dem B.nstand nam. die initiativen u. jüngeren Kräfte entzieht. In den europ. Ländern nimmt seit einem Jahrhundert die B.nbevölkerung absolut u. relativ ständig ab. Das gegenüber dem MA, in dem es die tragende Wirtschaftskraft darstellte, zur Minderheit gewordene B.ntum mußte in der Neuzeit, nam. im 20. Jh., den landwirtschaftl. Betrieb weitgehend rationalisieren durch Feststellung u. Umstellung auf die optimale Betriebsgröße, entsprechende Auswahl der Art der anzubauenden Feldfrüchte, Einsatz eines geeigneten modernen Maschinenparks, Verwendung der besten Düngemittel, gemeinsamen genossenschaftl. Einkauf des landwirtschaftlichen Bedarfs u. Verkauf der Erzeugnisse usf.; um dies zu ermöglichen, wurde der B. in den letzten Jahrzehnten auf vielfache Weise durch staatliche u. internat. Subventionen gestützt. → Bauernbefreiung, → Bauernkrieg, → Landflucht. – **2)** Figur im Schachspiel. – **3)** Spielkarte in Skat, Doppelkopf u. anderen Kartenspielen. – **4)** auch *s*, *Vogelbauer*, Vogelkäfig.

Bauer, 1) *Bruno*, dt. ev. Theologe u. polit. Schriftsteller, 1809–82; Prof. in Bonn; beeinflußt v. Hegel, erforschte er das NT v. einem historisch-krit. Standpunkt aus. Seine ablehnende Haltung gegenüber dem dogmat. Gottes- u. Jenseitsbegriff führte zum Entzug der Lehrerlaubnis. Seine Evangelienkritik als Bestreitung der geschichtl. Existenz Jesu beeinflußte Nietzsche u. wurde grundlegend für den Marxismus. – WW: *Kritik der Evangelien* (1850–52); *Geschichte der Politik, Kultur u. Aufklärung des 18. Jh.* (1843–45); *Christus u. die Cäsaren* (1877). – **2)** *Gustav*, dt. Politiker (SPD), 1870–1944; 1919/20 Reichskanzler. – **3)** *Josef Martin*, dt. Schriftsteller, 1901–70; Erzählungen, Hör- u. Fernsehspiele, Romane. – WW: *So weit die Füße tragen* (1955; Kriegsroman); *Der Kranich mit dem Stein* (1958; Roman) u. a. m. – **4)** *Karl Heinrich*, dt. Chirurg u. Krebsforscher, 1890–1978; gründete 1964 das Dt. Krebsforschungszentrum in Heidelberg. – HW: *Das Krebsproblem* (1949). – **5)** *Mari(us)*, niederl. impressionist. Maler u. Radierer, 1867–1932; zahlreiche Illustrationen. – **6)** *Otto*, österr. Sozialist u. Politiker, 1882–1938; 1918/19 Staatssekr.; 1934 Emigration; Theoretiker des → Austromarxismus. – WW: *Bolschewismus u. Sozialdemokratie* (1920); *Die österr. Revolution* (1923). – **7)** *Walter*, dt. Schriftsteller, 1904–76; wanderte nach Kanada aus; behandelte soziale Probleme in Gedichten, Romanen, Erzählungen u. Hörspielen; Reise- u. Kriegstagebücher. – WW: u. a. *Die notwendige Reise* (1932); *Abschied u. Wanderung* (1938); *Die größere Welt* (1946); *Ein Jahr* (1967; Tagebuch). – **8)** *Wilhelm*, dt. Ingenieur, 1822–76; baute als einer der ersten Unterseeboote. – **9)** *Wolfgang*, österr. Schriftsteller, *1941; Dramen, Fernsehspiele u. Romane der modernen menschlichen, nam. jugendl. Probleme; Sammelausg. *Die Sumpftänzer* (1978; Dramen, Prosa, Lyrik).

Bauerlaubnis *w*, → Baugenehmigung.

Bäuerle, *Adolf*, österr. Schriftsteller, 1786–

1859; Komödien für Wiener Volkstheater u. Romane.

Bauerlehen *s, Baulehen,* vom Lehnsherrn an Bauer vergabtes Grundstück zur Nutzung gg. Abgabe eines Anteils am Ertrag.

bäuerliches Erbrecht → Anerbenrecht, → Erbhof, → Höferecht.

Bauernbefreiung *w,* Lösung der Bauern aus allen herrschaftlichen, insbes. naturalwirtschaftl. Bindungen des Feudalismus durch liberale Agrarreformen des 18. u. 19. Jh., in Fkr. nam. im Zusammenhang mit der großen Revolution 1789, in Dtl. im wesentlichen bis Mitte des 19. Jh. Die im Rahmen der B. getroffenen Maßnahmen mit dem Ziel der rechtlichen Gleichstellung aller Staatsbürger erbrachten die persönliche Befreiung des Bauern aus der Leibeigenschaft, die Ablösung des Zehnten u. anderer Abgaben sowie die Befreiung aus der feudalen Fron (in Dtl. 1848, in Rußl. erst 1861), die Aufhebung der Gutsherrschaft, Gerichts- u. Schutzherrschaft u. Unterstellung unter die staatliche Gerichtsbarkeit aller Bürger. Die bäuerlichen Lasten wurden in der Regel gg. Geldentschädigung aufgehoben, was den Bauern häufig zum Verkauf v. Grundstücken zwang; insofern blieben die Reformen z. T. nur v. bedingter Wirkung, nam. in Ost-Dtl.; doch wurden die grundherrlichen Renten entscheidend beschnitten.

Bauerndichtung *w,* Schrifttum über Bauer, Bauerntum u. bäuerliches Leben, im Lied, Gedicht, Epos u. vornehmlich im Roman; die B. des MA ist meist satirisch (Neidhart v. Reuenthal) od. tragisch (→ Meier Helmbrecht, 13. Jh.), bis zum 16. Jh. jedenfalls durchweg in Bespöttelung des ,tölpelhaften' Bauern (Fastnachtsspiele). Erst die Aufklärung brachte B. in realist. Darstellung des bäuerlichen Daseins (sozialpädagog. *Bauernroman* bei Pestalozzi, Gotthelf, Immermann u. Auerbach). Der Naturalismus hob auf bäuerliches Elend u. Not, die Heimatdichter u. Volksschriftsteller bejahend eher auf das Positive im Bauerntum ab, so ein Anzengruber, Rosegger, L. Thoma u. a. Im nat.-sozialist. Dtl. verfremdende Tendenz in der ,Blut-und-Boden'-Literatur. B. auch die Schweizer Federer, Dörfler u. Camenzind, ferner Ramuz; in Norwegen Hamsun, Undset u. Bjørnson, in Polen Reymont, in Belgien Streuvels.

Bauernfänger *m,* übler Betrüger.

Bauernfeld, *Eduard v.,* österr. Schriftsteller, 1802–90; Dramen (Lustspiele), Lyrik,

Mit der Mechanisierung nach 1850 wurde eine neue technische Dimension in die Agrikultur gebracht

Baue

Kritiken u. Erzählungen. – WW: u. a. *Bürgerlich u. romantisch* (1835; Lustspiel); *Großjährig* (1846); *Moderne Jugend* (1869; Lustspiel).

Bauerngerichte, *Heimgerichte,* ländl. Gerichte im MA unter Vorsitz eines *Bauernmeisters* (Heimbürgen) zur Entscheidung v. geringfügigen Streitigkeiten.

Bauernhaus *s,* traditionsgebundene Wohn- u. Arbeitsstätte mit Wirtschaftsgebäuden des Bauern. In Europa je nach Klima, vorhandenen Baumaterialien u. Art des Landwirtschaftsbetriebs zahlreiche Hausformen. Material u. Konstruktion: in holzarmen Landschaften luftgetrocknete Lehmziegel od. Bruchstein; Holz nur für das oft mit Steinplatten belegte Dach. Gewölbte Häuser ohne Holz: Amalfi, Santo-rin, Algerien. Ein vorgeschichtl. Rundhaustypus in den Trulli Apuliens. Im Norden Holzbau; Blockbau aus ,gewetteten' Nadelholzstämmen. In stärker gerodeten Gegenden Fachwerkbau mit durch schräge Streben versteiftem Holzskelett. Von dem urspr. einzigen Raum wird zentraler Feuerstelle werden rauchfreie Räume (Stuben) abgetrennt u. gg. den Dachraum abgedeckt. ,Rauchhäuser' ohne eigentl. Kamin. Im 18. Jh. wird das steile, genagelte Schindeldach gegenüber dem flachgeneigten steinbeschwerten üblich, seit 19. Jh. das Strohdach mehr u. mehr durch das Ziegeldach ersetzt. – *Skandinavien:* vorzeitl. Blockbauten mit offener Feuerstelle, Dächer mit Rasenmatten belegt, geschnitzte Speicher (Stabur) auf Holzpfeilern mit stei-

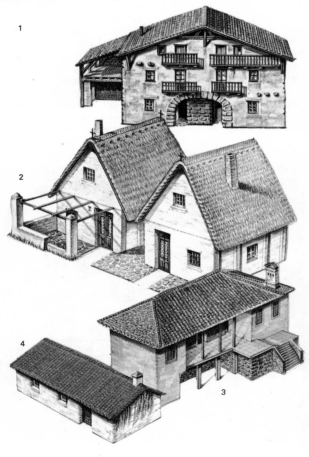

1

2

4

3

Verschiedene Typen von Bauernwohnungen auf der iberischen Halbinsel:
1. Baskischer Bauernhof, aus Naturstein errichtet; das Vieh ist im Parterre untergebracht, während die Familie im ersten Stock wohnt.
2. Die traditionelle ,baracca' in Valencia besteht fast ganz aus Rohr und Lehm; nur die Tür und die Fensterrahmen sind aus Holz.
3. Typischer Bauernhof im Gebiet von Minho in Nordportugal, errichtet aus Granit und vulkanischem Gestein. Auch hier wohnt die Familie im Obergeschoß, das über eine Außentreppe zu erreichen ist; die Räume darunter sind für Vieh und Vorräte bestimmt.
4. Die einfachen Bauernwohnungen in Südspanien sind aus Lehm und Steinen gebaut und weißverputzt

nerner Abdeckplatte (gg. Mäuse); ähnlich in der Innerschweiz u. den Kantonen Bern u. Wallis. – *Niedersachsen:* Einzelhöfe mit Diele u. Flett, alles unter einem Dach. – Mitteldeutschland *(Franken),* ostdeutsches Kolonialland: Gehöfte aus Fachwerkgiebelhäusern um einen Rechteckhof gruppiert. – *Oberbayern u. Tirol:* breitgelagerte flachgiebelige Häuser, oft mit barocker Wandmalerei an den Außenmauern. – *Berner Oberland:* breite Giebelhäuser, Blockbau über Steinsockel, an beiden Traufseiten Lauben; oft mit Flachschnittornament, Sprüchen u. Wappen. – *Engadin:* Wohnräume um einen saalartigen Flur gruppiert (Sulèr), durch diesen Einfahrt ins Tenn; im Untergeschoß die Ställe; Blockbau, v. Steinmauer ummantelt, mit Abschrägung der Fenster; die Fassaden gern in Kratzputz (Sgraffito); Stuben vertäfelt. – *Schwaben u. Nordschweiz:* das Schwarzwaldhaus, Giebelhäuser in rotem Fachwerk, die Büge meist geschweift. – Fachwerkbau *Englands* u. der *Normandie:* Eichen-Ständer u. Gitterungen, oft ohne Schrägen. – *Italien:* Steinhäuser, oft städtisch beeinflußt, mit Loggia.

Bauernkalender *m,* volkstüml. Sprüche der Wettervorhersage; → Bauernregeln.

Bauernkrieg *m,* Aufstand der Bauern 1524–25, die größte dt. Volkserhebung in weiten Teilen des Reichs, aus im Volk vorhandener Unzufriedenheit wegen wirtschaftlicher, sozialer und religiöser Mißstände. Forderungen u. a.: Abschaffung od. Verringerung v. Naturalabgaben, wie Todfall-, Heirats- u. Abzugsgebühr; Erlangung eines beschränkten Eigentumsrechts an Grund u. Boden mit Belastung durch Zins (dabei wurde bereits an Geldzins gedacht, da Fronleistungen den bäuerl. Arbeitskalender zu sehr belasteten); Aufhebung des Kirchenzehnten. Die Unzufriedenheit wurde gesteigert durch Abgaben an die Landesherren, die zu ihrer Stärkung die Eigenwirtschaft ausbauten; auch Einschränkung der freien Gerichte erregte das Volk; freie Benutzung der Allmenden, der Jagd u. des Fischfangs wurde geschmälert. Deshalb beriefen sich die aufständ. Bauern auf das ‚Alte Recht‘; Marktgebühren, Zölle, neue Verwaltungsmethoden u. a. m. taten ein übriges. Schon im Bundschuh am Oberrhein u. im ‚Armen Konrad‘ in Württ. (1514)

Mit einfachen Mitteln müssen die Bauern in Entwicklungsländern auskommen. Ihre Hütten überdauern häufig nicht ein Jahr. Das Bild zeigt eine Landschaft in Malawi (Afrika)

verlangten die Bauern eine Reichsreform, die auf eine Beseitigung des niederen u. hohen Adels u. der kirchlichen Hierarchie hinauslief. In den ‚12 Artikeln‘ v. 1525 verlangten die Bauern freie Pfarrwahl, freie Jagd, Fischfang u. Holzung, Aufhebung der Leibeigenschaft unter Berufung auf die Bibel. Kirchliche u. soziale Reform griffen ineinander. Städte (Würzburg, Rothenburg) u. einige Angehörige des niederen Adels (Florian Geyer, Götz v. Berlichingen) unterstützten den Aufstand, der sich im Frühjahr 1525 rasch über ganz Ober-Dtl. ausbreitete (außer Bayern) u. auf Thüringen, die Schweiz u. Österreich übergriff; fränk. Bauern bereiteten ein Parlament in Heilbronn vor; Tirol sollte Bauernstaat werden; in Thüringen gab Thomas Münzer dem Aufstand einen kommunistisch-radikal-religiösen Charakter. Bauern kämpften um politische u. soziale Machtstellung im Staat. Nach großen Anfangserfolgen der Bauern wurden die Landesherren der Erhebung Herr, besiegten die Bauernhaufen; sie wurden durch Luthers Flugschrift ‚Wider die räuberischen und mörderischen Bauern‘ bestärkt, nachdem sich Luther anfangs für Rechtmäßigkeit der bäuerlichen Forderungen eingesetzt hatte. Blutige Standge-

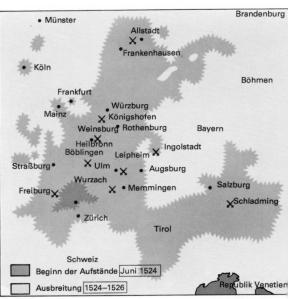

Drei Bauernaufstände im 14. Jahrhundert in Gebieten, die ziemlich dicht beieinander liegen. Dennoch sind die Unterschiede in den Ursachen und im Verlauf der Aufstände ziemlich groß.
Die deutschen Bauernaufstände im 16. Jahrhundert waren die letzten und zugleich die blutigsten. Kurze Zeit hatten riesige Bauernheere, unterstützt von ‚Kleinbürgern', ganz Süd- und Mitteldeutschland in ihrer Gewalt

richte der Landesherren u. grausame Bestrafungen folgten. Die Bauern schieden auf Jahrhunderte aus dem polit. Leben der Nation aus, wandten sich enttäuscht v. der Reformation ab; ihre wirtschaftliche Lage blieb in der Folgezeit gedrückt; Aufstände vor allem in kleineren Territorien blieben v. lokaler Bedeutung. Eigentlicher Sieger war das Landesfürstentum. Erst die → Bauernbefreiung beseitigte die im B. umstrittenen Mißstände.

Bauernlegen s, Einzug v. Bauerngut durch adligen Gutsherrn; bes. in Engl. u. Ost-Dtl. im 16. u. 17. Jh.

Bauernmeister m, Vors. der → Bauerngerichte.

Bauernregeln (Mz.), auf Beobachtung u. Aberglauben beruhende volkstümliche, z. T. gereimte Wettervorhersagen.

Bauernrose w, die → Pfingstrose.

Bauernspiele (Mz.), *Bauerntheater,* Theaterspiele v. Bauern, bes. der Alpenländer; im 16. u. 17. Jh. Passions- u. Jesuitenschauspiele; Wurzeln der B. in german. Frühzeit. In der Moderne z. T. berufsmäßige bäuerl. Spielgruppen mit unterhaltenden u. schwankartigen Spielen des heimatlichbäuerlichen Milieus. Von den alten Passionsspielen haben sich die in Oberammergau u. in Erl (Tirol) erhalten.

Bauerntheater s, → Bauernspiele.
Bauernverbände (Mz.), *Bauernvereine,* Vereinigungen v. Bauern zur Förderung ihrer wirtschaftlichen, sozialen u. kulturellen Belange.

Bauernwetzel m, Krankheit, der → Mumps.

Bauersfeld, *Walter Wilhelm Johannes,* dt. Ingenieur, 1879–1959; schuf u. a. das Zeiss-Planetarium.

Baufinanzierung w, die Beschaffung des für Bauzwecke notwendigen Kapitals: Eigenod. Eigen- u. Fremdfinanzierung (über Bausparkasse u. Kreditinstitute od. Private); Gewährung v. Steuererleichterungen u. Zuschüssen aus öff. Mitteln u. a.

Bauflucht w, im Bebauungsplan festgelegte Linie der Begrenzung für die Front v. Bauwerken.

Bauführer m, *Bauleiter,* der für die Überwachung der ordnungsgemäßen Ausführung eines Neubaus der Bauaufsicht gegenüber verantwortliche Vertreter der Bauleitung.

Baugenehmigung w, *Bauerlaubnis,* die erforderliche Zustimmung der örtlichen Baubehörde für Neu-, Um- od. Erweiterungsbau.

Baugenossenschaft w, **1)** auf genossenschaftlicher Grundlage errichtete Selbsthilfeorganisation zur Erstellung v. Wohnungen für ihre Mitglieder, u. zwar Mietwohnungen in Ein- u. Mehrfamilienhäusern u. großen Wohnblocks od. Eigenheime u. Eigentumswohnungen. – **2)** staatliches od. gemeindl. gemeinnütz. Wohnungsbauunternehmen für sozialen Wohnungsbau.

Baugerüst *s, Rüstung,* die → Gerüste, die man bei Herstellung v. neuen Bauwerken od. bei Reparaturen benötigt: *Lehrgerüst* (als Traggerüst) im Brückenbau, *Schalgerüst* im Betonbau, *Montage-* od. *Aufstellgerüst* u. verschied. *Arbeitsgerüste.*

Baugesuch *s,* → Bauantrag.

Baugewerbe *s,* Träger der → Bauwirtschaft, umfaßt sämtliche gewerblichen Unternehmen, die mit der Erstellung v. Bauten jeglicher Art zu tun haben; unterschieden in *Bauhauptgewerbe* (für Hoch-, Tief- u. Straßenbau), dazu Zimmerei, Dachdeckerei u. a.; das *Ausbaugewerbe* (für Bauinstallation, Malerei, Glaserei) u. das *Bauhilfsgewerbe* (Gerüstbau, Schornsteinfeger- u. Fassadenreinigungsbetriebe).

Baugin (: boschä), *Lubin,* frz. Maler, um 1610–63; vor allem Stilleben.

Baugrund *m,* der natürliche tragfähige Untergrund für Bauwerke. *Baugrundforschung* ist eine der wichtigsten Grundlagen für Hoch- u. Tiefbau.

Bauhaus *s,* Institut zur Ausbildung v. Künstlern auf handwerklicher Grundlage unter maßgeblicher Führung der Architektur, erlangte als Bewegung des Konstrukti-

vismus internat. Bedeutung; 1919 v. W. → Gropius in Weimar das *Staatl. B.* als Hochschule für Kunst u. Kunstgewerbe gegründet, 1925 nach Dessau, 1932 nach Berlin verlegt, 1933 geschlossen; seit 1946 in Berlin (West). In Anlehnung an die → Bauhütte, in der Künstler gemeinschaftlich am Gesamtkunstwerk, der Kathedrale, arbeiteten, sollten im B. Künste unter Leitung der Architektur zu neuer Gemeinschaft des Schaffens gebracht werden. Als Lehrer (Formmeister) berief Gropius zuerst Lyonel → Feininger, Johannes → Itten, Gerhard → Marcks, dann Adolf Meyer, Georg → Muche, Paul → Klee, Oskar → Schlemmer, Lothar → Schreyer, Wassily → Kandinsky, Laszlo → Moholy-Nagy. Lehre u. Produktion gingen Hand in Hand. 1926 konnte in Dessau das neue Gebäude als *Hochschule für Gestaltung* eingeweiht werden. 1928 übernahm der Schweizer Hannes Meyer die Leitung des B., 1930 der Architekt → Mies van der Rohe.

Bauherr *m,* **1)** wer ein Gebäude errichten läßt. – **2)** in Bremen: Kirchenvorstand.

Bauherrenmodell *s,* Modell einer Bauerstellung, bei dem Kapitalanleger als Unternehmer mit Steuervorteilen tätig werden; sie beauftragen eine Baubetreuungsgesellschaft mit Grundstückskauf, Bauerrichtung u. gegebenenfalls auch Vermietung des Objekts bzw. verkaufen es zu späterer Zeit steuerfrei.

Mit dem Bauhauskomplex, von Walter Gropius (1883–1969) entworfen, wurde im Herbst 1925 begonnen und das Gebäude im Dezember 1926 eröffnet. Es bestand aus zwei Flügeln, die durch eine Brücke verbunden wurden, hatte ein Gerüst aus Eisenbeton und Mauern aus weißverputzten Backsteinen. Die Dächer waren flach. Auffallend war die durchgehende Verglasung des Flügels, der die Werkstätten beherbergte.

1. Flügel mit Unterrichtsräumen, Praktikumsräumen und Bibliothek
2. Flügel mit den verschiedenen Werkstätten
3. Studentenhochhaus, mit Aula, Eßraum und Küche im Erdgeschoß
4. Brücke mit Verwaltungsräumen im ersten Stock; der Weg, der unter der Brücke durchführen sollte, wurde nie angelegt

,Treppenhaus im Bauhaus' (1932). Gemälde von Oskar Schlemmer (1888–1943)

Bunter Wandteppich, entworfen von Gunta Stölz (*1897), Mitglied des Bauhauses

Bauhin (: boǎ), *Caspar,* Schweizer Botaniker u. Anatom, 1560–1624; Begr. der natürl. Pflanzensystematik u. Entdecker der → Bauhinklappe.

Bauhinklappe *w* (: boǎ-), nach dem Entdekker C. → Bauhin benannte Schleimhautfalte zw. Dünn- u. Dickdarm.

Bauhütte *w,* streng organisierte mittelalterl. Gemeinschaft (Genossenschaft) u. der Arbeitsraum der am Kirchenbau beschäftigten Steinmetzen, nam. z. Z. der Gotik in Fkr. u. Dtl.; hatte besondere Hüttenordnung u. verpflichtete zur Geheimhaltung der hütteneigenen Bauregeln; im Ggs. zu den Zünften der Gemeinde gegenüber frei, später mit den Zünften verbunden. Das B.nbrauchtum lebt z. T. in der Freimaurerei fort.

Bauingenieur *m* (:-inschⁿnjör, frz.), Fachmann für Planung, Entwurf, Konstruktion, Statik u. andere bautechn. Aufgaben im Hoch- u. Tiefbau.

Baukeramik *w,* Tonsteine u. -platten , teils glasiert, zur architekton. Gliederung u. Ornamentik v. Außen- u. Innenwänden u. für Bodenbeläge; schon in der ägypt. u. babylon.-assyr. Kunst; in der maurischen Baukunst in Spanien, dann in der Backsteingotik, in der it. Frührenaissance, im 17.

u. 18. Jh. in den Niederlanden u. erneut im 20. Jh.

Baukis, *Baucis,* → Philemon.

Baukosten (Mz.), die Kosten für Herstellung od. Um- bzw. Wiederaufbau eines Gebäudes; *Baunebenkosten* betreffen Ausgaben für Architekten, behördl. Dienstleistungen, Finanzierungskosten u. dgl.

Baukostenzuschuß *m, Bauzuschuß,* **1)** verlorenes od. abwohnbares Darlehen eines Mieters an den Vermieter einer Neu- oder Wiederaufbauwohnung. – **2)** öffentl. Zuschuß im sozialen Wohnungsbau.

Baukunst *w, Architektur,* die älteste u. umfassendste der Künste, aus den Bedürfnissen menschlichen Wohnens entwickelt. Die B. blieb wie keine andere Kunst v. der Forderung nach Zweckmäßigkeit bestimmt; die Art der Aufgabe entscheidet weitgehend über Gliederung u. Einzelformen. Gewöhnlich unterscheidet man nach den grundsätzlichen Aufgabenbereichen *profane (weltliche)* u. *sakrale (kirchliche) B.* – Neben der Bestimmung des Gebäudes spielen auch die Materialien, die dem Baumeister zur Verfügung stehen, eine wichtige Rolle (Holz-, Backstein-, Steinbau; seit 19. Jh. Eisen-, Stahl- u. Betonbau). Die Schönheit des Baukunstwerks hat den Einklang v.

Zweck u. Stoff zur Voraussetzung. Die malerischen u. plastischen Elemente müssen sich aus diesem Einklang entwickeln. Der Stil der Bauwerke wird gekennzeichnet durch das in jedem Zeitalter neu gelöste Problem der Einheit v. Bauaufgabe u. Technik; ferner durch die stilistische Eigenart der Zierelemente. Da der B. in allen Hochkulturen auch die Rolle der festlichen Repräsentation zufällt (Tempel, Paläste), sind in Ägypten, China, Indien, Mexiko u. Südamerika schon sehr früh Bauwerke entstanden, die neben großem techn. Können auch eine geschlossene Ornamentik aufweisen. In Europa ist die Stilentwicklung seit den frühesten griech. Tempelbauten recht einheitlich. Der röm. Sakralbau folgt den griech. Mustern; die planende Großzügigkeit der Römer kam in zweckgebundeneren Konstruktionen (Wasserleitungen, Straßen, Brücken) selbständiger zum Ausdruck. Die frühchristl. B. übernahm römische Formen (Basilika) u. entwickelte sich über die → Romanik zum gotischen Stil (→

Gotik) des Hoch- und Spätmittelalters. Die → Renaissance u. der → Barock haben der Kirche den fürstl. Palast als gleichwertige Aufgabe gegenübergestellt. Im 18. Jh. errang sich die weltliche B. eine führende Rolle, die sie bis heute behielt. Dem Ausklang des Barocks (→ Rokoko) mit seinem Übergewicht der Ornamentik folgte eine kurze Zeit v. nüchternem Klassizismus, der aber bald vom → Historismus (→ Neugotik, → Neurenaissance) abgelöst wurde. Erst im Anfang des 20. Jh. zeigt die B. wieder einen selbständigen Stilwillen, der nach anfängl. Übertreibungen (→ Jugendstil) zu einer funktionalen, zweckgerechten, auf klare u. großzügige Gliederung der Bauelemente bedachten Bauweise führte (→ moderne Kunst).

Bauland *s,* **1)** b.-württ. Landschaft zw. Odenwald, Neckar, Tauber u. Jagst; eine fruchtbare Hochfläche; Ackerbau (Weizen). – **2)** zur Bebauung geeignetes Gelände, baureif od. Bauerwartungsland.

Baulandsteuer *w,* erhöhte Grundsteuer,

Motive aus der alten griechischen Baukunst, z. B. Säulen und dreieckige Schlußgiebel, blieben – überliefert durch die alte römische Architektur – bis in die heutige Zeit am Leben. Auf den Photos unten ein griechischer Tempel im süditalienischen Paestum (5. Jahrhundert v. Chr.) und oben aus dem 16. Jahrhundert die Villa Rotonda des Architekten Andrea Palladio (1508–80) im norditalienischen Vicenza

Baul

Oft wurde an einem Bauwerk so lange gearbeitet, daß man darin mehrere Baustile antreffen kann. Das Schiff der Madeleine-Kirche im französischen Örtchen Vézelay wurde um 1120–40 im romanischen Stil errichtet (Merkmal: runde Bogen); der Chor von 1171 bis 1216 im gotischen Stil (Merkmal: spitze Bogen)

1961 u. 1962 in der BRD auf baureife, noch nicht bebaute Grundstücke erhoben.

Baulandumlegung *w,* v. Gemeinden od. vom Landkreis nach dem Bundesbau-Ges. v. 1961 durchgeführte Grundstücksgestaltung, um zweckmäßige Bauplätze zu gewinnen.

Baulast *w,* die gesetzl. Verpflichtung zur Einhaltung v. Bauvorschriften u. Instandhaltung gewisser Gebäude durch deren Besitzer (z. B. Kirchen, Bauwerke unter Denkmalschutz u. a.).

Baum *m,* **1)** Wuchsform verholzter Pflanzen, in Krone, Stamm u. Wurzel gegliedert. – *Baumform:* der Forstmann unterscheidet kegelförmige (abholzige) u. walzenförmige (vollholzige) Stämme; der Obstpflanzer Hochstämme (über 1,80 m), Halbstämme (1,50 m) u. Zwergobstbäume. Je nach Schnitt erzielt er Busch-, Pyramiden-, Spindel-, Trichter-, Spalier- od. Schnurform. – **2)** starkes Rundholz, z. B. *Mast-B.* auf Schiffen, *Lade-B.* od. *Bind-B.* für Heufuder u. a. – **3)** *Weberei:* Ketten- u. Zeug-B.,

Walze zum Aufwickeln der Kettfäden bzw. des fertigen Gewebes.

Baum, 1) *Otto,* dt. Bildhauer, 1900–77; Tierplastiken, symbol. Gestaltungen, Bildnisbüsten. – **2)** *Paul,* dt. neoimpressionist. Maler u. Graphiker, 1859–1932; pointillistische, abstrahierende Landschaften u. a. – **3)** *Rudolf Gerhart,* dt. Politiker (F.D.P.), *1923; war 1972–78 parlamentar. Staatssekr. im Bundesinnenministerium; 1978–82 Bundesinnenmin. – **4)** *Vicki,* österr. Schriftstellerin, 1888–1960; seit 1931 in den USA; Erzählungen, Novellen u. Unterhaltungsromane. – HW: *Menschen im Hotel* (1929; Roman).

Baumann, *Herbert,* dt. Bildhauer, *1937; Steinplastiken in urtümlichen Formen.

Baumbach, *Rudolf,* dt. Schriftsteller, 1840–1905; Wander-, Studentenlieder; Verserzählungen.

Baumberge, westfäl. Kreideplateau.

Baumdiagramm *s,* graphisches Mittel zur Darstellung hierarchischer Struktursysteme, bes. grammatischer.

Baumé (: bome), *Antoine*, frz. Pharmazeut, 1728–1804; entwickelte die *B.spindel* (→ Bauméskala), ein Gerät zur Bestimmung der Dichte v. Flüssigkeiten.

Baumeister *m,* gesetzl. geschützte Berufsbezeichnung aufgrund *B.prüfung* od. TH-Diplom u. zweijähriger Baupraxis.

Baumeister, *Willi,* dt. Maler, 1889–1955; Wortführer der abstrakten Kunst, versuchte Verbindung v. Malerei u. Architektur, Kunst der ‚Zeichen'; *Mauerbilder* (Skulptomalereien, um 1920); *Ideogramme, Eidosbilder* (1938) u. *Afrik. Bilder* (seit 1942); Illustrationen u. Kunsttheorie *(Das Unbekannte in der Kunst,* 1947).

Bäumer, *Gertrud,* dt. Schriftstellerin u. Führerin der dt. Frauenbewegung, 1873–1954; Hrsg. des *Hdb. der Frauenbewegung* (5 Bde, 1901–06) u. mit H. Lange v. *Die Frau* (1893–1944); 1916–20 Leiterin des Sozialpädagog. Instituts Hamburg. – WW: *Die Frauengestalt der dt. Frühe* (1927); *Männer u. Frauen im Wirken des dt. Volkes* (1934); *Gestalt u. Wandel. Frauenbildnisse* (1939) u. a.

Bauméskala *w* (: bome-), Aräometerskala zur Bestimmung des spezif. Gewichts v. Salz- u. Säurelösungen; v. A. → Baumé eingeführt.

Baumfalke *m,* kleine europ. Falkenart, lebt

Die kalifornische Sequoia (Sequoia sempervirens; 1) kann eine Höhe erreichen, in der sie sogar die (im Hintergrund erkennbare) New Yorker Freiheitsstatue überragt. Viele dieser Bäume sind mehr als 3000 Jahre alt. Der immergrüne australische Eukalyptus (2) steht der Sequoia an Höhe kaum nach. Dennoch kommt derselbe Eukalyptus in Australien als Strauchgewächs und als Riesenbaum vor. Die Kokospalme (Cocos nucifera; 3) und die Eiche (Quercus pedunculata; 4), die bis 25 Meter hoch werden können, scheinen nur groß, wenn sie mit Arten der Gattung Espletia (5) verglichen werden. Die kleinsten Bäume (6) sind Zwerge (wie z. B. Chamaecyparis thyoides), die in dieser Form kultiviert werden. In der freien Natur kommen sie nicht vor, da sie von höheren Bäumen überschattet würden

Baum

in lichten Wäldern, schlägt seine Beute im Flug.

Baumfarne (Mz.), tropische Farne mit baumartigem Stamm u. Schopf aus Blattwedeln; bes. in Nebelwäldern.

Baumfrevel *m*, Beschädigung v. Bäumen, strafbar (als Sachbeschädigung od. als Feldod. Forstdelikt).

Baumfrösche (Mz.), zahnlose trop. Froschlurche ohne Schwimmhäute, bunt, mit giftiger Schleimhaut.

Baumgart, *Reinhard,* dt. Schriftsteller u. Literaturkritiker, *1929; Romane, Essays. – WW: *Der Löwengarten* (1961; Roman); *Hausmusik* (1962; Roman); *Panzerkreuzer Potjomkin* (1967; Erzähl.); *Aussichten des Romans* (1968; Essay); *Die verdrängte Phantasie* (1974; Essay) u. a.

Baumgarten, *Alexander Gottlieb,* dt. philosoph. Schriftsteller, 1714–62; Prof. in Frankfurt/Oder; Begr. der Ästhetik als selbständiger Wissenschaft. – HW: *Aesthetica* (1750–58).

Baumgartner, 1) *Alexander,* Schweizer Literarhistoriker, 1841–1910. – HW: *Gesch. der Weltlit.* (6 Bde). – **2)** *Paul,* Schweizer Pianist, 1903–76.

Baumgrenze *w,* obere Verbreitungsgrenze v. einzelstehenden Bäumen im Bergland. Die B. wird durch klimatische Gegebenheiten bestimmt (niedere Temperaturen, Windexposition hoher Berglagen) u. liegt am Äquator am höchsten, wandert gg. die Pole nach unten. In Mitteleuropa B. bei ungefähr 2000 m ü. M. → Vegetationszonen.

Baumhaar *s,* roßhaarähnl. Palmblattfasern; als Pack- u. Polstermaterial verwendet.

Baumhaus *s,* bei Naturvölkern Wohn- u. Zufluchtsstätte in Baumkronen.

Baumheide *w,* Familie der Ericaceen (Heidekrautgewächse). Sehr langsam wachsender baumartiger Strauch der Mittelmeerländer mit hartem Holz, wird zu Pfeifenköpfen verarbeitet *(Bruyèreholz).*

Baumholder, rhein.-pfälz. Stadt, 4100 E., u. Verbandsgem. im Ldkr. Birkenfeld, 10 300 E.

Baumhühner (Mz.), *Zahnwachteln,* mittelgroße zähmbare Hühner Amerikas, teils wie Rebhühner, teils wie Haselhühner.

Baumkänguruh *s,* Känguruhgattung auf Neuguinea u. in Nordostaustralien, lebt am Waldboden u. auf Bäumen; schwarz bis rehbraun dicht behaart, mit fast gleichlangen Vorder- u. Hinterbeinen.

Baeumker, *Clemens,* dt. Philosoph, 1853–1924; seit 1912 Prof. in München; beschäftigte sich als Philosophiehistoriker vor allem mit der Philosophie des MA. – HW: *Der Platonismus im MA* (1916).

Baumkitt *m, Baummörtel,* künstl. Gemenge zum Füllen v. Baumwunden gg. Erkrankung durch Schädlinge.

Baumkohl *m,* → Blattkohl.

Baumkrebs *m,* Absterben des Rindengewebes an Obst- (bes. Apfel-) u. Waldbäumen: ein Schlauchpilz zerstört fortwährend das nach Verwundungen sich bildende Überwallungsgewebe.

Baumkuchen *m,* schichtenweise gebackener hoher, in der Mitte hohler Kuchen in Baumform.

Baumkult *m* die kultische Verehrung v. Bäumen bei Natur- u. Kulturvölkern, so Verehrung der ‚heiligen Eiche' u. der Esche *Yggdrasil* bei den Germanen; ein Überrest des B. ist der → Maibaum als Symbol des Lebens.

Baumläufer, *Certhiiden,* Familie der → Singvögel; kleine Vögel mit dünnem, teils gebogenem Schnabel u. langen, kräftigen Zehen, klettern an Baumrinden u. Felswän-

Baumkänguruh

den. Beschränkt auf nördliche Halbkugel.
Höhlenbrüter, Kleintierfresser. Wichtigste
Arten: *Waldbaumläufer, Gartenbaumläufer* u. *Mauerläufer;* dieser prächtig gefärbt,
lebt in mittel- u. südeurop. Hochgebirge.
Baummarder *m,* → Edelmarder.
Baummörtel *m,* der → Baumkitt.
Baumnachtigall *w, Heckensänger,* nachtigallenähnliche Grasmücke, vor allem im
südl. Spanien u. auf dem Balkan.
Baumpieper *m,* lerchenartiger kleiner Singvogel, mit gelblicher Brust u. rötlichen
Beinen; am Waldrand u. in Obstgärten.
Baumsarg *m,* vorgeschichtl. Sarg: ausgehöhlter Baumstamm, meist Eiche; durch
Gerbsäure des Holzes Textilien u. anderer
Sarginhalt z. T. gut erhalten.
Baumscheibe *w,* runde Bodenfläche um
Baumstamm (bes. Obstbäume); locker u.
unkrautfrei zu halten.
Baumschläfer *m,* mit Siebenschläfer verwandter Nager; nährt sich v. Beeren u.
Samen; hält Winterschlaf.
Baumschule *w,* Anlage für Aufzucht v.
Holzgewächsen aus Ablegern, Samen,
Stecklingen; das gebräuchl. öftere Umpflanzen heißt *Verschulen.*
Baumtest *m,* Zeichentest, bei dem anhand
eines v. der Versuchsperson gezeichneten
Baums die Persönlichkeit analysiert wird.
Baumwachs *s, Bot.:* Wachspräparat zum
Wundverschluß, bes. an Pfropfstellen bei
Obstbäumen u. Beerensträuchern.
Baumwachtel *w,* Hühnervogel Nord- u.
Mittelamerikas; die *Virginiawachtel,* 22 cm
groß, ist beliebter Jagdvogel.

Die 3- oder 5fächrigen grünen Früchte der Baumwollpflanze nennt man wegen ihrer runden Form Baumwollkapseln. Wenn sie reif sind, öffnen sie sich, und der Samenfilz quillt hervor

Baumwanzen (Mz.), mittelgroße Landwanzen, bräunlich od. grün, übelriechend;
Geruch überträgt sich auf Garten- u. Waldbeeren, die sie aussaugen.
Baumweißling *m,* ein Tagschmetterling der
Familie der Weißlinge.
Baumwolle *w,* die etwa 5 cm langen Samenhaare aus den walnußgroßen Fruchtkapseln
der Baumwollstaude; Familie der Malven-

Baumwollspinnerei in England im Jahr 1835
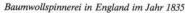

Baum

gewächse; Anbau nur in tropischen u. subtropischen Ländern möglich. Die mehrere Wochen dauernde Ernte erfolgt v. Hand od. durch Pflückmaschinen. Die Samenhaare werden sodann sortiert, an der Sonne getrocknet, v. Hand od. maschinell entkörnt u. schließlich zu Ballen gepreßt, in Jute verpackt u. versandt. Als Nebenerzeugnisse fallen die Samenkörner an, aus denen B.öl gewonnen wird (Verarbeitung zu Margarine, Kerzen od. Seife), u. die als *Linterwolle* bezeichneten Samenhaarabfälle (Verarbeitung zu Kunstseide, Fließ- bzw. Löschpapier u. Schießbaumwolle). B. ist die wichtigste aller Faserpflanzen, sie steht in der Textilindustrie an erster Stelle, wo sie in Spinnereien u. Webereien zu verschiedensten Textilerzeugnissen verarbeitet wird. Wichtigste Anbauländer: USA, UdSSR, China, Indien, Brasilien, Mexiko. Bereits im Altertum (Ägypten, Indien) kultiviert.

Baumwollfärber *m,* ein Baumwollschädling; nistet sich in Baumwollkapseln ein u. verunreinigt die Baumwolle.

Baumwollkapselkäfer *m,* Schädling der Baumwollpflanzen, Heimat: Mexiko. Der Käfer legt seine Eier in die Baumwollblüte, wodurch ein beträchtlicher Teil der Ernte zerstört werden kann.

Baumwollunge *w, Byssinose,* Lungenerkrankung mit Bronchitis u. Asthmaanfällen, hervorgerufen durch eingeatmeten Baumwollstaub (Berufskrankheit).

Baumwürger *m, Celastrus,* Kletterpflanze des Fernen Ostens u. Amerikas.

Baunatal, hess. Stadt im Ldkr. Kassel, 21 100 E.; Zweigwerk des Volkswagenwerks.

Baunormen (Mz.), die vom Dt. Normenausschuß im ‚Normenverzeichnis im Bauwesen‘ aufgestellten Baumaße als einheitl. techn. Baubestimmungen für die Bauindustrie.

Bauopfer (Mz.), Opfergaben (Menschen, Tiere, Münzen), die früher bei fast allen Völkern gg. böse Mächte ins Baufundament eines Bauwerks eingegraben wurden.

Bauordnungsbehörde *w,* → Bauaufsicht.

Bauornamentik *w,* mit der Architektur fest verbundener Dekor an Bauwerken, so → Architekturplastik, Inkrustation, Architektur- u. Wandmalerei.

Bauplan *m,* 1) *Biol.:* Übersicht über den

Blick in eine altmodische Steinfabrik. Anstelle einer Strangpresse benutzt man hier noch Formen, die maschinell gefüllt und umgeschlagen werden müssen. Da beim Löschen der ‚grünen‘ Steine etwas Material in den Formen zurückbleibt, müssen diese saubergeklopft werden

typischen Bau einer Gruppe v. Pflanzen od. Tieren. Der B. enthält sämtliche gemeinsamen Merkmale der Gruppe, die charakterist. Organsysteme sowie deren Lage zueinander. – 2) *Bauzeichnung,* den Grund-, Auf- u. Seitenriß eines Bauwerks darstellende Zeichnung.

Bauplastik *w,* → Architekturplastik.

Baupolizei *w,* Gemeindebehörde, → Bauaufsicht.

Baur, 1) *Erwin,* dt. Botaniker, 1875–1933; Vererbungsforscher; untersuchte Pflanzenzüchtung u. -genetik. – WW: u. a. *Einf. in die experimentelle Vererbungslehre* (1911). –2) *Ferdinand Christian,* dt. ev. Theologe u. Kirchenhistoriker, 1792–1860; Prof. für Kirchen- u. Dogmengeschichte in Tübingen; Begr. der Kirchengeschichtsforschung (→Tübinger Schule); beeinflußt v. Hegels dialekt. Geschichtsphilosophie, analysierte er das NT vor allem in bezug auf geschichtl. u. theolog. Teile u. in bezug auf sich bekämpfende Richtungen (Judenchristentum – Heidenchristentum). – HW: *Das Christentum u. die christl. Kirche der drei ersten Jahrhunderte* (1853). – 3) *Franz,* dt. Meteorologe, 1887–1977; Großwetterforscher u.

Baustoffe	
1. *natürliche*	
anorganische	Naturstein
organische	Bauholz
2. *künstliche*	
metallische	Baustähle, Nichteisenmetalle, Leichtmetalle (Profile, Bleche, Folien)
mit Zement oder ähnlichen Mitteln gebundene	Mörtel, Beton, Stahlbeton, Schaumbeton, Zementsteine, Leichtbauplatten (Holzwollplatten), Asbestzement (Eternit)
gebrannte, gesinterte, geschmolzene:	Backsteine, Dachziegel; Steingut, Steinzeugplatten; Glasscheiben, Glasseidematten, Glasbausteine
anorganische:	Gipsplatten, Gipsmörtel, Kalksandsteine
organische:	Faserplatten, Kork, Bitumen, Teer
3. *Kunststoffe*	organ.-chem. Verbindungen (Polymerisate), Wärmeisolierstoffe, Leitungsrohre (z. B. für Säuren), Kunstglas, Fensterrahmen, Rolläden, Profilkörper, Folien, Verkleidungsplatten u. a.

Langfristprognostiker. – **4)** *Hermann,* Schweizer Architekt, *1894; moderne Kirchenbauten in Basel, Dornach, Olten Luzern u. a. – **5)** *Jürg,* dt. Komponist, *1918; Kammermusik u. Orchesterwerke, u. a. *Romeo u. Julia* (1962/63).

Baurat *m, Regierungsbaurat,* höherer techn. Beamter in der öff. Bauverwaltung.

Baurecht *s,* **1)** alle Baugesetze, Baupolizeiverordnungen u. sonstigen Vorschriften, die das Bauen u. die im Interesse der öffentl. Sicherheit erforderlichen Einschränkungen der Baufreiheit regeln; hierzu zählen auch Planung des Städtebaus, Umlegung v. Bauland, Erschließung v. Baugelände u. a. m. – **2)** das Bürgerrecht (aufgrund der Baufreiheit) zu bauen.

Bausparen *s,* Gemeinschaftssparen bei einer → Bausparkasse.

Bausparer *m,* → Bausparkasse.

Bausparkasse *w,* privates od. öff.-rechtl. Unternehmen zum gemeinsamen Sparen für den Erwerb v. Eigenheimen od. zur Ablösung der hierzu eingegangenen hypothekar. Verschuldung; gewährt aufgrund v. *Bausparverträgen* ihren *Bausparern* über den vorgeschriebenen angesparten Betrag hinaus Baudarlehen, wirkt gegebenenfalls auch bei Planung, Restfinanzierung u. Bauausführung mit.

Bausparvertrag *m,* → Bausparkasse.

Bausperre *w,* befristetes Bauverbot im Zusammenhang mit Bauplanungen, die nach Beschluß noch nicht ausgeführt sind.

Baußnern, *Waldemar* Edler v., dt. Komponist, 1866–1931; Sinfonien, Kammermusik.

Bausteine (Mz.), natürliche (Granit, Porphyr-, Sand-, Kalkstein) u. künstliche Steine (Ziegel, Betonsteine u. a.), die sich für Bauzwecke eignen.

Baustoffe (Mz.), alle zur Herstellung v. Bauten (Häuser, Brücken usf.) verwendeten natürlichen u. künstl. Stoffe, die den Anforderungen (Festigkeit, Wasserundurchlässigkeit, Wärme- u. Schallschutz, Isolierung usw.) entsprechen; vgl. Tabelle.

Bautest *m,* psycholog. Methode zur Ermittlung der räuml. Vorstellungsfähigkeit, wobei man aus Einzelteilen beliebige Gebilde bauen läßt.

Bautschi → Bauchi.

Bautzen, Krst. in der Oberlausitz, im DDR-Bez. Dresden, an der Spree, 46400 E.; mittelalterl. Stadtbild mit Schloß *Ortenburg* u. spätgot. Petridom; Waggonbau; Auto-, Masch.-Industrie. – 1813 Sieg Napoleons über die verbündeten Preußen u. Russen.

Bauxitschichten bilden sich an der Erdoberfläche und sind deshalb leicht abzutragen

Bauunternehmer *m*, Gewerbetreibender; übernimmt Bauausführung im Auftrag des Bauherrn.

Bauweise *w*, **1)** Art der Bebauung: je nach Dichte geschlossene, halboffene od. offene B. – **2)** Art der verwendeten Materialien: Beton-, Holz-, Lehm-B. u. a. – **3)** *Fertig-B.:* Einbau fabrikmäßig hergestellter Fertigteile.

Bauwich *m*, → Bauabstand.

Bauwirtschaft *w*, bedeutender Zweig der Wirtschaft, unterteilt in → Hochbau u. → Tiefbau; getragen vom → Baugewerbe.

bauwürdig, *Bergbau: abbauwürdig* für eine Lagerstätte, die nach Prüfung u. Bewertung aller für eine Ausbeutung wesentlichen bergmännischen u. wirtschaftlichen Gesichtspunkte ausgebeutet wird.

Bauxit *m*, Mineral, aus dem durch aufwendige chemotechnische Verfahren → Aluminium gewonnen wird. Erster Fundort: Les Baux in Südfrankreich.

Bauzuschuß *m*, → Baukostenzuschuß.

Bavaria, 1) lat. Name für Bayern. – **2)** weibliches Bronzestandbild (20,5 m hoch) als Verkörperung Bayerns in München.

Bavink, *Bernhard,* dt. Naturwissenschaftler u. Philosoph, 1879–1947; bemühte sich als kritischer Realist um Aufgeschlossenheit der Theologie gegenüber dem naturwissenschaftl. Denken. – HW: *Ergebnisse u. Probleme der Naturwissenschaften* (1914).

Bawean, indones. Insel zw. Jawa u. Borneo, 200 km², rd. 60 000 E.; Kohle; Anbau v. Indigo, Baumwolle, Tabak.

Bax (: bäkß), Sir *Arnold,* engl. Komponist der Spätromantik, 1883–1953; Sinfonien, Orchester-, Chor- u. Ballettmusik.

Bay *w* (: be^i, engl.), *Bai,* Bucht.

Bayar, *Celâl,* türk. Politiker, *1882; führend in der jungtürk. Bewegung; 1937–39 Min-Präs.; 1950–60 Staatspräs., durch Militärputsch gestürzt u. in Haft; 1964 freigelassen u. 1966 begnadigt.

Bayard (: bajar), *Pierre du Terrail* Seigneur de, frz. ‚Ritter ohne Furcht u. Tadel‘, 1476–1524; kämpfte in Italien; 1515 Sieg bei Marignano.

Bay City (: be^i ßit^i), Stadt im Bundesstaat Michigan (USA), am Huronsee, 54 000 E.; Holz-, Masch.-Ind. u. a.

Bayer, 1) (: bäj^er), *Herbert,* österr.-am. Maler, Designer u. Architekt, *1900; war 1925–28 Meister am Bauhaus; seit 1938 in den USA. – **2)** *Johann,* dt. Astronom, 1572–1625; schuf Sternatlas *Uranometria* (1603). – **3)** *Joseph,* österr. Komponist,

1852–1913; Ballette (u. a. *Die Puppenfee,* 1888). – **4)** *Konrad,* österr. Schriftsteller, 1932–64 (Freitod); avantgardistische surrealist. Werke; u. a. *der stein der weisen* (1963); *der kopf des vitus behring* (1965); *der sechste sinn* (1966); *die boxer* (1971).
Baeyer, *Adolf* Ritter v., dt. Chemiker, 1835–1917; Arbeiten über organische Farbstoffe u. a. Nach der *B.schen Spannungstheorie* sind 5- od. 6gliedrige Kohlenstoffringe aufgrund ihrer günstigen Bindungswinkel bes. stabil im Vergleich zu anderen cyclischen Kohlenstoffverbindungen; 1905 Nobelpreis für Chemie.
Bayerische Alpen (Mz.), die zu Bayern gehörenden Nördlichen Kalkalpen.
Bayerische Hypotheken- und Wechselbank, *HYPO-Bank,* größte dt. Regionalbank, Sitz: München; gegr. 1835.
Bayerische Motoren Werke AG, *BMW,* dt. Unternehmen der Kraftfahrzeug-Ind., Sitz: München; gegr. 1916.

Vor den sanft ansteigenden Bergen liegt die reizvolle, buckelige Welt des oberbayerischen Jungmoränenlandes mit seinen leuchtend grünen saftigen Wiesen – inmitten die barocke Kirche als Zeichen tiefverwurzelter Frömmigkeit der früher vorwiegend bäuerlichen bajuwarischen Bevölkerung (Irschenberg/Oberbayern)

Bayerischer Erbfolgekrieg, *Kartoffelkrieg,* unblutige kriegerische Auseinandersetzung zw. Österr. u. Preußen 1778/79, in der Friedrich d. Gr. Ks. Josephs II. Versuch entgegentrat, Niederbayern u. Oberpfalz Österr. einzuverleiben; im Frieden v. Teschen erhielt Österr. nur das Innviertel.
Bayerischer Kreis, *B. Reichskreis,* einer der Reichskreise des mittelalterl. Dt. Reichs.
Bayerischer Rundfunk, *BR,* Rundfunkanstalt des Landes Bayern, 1948 gegr.; Sitz: München.
Bayerischer Wald, Mittelgebirge in Oberbayern, zw. Donau u. Böhmerwald, durch den Regen in *Vorderen* (im Einödriegel 1126 m hoch) u. *Hinteren B.W.* gegliedert.
Bayerische Staatsbibliothek, 1558 v. Hzg. Albrecht V. in München gegr. Bibliothek, die größte in der BRD; besitzt sehr viele Handschriften u. Wiegendrucke.
Bayern (Mz.), *Baiern, Bajuwaren,* german.-keltoroman. Volksstamm, rückte Ende des 5. u. Anfang des 6. Jh. nach Österr. u. Altbayern, wo sie seßhaft wurden; aus dem bayer. Stammes-Hzt. entwickelte sich das Land Bayern.
Bayern, lat. *Bavaria,* im SO gelegenes größtes Land der BRD, grenzt an Tschechoslowakei u. Österr., 70 547 km², 10,96 Mill. E.; Hst.: München. B. hat Anteil an den Nördl. Kalkalpen (Zugspitze im Wettersteingebirge mit 2963 m höchste bayer. u. dt. Erhebung), reicht bis Frankenwald u. Rhön, vom Fichtelgebirge u. Böhmerwald bis zum Spessart, Odenwald u. Schwäb. Stufenland; die größten Flüsse sind Donau u. Main; in dem v. den eiszeitl. Gletschern geformten Voralpengebiet zahlreiche Seen (Ammersee, Starnberger See, Chiemsee). – Das *Klima* wird nach O zunehmend kontinental. – Die *Bev.* stellen im S die Bayern, im SW Schwaben, im N Franken; rd. ein Viertel der heutigen Bev. sind Heimatvertriebene aus den dt. Ostgebieten u. sonstige Zugewanderte; in den ländl. Gebieten hat die eingeborene Bev. ihre Eigenart in Brauchtum u. Tracht bes. gut erhalten. – *Wirtschaft:* Nördlich der Donau fruchtbare Beckenlandschaft mit ertragreicher Landwirtschaft (Getreide, Hackfrüchte, Mohn, Hopfen, Obst, Wein, Tabak, Gemüse u. a.), südl. der Donau Ackerbau, Viehzucht (bes. Rinder) u. Waldwirtschaft; nur geringe Bodenschätze (Eisen, Kohle,

Die Bayerische Staatsbibliothek in München beherbergt diesen mit Gold und Edelsteinen verzierten Band des Codex Aureus aus St. Emmeram (9. Jahrhundert)

Schiefer, Salz, Graphit, Quarz). Bedeutende Molkereiwirtschaft, bodenständige Klein-Ind., in den Städten u. a. Masch.-, Elektro-, Fahrzeug- u. chem. Ind., zahlreiche Brauereien; im Alpenvorland wichtige Wasserkraftwerke. Heilquellen u. Bäder in Bad Reichenhall, Bad Tölz, Bad Kissingen u. a. B. ist Fremdenverkehrsland. – *Gesch.:* Urspr. keltisch, das Gebiet südl. der Donau unter Augustus röm. Prov. Rätien *(Raetia),* im 6. Jh. v. Baiern (Bajuwaren) besiedelt, 788 fränk. Prov., 1070–80 welfisch, 1180–1918 wittelsbachisch. B. war unter Hzg. Maximilian I. (1573–1651) seit 1598 Zentrum der Gegenreformation (kath. Reform), erhielt 1623 Kurwürde u. war in dieser Periode der führende Staat in Süd-Dtl.; beteiligt am Dreißigjähr. Krieg, am Span., Österr. u. Bayer. Erbfolgekrieg. Seit 1801 auf seiten Napoleons, wurde es 1806 Kgr.; 1813 Übertritt zu den Verbündeten, 1815 Mitglied des Dt. Bunds; kämpfte 1866 mit Österr. gg. Preußen, 1870/71 mit Preußen gg. Fkr.; seit 1871 beim Dt. Reich; 1918 Revolution, seitdem Freistaat, 1919 vorübergehend Räterep., danach Regierung der kath.-föderalist. Bayer. Volkspartei. 1923 Hitler-Putsch in München; 1945 kam

B. (außer Pfalz u. Lindau) zur am. Besatzungszone u. ist seit 1949 Bundesland der BRD; die eh. zu Bayern gehörige Pfalz wurde in das neue Land Rheinland-Pfalz eingegliedert.

Bayernpartei *w, BP,* föderalist. bayer. Partei, 1947 gegr.; im Bundestag 1949–53, im Bayer. Landtag 1950–66.

Bayerns Ministerpräsidenten		
		Koalitionen
1946–54	H. Ehard (CSU)	CSU, SPD, WAV
		ab 1947 CSU
		ab 1950 CSU, SPD, BHE
1954–57	W. Hoegner (SPD)	SPD, F.D.P.,
		BP, GB/BHE
1957–60	H. Seidel (CSU)	CSU, F.D.P.,
		GB/BHE
1960–62	H. Ehard (CSU)	CSU, F.D.P.,
		GB/BHE
1962–78	A. Goppel (CSU)	CSU, BP
		ab 1966 CSU
seit 1978	F. J. Strauß (CSU)	CSU

Bayes-Gesetz *s,* →Bayessches Theorem.
Bayessches Theorem (: be's-), *Bayes-Gesetz,* nach dem engl. Geistlichen Bayes benanntes Theorem, das die Berechnung einer bedingten Wahrscheinlichkeit erlaubt: die Berechnung der Wahrscheinlichkeit für das Eintreten des Ereignisses B, wenn das Ereignis A bereits eingetreten ist.
Bayeux (: bajö), frz. Stadt in der Normandie, im Dep. Calvados, 13 000 E.; Kathedrale (11.–13. Jh) mit normann. Fassade, reicher Ornamentik u. got. Ausbau; Porzellanfabrikation.
Bayle (: bäl), *Pierre,* frz. Philosoph, 1647–1706; Skeptiker, übte einen starken Einfluß auf die Aufklärung im 18. Jh. aus. – HW: *Dictionnaire historique et critique* (1695–97).
Bayonne (: bajon), **1)** frz. Hafenstadt in der Gascogne, nahe der Mündung des Adour in den Golf v. Biskaya, 45 000 E.; got. Kathedrale (13.–16. Jh.) mit Kreuzgang. – **2)** Hafenstadt in New Jersey (USA), Vorort v. New York, 75 000 E.; Industrie.
Bayr, *Rudolf,* österr. Schriftsteller, *1919; Gedichte, Erzählungen, Essays; Nachdichtungen antiker Dramen. – WW: u. a. *Essays über Dichtung* (1947); *Die Schattenuhr*

(1976; Erzähl.); *Der Betrachter* (1978; Roman).
Bayreuth, kreisfreie bayer. Stadt, Hst. des bayer. Reg.-Bez. Oberfranken, am Roten Main, 70 200 E.; Barock- u. Rokokobauten, Altes Schloß (17. Jh.), Neues Schloß (18. Jh., Museum, Wagner-Gedenkstätte), Markgräfl. Opernhaus (18. Jh.), got. Stadtkirche (14.–16. Jh.); nördl. v. B. das R.-Wagner-Festspielhaus (1872–76) der jährl. *B.er Festspiele;* Textil-, Porzellan-, Elektro-, Masch.-, optische u. Zigarettenindustrie.
Bayreuther Festspiele, v. R. → Wagner selbst begründete Festspiele in → Bayreuth zur Aufführung seiner Musikdramen; erstmals 1876 mit dem *Ring des Nibelungen.*
Bayrische Alpen →Bayerische Alpen.
Bayrischer Wald →Bayerischer Wald.
Bayrischzell, oberbayer. Luftkurort im Ldkr. Miesbach, am Fuß des Wendelsteins, 800 m ü. M., 1600 E.
Bazaine (: basän), **1)** *François-Achille,* frz. Marschall, 1811–88; war 1870 Befehlshaber der Rheinarmee; übergab Metz. – **2)** *Jean,* frz. Maler, *1904; Theoretiker der abstrakten Malerei. – WW: Glasfenster (Kirche v. Assy); Wandkeramik u. Betonglasfenster (Audincourt); Mosaik (UNESCO-Gebäude, Paris).
Bazar *m,* →Basar.
Bazille (: basil), *Jean-Frédéric,* frz. Maler u. Zeichner des Impressionismus, 1841–70. – HW: *Réunion de famille* (Familientreffen, 1867).

Fragment des berühmten Teppichs aus Bayeux. Es zeigt den Ansturm der Normannen im Jahr 1066 vor der englischen Küste

Inszenierung der Bayreuther Festspiele. Das Photo zeigt eine Szene aus ‚Tristan und Isolde' von Richard Wagner

Bazillen (Mz.), stäbchenförmige, sporenbildende → Bakterien: *Milzbrand-B. (Bacillus anthracis); Wundstarrkrampf-B. (B. tetani)*, Gasbrand-Erreger; *Heu-B. (B. subtilis), Eiweißfäulnis-B.*

Bazillenträger (Mz.), Menschen u. Tiere, die (selbst nicht od. nicht mehr krank) Krankheitskeime verbreiten können.

Bazillophobie *w* (lat.-gr.), krankhaft gesteigerte Furcht vor Bazillen.

Bazin (: basã), **1)** *Hervé*, frz. Schriftsteller, *1911; Großneffe v. 2); Romane, Novellen, Lyrik. – WW: *Viper im Würgegriff* (1947; Roman); *Mit dem Kopf durch die Wand* (Roman); *Glück auf dem Vulkan* (1970; Roman). – **2)** *René*, frz. Schriftsteller, 1853–1932; Erzählungen, patriot. Familienromane. – WW: u. a. *Landflucht* (1899); *Magnificat* (1932).

Baziotes (: bäsioⁱtis), *William*, am. Maler, 1912–63; Vertreter des Action Painting, der am. abstrakten Kunst.

Bazooka *w* (: bäsukᵉ, engl.), tragbare am. Panzerabwehrwaffe.

Bazzi, *Giovanni Antonio,* → Sodoma.

BB, Kfz.-Kennzeichen v. **B**öblingen (Baden-Württemberg).

bb, *Doppel-b*, b b , musikal. Zeichen, erniedrigt Ton um 2 Halbtöne.

BBC (: bibißi, engl.), **1)** Abk. für → British Broadcasting Corporation. – **2)** Abk. für→ Brown, Boveri & Co.

BBiG, Abk. für → **B**erufsbildungsgesetz.

BBU, Abk. für **B**undesverband **B**ürgerinitiativen **U**mweltschutz.

BC, Kfz.-Kennzeichen v. **B**iberach (Riß).

B.c., *Musik:* Abk. für **B**asso **c**ontinuo.

BCG-Impfung *w,* Abk. für **B**acillus-**C**almette-**G**uérin-Impfung (nach *Albert Calmette,* 1863–1933), → Schutzimpfung mit abgeschwächten Tuberkelbazillen gg. die → Tuberkulose.

BD, 1) Abk. für **B**onner **D**urchmusterung. – **2)** Kfz.-Kennzeichen für **B**undesregierung, -rat u. -tag.

BDA, Abk. für **B**undesvereinigung der **D**eutschen **A**rbeitgeberverbände.

B.D.A., Abk. für **B**und **D**eutscher **A**rchitekten.

BDI, *B.D.I.,* Abk. für **B**undesverband der **D**eutschen **I**ndustrie e. V.

BDKJ, Abk. für **B**und der **D**eutschen **K**atholischen **J**ugend.

BdL, Abk. für → **B**ank **d**eutscher **L**änder.

BDM, Abk. für **B**und **D**eutscher **M**ädel, → Hitlerjugend.

BDS, Abk., Nationalitätszeichen für **Bar**bados.

BdV, Abk. für → **B**und **d**er **V**ertriebenen.

BE, Abk. für → **B**roteinheit.

Be, Abk., chem. Zeichen für→ **Be**ryllium.

Bé, °*Be,* Grad-Bez. der → Bauméskala.

Bea, *Augustin,* Kard.; dt. Theologe, 1881–1968; Jesuit; als Vors. des Sekretariats zur Förderung der Einheit der Christen wegweisend im Ökumenismus.

BEA, Abk. für **B**ritish **E**uropean **A**irways, brit. staatl. Flugges. für europ. Strecken, Sitz: Northolt.

Beachtungswahn *m,* krankhafte Vorstellung eines Menschen, besondere Beachtung als Person zu genießen.

Beaconsfield (: bikᵉnßfild), → Disraeli.

Beadle (: bidl), *George Wells,* am. Biologe, *1903; Genforschung; 1958 mit J. Lederberg Nobelpreis für Medizin.

Beagle-Kanal *m* (: bigl-), 220 km lange Meeresstraße vor der Südspitze Südamerikas, zw. Feuerland u. den Inseln Hoste u. Navarino.

Beamantenne *w* (: bim-, engl.), Richtstrahlantenne.

Beamte Mz., Angehörige des öff. Dienstes (bei Bund, Land, Gemeinde od. Körperschaft des öff. Rechts), die in einem öff.-rechtl. Treueverhältnis *(Beamtenverhältnis)* stehen. B. sind mit hoheitl. Aufgaben od. mit wichtigen Funktionen, deren Ausführung aus Gründen der Staatssicherung durch ein besond. Rechtsverhältnis garantiert werden müssen, betraut. Je nach Berufsqualifikation u. -anforderung stehen B. im mittleren, gehobenen od. höheren Dienst. Zu unterscheiden ist zw. beamteten Angehörigen des öff. Dienstes, wie Lehrer, Hochschullehrer, Richter od. Bundeswehrsoldaten, u. dem Verwaltungs-B.n, dem B.n i.e.S. Neben den Berufs-B.n gibt es Ehren-B., die ein öff. Amt ohne Besoldung u. Versorgungsansprüche als Nebentätigkeit bekleiden. Beendet wird das B.nverhältnis durch Tod, Entlassung (Verlust der B.nrechte, Entfernung aus dem Dienst) od.

Eintritt in den Ruhestand (Ruhestands-B.). – Die Berufung ins B.nverhältnis (B. auf Zeit, auf Widerruf od. auf Lebenszeit) erfolgt durch Ernennung (Urkunde). Die Berufung auf Lebenszeit stellt eine über einen normalen Arbeitsvertrag hinausgehende Bindung auf Gegenseitigkeit dar (einerseits Verzicht auf Streikrecht u. besondere polit. Tätigkeit [Neutralitätsgrundsatz] – andererseits Unkündbarkeit, Versorgung im Ruhestand, bei Krankheit u. Invalidität, der Hinterbliebenen, Beihilfe bei Krankheitskosten usw.). Voraussetzung für ein B.nverhältnis sind neben bestimmten Berufsqualifikationen die dt. Staatsangehörigkeit u. die Bereitschaft, jederzeit für den freiheitl. demokrat. Rechtsstaat im Sinne des Grundgesetzes einzutreten (vgl. Radikalenerlaß). Geregelt sind die Rechte

Die meisten Bakterien sind kugelförmig (A, Kokken), stabförmig (B, Bazillen) oder schraubenförmig (C, Spirillen). Viele Arten haben in bestimmten Stufen ihrer Entwicklung eine oder mehrere Geißeln, mit der/denen sie sich schnell fortbewegen können. Bazillen bilden Sporen, um Austrocknen oder extreme Temperaturen überleben zu können

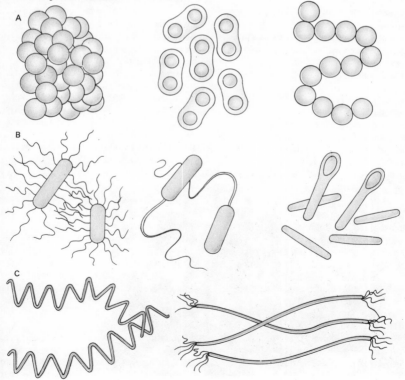

u. Pflichten des B.n gegenüber dem Staat im *Beamtenrecht,* das an die Stelle des privatrechtl. Dienstvertrags tritt. Die B.n unterstehen einem besonderen Disziplinarrecht, sind für ihre Amtsführung persönlich verantwortlich u. vertreten den Staat, der als Dienstherr für sie haftet. B. sind in unterschiedlichem Maße weisungsgebunden: Während Richter u. Lehrer, vor allem Hochschullehrer, weitgehend vom Weisungsrecht des Vorgesetzten ausgenommen sind, sind Soldaten diesem bes. unterworfen. – Das dt. Berufsbeamtentum, das geschichtlich gewachsen ist u. in den verschiedensten Bereichen (Verwaltung, Ausbildung, Recht, Verteidigung, Transport u. Verkehr usw.) die Ausführung v. öff. Aufgaben gewährleistet, findet sich nicht in dieser Ausprägung in anderen Gesellschaften mit einer ähnlichen Verwaltungsstruktur. Die Folge ist, daß in Deutschland im Ggs. zu andern Ländern, z. B. Italien, die Leistungen des öff. Dienstes durch Streiks kaum gefährdet sind.

Beamtenbeleidigung *w,* als Beleidigung strafbar.

Beamtenbestechung *w,* → Bestechung.

Beamtenbund *m,* → Dt. Beamtenbund.

Beamtendelikt *s,* → Amtsdelikt.

Beamtenheimstättenwerk, *BHW, Gemeinnützige Bausparkasse für den öff. Dienst GmbH,* Sitz: Hameln, 1928 gegründet.

Beamtenrecht *s,* → Beamte.

Beamtenverhältnis *s,* →Beamte.

Beanspruchung *w, Technik:* Belastung eines Materials od. Bauteils durch äußere Kräfte; je nach deren Art entsteht eine Druck-, Zug-, Biegungs-, Torsions- od.

Verdrehungs-B. → Spannung, → Werkstoffprüfung.

Beardsley (: biᵉʳdßli), *Aubrey Vincent,* engl. Zeichner u. Schriftsteller, 1872–98; beeinflußte Buchillustration u. Plakatkunst des Jugendstils; schrieb Gedichte; 1894–97 Hrsg. der Ztschr. *The Yellow Book* u. *The Savoy.*

Béarn, südfrz. Landschaft im Pyrenäenvorland; Hauptort: Pau; Wohngebiet der → Basken.

Beat *m* (: bit, engl.), Grundschlag im Jazz; → Beatmusik.

Beatenberg, schweiz. Kurort im Kt. Bern, 1150 m ü. M., etwa 1400 E.

Beat Generation *w* (: bit dschenᵉreˡschᵉn, engl., „geschlagene Generation'), Gruppen der am. Nachkriegsgeneration, die in Protesthaltung gg. die Wohlstandskultur der organisierten modernen am. Industriegesellschaft nach neuer Individualität u. Sensualität suchten; getragen v. jüngeren nordam. Schriftstellern u. Künstlern, wie A. Ginsberg, J. Kerouak, L. Ferlinghetti, G. Corso u. a.; vertreten v. den *Beatniks.*

Beatifikation *w* (lat.), → Seligsprechung.

Beatles (: bitlß, engl., Mz.), Quartett der Beatmusik: J. Lennon, R. Starr, P. McCartney u. G. Harrison; bis 1970.

Beatmusik *w* (: bit-, engl.), um 1960 in Engl. entstandene, durch die → Beatles u. a. andere Gruppen verbreitete, gg. Kultur der Wohlstandsgesellschaft gerichtete volkstümliche Vokal- u. Instrumentalmusik; Initialstufe der → Popmusik.

Beatniks (: bit-, engl., Mz.), die Vertreter der → Beat Generation.

Beatrice (: -tsche), Dantes Jugendgeliebte.

Die Beatles in den ersten Jahren ihres Erfolgs. Von links nach rechts: John Lennon, Ringo Starr, George Harrison, Paul McCartney

Neben den Beatles ist aus England auch die Gruppe ‚The Who' international bekannt geworden. Das Photo zeigt eine Szene bei ihrem Auftritt

Beatrix (lat., ‚Beglückende'), weibl. Vorname.

Beatrix, 1) *B. v. Burgund,* Gattin Ks. Friedrichs I., †1184; erbte Burgund. – **2)** Königin v. Ungarn, 1457–1508; Gattin v. Kg. Matthias Corvinus. – **3)** Königin der Niederlande, *1938; seit 66 verheiratet mit Claus v. Amsberg; 1980 Königin.

Beattie (:biti), *James,* engl. Schriftsteller, 1735–1803; frühromant. Oden u. Elegien.

Beatty (:biti), Earl *David,* engl. Admiral, 1871–1936; 1912–16 Kommandeur der Schlachtkreuzer (Doggerbank, Skagerrak), 1916 Chef der Großen Flotte, 1918–27 Erster Seelord.

Beatus Rhenanus, dt. Humanist, 1485–1547. – HW: *Rerum Germanicarum libri tres* (1531).

Beau *m* (:bo, frz., ‚schöner [Mann])'), eleganter Stutzer.

Beaucaire (:bokär), südfrz. Stadt, an der Rhône, gegenüber Tarascon, etwa 13 000 E.; seit 1217 berühmte Messestadt (Magdalenenmesse).

Beauce *w* (:boß), fruchtbare frz. Landschaft südl. v. Paris, die ‚Kornkammer v. Paris'; Hauptort: Chartres.

Beauchamps (:boschã), *Charles Louis,* frz.

Beaufortskala		Windgeschwindigkeit
Bezeichnung	Kennzeichen	km/h
0 Windstille (Calme)	Vollkommene Windstille	0–1
1 Leiser Zug	Rauch steigt fast gerade empor	2–6
2 Leichte Brise	Leichter Wind, hebt leichte Wimpel und bewegt zeitweise Blätter von Bäumen	7–12
3 Schwache Brise	Schwacher Wind, bewegt Flaggen und setzt Blätter von Sträuchern und Bäumen in ziemlich ununterbrochene Bewegung, kräuselt die Oberfläche stehender Gewässer	13–18
4 Mäßige Brise	Mäßiger Wind, streckt Wimpel, bewegt unbelaubte schwächere Baumäste	19–26
5 Frische Brise	Frischer Wind, streckt größere Flaggen, bewegt unbelaubte größere Äste, wird für das Gefühl schon unangenehm, wirft auf stehenden Gewässern Wellen	27–35
6 Starker Wind	Starker Wind, wird an Häusern und anderen festen Gegenständen hörbar, bewegt schwächere Bäume, wirft auf stehenden Gewässern Wellen, die vereinzelt Schaumköpfe zeigen	36–44
7 Steifer Wind	Steifer Wind, bewegt unbelaubte Bäume mittlerer Stärke, wirft auf stehenden Gewässern Wellen mit vielen Schaumköpfen	45–54
8 Stürmischer Wind	Stürmischer Wind, bewegt stärkere Bäume und bricht Zweige und normale Äste ab, ein gegen den Wind schreitender Mensch wird merkbar aufgehalten	55–65
9 Sturm	Unbelaubte größere Äste werden abgebrochen, Dächer werden abgedeckt	66–77
10 Schwerer Sturm	Bäume werden umgebrochen, beträchtlicher Schaden an Gebäuden, über festem Land schon selten	78–90
11 Orkanartiger Sturm	Zerstörende Wirkungen schwerer Art	91–104
12 Orkan	Verwüstende Wirkungen	über 104

Beau

Szene aus dem erfolgreichen Theaterstück ‚Die Hochzeit des Figaro' von Beaumarchais

Ballettmeister, 1636–1705; Erfinder der Tanzschrift (Choreographie).

Beaudin (: bodắ), *André,* frz. Maler u. Bildhauer des Konstruktivismus, *1895.

Beaufortskala *w* (: bo"f°t-, engl.), Einteilung der Windstärke, die 1806 v. dem engl. Admiral Beaufort aufgestellt wurde; vgl. Tabelle.

Beauharnais (: boarnä), *de,* frz. Adelsfamilie: **1)** *Alexandre,* frz. Politiker u. General, 1760–94 (hingerichtet); zweimal Präs. der Nationalversammlung; 1793 Oberbefehlshaber der Rheinarmee. – **2)** *Eugène,* 1781–1824; Sohn v. 1) u. 4); 1805–14 Vize-Kg. v. Italien. – **3)** *Hortense,* 1783–1837, Tochter v. 1) u. 4); 1802 Gemahlin v. Louis Bonaparte, Mutter Napoleons III. – **4)** *Joséphine,* 1763–1814; Witwe v. 1); heiratete 1796 Napoleon I.; 1809 wegen Kinderlosigkeit geschieden.

Kloster in Beauvais

Beaujolais (: boscholä), **1)** *s,* südfrz. Berglandschaft zw. Loire u. Saône; Hauptort: Beaujeu; Weinbaugebiet. – **2)** *m,* Wein aus dem Beaujolais 1).

Beaumarchais (: bomarschä), *Pierre-Augustin Caron de,* frz. Lustspieldichter, 1732–99; seine sozialkrit. Komödien trugen zur polit. Entwicklung der Revolution bei. – WW: u. a. *Der Barbier v. Sevilla* (1775; Oper v. Rossini); *Der tolle Tag od. Die Hochzeit des Figaro* (1784; Oper v. Mozart).

Beaumont (: bo"m°nt), Stadt im SO v. Texas (USA), 117 000 E.; Erdölzentrum; Erdölraffinerien; chem. u. a. Industrie.

Beaumont (: bo"ment), *Francis,* engl. Schriftsteller, 1584–1616; bühnenwirksame Schauspiele, großteils gemeinsam mit *John Fletcher,* 1579–1625.

Simone Beauvoir

Beaune (: bon), **1)** frz. Stadt an der Côte d'Or, bei Dijon, 19 000 E.; Hôtel Dieu (15. Jh.); Zentrum v. Weinbau u. -handel des *Beaunois.* – **2)** *m,* Burgunderwein aus dem Beaunois.

Beauneveu (: bon°wö), *André,* frz. Bildhauer u. Maler, etwa 1330 – vor 1413; tätig 1360–1403; Vertreter des ‚Weichen Stils'; Statuen v. frz. Königen u. a.; Miniaturen für Psalter v. Bourges des Hzg. v. Berry.

Beaunois *s* (: bon°a), frz. Weingebiet um → Beaune.

Beauté *w* (: bote, frz.), Schönheit.

Beauvais (: bowä), Hst. des frz. Dep. Oise, 54 000 E.; got. Kathedrale (13. Jh.); Textil-Ind., Teppichweberei.

Beauvoir (: bow°ar), *Simone,* frz. Schriftstellerin, *1908; Schülerin u. Lebensgefährtin v. J.-P. Sartre; Vertreterin eines atheist. Existentialismus u. Kämpferin für die Emanzipation der Frau. – WW: *Das andere Geschlecht* (1949); *Die Mandarins v. Paris* (1954); *Memoiren einer Tochter aus gutem Hause* (1958; Autobiographie); *In den be-*

sten Jahren (1960); *Eine gebrochene Frau* (1967); *Das Alter* (1970) u. a.

Beaverbrook (: biwᵉʳbruk), *William Lord*, brit. konservativer Politiker u. Zeitungsverleger (Daily Express, Sunday Express, Evening Standard), 1879–1964; war 1940–43 Min. für Kriegsproduktion u. Versorgung.

Bebauungsdichte *w*, das Verhältnis v. bebauter zu unbebauter Fläche eines Grundstücks od. einer Gemeinde.

Bebauungsplan *m*, verbindliche Richtlinie für Straßenführung u. Überbauung eines Baugeländes; v. der Gemeinde aufgestellt u. als Satzung beschlossen.

Bébé *s* (frz.), das Kleinkind.

Bebel, 1) *August*, dt. sozialdemokrat. Politiker, 1840–1913; 1869 Mitgründer u. bald Leiter der Sozialdemokrat. Arbeiterpartei; seit 1867 fast ununterbrochen im dt. Reichstag; mehrmals verurteilt (wegen Hochverrat, Majestätsbeleidigung u. a.); beteiligt am → Erfurter Programm. – WW: *Die Frau u. der Sozialismus* (1883); *Aus meinem Leben* (3 Bde, 1910–14). – **2)** *Heinrich*, dt. Humanist u. Schriftsteller, 1472–1518; lat. Lyrik u. Schwänke in lat. Prosa.

Bebop *m* (: bi-, engl.), Stil der Jazzmusik der vierziger Jahre; Frühform des modernen Jazz; häufiger Tonartwechsel, Gesang v. Silben ohne Wortgehalt.

Bebra, hess. Stadt im Reg.-Bez. Kassel, an der Fulda, 15 400 E.; Kunststoff-Ind.; wichtiger Bahnknotenpunkt.

Bécaud (: beko), *Gilbert,* frz. Sänger u. Komponist, *1927; Chansons.

Beccafumi, *Domenico,* it. Maler u. Bildhauer, um 1486–1551; sienes. Meister des Übergangs v. der Spätrenaissance zum Manierismus; Wand- u. Tafelbilder mit Darstellung des Schrecklichen u. Unheimlichen; relig. Themen, Marienleben; Fresken.

Beccaria-Bonesana, *Cesare* Marchese de, it. Rechtsgelehrter u. -philosoph, 1737–94; Prof. in Mailand; Vertreter eines modernen Strafrechts im Sinne der Erhaltung der persönl. Freiheit u. der Beschränkung der Strafe auf das Notwendige (Gegner v. Folter u. Todesstrafe). – HW: *Trattato dei delitti e delle pene* (1764).

Béchar (: beschar), **1)** alger. Dep., 306 000 km², 148 500 E.; Hst.: B. – **2)** Hst. v. 1), Oasenstadt am Fuß des Sahara-Atlas, 708 m ü. M., 73 000 E.; Eisen-Ind.; Flughafen.

Bechelaren, alter Name v. → Pöchlarn.

Becher *m*, henkelloses Trinkgefäß in verschied. Formen, aus Ton, Glas od. Metall.

Becher, 1) *Erich,* dt. Philosoph u. Psychologe, 1882–1929; Prof. in München u. Münster; Vertr. eines krit. Realismus u. Psychovitalismus: Das Weltgeschehen u. das menschl. Dasein werde v. einem ‚überindividuellen Seelischen' beeinflußt. – WW:

Minoischer Becher um 1600 v. Chr. Dargestellt wird der Kampf mit einem Stier

Gehirn u. Seele (1911); *Die fremddienl. Zweckmäßigkeit der Pflanzengallen u. die Hypothese eines überindividuellen Seelischen* (1917); *Geisteswiss. u. Naturwiss.* (1921). – **2)** *Johannes Robert,* dt. Schriftsteller, 1891–1958; 1933–45 in der UdSSR; 1954 Min. für Kultur in der DDR; expressionistische, später sozialist. Lyrik, Epik, Dramen u. Erzählungen. – WW: u. a. *Verfall u. Triumph* (1914); *Päan gg. die Zeit* (1918); *Wir, unsere Zeit, das 20. Jh.* (1956); *Über Lit. u. Kunst* (1962; Essays). – **3)** *Ulrich,* dt. Schriftsteller, *1910; zeitkritische, iron.-satir. Schauspiele, Romane u. a. – WW: Dramen *Samba* (1951), *Feuerwasser* (1952), *Mademoiselle Löwenzorn* (1953); Romane: *Murmeljagd* (1969), *William's Ex-Casino* (1973) u. a.

Becherauge *s,* Auge einiger Wirbellosen, z. B. Würmer u. Schnecken. Lichtsinneszellen sind in einen Becher aus Pigmentzellen eingebettet; dienen zur Wahrnehmung der Lichteinfallsrichtung u. bewegter Gegenstände.

Becherflechten (Mz.), *Korallenflechten* (Gattung *Cladonia*), → Flechten mit becherförmiger Gestalt u. roten od. braunen Sporenkörpern am Rand der Becher. Sehr häufig, v. den Ebenen bis zu Hochgebirgsgipfeln weltweit verbreitet.

Becherkeim *m,* → Gastrula.

Becherkultur *w,* → Glockenbecherkultur.

Becherlinge (Mz.), becherförmige → Schlauchpilze; in heimischen Wäldern. *Orangenbecherling.*

Becherrost *m,* Pilzkrankheit an Stachel- u. Johannisbeeren.

Becherwerk *s, Elevator, Paternosterwerk,* Vorrichtung zur senkrechten, schrägen od. waagrechten Förderung v. Flüssigkeiten, Sand, Erde, Getreide o. dgl. in becherartigen Gefäßen, die an endloser Kette über Rollen laufen; → Bagger.

Bechet (:beschei) *Sidney,* am. Jazzmusiker, 1897–1959; Klarinettist, Sopransaxaphon; Vertreter des klass. New-Orleans-Stils.

Bechhofen, bayer. Markt in Mittelfranken, im Ldkr. Ansbach, 5200 E.

Bechstein, 1) *Carl,* dt. Klavierbauer, 1826–1900. – **2)** *Ludwig,* dt. Schriftsteller, 1801–60; Sammler u. Hrsg. v. dt. Sagen u. Märchen.

Bechterew, *Wladimir Michailowitsch,* russ.

Der griechische Komponist Mikis Theodorakis bei einer Probe mit seinem Orchester. Im Vordergrund ist das Schlagzeug mit Becken zu erkennen

Psychiater u. Neurologe, 1857–1927; Prof. in Petersburg; Schüler W. Wundts; mit I.P. → Pawlow Begr. der ‚objektiven Psychologie' (→ Reflexologie, → bedingte Reaktion); befaßte sich vor allem mit dem Zentralnervensystem u. der Wirbelsäule (→ Bechterew-Krankheit). – WW: *Die objektive Psychologie* (1907–12); *Grundzüge der Reflexologie des Menschen* (1918).

Bechterew-Krankheit *w, B.-Marie-Strümpellsche Krankheit,* nach → Bechterew, P. Marie (1853–1940) u. A. v. Strümpell (1853–1925) benannte chronische entzündl. Erkrankung der Wirbelsäule, bei der es zur Versteifung der kleinen Wirbelgelenke durch Verknöcherung kommt; charakteristisch sind die nach vorne gebeugte Haltung u. die Bewegung in kleinen Trippelschritten; befällt vorwiegend Männer in mittleren Lebensjahren; Behandlung: Operation bzw. Medikamente.

Bechtle, *Robert,* am. Maler des Fotorealismus, *1932.

Bechtold, *Erwin,* dt. Maler, *1925; bemüht

um Synthese v. Konstruktion u. freier Form.

Beck, 1) *Conrad,* Schweizer Komponist, *1901; v. Honegger beeinflußt; Sinfonien, Chorwerke, Kammermusik u. a. – **2)** *Józef,* poln. Politiker, 1894–1944; Mitarbeiter Piłsudskis; 1932–39 Außenmin., schloß 1933 Nichtangriffspakt mit der UdSSR, 1934 mit Dtl. – **3)** *Leonhard,* dt. Maler u. Holzschnittzeichner, um 1480–1542; Tafelbilder; Illustrationen zu Holzschnittbüchern Ks. Maximilians I. – **4)** *Ludwig,* dt. General, 1880–1944 (Freitod); 1933 Chef des Truppenamts, 1935 des Generalstabs des Heers; trat 1938 aus Protest gg. Hitlers Kriegspolitik zurück; führend in der Widerstandsbewegung gg. Hitler. – **5)** *Max Wladimir* Frh. v., österr. Politiker, 1854–1943; 1906–08 Min.-Präs.; führte allg. Wahlrecht ein u. arbeitete im Dienst des Ausgleichs zw. den Nationalitäten.

Becken *s,* **1)** *Geol.:* Vertiefung, Senke in Erdoberfläche od. auf Meeresgrund. – **2)** *Med.:* bei Mensch u. Wirbeltier knöcherner Ring aus Kreuzbein, Darm-, Sitz-, u. Schambeinen; im B. liegen Mastdarm, Blase, bei der Frau Eierstöcke u. Gebärmutter, beim Mann Vorsteherdrüse u. Samenblase; die größere B.weite der Frau ist für den Geburtsablauf wichtig. – **3)** *Musik:* Schlaginstrument aus zwei Metalltellern mit Ledergriffen; gibt bei Gegeneinanderschlagen grellen Ton; frei aufgehängter od. auf Trommel montierter Teller wird mit Trommelstöcken od. Paukenschlägel geschlagen.

Beckenboden *m,* muskulöser Abschluß der unteren Öffnung des Beckenrings, wird v. After, Harnröhre u. Scheide durchzogen.

Beckenendlage *w,* abnorme Lage des Kinds in der Gebärmutter vor der Geburt; Geburtshindernis. Das Becken des Kinds liegt im Uterusausgang (normalerweise geht der Kopf voran, Normallage). Unterscheidung zw. → Steiß- u. → Fußlage, je nach vorangehendem Körperteil; B. ist selten.

Beckenkamm *m,* vorspringender Hüftknochen, bevorzugte Entnahmestelle v. Knochen zur diagnostischen Begutachtung (*Beckenkammbiopsie*).

Beckenniere *w,* anomale Lage einer Niere im Becken.

Beckenvenenthrombose *w,* Verschluß der tiefen Beckenvenen; → Venenthrombose.

Becker, 1) *Albert,* dt. Komponist, 1834–99; Sinfonien, Kammermusik u. a. – **2)** *Carl Heinrich,* dt. Islamforscher u. preuß. Politiker, 1876–1933; 1925–30 preuß. Kultus-Min.; betrieb Hochschulreform. – **3)** *Curt Georg,* dt. Maler, *1904; u. a. Landschaften, Bildnisse, Illustrationen. – **4)** *Günter,* dt. Komponist, *1924; Gründer der ,Gruppe MHz' (1969). – **5)** *Jurek,* dt. Schriftsteller, *1937; trat 1977 aus DDR-Schriftstellerverband aus; haupts. Romane: *Jakob der Lügner* (1968); *Irreführung der Behörden* (1974); *Der Boxer* (1976); *Schlaflose Tage* (1978); *Nach der ersten Zukunft* (1980; Erzählungen). – **6)** *Jürgen,* dt. Schriftsteller, Rundfunkautor u. Kritiker, *1932; Mitgl. der ,Gruppe 47'; Prosa, Hörspiele u. a. – WW: *Ränder* (1968); *Umgebungen* (1970); *Die Wirklichkeit der Landkartenzeichen* (1971; Hörspiel). – **7)** *Karl,* dt. Maler, 1820–1900; Vertreter der Historienmalerei des 19. Jh. – **8)** *Knuth,* dän. Schriftsteller, *1891; Gedichte, Erzählungen, Romane. – WW: *Das tägl. Brot* (1932); *Marianne* (1956) u. a. – **9)** *Maria,* dt. Schauspielerin *1920; Charakterdarstellerin, nam. Tragödin. – **10)** *Peter,* dt. Maler u. Lithograph, 1828–1904; Landschaften, Städtebilder. – **11)** *Richard,* dt. Physiker, 1887–1955; u. a. Beiträge zu Ferromagnetismus, Quantentheorie.

Henri Becquerel war der Entdecker der radioaktiven Strahlung; die SI-Einheit der Radioaktivität heißt nach ihm ,Becquerel' (= 1 Zerfall pro Sekunde). Sie ersetzt die frühere ,Curie', genannt nach Marie Curie, der viele Forscher – zu Unrecht – diese Entdeckung zuschreiben

Beck

Becker-Gundahl, *Karl.* dt. Maler u. Illustrator, 1856–1925; Prof. in München; Mitarb. der *Fliegenden Blätter;* Mitgründer der Münchener Sezession; u. a. realist. Großfresken für Kirchen.

Becker-Modersohn, *Paula,* → Modersohn.

Becket, *Thomas,* Primas v. England, 1118–70; seit 1155 Lordkanzler Kg. Heinrichs II.; vertrat als Erzb. v. Canterbury (seit 1162) die Rechte der Kirche, mußte fliehen; nach Rückkehr ermordet; hl. (29.12.).

Beckett, *Samuel,* ir. Schriftsteller u. Regisseur, *1906; schreibt in engl. u. frz. Sprache; Vertreter des Absurden u. nihilist. Pessimismus in Gedichten, Romanen, Schauspielen; 1969 Nobelpreis für Literatur. – WW: *Molloy* (1951; Roman); *Malone stirbt* (1951; Roman); *Der Namenlose* (1953; Roman); *Warten auf Godot* (1953; Drama); *Endspiel* (1956; Drama); *Glückliche Tage* (1961; Drama) u. a. m.

Beckingen, saarländ. Gem. im Ldkr. Merzig-Wadern, 15000 E.

Becklampe w, Bogenlampe, die sehr weißes Licht hoher Intensität erzeugt.

Beckmann, 1) *Ernst Otto,* dt. Chemiker, 1853–1923; bekannt durch Aufklärung des Reaktionsmechanismus bei der *B.-Umlagerung,* d. h. der chem. Umwandlung v. Ketoximen in Säureamide. Entwicklung des *B.-Thermometers,* eines Quecksilberthermometers, mit dem sehr kleine Temperaturdifferenzen (tausendstel Grad) gemessen werden können. – **2)** *Max,* dt. Maler u. Graphiker, 1884–1950; Mitgl. der Sezession, impressionist. Malerei; nach Kriegserlebnis 1914/15 Wandlung zu expressionist.-realist. Gemälden u. Zyklen; 1936 Emigration nach Paris u. Amsterdam; seit 1947 in den USA. – WW: u. a. *Die Nacht* (1918/19); *Die Versuchung des hl. Antonius* (1936/37; Triptychon); *Die Apokalypse* (1943; Zyklus). – Schr.: *Briefe im Krieg* (1955); *Tagebücher* (1955); *Sichtbares u. Unsichtbares* (1965).

Beckmesser, 1) *Sixt(us),* Nürnberger Meistersinger des 16. Jh.; kom. Figur in R. Wagners Musikdrama *Meistersinger.* – **2)** kleinlicher Kritikaster.

Beckum. nordrh.-westfäl. Stadt im Kr. Warendorf, südöstl. v. Münster, 38200 E.; Zement-, Kalk-, Masch.- u. Möbelindustrie.

Becque (:bek), *Henri,* frz. Schriftsteller,

Meßapparat für radioaktive Präparate. Die Zählröhre ist ein Proportionalzähler, durch den Methangas strömt (Methangaszähler). Das Methan wird durch einen Schlauch aus dem Meßkasten zugeführt. Das Präparat wird in die Zählröhre gebracht

1837–99; zeit- u. gesellschaftskritische naturalist. Dramen. – HW: *Die Raben* (1882); *Die Pariserin* (1885).

Bécquer (:beker), *Gustavo Adolfo,* span. spätromant. Schriftsteller, 1836–70; Lyrik u. Erzählungen; v. Einfluß auf span. Lit. des 20. Jh. – HW: *Legenden* (1860–65; lyr. Prosa); *Rimas* (1871; Lieder).

Becquerel (:bekräl), *Henri,* frz. Physiker, 1852–1908; Entdecker der → radioaktiven Strahlen, die das → Uran aussendet u. die photographische Platten schwärzen; 1903 mit P. u. M. → Curie Nobelpreis für Physik.

Bécs (:betsch), ungar. für Wien.

Beda der Ehrwürdige, *B. Venerabilis,* engl. Kirchenlehrer, um 673–735; Benediktiner;

schrieb die erste Gesch. Englands; hl. (25.5.).

Bedarf *m,* Gesamtheit der auf dem Markt als Nachfrage auftretenden Bedürfnisse an Wirtschaftsgütern.

Bedarfsdeckungsmonopol *s,* → Bedarfs-deckungswirtschaft.

Bedarfsdeckungswirtschaft *w, Bedarfswirtschaft,* Wirtschaftsverfassung, die im Unterschied zur → Marktwirtschaft od. zur → Erwerbswirtschaft der Bedarfsdeckung bei Güterknappheit, d. h. der Bedürfnisbefriedigung dient. Bedarfsdeckende Versorgungsleistungen (z. B. Verkehr) sind geschützt durch ein *Bedarfsdeckungsmonopol.*

Bedarfswirtschaft *w,* → Bedarfsdeckungswirtschaft.

Bedburg, nordrh.-westfäl. Stadt westl. v. Köln, im Erftkreis, 18 600 E.; Zucker- u. a. Ind.; Braunkohlenbergbau.

Bedburg-Hau, nordrh.-westfäl. Stadt im Kr. Kleve, an der Erft, 13 700 E.; Schloß (14.–16. Jh.); Zucker-, Woll- u. a. Industrie.

Beddoes (: bedoᵘs), *Thomas Lovell,* engl. Schriftsteller, 1803–49 (Freitod); Lyrik; ein Versdrama u. a.

Bede *w,* älteste direkte dt. Steuer; vom Landesherrn auf Grundbesitz u. Gebäude erhoben.

Bedecktsamige (Mz.), die → Angiospermen.

bedeckungsveränderliche Sterne, Doppelsterne, die scheinbar ihre Helligkeit dadurch verändern, daß bei der Umkreisung des gemeinsamen Schwerpunkts ein Stern vor den andern tritt u. so zeitweilig das Licht des andern Sterns ganz od. teilweise abschirmt.

Bedel (: bᵉdäl), *Maurice,* frz. Schriftsteller, 1883–1954; Reiseberichte, Essays.

Bederkesa, niedersächs. Flecken, 4000 E., u. Samtgem. im Ldkr. Cuxhaven, 11 500 E.

Bedeutung *w,* 1) *allg.:* B. als das, was ein Wort in bezug auf einen Sachverhalt, auf den es hinweist, bezeichnet. – 2) *Philos., allg.:* B. als das benannte Einzelding; strittiger Begriff, vgl. Universalienstreit. – 3) *Sprachwiss.:* → Semantik. – 4) *denotative B.,* für alle in gleicher Weise festgelegte Bez. eines Sachverhalts (Lexikon, Wörterbuch). – 5) *funktionale B.,* bezieht sich auf den Stellenwert v. Einzelelementen in bezug auf ihren Einfluß auf ein systemat. Ganzes, z. B. die funktionale B. einer Parteibasisgruppe in bezug auf die Gesamtpartei. – 6) *konnotative B.,* die subjektive Vorstellung od. Bewertung einer Bezeichnung durch den, der sie macht.

Bedeutungsanalyse *w,* die Zerlegung eines Begriffs in seine semantischen Bestandteile.

Bedeutungslehre *w,* → Semantik.

Bedeutungsverlust *m, Bedeutungswahn,* Verschiebung od. Verlust v. Bedeutungen

Zwei Beispiele für bedecktsamige Pflanzen: Herbstzeitlose mit Keimblatt (links). Bild rechts: Hahnenfuß mit Keimblatt

Bede

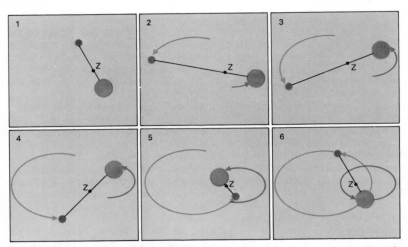

Bedeckungsveränderliche Sterne. Früher nahm man an, daß sich die Komponenten eines Doppelsterns umeinander drehen. In Wirklichkeit bewegen sich beide um ihren gemeinsamen Schwerpunkt (Z). Dessen Position (und somit auch die Größe der Bahnen) wird von den Massen der Komponenten bestimmt. Wenn der Schwerpunkt in bezug auf die umgebenden Sterne fest wäre, würden die Komponenten zwei geschlossene Ellipsen am Himmel beschreiben (wie in Abb. 1–6). Dadurch daß sich der Doppelstern aber zwischen den Sternen fortbewegt, werden die Ellipsenbewegungen zu einer Art Wellenbewegung in die Länge gezogen

in einer krankhaften Weise, vor allem bei Schizophrenen.

Bedeutungswahn *m,* → Bedeutungsverlust.

Bedeutungswandel *m,* die Änderung einer Wortbedeutung, vor allem aufgrund sozialer u. psycholog. Veränderungen; z. B. des Begriffs ‚Strafgefangener' vom ‚Zuchthäusler' zu einer Person, die eine Freiheitsstrafe verbüßt mit dem Ziel der gesellschaftl. Wiedereingliederung (Rehabilitation).

Bedford (:-fᵉʳd), **1)** *Bedfordshire,* mittelengl. Grafschaft, 1235 km², 505000 E.; Hst. B. – **2)** Hst. v. 1), nordwestl. v. London, 73000 E.; Handelsplatz für landwirtschaftl. Produkte; Maschinenindustrie.

bedingte Hemmung, bei I. P. → Pawlow das Löschen v. Reaktionen durch das gleichzeitige Auftreten mehrerer Reize.

bedingte Reaktion, *konditionierte Reaktion, bedingter Reflex,* künstliche unter bestimmten Bedingungen (z. B. durch Dressur od. Gewöhnung) erworbene Reaktion im Unterschied zur natürlichen, ursprüngl. (unbedingten od. unkonditionierten) bzw. angeborenen Reaktion. B. R.en werden während des Lebens erworben u. sind daher wieder löschbar (vgl. bedingte Hemmung).

Ihre Erforschung geht auf I. P. → Pawlow (Bechterew) zurück, auf das sog. Pawlowsche Hundeexperiment: Die Reaktion des Speichelflusses, eine unbedingte Reaktion, beim Anblick des Futters kann auch auf ein Glockenzeichen ausgelöst werden, wenn es vorher mehrmals in Verbindung mit der Futterverabreichung gegeben wurde.

bedingter Reflex → bedingte Reaktion; → Reflex.

bedingte Strafentlassung → Bewährungsfrist.

Bedingung *w* (lat. *conditio*), **1)** *allg.:* unabdingbare Voraussetzung. – **2)** *Logik:* dasjenige, wovon ein anderes (ein Bedingtes) in seinem Vorhandensein u. seiner Geltung abhängt, u. zwar entweder als *conditio sine qua non,* als notwendige Bedingung für das Eintreten eines Ereignisses, od. als *conditio per quam,* als hinreichende Bedingung. Ferner wird unterschieden zw. einer log. Bedingung als Grund u. dem log. Bedingten als Folge, u. zw. einer realen B. als Ursache u. dem real Bedingten als Wirkung.

Bedingungssatz *m, Konditionalsatz,* Nebensatz, der eine Bedingung ausdrückt (eingeleitet mit: falls, wenn, sofern . . .).

Bedja, *Bedscha,* arab. *Bedauje,* urspr. hamitische Volksgruppe in Nordostafrika, östl. des Nils; weithin arabisiert.

Bedloe Island (: bedlo^u ailänd), *Liberty Island*, kleine Insel vor Manhattan (New York), mit Freiheitsstatue.

Bednyi, *Demjan,* Pseud. für *E. A. Pridworow,* russ. Schriftsteller, 1883–1945; polit. kommunist. Propaganda in Fabeln u. Versgeschichten.

Bedscha → Bedja.

Beduinen (arab., Mz.), arabische nomad. Viehzüchter der Steppen- u. Wüstengebiete Arabiens u. Nordafrikas.

Bedürfnis *s,* **1)** *Psychol.: a) allg.:* jeder Zustand eines Mangels, den ein Individuum zu überwinden sucht u. den es als Spannung erlebt. Dieser allg. B.begriff wird meist synonym mit den Begriffen → Motiv u. → Trieb verwendet, da eine exakte Abgrenzung nur vor dem Hintergrund einer bestimmten psycholog. Schule erfolgen kann. Je nach Ursache des jeweiligen Mangelzustands werden die B.se aufgegliedert in *primäre* (biolog., angeborene, wie B. nach Hunger) u. *sekundäre* (soziokulturelle, erworbene, wie B. nach Leistung od. geistigen Interessen). K. Lewin unterscheidet zw. *echten B.sen* u. *Quasi-B.sen* („Luxus-B.sen'), die, durch gesellschaftl. Bedingungen geweckt, nur sekundär auf echtem Bedarf beruhen. Von *Kollektiv-B.sen* spricht man, wenn die B.se v. Gruppen u. nicht vom einzelnen ausgehen, v. *patholog. B.sen* bei Süchten od. Zwangshandlungen. *– b) behaviorist. Lern- u. Verhaltenstheorie:* B. als ein erschlossener Mangelzustand in einem Organismus, der anhand der Zeitdauer der → Deprivation gemessen wird. Diese wird als Voraussetzung für das Auftreten eines Verhaltens (Lernen) in eine bestimmte Richtung betrachtet. **– 2)** *Wirtschaft:* Empfindung eines Mangels an notwendigen existentiellen, kulturellen od. Luxusgütern, an denen ein Bedarf (leiblich od. geistig, individuell od. kollektiv) besteht, den man zu decken strebt; B. ist v. vielerlei Bedingungen abhängig (Überlieferung, soziale Lage, Bildung, Umwelt, Markt usf.); → Bedarfsdeckungswirtschaft, → Bedürfnisbefriedigung.

Bedürfnisbefriedigung *w,* Handlung, die zur Aufhebung einer Spannung führt, die durch ein Bedürfnis hervorgerufen war; der Zustand der Spannungsaufhebung.

Bedürfnisreduktion *w,* → Triebreduktion.

Będzin (: bådsin), dt. *Bendin,* poln. Stadt, nahe der oberschles. Grenze, 59000 E.; NE-Metallhütten, Steinkohlenlager; Stahl-, Zuckerindustrie.

Beebe (: bib), *William,* am. Zoologe, 1877–1962; bekannt durch seine Tiefseeforschungen mit einer Taucherkugel.

Beecham (: bitsch^{å}m), Sir *Thomas,* engl. Dirigent, 1879–1961; gründete 1932 das London Symphony Orchestra u. 1946 das Royal Philharmonic Orchestra.

Beecher-Stowe (: bitsch^{er}ßto^u), *Harriet,* am. Schriftstellerin, 1811–96; schrieb gg. Negersklaverei den vielgelesenen erfolgreichen Roman *Onkel Toms Hütte* (1852).

Beefsteak *s* (: bißte^{i}k, engl.), **1)** halbdurchgebratenes Rinderfilet. **– 2)** *dt. B.,* gebrate-

Neben der Sorge für die Kinder und den Haushalt gehört das Ziegenhüten zu den Aufgaben der Beduinenfrau.

Beduinen in der Sahara. Ursprünglich war ein starkes kriegerisches Element in der Beduinenkultur vorhanden. Sie besorgten ihren Lebensunterhalt teilweise durch Raubzüge

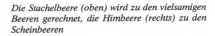

Die Stachelbeere (oben) wird zu den vielsamigen Beeren gerechnet, die Himbeere (rechts) zu den Scheinbeeren

nes gehacktes Rindfleisch. – **3)** *B. à la tatare,* rohes gehacktes Rindfleisch.

Beeinflußbarkeit *w,* das Ausmaß der Veränderbarkeit v. Meinungen, Haltungen, Einstellungen, Verhaltensweisen usw. durch Argumentation, Drohung od. suggestive Methoden.

Beel, *Bel,* der semit. Gott → Baal.

Beelzebub → Beelzebul.

Beelzebul *m* (hebr.), in Lutherbibel u. Vulgata *Beelzebub,* im AT Gottheit der Philister; im NT Oberster der Dämonen, Teufel.

Beer, 1) *August,* dt. Physiker, 1825–63; fand u. a. das → B.sche Gesetz. – **2)** *Johann,* österr. Schriftsteller, 1655–1700; musikal. Schriften, Schelmenromane. – HW: *Die Teutschen Winter-Nächte* (1682); *Die kurzweiligen Sommer-Täge* (1683). – **3)** *Michael,* dt. Schriftsteller, 1800–33; Trauerspiele.

Beer, *Jan de,* niederl. Maler des Antwerpener Manierismus, 1490–1542; relig. Themen.

Beer, *Baer,* Vorarlberger Baumeisterfamilie des Barock: **1)** *Franz v. Bleichten,* um 1660–1726; der bedeutendste Barockbaumeister der Familie. – WW: Klosterkirchen v. Irsee, Rheinau, Weingarten, Weißenau, Oberschönenfeld; Klostergebäude v. Beuron, Salem, Weißenau u. Zwiefalten. – **2)** *Johann Michael,* um 1696–1780. – HW:

Chor- u. Ostfassade der Kathedrale v. St. Gallen. – **3)** *Michael,* baute um 1660 u. a. Stiftskirche u. Residenz v. Kempten.

Beerberg *m, Großer B.,* höchster Gipfel des Thüringer Walds, nordöstl. v. Suhl, 982 m.

Beerbohm (: biᵉʳ-), Sir *Max,* engl. Schriftsteller, Kritiker u. Karikaturist, 1872–1956; Romane, Kurzgeschichten u. Essays. – WW: *Zuleika Dobson* (1911; Roman); *Seven Men* (1919; Kurzgeschichten).

Beere *w,* meist vielsamige, selten einsamige Schließfrucht (→Frucht) mit fleischiger Fruchtwand. Vielsamige B.: Stachel-, Wein-B., Tomate, Gurke, Banane; einsamige B.: Frucht der Dattelpalme. *Scheinbeeren* sind Erdbeere, Himbeere, Brombeere; ihre Früchte sind Sammelfrüchte: mehrere Nüßchen bzw. Steinfrüchte sitzen auf dem angeschwollenen, fleischigen Blütenboden.

Beerentang *m,* Gattung der Braunalgen mit beerenähnl. Schwimmblasen u. blattähnl. Lappen; im Sargassomeer.

Beerenwanze *w,* eine Baumwanze.

Beerenwein *m,* aus Beerensäften durch Gärung mit Zucker u. Wasser gewonnener Wein.

Beerfelden, hess. Stadt u. Luftkurort im Odenwald, im Odenwaldkreis, 6800 E.

Beer-Hofmann, *Richard,* österr. spätimpressionist. u. neuromant. Schriftsteller u.

Regisseur, 1866–1945; Lyrik u. bibl. Dramen: *Jakobs Traum* (1918); *Der junge David* (1933); *Schlaflied für Mirjam* (1919).
Beerscheba, *Beersheba,* Hst. des israel. Süd-Distrikts, im N der Negevwüste, über 100000 E.; Zentrum der Negevkultivierung; naturwissenschaftl. Institute; Entwicklung u. Ausbau v. Industrie.
Beersches Gesetz, v. A. → Beer beschriebenes physikal. Gesetz: Schwächung des Lichts bei Durchstrahlung einer Flüssigkeit ist deren Konzentration proportional.
Beeskow (:-ko), Krst. im DDR-Bez. Frankfurt, an der Spree, 7400 E.; spätgot. Marienkirche (13. Jh.; 1945 zerstört); Masch.- u. Holzindustrie.
Beet s, durch Furchen abgeteiltes Bodenstück im Garten.
Beete 1) w, → Bete. – **2)** Mz. v. → Beet.
Beethoven, *Ludwig van,* dt. Komponist flämischer Abstammung, 1770–1827; schon mit 14 Jahren in der Bonner kurfürstl. Hofkapelle; seit 1792 in Wien Schüler nam. J. Haydns u. Salieris; seit 1800 Gehörleiden, das 1818 zur Taubheit führte; seit 1814 lebte B. nur noch dem kompositor. Schaffen. Die Frühwerke stehen in der Tradition der Wiener Klassik; später Wende zur bürgerl.-individualist.-romant. Musik des 19.

Ludwig van Beethoven. Gemälde aus dem Jahr 1815 von Willibrord Joseph Mähler (1778–1860)

Jh.: hohes Pathos, leidenschaftl. Melodieführung in geschlossener Harmonik, Musik wird subjektive, zugleich allgemeingült. Aussage ethischer, heroischer, poetischer Ideen; letzte Werke getragen v. kontemplativer Abgeklärtheit. B. hat die Sonatenform entscheidend bereichert. Die Sinfonik, deren fortgeschrittene Technik in den Spätwerken zu höchster Ausprägung gelangte, hält sich in der Harmonik an die Überlieferung, ist aber rhythmisch u. thematisch

Zeitgenossen Beethovens in einer graphischen Darstellung

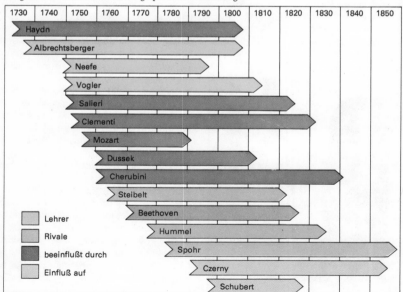

Beet

kühn u. v. großer Spannkraft. – WW:
Orchesterwerke: 9 Sinfonien, Ouvertüren,
Fantasien, 5 Klavierkonzerte, Tripelkon-
zert, Chorfantasie, Rondo für Klavier u.
Orchester, Violinkonzert, 2 Romanzen für
Violine u. Orchester, Tänze; unter verschied. 2- u. 4händ. Klavierwerken 32 Sona-
ten; 10 Violin- u. 5 Cellosonaten. – *Kammermusik:* 6 Klaviertrios, 16 Streichquartette, 4 Streichtrios, Klavierquintett, Sex-
tett, Septett, Bläseroktett u. a. – *Vokalmu-
sik:* Oper *Fidelio;* 2 Messen, Chorwerke,
Kantaten; Lieder.

Beets, *Nicolaas,* Pseud. *Hildebrand,* niederl. Schriftsteller, 1814–1903. – HW: *Camera obscura* (1839).

Befall *m,* durch tierische od. pflanzl. Schädlinge an Lebewesen verursachte Krankheiten.

Befangenheit *w, Recht:* besond. Verhältnis
eines Richters zum Gegenstand der Entscheidung od. zu den Parteien, das eine
unparteiische Entscheidung gefährdet; berechtigt zur Ablehnung des Richters.

Befehl *m,* **1)** *Mil.:* dienstl. Anweisung zur
Befolgung; Menschenwürde verletzender
B. od. B. für privaten Zweck od. zu pflicht-
widrigem Handeln verpflichten nicht; auf
Verbrechen od. Vergehen gerichteten B. ist
keine Folge zu leisten. – **2)** *Rechentechnik:*
Anweisung an Rechenanlage zur Ausführung einer Operation; besteht aus Opera-
tions- u. Adreßteilen.

Befehlsautonomie *w,* das automat. Folge-

Suche nach Guerillas in Angola

leisten auf Befehle nam. bei Geisteskran-
ken u. während der Hypnose.

Befehlsform *w,* Form des Zeitworts, der →
Imperativ.

Befestigung *w,* **1)** *allg.:* Anbringen eines
Gegenstands. – **2)** *Mil.:* Anlagen zur Ver-
teidigung u. zum Schutz der Truppen gg.
Feindeinwirkung.

Befeuerung *w, Leuchtfeuer* der Küsten, des
Fahrwassers für Schiffe u. der Flugplätze.

Beffchen *s* (nd.), *Bäffchen,* weiße Halsbin-
de an Amtstrachten.

Beffroi *m* (: befr°a, frz.), der → Belfried.

Befragung *w,* schriftl. u. mündl. Methode
(Interview) der Meinungsforschung zur Datenerhebung.

Befreiungsbewegungen (Mz.), organisierte
Widerstandsgruppen, die teils gewaltlos,
teils gewaltsam (Guerillakampf, Befrei-
ungskrieg, Terroranschläge), meist das Ziel
der Ablösung einer Kolonialherrschaft

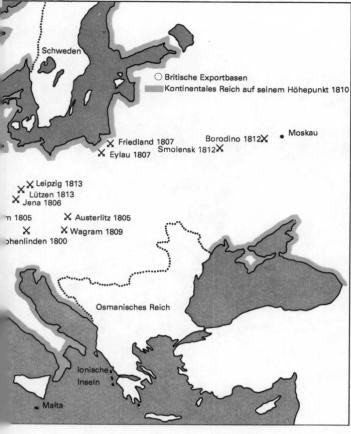

Schweden

○ Britische Exportbasen

▨ Kontinentales Reich auf seinem Höhepunkt 1810

Moskau

✗ Friedland 1807   Borodino 1812✗
✗ Eylau 1807   Smolensk 1812✗

✗✗ Leipzig 1813
✗ Lützen 1813
✗ Jena 1806

ₙ 1805   ✗ Austerlitz 1805
✗   ✗ Wagram 1809
ₒhenlinden 1800

Osmanisches Reich

Ionische Inseln

• Malta

Befreiungskriege. Napoleon festigte seine Macht in Europa durch eine große Anzahl von Feldzügen. Auf der Karte sind die wichtigsten Schlachten mit Jahreszahlen angegeben. Die braune Linie gibt an, welche Grenzen Napoleon durch die Kontinentalsperre schließen konnte. Obwohl England wirtschaftliche Nachteile durch diese Blockade hatte, setzte es seinen Handel von mehreren Niederlassungen aus in Europa fort

(z. B. die B. gg. Fkr. in Algerien od. gg. die Sowjetunion in Afghanistan), einer nationalen Diktatur (z. B. die B. in Südamerika), der Separation eines Teilgebiets v. einem Gesamtstaat (z. B. die ETA, die die Loslösung des Baskenlands v. Spanien anstrebt) od. der Errichtung eines eigenen Staats (z. B. die Palästinenser-B.) verfolgen.
Befreiungskriege, *Freiheitskriege,* die Kriege Dtl.s u. seiner Verbündeten 1813–15 zur Befreiung Mitteleuropas v. der Fremdherrschaft Napoleons I. nach dem Untergang v. dessen ‚Großer Armee‘. Yorcks Konvention v. Tauroggen (30.12.1812) eröffnete die Erhebung Preußens; 1813 Bündnis v. Kalisch zw. Preußen u. Rußl. Kg. Friedrich III. erließ am 17.3.1813 den Aufruf, ‚An mein Volk‘ u. stiftete das → Eiserne Kreuz. Napoleon siegte am 2. u. 21.5. bei Groß-Görschen u. Bautzen; 4.6.–10.8. Waffenstillstand v. Poischwitz. Engl., Österr. u.

Schweden traten dem Bündnis bei. Bülow siegte am 23.8. bei Großbeeren, Blücher am 26.8. an der Katzbach, Napoleon am 26./27.8. bei Dresden, die Alliierten bei Kulm-Nollendorf u. Dennewitz. Am 16.–19.10.1813 wurde Napoleon in der ‚Völkerschlacht‘ bei Leipzig v. den Vereinigten Armeen unter Schwarzenberg geschlagen. Seit 8.10. war Bayern den Verbündeten angeschlossen, die übrigen Rheinbundstaaten folgten. Die frz. Herrschaft in Dtl. brach zusammen. Nach Rheinübergang mehrere Siege der Verbündeten, am 31.3.1814 Einmarsch in Paris, Napoleon auf die Insel Elba verbannt; am 30.5.1814 Abschluß des 1. Pariser Friedens: Fkr. auf die Grenzen v. 1792 beschränkt. Während des Wiener Kongresses landete Napoleon in Süd-Fkr., das Land fiel ihm wieder zu. Zwei Armeen unter Wellington, eine unter Blücher stellten sich erneut zum Kampf; Blücher unter-

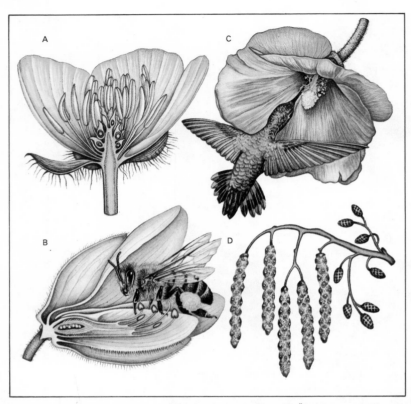

Eine spezielle Blütenform haben viele Pflanzen entwickelt, damit die Übertragung von Blütenstaub (Befruchtung) so geschmeidig wie möglich verläuft. Die meisten Blüten werden von Insekten, wie Bienen und Schmetterlingen, bestäubt. Die Blütenform kann einfach (A: Blüte des Hahnenfußes, Ranunculus sp.) oder kompliziert sein (B: Blüte des Gaspeldorns, Ulex europaeus). Die Hibisken (C: Hibiskus, Hibiscus sp.) locken mit ihren grellen Farben und großen Mengen Flüssighonig Vögel, wie Kolibris und kleine Honigsauger, an, die, um den Honig zu erreichen, Stempel und Staubfäden passieren müssen. Eine große Gruppe Pflanzen gehört zu den Windbestäubern. Alle ‚Kätzchen' tragenden Pflanzen sind Windbestäuber, wie der Haselstrauch (D: Corylus avellana)

lag am 16.6.1815 Napoleon, dieser jedoch am 18.6. endgültig den vereinten Armeen Wellingtons u. Blüchers bei Belle-Alliance (Waterloo). Am 7.7. Einnahme v. Paris; Napoleon nach St. Helena verbannt; 20.11.1815 2. Pariser Friede: Fkr. in die Grenzen v. 1790 verwiesen u. mit 700 Mill. Fr. Kriegsentschädigung belegt.

Befriedigung *w,* → Bedürfnisbefriedigung; *aufgeschobene B.* → Belohnung.

Befruchtung *w,* Vereinigung einer weibl. u. einer männl. Geschlechtszelle zur Zygote bei der sexuellen Fortpflanzung v. Mensch, Tier u. Pflanze. Nach dem Verschmelzen beider Zellen (Besamung) vereinigen sich die Kerne dieser Zellen (B. im engeren Sinn). – **1)** bei *Tieren: a) äußere B.:* B. außerhalb des Körpers durch Entleeren der Geschlechtszellen ins Wasser (viele Fische, Frösche, Muscheln u. a.); *b) innere B.:* bei landlebenden Tieren findet die B. im weibl. Körper statt. Zur Übertragung der gg. Austrocknen empfindlichen männl. Geschlechtszellen (Sperma) geht der B. die Begattung voraus. – **2)** bei *Pflanzen:* Bei Algen vereinigen sich bewegliche Gameten im freien Wasser. Bei Moosen u. Farnen schwimmt der bewegliche männl. Gamet durch einen Wassertropfen, welcher männl. u. weibl. Fortpflanzungsorgane verbindet. Bei Samenpflanzen findet die B. in der weibl. Blüte im Anschluß an die → Bestäubung statt.

Befruchtungsoptimum *s*, Zeitraum, während dem der Beischlaf mit der größten Wahrscheinlichkeit zu einer Befruchtung u. damit zur Schwangerschaft führen wird. Fällt etwa mit dem Eisprung zusammen. B. beim Menschen 10.–17. Tag nach Beginn der letzten Monatsblutung.

Befruchtungsstoffe (Mz.), *Gamone*, geschlechtsspezifische Lockstoffe, die das Zusammenfinden der Geschlechtszellen u. die anschließende Befruchtung sichern. → Pheromone.

Beg *m* (türk.), fr. Titel des türk. Provinzstatthalters.

Bega *w*, l. Nebenfluß der Theiß, durch das Banat, 254 km lang; speist den Bega-Schiffahrtskanal.

Bega, *Cornelis,* niederl. Maler, 1620–64; Genrebilder aus Volksleben.

Begabtenauslese *w, psycholog.* Testuntersuchungen zur Auswahl bes. begabter Jugendlicher.

Begabtenförderung *w*, bezieht sich im Unterschied zur → Begabungsförderung primär auf die Eliteförderung, d. h. auf die sozial- u. bildungspolit. Bemühungen, für begabte junge Menschen besondere Ausbildungsmöglichkeiten zu schaffen (→ Bundesausbildungsförderungsgesetz); daneben Hochbegabtenförderung durch Studienstiftungen, z. B. die → Studienstiftung des Deutschen Volkes, die → Deutsche Forschungsgemeinschaft, Bischöfl. Stu-

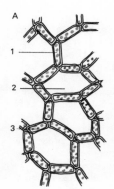

Torfmoospflanze unter dem Mikroskop: die netzförmige Struktur des Gewebes ist zu erkennen (A). Die langgestreckten schmalen Zellen (1) enthalten Blattgrünkörner (3) und bilden ein Netz, dessen Maschen durch sechseckige Zellen ohne lebenden Inhalt (2; Wasserzellen) aufgefüllt werden. Durch diese Struktur, die sich in den Stengeln fortsetzt, fungiert das Moosgewebe wie ein Riesenschwamm, der große Mengen Wasser aufsaugen und festhalten kann. Die kugelförmige Sporenkapsel (B) entwickelt sich in den Achseln der Blätter (6). Der eigentliche Sporenbehälter (4) wird von einem kurzen Stengel (5) getragen. Wenn die Sporen reif sind, zerreißt die Kapsel, woraufhin Deckel (7) und Sporen weggeschleudert werden

dienförderung → Cusanuswerk, → Friedrich-Ebert-Stiftung, → Friedrich-Naumann-Stiftung usw.

Begabung *w*, 1) *allg.:* im alltägl. Sprachgebrauch angeborene Befähigung od. Veranlagung. – 2) *Päd.:* zentraler Begriff, der sich auf die innerpsych. u. innerorganism. Bedingungen, als Summe der „Anlage- u.

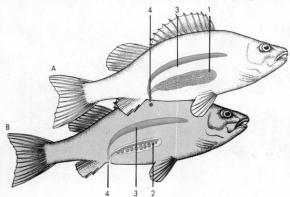

Die Befruchtung beim Barsch. Die Geschlechtsorgane sind kennzeichnend für die Knochenfische. Die Eierstöcke (1) des Weibchens (A) und die Hoden (2) des Männchens (B) sind von den Nieren (3) völlig getrennt, aber beide führen ihre Produkte durch dieselbe Öffnung, die Kloake (4), ab. Die Eier werden außerhalb des Körpers befruchtet

Bega

Erfahrungsfaktoren, welche die Leistungs- u. Lernbereitschaft des Menschen in einem bestimmten Verhaltensbereich bestimmen" (H. Aebli), bezieht. B. als sich wechselseitig bedingendes Produkt v. Leistungsbereitschaft u. Leistungsmöglichkeit umfaßt sowohl → Intelligenz als auch → Kreativität als selbständige Schöpferkraft. Letztere erweist sich als sog. ‚besondere Begabung' in den verschiedensten Kulturbereichen (Musik, Kunst, Mathematik, Sprachen usw.). Eine besondere B. zeigt sich vor allem in der Neigung eines Menschen, bestimmte Aufgaben bewältigen zu wollen, u. in einer gewissen Lustbetontheit bei der Aufgabentätigkeit selbst.

Begabungsförderung *w,* bezieht sich im Unterschied zur → Begabtenförderung bes. auf die Breitenförderung zur Herstellung der → Chancengleichheit. Hierzu gehören alle Maßnahmen einer → Kompensatorischen Erziehung: materielle Unterstützung bedürftiger Familien, → Vorschulerziehung, → Differenzierung des Schulwesens durch Individual- u. Gruppenförderung.

Begabungsforschung *w, Begabungstheorie,* psycholog. u. soziolog. Forschungsrichtung der Pädagogik, die den Begriff Begabung in bezug auf angeborene od. umwelt- u. kulturspezifische Faktoren (→Anlage-Umwelt) untersucht u. entsprechend sich mit Fragen der → Begabungsförderung beschäftigt. Dabei können allg. zwei Positionen unterschieden werden: die ältere Bega-

bungstheorie, die jahrhundertelang das philosoph., pädagog. u. psycholog. Denken beherrschte, sieht Begabung als durch Vererbung u. andere natürl. Bedingungen (Rasse, Nationalität usw.) gegebene Voraussetzung an, indem sie v. einer größeren od. geringeren Anzahl v. Grundkräften (‚Vermögen'), die die Qualität v. Leistungen in Richtung u. Ausmaß bestimmen (→ Seelenvermögen), ausgeht. Die neuere, v. der → Sozialisationsforschung beeinflußte B. sieht Begabung zwar auch als natürl. Bedingung an, geht aber v. einem gewissen Spielraum aus, der dem Einfluß der sozialen u. kulturellen Umwelt des Kindes unterliegt. Sie fordert daher eine anregende soziale Umwelt als Erziehungsgrundlage, damit sich Begabungen optimal entwickeln können.

Begabungsreserve *w, Bildungsreserve,* das nicht ausgeschöpfte Begabungspotential einer Bevölkerung, das aufgrund sozialer, ökonomischer u. schichtspezif. Bedingungen (→ Schichtmentalität) nicht in weiterführende Schulen gelangt, obwohl es seinen Fähigkeiten entsprechend dazu in der Lage wäre.

Begabungstheorie *w,* → Begabungsforschung.

Begam *w* (türk.-Hindi), → Begum.

Begarden (Mz.), → Beg(h)inen.

Begarelli, *Antonio,* it. Bildhauer, vor 1500–65; realist. Terrakottagruppen (relig. Themen).

Elefantenrobben bei der Paarung

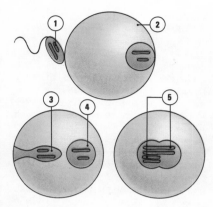

Bei der geschlechtlichen Fortpflanzung durchbohrt die Spermazelle des Männchens (1) die Eizelle (2) des Weibchens. Die Kerne der Geschlechtszellen (3 und 4) verschmelzen, wonach die Chromosomen sich paaren (5) und Erbmaterial austauschen. Dadurch findet eine Vermischung und Neugruppierung des Erbmaterials statt

Begas, 1) *Karl d. Ä.,* dt. Maler der romant. Schule, 1794–1854; Porträts, Genrebilder, biblische u. histor. Gemälde. – **2)** *Reinhold,* dt. Bildhauer des neubarocken Stils, 1831–1911; Sohn v. 1); Denkmäler, Genregruppen, Bildnisbüsten.

Begattung *w, Kopulation,* bei Mensch u. Tier die Übertragung der männl. Geschlechtszellen in den weibl. Körper zur anschließenden inneren → Besamung: a) durch Samenpakete, → Spermatophoren, welche das Männchen vor dem Weibchen absetzt; b) durch direkten körperlichen Kontakt mit Hilfe v. Begattungswerkzeugen, z. B. → Penis.

Begegnung *w,* zentraler Begriff der existenzphilosoph. Pädagogik als Angesprochensein od. -werden im Sinn einer dialog. Beziehung (M. → Buber, → Interaktionismus).

Beg(h)arden (Mz.), → Beg(h)inen.

Beg(h)inen (Mz.), freie relig. Vereinigung v. Frauen u. Mädchen für Erziehung u. Krankenpflege mit gemeins. Leben in *B.höfen,* ohne Gelübde; im 13./14. Jh. in Dtl., Fkr. u. Holland; ähnlich die männl. *Beg(h)arden* für Krankenpflege.

Beg(h)inenhöfe (Mz.), → Beg(h)inen.

Begierde *w,* **1)** *Psychol.:* ein Antrieb, der mit der Vorstellung eines Ziels gekoppelt ist, z. B. ein Hungergefühl, das durch die Vorstellung, ein bestimmtes Gericht zu essen, verstärkt wird. – **2)** *Theol.:* → Konkupiszenz.

Begin, *Menachem,* israel. Politiker, *1913; 1940–41 aus Litauen nach Sibirien verbannt; seit 1942 in Palästina; 1967–70 Min.; seit 1977 Min.-Präs.; 1978 mit → Sadat Friedensnobelpreis.

Beginen (Mz.), → Beg(h)inen.

Beglaubigung *w,* **1)** amtl. Bescheinigung über Richtigkeit der Unter- od. Abschrift einer Urkunde (durch Beamten od. Notar). – **2)** völkerrechtl. Akt zur Einführung eines diplomat. Vertreters durch *B.sschreiben (Akkreditiv).*

Beglaubigungsschreiben *s,* →Beglaubigung 2).

Begnadigung *w,* gänzlicher od. teilweiser Straferlaß im Einzelfall; vgl. Abolition.

Begonie *w,* beliebte Garten- u. Zimmerpflanze, krautig, mit unsymmetrischen Blättern u. Blüten, über die warmen Länder der ganzen Erde verstreut. Wenige Arten auch in den gemäßigten Zonen. Gärtnerisch unterscheidet man *Stauden-* u. *Knollen-B.*

Begović (:-witsch), *Milan,* jugoslaw. Schriftsteller, 1876–1948; Vertreter der kroat. modernen Lyrik; Dramen, Romane; u. a. *Sablasti u dvorcu* (1952; Roman).

Schwesterngemeinschaft eines Beginenhofs in Brügge

Begonienfelder in der Nähe von Gent

Begradigung w, Beschneidung v. Windungen v. Straßen, Bahnlinien u. bes. Wasserläufen. – Ztw.: *begradigen.*

Begriff m, *allg. philosoph.:* eine durch das Denken ermittelte Allgemeinvorstellung, die sich auf verschiedene Einzelvorstellungen bezieht u. immer eine → Abstraktion darstellt, im Unterschied zur empir. Wahrnehmung, die auf das konkrete Einzelding in seiner Vielfalt gerichtet ist. Wie dabei das Verhältnis v. Allgemein- u. Einzelvorstellung (Allgemein- u. Einzelbegriff) zu werten ist, ist in der Philosophie strittig (→ Universalienstreit). B.e können sowohl rein *theoretischer* Art sein *(Stamm-* od. *Primär-B.e),* die sofort einleuchten u. den Erkenntnisprozeß leiten (→ a priori), als auch *empirische (erfahrungsgemäße, sekundäre),* die auf der sinnl. Wahrnehmung aufbauen u. nur Ergebnis eines Erkenntnisprozesses sein können (I. → Kant). In bezug auf das Abstraktionsmerkmal unterschei·det man nach R. Carnap drei Begriffsarten: den *klassifikator. B.,* der zur Einteilung v. Gegenständen in Klassen dient, den *komparator. B.,* der die Relation zw. zwei B.en beschreibt, u. den *quantitativen* od. *metr. B.,* der die Eigenschaften od. Beziehungen v. Gegenständen durch Zahlen charakterisiert.

Begriffsbestimmung w, → Definition.
Begriffsbildung w, **1)** *Wissenschaftstheorie:* die Entwicklung v. Begriffen durch → Abstraktion, → Definition u. → Explikation gegebener Begriffe. – **2)** *Entwicklungspsychol.:* der Entstehungsprozeß abstrakter Begriffe aus konkreten in Zusammenhang mit prakt. Erfahrungen (,be-greifen') u. Vorgängen des Spracherwerbs (→ Denken, J. → Piaget).
Begriffsdefinition w, → Definition.
Begründung w, **1)** im Sinn *sozialer Interaktionstheorien:* eine Behauptung od. Orientierung, die der vernünftigen Argumentation anderer Diskussionspartner standhält. – **2)** *axiomat. Wiss.:* → Beweis. – **3)** *Erfahrungswiss.:* empirische Bestätigung (→ Beweis).
Begründungssatz m, → Kausalsatz.
Begum w (türk.-Hindi), *Begam,* ind. Fürstinnentitel.
Begünstigung w, *Strafrecht:* strafbare Unterstützung eines Verbrechers, um ihn der Bestrafung zu entziehen *(persönl. B.;* die Selbst-B. u. die durch Familienangehörige straffrei) od. ihm die Vorteile der Tat zu sichern *(sachl. B.).*
Behaghel, *Otto,* dt. Germanist, 1854–1936. – HW: *Gesch. der dt. Sprache* (1891); *Dt. Syntax* (3 Bde, 1923–28).
Behaim, *Böheim,* **1)** *Martin,* dt. Geograph u. Seefahrer, 1459–1507; schuf den ersten Erdglobus. – **2)** *Michel,* Meistersinger, 1416–um 1474 (ermordet).
Behaismus m, *Bahaismus, Bahai-Religion,* aus dem Babismus 1844 entstandene islam. Religionsgemeinschaft, v. *Mirza Hussein Ali* (Baha Ullah od. Beha Allah, 1817–92) gegr.; versteht sich als Universalreligion mit islam., pantheist. u. christl. Elementen.
Behalten s, → Gedächtnis.
Behaltenskurve w, → Vergessen.
Behälterverkehr m, v. der Eisenbahn eingerichteter Warentransport v. Haus zu Haus in Einheitsbehältern u. großen Containern, die v. der Bahn auf Lastwagen verladen werden können.
Beham, 1) *Barthel,* dt. Maler u. Kupferstecher, 1502–40; fußend in der it. Renaissance; Fürstenbildnisse u. a. – **2)** *Hans Sebald,* dt. Kupferstecher u. Holzschnitzer, 1500–50; Bruder v. 1); biblische u. mytholog. Szenen.
Behan (: biⁿn), *Brendan,* ir. Schriftsteller,

1923–64; volkstüml. zeitkrit. Dramen; Erzählungen, autobiograph. Romane u. a.
Beharrungsvermögen *s,* → Trägheit.
Behavior *s* (: bʰheⁱwⁱeʳ, engl.), Verhalten.
Behaviorismus *m* (: bʰheⁱwⁱe-, engl.), *Lehre vom Verhalten,* verbreitetste, einflußreichste u. auch stark kritisierte Schule der am. Psychologie, die für die Verhaltensbeschreibung nur im physikal. Sinn objektive Methoden unter Ablehnung aller subjektiven (→ Introspektion, → Beobachtung usw.) zuläßt. Dies hat zur Folge, daß menschl. Verhalten auf beobachtbares u. objektiv meßbares unter Verzicht der Berücksichtigung v. Bewußtseinsprozessen (Wollen, Denken, Fühlen usw.) reduziert wird. Wichtigste Methode ist das Tierexperiment, v. dem mittels Analogieschluß auf menschl. Verhalten geschlossen wird. Der B., v. B. Watson begr., hat enge Beziehungen zur russ. → Reflexologie W. M. Bechterews u. I. P. Pawlows, v. der er den ‚bedingten Reflex' (→ ‚bedingte Reaktion') übernahm. Verhalten wird daher nach dem *Reiz-Reaktions-Schema* (engl. *Stimulus-response-Schema, S-R-Schema*) gedeutet, d. h., bestimmtes menschl. Verhalten wird nur als Antwort auf bestimmte Reize betrachtet. Der B. wurde als Gegenströmung zur idealist. Psychologie auf fast alle Gebiete der Sozialwissenschaften übertragen. Als besondere Anwendungsgebiete aufgrund ihres empir. Charakters erwiesen sich die → Lerntheorien (E. Thorndike, E. Guthrie, C. Hull, B. F. Skinner u. a.) u. damit im Zusammenhang die → Verhaltenstherapie (B. F. Skinner, H. J. Eysenck u. a.), die sich zwar im einzelnen sehr unterscheiden, aber alle auf behaviorist. Methoden zurückgreifen. Der strenge B. im Sinne des S-R-Schemas, wie er in den ersten Jahrzehnten des 20. Jh. vertreten wurde, ist inzwischen weitgehend ersetzt durch das *S-O-R-Schema (Stimulus-Organismus-Response-Schema),* das Bewußtseinsinhalte u. -prozesse in der Form v. *intervenierenden Variablen* berücksichtigt.
Behavio(u)r Art (: bʰheⁱwⁱᵉʳ aʳt, engl.), *Body Art,* Richtung der Gegenwartskunst, sucht menschliches Erleben u. Verhalten gestisch u. mimisch zu gestalten.
Beheim-Schwarzbach, *Martin,* dt. Schriftsteller, *1900; Lyrik, Erzähl., Romane, Übers. – WW: *Die Michaelskinder* (1930);

Der Unheilige (1948); *Die Geschichten der Bibel* (nacherzählt, 1951); *Die Insel Matupi* (1955); *Das Mirakel* (1980; Erzählung).
Behinderte (Mz.), „Personen, die aufgrund körperlicher, geistiger od. seel. Schäden in einem existenzwichtigen sozialen Beziehungsfeld, insbes. in den Bereichen Erziehung, Schulbildung, Berufsbildung, Erwerbstätigkeit, Kommunikation, Wohnen u. Freizeitgestaltung durch wesentl. Funktionsausfälle nicht nur vorübergehend beeinträchtigt sind u. deshalb besonderer Hilfe durch die Gesellschaft bedürfen" (Bayerischer Landesplan für Behinderte). *Arten v. Behinderungen: a) geistig B.:* Personen, die aufgrund einer angeborenen od. erworbenen Schädigung des Zentralnervensystems im kognitiven Bereich (im Erfassen v. Sinnzusammenhängen, im Erkennen v. Symbolen u. Zeichen, im Abstrahieren, Kombinieren u. im logischen Denken) er-

Für spastische Kinder hat man in Amerika (mit Hilfe der NASA) eine biotelemetrische Methode entwickelt. Die Biotelemetrie bezweckt das Messen von biologischen Größen aus der Entfernung. Ein Aufnahmegerät wird auf den zu messenden Körperteil befestigt und mit einem Sender verbunden, der die empfangenen Signale in Radiowellen umsetzt. Diese Wellen wiederum werden von größeren Meßapparaten registriert und ausgewertet

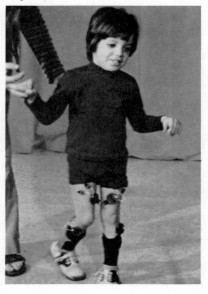

heblich beeinträchtigt sind (vgl. Lernbehinderte). – *b) Sinnesbehinderte:* Personen mit erheblich geschädigten Sinnesorganen (Blinde – Sehbehinderte, Taube – Schwerhörige, Sprachgestörte). – *c) Körperbehinderte:* Personen, die in ihrer Bewegungsfreiheit aufgrund eines geschädigten od. mißgebildeten Stütz- u. Bewegungssystems auf Dauer erheblich beeinträchtigt sind; die häufigsten Formen: cerebrale Bewegungsstörungen (Spastiker), Schwankungen in der Muskelspannung (Atheotiker), Gleichgewichtsstörungen, Mißbildungen (Contergan-Kinder), Lähmungen (Kinder-, Querschnittslähmung, Lähmung der Gliedmaßen usw.), Anfallsleiden (z. B. Epilepsie) u. Erkrankungen der inneren Organe

(z. B. Herzkrankheiten, Nierenversagen usw.). – *d) Psychisch Kranke:* Dazu gehören Sucht- und Geisteskranke sowie schwer Verhaltensgestörte. Diese aufgeführten *Einfachbehinderungen* stellen *Primärbehinderungen* dar, die sich als Ausgangspunkt auf alle Funktionsbereiche auswirken. *Sekundärbehinderungen* – meist Verhaltensauffälligkeiten, Lern- od. Sprachbehinderungen – stellen als Folge der *Primärbehinderung* vorwiegend eine Reaktion der B.n auf das Verhalten ihrer Umwelt dar. *Ursachen:* Neben erblichen Ursachen, die nam. Sinnesbehinderungen u. Muskelkrankheiten (Dystrophie) betreffen, gehen die meisten Behinderungen auf Krankheiten u. eine Fehlernährung der

Epileptische Anfälle beruhen auf einer abnormen Aktivität von Zellgruppen im Gehirn. Auf dem Elektroenzephalogramm (EEG), der Registrierung der elektrischen Aktivität im Gehirn, sind während des Anfalls Abweichungen sichtbar in Form hoher Wellen und Spitzen (hohe elektrische Spannungen). Sie entstehen dadurch, daß Gruppen von Zellen sich gleichzeitig und mit hoher Frequenz entladen. Beim ‚grand-mal-insult‘, dem klassischen epileptischen Anfall, breitet sich die epileptische Aktivität vom Gehirnstamm über das Großhirn aus (gelb). Auf dem EEG sind Spitzen mit einer Frequenz von etwa 10/s sichtbar. Ein ‚petit-mal‘-Anfall (rot) breitet sich ebenfalls über das Großhirn aus. Das EEG zeigt Wellen mit einer Frequenz von 3/s. Die Anfälle dauern oft nur wenige Sekunden. Die temporale Epilepsie (blau) geht vom Temporallappen aus. Während des Anfalls ist auf dem EEG stellenweise epileptische Aktivität sichtbar*

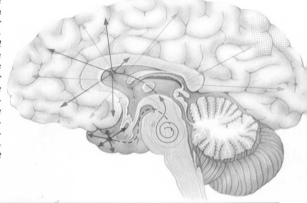

1 Sekunde

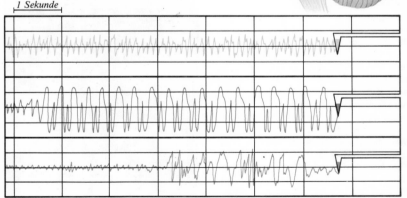

Unterricht für Taube (Schwerhörige) nach der audiologischen Methode an der Joh.-C.-Amman-Schule zu Amsterdam. Amman (1669–1742) war ein in Amsterdam tätiger Arzt, dem es gelang, einem tauben Mädchen das Sprechen beizubringen. Er tat dies, indem er die Methode des Lippenlesens anwandte. Die Lippenlesmethode wurde in späteren Jahren wiederentdeckt und verdrängte die lange Zeit beim Unterricht für Taube benutzte Gebärdensprache

Mutter (Rauchen, Alkohol, Vitaminmangel usw.) od. auf Komplikationen während u. kurz nach der Geburt zurück. – *Vorbeugung u. Therapie:* Neben heilpädagogischen u. therapeut. Maßnahmen, die im Rahmen der → Behindertenausbildung durchgeführt werden, kommt der Elternberatung u. -aufklärung besondere Bedeutung zu. Diese bezieht sich insbes. auf die Vorbeugung (Vorsorgeuntersuchungen), auf die erfolgreiche Behandlung bzw. Kompensation durch Früherkennung u. auf das richtige Verhalten dem B.n gegenüber (weder Verbergen u. resignierendes Hinnehmen der Behinderung noch Verwöhnung des behinderten Kindes, sondern aktive Mitarbeit bei der Therapie mit dem Ziel der Erreichung einer möglichst großen Selbständigkeit des B.n). – *Früherkennung u. -behandlung:* Hinweise auf eine etwaige Behinderung des Kindes geben meist Auffälligkeiten im Bewegungsverhalten, wie ständig wiederkehrende Bewegungen (Wackeln, Klopfen usw.) od. die Beschränkung auf eine Körperhälfte, Abweichungen in der Schädelbildung, starker Speichelfluß od. eine verzögerte Sprachentwicklung. Die Frühbehandlung erstreckt sich insgesamt auf eine Schulung der Basisfunktionen zur Verselbständigung des Kindes: Förderung des Bewegungsapparats durch motorische Übungen, Förderung der Wahrnehmung durch Schulung der Sinnesorgane u. Schulung der Sprechorgane.

Behindertenausbildung *w,* erfolgt im Rahmen v. Einrichtungen der → Sonderpädagogik, v. → Rehabilitationszentren od. der betriebl. Berufsausbildung. Ziel der B. ist die *personale Integration* durch Schulung u. Training v. Techniken zur Kompensation der Behinderung sowie zur Bewältigung der persönl. Schwierigkeiten als Folge der Behinderungen u. die *soziale u. berufl. Integration.* Zweck der B. ist es, dem Behinderten die Möglichkeit zu geben, ein eigenes Lebenskonzept zu entwickeln, am Leben der Gesellschaft teilzunehmen u. anhand v. Eigeninitiative soziale Verantwortung zu übernehmen. Nach der B. versucht das Arbeitsamt *(Behindertenberater)* eine Arbeitsmöglichkeit zu vermitteln, entweder auf dem freien Arbeitsmarkt (Schwerbehindertengesetz) od., wenn dies nicht möglich, in → Werkstätten für Behinderte.

Behindertenberater *m,* → Behindertenausbildung.

Behindertenpädagogik *w,* → Sonderpädagogik.

Lehrmittel, mit denen im „normalen" Unterricht gearbeitet wird, sind für Blinde nicht zu gebrauchen. Dieser spezielle Globus hat im Relief angebrachte geographische Einheiten, wie Gebirge, Erdteile usw.

Behi

Behindertenschule *w*, → Sonderschule.

Behinderungen (Mz.), → Behinderte.

Behm, *Alexander,* dt. Physiker, 1880–1952; Erfinder des → Echolots.

Behmer, *Marcus,* dt. Graphiker des Jugendstils, 1879–1958; Illustrationen, Bucheinbände u. a.

Behn, **1)** *Aphra,* engl. Schriftstellerin, 1640–89; Bühnenstücke des Londoner Lebens ihrer Zeit; Romane, Gedichte. – **2)** *Fritz,* dt. Bildhauer, 1878–1970; Büsten u. Tier- u. Figurenplastiken.

Behörde *w*, staatliches, gemeindliches od. kirchl. Amt, mit Hoheits- u. Entscheidungsgewalt ausgestattet; Organ der gesetzgebenden, vollziehenden od. richterlichen Gewalt.

Behrens, *Peter,* dt. Architekt u. Kunsthandwerker, 1868–1940; Wegbereiter der funktionalist. Architektur u. Neuen Sachlichkeit, auch im Kunstgewerbe; schuf nam. Industriebauten.

Behring, *Emil v.,* dt. Arzt, 1854–1917; Entdecker der Impfstoffe gg. Diphtherie u. Tetanus u. des *B.schen Gesetzes,* wonach durch Einspritzen des Blutserums v. Menschen od. Tieren, die eine ansteckende Krankheit überstanden haben, andere Individuen gg. diese Krankheit immun gemacht werden (passive → Immunisierung); 1901 Nobelpreis für Medizin; gründete 1904 die *B.-Werke AG* in Marburg, seit 1952 Tochtergesellschaft der Farbwerke Hoechst.

Behringsches Gesetz, → Behring, E. v.

Behrmann, *Samuel,* am. Schriftsteller, 1893–1973; Gesellschaftskomödien, Drehbücher, Kritiken.

Bei *m, Beg,* fr. türk. Titel für Beamte u. Offiziere; → Begum.

Beichtbrief *m, Ablaßbrief,* fr. gg. Geldspende ausgestelltes Schreiben, das aufgrund päpstl. Vollmacht Wahl eines Beichtvaters für Lossprechung u. Ablaßgewinnung erlaubte.

Beichte *w* (ahd.), reuiges Sündenbekenntnis in nichtchristl. u. christl. Religionen; *Ohrenbeichte* Teil des kath. Bußsakraments zur Erlangung der Lossprechung (*Absolution*) durch den Priester.

Beichtgeheimnis *s, Beichtsiegel,* Verpflichtung des kath. Priesters zum Schweigen über das in der → Beichte Vernommene.

Beichtsiegel *m*, → Beichtgeheimnis.

Beichtspiegel *m*, ein Sündenregister zur Er-

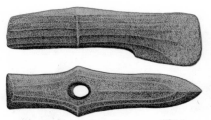

Streitbeile in Bronze aus Thüringen

leichterung der Gewissenserforschung vor der → Beichte.

Beichtstuhl *m*, Gehäuse für Beichtvater u. Beichtenden in kath. Kirchen; oft nach dem Stil des Kirchenbaus entsprechend künstlerisch gestaltet; heute statt B. auch *Beichtzimmer* zum Beichtgespräch.

Beichtvater *m*, der die Beichte abnehmende Priester.

Beichtzimmer *s*, → Beichtstuhl.

Beiderbecke, *Leon Bismarck (Bix),* am. Jazzmusiker, 1903–31; Trompeter des Chicagostils.

Beiderwand *s* u. *w*, grobes, beidseitig gleich wirkendes Gewebe in Leinwandbindung.

beidrecht, bei Geweben: gleichseitig.

Emil Behring entdeckte u. a. einen Impfstoff gegen Tetanus. Tetanus entsteht durch Infektion mit Sporen des Tetanusbazillus (1). In einer tiefen Wunde (die sehr klein sein kann, 2) entwickeln sich aus diesen Sporen Bakterien (3), die ein giftiges Toxin produzieren. Das Toxin breitet sich über Blutbahn und Nervenfasern im Körper aus (4) und erreicht u. a. die Nervenzellen im Rükkenmark (5). Die motorischen Nervenzellen werden stark gereizt, wodurch ein Krampfzustand der Muskeln (6) entsteht. Dieser Krampf beginnt meistens in den Backenmuskeln, kann sich aber über den ganzen Körper erstrecken (7)

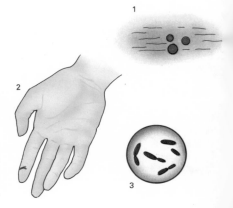

beidrehen, Schiffsbug zur Verlangsamung der Fahrt gg. Wind drehen.

Beierlein, *Beuerlin, Peuerlin, Hans,* dt. Bildhauer der Spätgotik, etwa 1450–1508; Grabmäler mit Reliefs.

Beifügung *w,* → Attribut 3).

Beifuß *m,* Pflanze, → Artemisia.

beige (: besch, frz.), gelbgrauer Naturfarbton.

Beigeordneter *m,* auf Zeit gewählter, haupt- od. ehrenamtl. Kommunalbeamter.

Beihilfe *w,* bewußte Hilfeleistung zu Verbrechen od. Vergehen, u. U. so schwer strafbar wie diese.

Beihirsch *m,* begleitet während der Brunft des Elch-, Rot- u. Damwilds das Rudel des Platzhirschs u. sucht sich den weibl. Tieren zu nähern.

Beihoden *m,* → Nebenhoden.

Beijer, *Harald,* schwed. Schriftsteller, 1896–1955; gesellschaftskrit. Romane mit Problemen des Verbrechens, der Ehe u. a.

Beijeren, *Abraham van,* niederl. Maler, 1620/21–90; Stilleben.

Beijing, neue Umschrift für → Peking.

Beikost *w,* dem Säugling als Ergänzung zur Muttermilch gegebene Nahrung.

Beil *s,* Werkzeug zum Spalten u. Behauen v. Holz, auch zum Zerlegen v. Fleisch u. Knochen *(Metzgerbeil).*

Beilager *s,* im MA das Besteigen des Ehelagers vor Zeugen.

Beilfische (Mz.), → Salmler.

Beilngries, bayer. Stadt an der Altmühl, im Ldkr. Eichstätt, 6500 E.

Bein *s,* 1) *allg.:* Knochen, z. B. Wadenbein, Elfenbein. – 2) der Fortbewegung dienende Gliedmaßen der Gliederfüßer, Säugetiere u. Menschen. Bei den *Gliederfüßern* 3 (Insekten), 4 (Spinnen) od. mehr (z. B. Krebse) Beinpaare aus Chitinröhrchen mit Gelenken u. innen ansetzenden Muskeln. – Beim *Menschen* untere Gliedmaße, besteht aus Oberschenkel mit Oberschenkelknochen *(Femur),* Kniegelenk mit Kniescheibe, Unterschenkel mit Schien- u. Wadenbein, Fußgelenk u. Fuß mit Fußwurzel- u. Mittelfußknochen sowie Zehen. Ist über Hüftgelenk u. Becken mit der Wirbelsäule verbunden. Beinverkrümmungen (*X-, O-,*

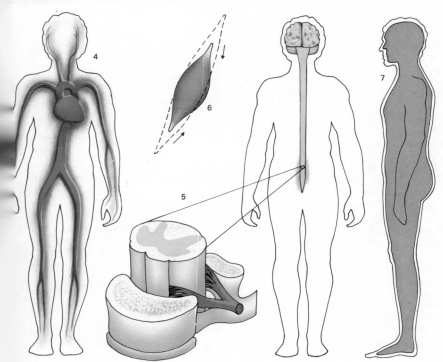

Bein

Säbelbeine) entstehen nach Rachitis, Knochenerkrankungen od. Verletzungen.

Beiname *m*, einem Namen beigefügte Bezeichnung zur Unterscheidung, Ehrung od. Verspottung.

Beinbrech *m*, *Narthecium ossifragum*, Liliengewächs auf Mooren u. feuchten Stellen.

Beingeschwür *s*, *Ulcus cruris*, Hautdefekt vorwiegend am Unterschenkel, meist auf Durchblutungsstörung zurückzuführen (Arterienverkalkung, Zuckerkrankheit).

Beinhaus *s*, *Karner*, Friedhofkapelle od. Nische, in der Gebeine u. Schädel aus Gräbern aufgeschichtet sind.

Beinhaut *w*, *Periost*, → Knochenhaut.

Beinhorn, *Elly*, dt. Sportfliegerin, *1907; Rekord- u. Weltflüge.

Beinsammler (Mz.), → Bienen.

Beinschwarz *s*, Knochenkohle, für Schuhkrem u. Druckerschwärze.

Beinwell *m*, *Symphytum*, *Schwarzwurz*, Gattung der Rauhblattgewächse; in Mitteleuropa auf feuchten Wiesen; früher als Wildgemüse (die Sprosse wurden wie Spargel zubereitet) u. Heilpflanze (für Umschläge bei Knochenbrüchen, daher der Name B.) verwendet.

Beinzeug *s*, Rüstungsteile zum Schutz der Beine.

Beira (:bai-), **1)** nordportug. Landschaft zw. dem mittl. Douro u. mittl. Tejo. – **2)** Hst. der Prov. Sofala in Mosambik, am Ind. Ozean, 114000 E.

Beirâm (türk.), türk. Feste, → Bairâm.

Beirut, Hst. der Rep. Libanon, größte Hafenstadt der Ostküste des Mittelmeers, 475000, Aggl. 940000 E.; 4 Univ., sonstige Bildungsstätten, Handelszentrum; Ausfuhr v. Rohseide, Olivenöl, Baumwolle, Obst, Sesam, Schwämmen, Rosinen usw. – Im libanes. Bürgerkrieg 1975/76 schwere Zerstörungen.

Beisaantilope *w*, zu den Spießböcken gehörende Antilopenart mit langen, leicht gekrümmten Hörnern; lebt in den Steppen Ost- u. Nordostafrikas sowie (schutzbedürftig) in Arabien.

Beisasse *m*, *Beisaß*, im MA nicht vollberechtigter Bürger einer Stadt.

Beisatz *m*, → Apposition.

Beischel *s*, → Beisel.

Beischilddrüse *w*, → Nebenschilddrüse.

Beischlaf *m*, *Begattung*, *Kohabitation*, Co-

Elfenbeinschnitzerei aus Nigeria

Sichel aus Knochen mit eingesetzter Klinge aus Feuerstein. 2500 v. Chr. in Dänemark verwendet

itus, geschlechtl. Vereinigung v. Mann u. Frau.

Beischlag *m*, **1)** in Nord-Dtl. terrassenartiger Vorplatz vor dem Wohnhaus mit Freitreppe. – **2)** *Münzkunde:* Nachprägung fremder Münzen.

Beisel *s* (jidd.-österr.), *Beisl*, *Beischel*, Kneipe, Gasthaus.

Beisitzer *m*, Mitglied einer kollegialen Verwaltungsbehörde od. eines Gerichtshofs.

Beistandschaft *w*, → Pflegschaft.

Beistrich *m*, → Komma.

Beitel *m*, *Stechbeitel*, meißelartiges Werkzeug für Holzbearbeitung (Ausstanzen v. Löchern u. a.).

Beiträge (Mz.), **1)** bestimmte Abgaben an Staat od. Gemeinde, wie Erschließungskosten, Kurtaxe u. a. – **2)** *Sozialwesen:* die Zahlungen v. Arbeitgeber u. Arbeitnehmer an die Sozialversicherungen. – **3)** Geldleistungen der Mitglieder v. öff.-rechtl. Körperschaften, Privatversicherungen, Vereinen, polit. Parteien usw.

Beitragsbemessungsgrenze *w,* die Grenze, bis zu der Bruttolöhne u. -gehälter der pflichtversicherten Arbeitnehmer für die Beitragsberechnung in der gesetzl. Sozialversicherung herangezogen werden; für die Rentenversicherung jährl. neu festgesetzt.

Beitreibung *w,* Zwangsvollstreckung zur Herbeischaffung geschuldeter Leistungen, nam. v. Steuern durch das Finanzamt.

Beiwohnung *w,* der → Beischlaf.

Beiwort *s,* das → Adjektiv.

Beize *w,* **1)** zum → Beizen verwendete Stoffe u. Mittel. – **2)** (ahd. *beizzen,* ,beißen machen'), *Beizjagd;* urspr. oriental. Jagdart auf Kleinwild mit Hilfe abgerichteter Raubvögel (Falken, Habichte, Adler).

beizen, 1) Metalle mit Säuren u. Laugen behandeln als Vorbehandlung für Anstrich u. a. – **2)** Textilien zum Färben mit → Beizenfarbstoffen vorbehandeln. – **3)** → Lederherstellung. – **4)** Holz mit Beizenfarbstoffen färben, wobei die Maserung sichtbar bleibt; Verwendung v. Extrakten aus Nußbaumholz bewirkt braune Färbung. – **5)** *Landwirtschaft:* Saatgut vorbeugend behandeln gg. Pilzkrankheiten (Steinbrand, Schneeschimmel bei Mais, Wurzelbrand bei Rübe).

Beizenfarbstoffe (Mz.), in der Textilfärberei verwendete organische Farbstoffe (Alizarinrot, Diamantgrün u. a.), welche die Faser erst nach Vorbehandlung mit Beizen färben.

Beizjagd *w,* → Beize 2).

Beja (: *bescha*), **1)** portug. Prov., 10 225 km², 185 000 E.: Hst.: Beja; Weizen- u. Olivenbau, Korkgewinnung. – **2)** Hst. v. 1), 16 000 E.; Leder-, Textilindustrie.

Béja (: *bescha*), **1)** tunes. Gouv., 250 000 E.; Hst.: B.; Landwirtschaftsgebiet. – **2)** Hst. v. 1), 40 000 E.

Bejaja, frz. *Bougie,* **1)** alger. Verw.-Gebiet, 3 444 km², 555 000 E.; Hst.: B. – **2)** Hst. v. 1), 90 000 E.; mehrfache Ind.; Erdölausfuhr.

Béjart (: *beschar*), frz. Schauspieler: **1)** *Ar-*

mande, 1645–1700; Gattin Molières. – **2)** *Louis,* Bruder v. 1), 1630–78. – **3)** *Madeleine,* Schwester v. 1), 1618–72. – **4)** *Maurice,* frz. Choreograph, *1927; gründete Ballet du XXe siècle.

Bekanntheitstäuschung *w,* → Déjà-vu-Erlebnis.

Bekanntmachung *w, amtliche B.,* Veröffentlichung v. Gesetzen u. Verordnungen in Gesetz- u. Amtsblättern; *öffentl. B.* auch bei Aufgebot, Konkurs u. a.

Bekassine *w,* drosselgroße Schnepfe mit langem Schnabel; lebt in Sümpfen, Mooren, auf nassen Wiesen; wegen des meckernd klingenden Fluggeräuschs beim Balzflug im Volksmund *Himmelsziege* genannt.

Bekennende Kirche, *BK,* die aufgrund der *Barmer theolog. Erklärung* 1934 im Widerstand gg. die nat.-soz. Kirchenpolitik u. die ,Dt. Christen' entstandene ev. Bewegung in Dtl.; Vorgänger 1933 die *Jungreformator. Bewegung* (K. Barth) u. der *Pfarrernotbund* (M. Niemöller); wirksam in den gemeindl. Bruderräten u. den Bekenntnissynoden; harte Verfolgung durch die Gestapo; seit 1948 in der EKD.

Mit organischen Farbstoffen (Beizenfarbstoffe) behandelte Tücher werden auch heute noch, trotz industrieller Massenproduktion, angefertigt. Auf dem Bild sind junge Inderinnen zu sehen, die diese Farbstoffe zum Färben auf einem Straßenmarkt anbieten

Tragende Konstruktionsmaterialien werden einer Belastung im Labor unterworfen, um die Funktionsfähigkeit in der Praxis zu testen

Bekenntnis *s,* 1) Geständnis. – 2) Bejahung v. Glaubenssätzen. – 3) *Glaubens-B.,* Zusammenfassung v. Glaubenssätzen einer christl. Kirche; → *B.schriften.* – 4) *Konfession,* christl. Glaubensgemeinschaft.

Bekenntnisfreiheit *w,* → Glaubens- und Gewissensfreiheit.

Bekenntnisschriften (Mz.), Texte, in denen die Bekenntnisse der Kirchen niedergelegt u. erläutert sind.

Bekenntnisschule *w, Konfessionsschule,* im Ggs. zur → Gemeinschaftsschule (Simultanschule) nach dem Bekenntnis v. Lehrern u. Schülern getrennte Schulform mit dem Ziel einer dem Bekenntnis entsprechenden weltanschaul. Durchdringung des gesamten Unterrichts. Die B. ist weitgehend nicht mehr Regelschule, kann aber im Pflichtschulbereich (Grund- u. Hauptschule) auf Wunsch der Eltern eingerichtet werden.

Békés (: bekesch), ungar. Komitat östl. der Theiß, 5632 km², 432000 E.; Hst.: Békéscsaba.

Békéscsaba (: bekeschtschâbâ), Hst. des ungar. Komitats → Békés, östl. der Theiß, 66500 E.; landwirtschaftl. Industrie.

Békésy (:-schi), *Georg v.,* ungar.-am. Biophysiker, 1899–1972; erforschte die Funktion des Innenohrs; 1961 Nobelpreis für Medizin.

Beklagter *m, Zivilprozeß:* die Partei, gg. die der Kläger Klage erhoben hat; in der DDR: *Verklagter.*

Bekräftigung *w, Lernpsychol.:* → Verstärkung.

Bel 1) → Baal. – 2) *s,* → Dezibel.

Béla (: belå), Name v. ungar. Königen aus dem Haus Arpád.

Belafonte (: belᵉfontⁱ), *Harry,* am. Sänger u. Filmschauspieler, *1927; wirkte in *Carmea Jones, Heiße Erde* u. a. Filmen mit; machte den Tanz → Calypso bekannt.

Belagerungszustand *m,* Notstand durch innere Unruhen od. Krieg, nach dessen Verkündigung Militärbehörden u. Kriegsgerichte tätig werden; vgl. Ausnahmezustand.

Belaja (: bje-, russ., ,die Weiße'), mehrere russ. Flüsse; darunter l. Nebenfluß der Kama, 1430 km.

Belaja Zerkow (: bje-, tßärkᵃfj), sowjet. Stadt in der Ukrain. SSR, südl. v. Kiew, 151000 E.; Masch.-, Beton-, Mühlen-, Zucker-Ind. u. a.

Bela Palanka, jugoslaw. Stadt in Südostserbien; in der Nähe 1976 Römerstadt *Remisiana* aus dem 2. Jh. n. Chr. entdeckt.

Belasco (:-läßkoᵘ), *David,* am. Schriftsteller, 1859–1931; Dramen; Libretti zu Puccinis Opern.

Belastung *w,* 1) *Bauwesen:* Kraft, die auf Tragwerk eines Bauteils lastet: Eigengewicht, Nutzlast, Schnee u. a. – 2) *Technik:* der zu überwindende Widerstand bei Kraftmaschinen. – 3) *Buchhaltung:* Lastschrift im Soll der Buchführung. – 4) *Recht:* im Grundbuch eingetragene Beschränkungen am Grundstückseigentum (dingl. Rechte, Hypotheken, Reallasten, Grunddienstbarkeiten). – 5) *psycholog. Beanspruchung,* → Streß. – 6) *erbliche B.:* angeborene Bereitschaft zu körperl. Anomalien od. zu Nerven- u. Geisteskrankheiten aufgrund der Abstammung.

Belastungsdyspnoe *w,* Atemnot bei körperl. Bewegung, bes. bei Herzschwäche.

Belaúnde Terry, *Fernando,* peruan. Politiker, Architekt, *1912; 1963–68 Staatspräs., gestürzt; 1980 erneut Präsident v. Perú.

Belawan, indones. Hafenstadt in Nordsumatra, an der Straße v. Malakka, 45000 E.; Ausfuhr v. Gummi, Tee, Gewürzen u. a.

Belcanto *m* (it.), it. Gesangsstil der Schönheit der Tongebung (in Oper, 17./18. Jh.).

Belche *w, Belchen,* volkstüml. Bez. für → Bläßhuhn.

Belchen *m,* 1) Berg im südl. Schwarzwald, 1414 m. – 2) *Vogesenberge: Großer B., Sulzer B., Grand Ballon,* höchster Berg der Vogesen, 1423 m; *Kleiner B.,* 1268 m; *Welscher B., Ballon d'Alsace,* 1250 m.

Belcher (: -tsch^er), Sir *Edward*, engl. See-fahrer u. Polarforscher, 1799–1877; unternahm 1836–42 Vermessungsfahrt um die Erde, 1852–54 eine Arktisexpedition.

Belebtschlamm *m*, in der Abwasserreinigung (→ Kläranlagen) verwendete Suspension aus Bakterien u. Einzellern, welche einen Teil der im Abwasser enthaltenen Schmutzstoffe als Nährstoffe verwerten können. Die Schmutzstoffe werden im Stoffwechsel der B.organismen chemisch verändert, in deren Zellen eingebaut od. in gelöster Form od. als Gase abgeschieden. Die B.organismen werden im *Absetzbecken* vom gereinigten Abwasser getrennt.

Belebungsmittel (Mz.), die → Anregungsmittel.

Belege (Mz.), die schriftl. Unterlagen der kaufmänn. Buchführung (Rechnungen, Quittungen), sind 10 Jahre aufzubewahren.

belegen, 1) in der *Tierzucht:* begatten. – **2)** *buchen,* für Schiff, Flugzeug, Zug (Schlaf-, Liegewagen) Platz vorbestellen. – **3)** *Universitäts-, Hochschulstudium:* zu Semesterbeginn sich verbindlich für bestimmte Vorlesungen, Seminare u. Übungen bei der Verwaltung durch entsprechende Eintragungen im Studienbuch melden. Das B. einer bestimmten Anzahl v. Veranstaltungen pro Semester ist Voraussetzung für die Zulassung zu Abschlußprüfungen.

Belegschaft *w*, die Arbeitnehmer eines Betriebs.

Belegschaftsaktien (Mz.), *Arbeitnehmeraktien*, v. Betrieben an Mitarbeiter vergünstigt ausgegebene Betriebsaktien zur Mitbeteiligung der Arbeitnehmer am eigenen Betrieb.

Belegstück *s*, *Belegexemplar*, ein od. mehrere Exemplare eines Druckerzeugnisses (Buch, Zeitschrift, Zeitung bzw. eines Beitrags daraus) nach Erscheinen an Verfasser u. a.

Belegzellen (Mz.), säureproduzierende Zellen der Magenschleimhaut.

Belehnung *w* (mhd.), die Übertragung eines Lehens.

Beleidigung *w*, → Ehrenkränkung.

Beleihung *w*, durch Pfand abgesicherte Kreditgewährung.

Beleihungsgrenze *w*, der Prozentsatz des → Beleihungswerts, bis zu dem ein Gegenstand od. Recht durch Kredit (Darlehen) beliehen werden kann.

Beleihungswert *m*, der v. einem Kreditgeber festgelegte Wert für durch Kredit beliehene Gegenstände od. Rechte.

Belém (: belã), **1)** Vorstadt v. Lissabon. – **2)** *Nossa Senhora de B. do Pará*, Hst. des brasil. Bundesstaats Pará, r. am Rio Pará, 635 000 E.; Univ.; wichtiger Handelshafen; Ausfuhr: Paranüsse, Kakao, Kautschuk u. a.; Flughafen.

Belemnit *m* (gr. *belemnon*, ‚Geschoß‘), *Donnerkeil, Teufelsfinger*, ausgestorbenes Meerestier aus der Gruppe der Kopffüßer,

Straßenkämpfe in Nordirland zwischen Protestanten, Katholiken und der britischen Armee

Bele

Verwandte der heutigen Tintenfische; mit kalkiger, zugespitzter innerer Schale, deren Mittelteil gekammert ist. Hauptentwicklung in Jura u. Kreide.

Beletage *w* (frz.), → Belletage.

Beleuchtung *w,* natürliche od. künstl. Erhellung v. Räumen, Straßen, Plätzen, nicht selbstleuchtenden Gegenständen usw. – Urspr. beleuchtete man durch Herdfeuer, Holz- u. Kienspan, Fackeln, dann in Ampeln mit Docht, schließlich in Lampen für feste u. flüssige Brennstoffe; später mit Gas u. Elektrizität (Glühlampen, Leuchtstoffröhren).

Beleuchtungskörper *m,* jede Lampe.

Beleuchtungsmesser *m,* photometrisches od. elektr. Instrument zum Messen der Helligkeit.

Beleuchtungsstärke *w,* Verhältnis des auf eine Fläche fallenden Lichts zur Flächengröße; Einheit → Lux (lx).

Belfast, Hst. des brit. Nordirland, an der Nordostküste der Insel Irland, 374 000 E.; Univ. u. andere Bildungsstätten; bedeut. Ind.-, Handels-, u. Hafenstadt; Leinen-, Elektro-, Flugzeug- u. a. Ind.; Schiffbau; Flughafen Aldergrove.

Belfort (:-for), **1)** ostfrz. Territorium (*Territoire de B.*), 609 km², 131 200 E.; Hst.: B.; im Bereich der Burgund. Pforte. – **2)** Hst. v. 1), im Tal der Savoureuse, 55 000 E.; Festungsstadt; Textil-, Elektro-, Möbel- u. a. Industrie.

Belfried *m,* frz. *Beffroi,* **1)** *Bergfried,* Hauptturm v. mittelalterl. Burgen. – **2)** freistehender od. Rathaus- (Glocken-) Turm in alten Städten, bes. Flanderns.

Belgard (Persante), poln. *Białogard,* ostpommer. Stadt an der Persante, 20 000 E.; seit 1945 unter poln. Hoheit.

Belgaum, Stadt im ind. Bundesstaat Karnataka, 214 000 E; Ind.; Flughafen.

Belgen (Mz.), die keltischen Stämme v. Nordgallien.

Belgica, ehem. nordgallische Provinz der Römer, nach den Belgen benannt.

België (:chi-e, fläm.), → Belgien.

Belgien, fläm. *België,* frz. *La Belgique,* westeurop. Königreich (parlamentarische Monarchie), 30 518 km², 9,8 Mill. E.; Hst.: Brüssel. – B. ist Durchgangsland zw. Mittel- u. Westeuropa. Hinter der kurzen, hafenarmen Küste mit Seebad Ostende u. Hafen Zeebrügge das Tiefland v. *Nieder-*

Bevölkerungsdichte in Belgien

Einwohner pro km²

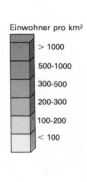

> 1000
500-1000
300-500
200-300
100-200
< 100

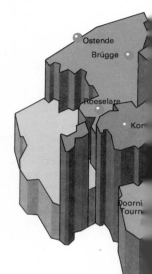

B., ein Marschland, nach NO in sandiges Geestland übergehend; östl. der Schelde flachwelliges, industriereiches Hügelland v. *Mittel-B.,* das nach SO in *Hoch-B. (Ober-B.)* mit den rauhen Hochflächen der Ardennen (Hohes Venn 692 m) übergeht. Mildes, feuchtes See*klima,* auf fruchtbaren Böden intensiver Ackerbau (Roggen, Weizen, Zuckerrüben, Kartoffeln, Gemüse, Flachs) u. Viehzucht (Rinder, Pferde, Schafe). Im N im Sambre-Maastal reiche Steinkohlen- u. Erzlager, auf deren Grundlage bedeut. Schwer- u. Metall-Ind., ferner Masch.- u. chem. Ind.; in Gent u. Brüssel hochentwickelte Textil-Ind. (Baumwolle, Wolle, Leinen, Seide, Spitzen). Hauptflüsse sind Maas u. Schelde. – Die fast ganz kath. *Bevölkerung* bilden im N die Flamen mit niederl.-fläm. Sprache, im S die französisch sprechenden Wallonen. – *Geschichte:* In röm. Zeit Teil der Prov. Gallia *(Gallia Belgica)* mit kelt. Belgen u. german. Stämmen, woraus später die roman. Wallonen u. die niederl. Flamen wurden. Im 5. Jh. fränkisch, im 9. Jh. Teil des ‚Röm. Reichs Deutscher Nation‘, im MA zu Burgund gehörend, Aufblühen flandrischer Städte; kam 1477 an Ks. Maximilian v. Habsburg, der es als span. Niederlande im burgund. Kreis verwaltete. Durch die Reformation

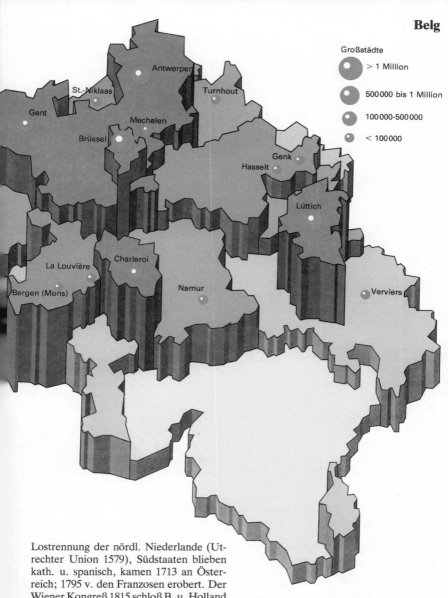

Großstädte

> 1 Million

500 000 bis 1 Million

100 000-500 000

< 100 000

Antwerpen

St.-Niklaas

Turnhout

Gent

Mechelen

Brüssel

Genk

Hasselt

Lüttich

La Louvière

Charleroi

Namur

Verviers

Bergen (Mons)

Lostrennung der nördl. Niederlande (Utrechter Union 1579), Südstaaten blieben kath. u. spanisch, kamen 1713 an Österreich; 1795 v. den Franzosen erobert. Der Wiener Kongreß 1815 schloß B. u. Holland zum Kgr. der Vereinigten Niederlande zusammen. 1830 Aufstand gg. niederl. Herrschaft, Sieg über die holländ. Truppen u. Wahl Leopolds v. Sachsen-Coburg als Leopold I. (1831–65) zum König der Belgier. Leopold II. (1865–1909) erwarb Belgisch-Kongo u. förderte den industriellen Aufbau; 1898 Flamen u. Wallonen gleichberechtigt. Im 1. Weltkrieg trotz Neutralitäts-erklärung Einfall v. dt. Truppen, 1920 danach Anschluß an Fkr. u. Engl.; 1936 erneut neutral; 1940 wieder dt. Einmarsch u. Besetzung; Kg. Leopold III. bis 1945 in dt. Gefangenschaft, dankte 1951 zugunsten seines Sohns → Baudouin I. ab. 1947 Zollunion (→ Benelux) mit Luxemburg u. den Niederl., 1948 Beitritt zum Brüsseler Pakt, 1949 zur NATO, 1952 zur Montanunion,

Belg

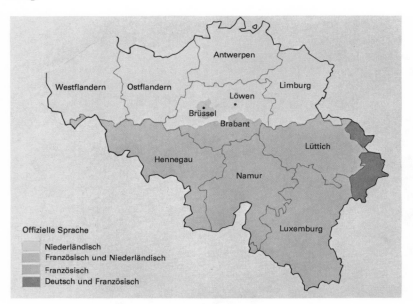

Offizielle Sprache

Niederländisch
Französisch und Niederländisch
Französisch
Deutsch und Französisch

1958 zur EWG. – Der lange Sprachenstreit zw. Flamen u. Wallonen führte wiederholt zu Regierungskrisen (→ Flämische Bewegung); 1980 Umwandlung B.s in Föderation aus Flandern u. Wallonien.

Belgier *m, Brabanter,* belgisches schweres Arbeitspferd, → Kaltblut; bes. in Brabant gezüchtet.

belgische Kunst, seit nationaler Selbständigkeit (1830) entstand eigentliche nationale Kunst. Die künstlerische Vergangenheit reicht bis in vorröm. Kultur. Höhepunkte v.

Belgische Kunstfertigkeit zeigt sich auch an diesen Gildehäusern aus dem späten Mittelalter

abendländ. Bedeutung in roman. Goldschmiedekunst, in Plastik u. Architektur der Gotik (Kirchen St. Gudula in Brüssel; Liebfrauen u. St. Salvator in Brügge, St. Bavo in Gent; Spätgotik: Kathedrale in Antwerpen; zahlr. Hallenkirchen. Backsteinerne Wohnhäuser mit Treppengiebeln; riesige Stadttürme in Verbindung mit schmuckreichem Rathaus od. Kaufhaus [Brügge u. Ypern]), in der niederl. Malerei (Rogier van der Weyden [1399–1464], Jan van Eyck [1390–1441], Dirk Bouts [1410–75], Hans Memling [1433–94], Justus van Gent bis 1480 in Urbino; in der Spätgotik: Quinten Massys [1466–1530] u. als Landschafter Joachim Patinir [1485–1524]), in der Renaissance (Mabuse [1478–1533], Bernart van Orley [1491–1542] Pieter Breughel d. Ä. [1520–69]) u. im Barock (Architektur: Rubenshaus in Antwerpen 1624, Kirche St. Carl Borromäus gl. O., Michaelskirche in Löwen, Pieter de Witte [Candid] in München; Malerei: P. P. Rubens [1577–1640], Anthonis van Dyck [1599–1641], Jacob Jordaens [1593–1678], David Teniers [1610–90]. – Vom 15.–18. Jh. war die Kunst der Bildteppiche in Europa führend (sog. *Arrazzi*). – Ab 1830: Den monumentalsten Bau des 19. Jh. schuf J. Poelaert (1817–79) mit dem Brüsseler

Justizpalast. In der Malerei überwiegt das Historienbild; G. Wappers (1813–74), L. Gallait (1810–87), N. de Keyser (1813–87). Leistungen der b. K. im 19. u. 20. Jh. im → Naturalismus (→ Meunier), im → Symbolismus u. Jugendstil (→ Minne, → Ensor, H. van de → Velde), im fläm. Expressionismus (→ Permeke); in der jüngsten abstrakten Kunst Einflüsse aus den Nachbarländern (Vantongerloo, Gruppe Cobra).
belgische Literatur. Selbständ. Schrifttum erst nach 1830. Kennzeichnend: fläm.-wallon. Doppelcharakter, verkörpert durch frz. schreibende Dichter fläm. Abstammung: Maeterlinck, Verhaeren u. a.; de Coster, in seinen Themen fläm., ist wallon. Abstammung. Rasches Reifen der fläm. Dichtung im 19. Jh., wogegen sich die frz.-belg. Lit. erst mit dem Symbolismus um 1880 entfaltete. Bedeut. Historiker: Henri Pirenne. – Weitere Vertreter frz.-belg. Lit.: O. Pirmez, A. Giraud, J. Gilkin, M. Elskamp, Ch. van Lerbeghe, G. Rodenbach, C. Lemonnier, G. Eckhoud, F. Crommelynk, Ch. Plisnier, E. Gilbert u. a. – Vertreter der Lit. in fläm. Sprache (Fläm. Bewegung): H. Conscience, Jacob van Artevelde, G. Gezelle, K. L. Ledeganck, A. Rodenbach, S. Streuvels, K. van de Woestijne, H. Teirlinck, M. Gijsen, P. van Ostayen, J. van Nijlen, R. Minne, W. Elsschot, M. Roelants, G. Walschap, M. Gilliams u. a.
belgische Musik, seit 1830: Nach zuerst frz. Einfluß gewann in den 80er Jahren Wagner große Bedeutung für die belg. Musik. Seit etwa 1870 Unterscheidung einer wallon. (C. Franck, G. Lekeu, J. Jongen, P. de Maleingreau u. a.) u. einer fläm. Schule, die bes. Oper u. Chormusik pflegt (Pierre Benoît, E. Tinel, Jan Blockx, R. Gilson u. a).
Belgisch-Kongo → Zaire.
Belgorod (: bjelcharad), sowjet. Stadt in der RSFSR, r. am Donez, 240 000 E.; TH, PH; Kreide-, Baustoff-, Bekleidungs-Ind.
Belgorod-Dnjestrowskij (: bjelcharad-), fr. *Akkerman,* sowjet. Hafenstadt in der Ukrain. SSR, in Bessarabien, am Dnjestr-Liman, 35 000 E.; Industrie.
Belgrad, serbokrat. *Beograd,* Hst. v. Jugoslawien u. der Sozialist. Rep. Serbien, an der Mündung der Save in die Donau, 770 000, Aggl. 1,2 Mill. E.; Univ., Hochschulen, Akademien; Nationalbibliothek u. -museum u. a. m.; Handelsplatz, Um-

schlaghafen; Textil-, Masch.-, Fahrzeug-, Elektro-, chem. Ind.; Flughafen. – Im 10. Jh. unter Herrschaft der Bulgaren, im 14. Jh. der Serben, 1433 der Ungarn. 1521 Eroberung durch Suleiman II., 1688 durch Österr., 1690 durch die Türken, 1717 durch Prinz Eugen; 1739 trat Österr. B. an die Türken ab, errang die Stadt aber 1789 v. neuem. 1806 Hst. Serbiens. Im 1. Weltkrieg (1915) Besetzung durch die Mittelmächte. 1918 Hst. des neuen Kgr. Jugoslawien. Im 2. Weltkrieg stark bombardiert u. 1941 durch dt. Truppen besetzt; 1944 durch jugoslaw. u. sowjet. Truppen befreit.
Belial (hebr.), → Beliar.
Beliar *m* (hebr.), *Belial,* im NT Teufel.
Belichtung *w,* Einwirkung v. Lichtstrahlen auf photograph. Platten od. Filme.
Belichtungsmesser *m,* elektr. Gerät, das

Jugoslawien mit der Hauptstadt Belgrad (Karte oben). Mehr als 100 000 Menschen wohnen in dem neugebauten Stadtteil Neu-Belgrad (Photo unten)

Beli

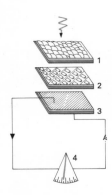

Bei einem Selenbelichtungsmesser fällt das Licht über ein Wabenlinsensystem (1) und Wabenblenden (2) auf eine halbleitende Selenplatte (3). Dort werden Elektronen freigesetzt, die ein empfindliches Strommeßwerk (4) durchlaufen

mit Hilfe einer → Photozelle die Belichtungszeit od. die Blendenweite eines Photood. Filmgeräts ermittelt.

Belinskij, *Wissarion Grigorjewitsch,* russ. Literaturkritiker u. Philosoph, 1811–48; Vertreter der dialekt. Methode Hegels mit großem Einfluß auf die Jugend als Kritiker; führte dt. philosoph. Begriffe in die russ. Umgangssprache ein, z. B. Anschauung, Immanenz, Konkretheit, Moment, Negation, Reflexion u. ä.

Belisar, oström. Feldherr, um 505–555; bezwang in Afrika die Wandalen u. in Italien die Goten.

Belitung, *Billiton, Bilitong,* indones. Insel zw. Borneo u. Sumatra, 4959 km², etwa 120000 E.; Hauptort: Tandjungpandan; Zinn u. Wolfram.

Belize (:belis), **1)** Kleines Küstenland in Mittelamerika, 22965 km², 153000 E.; Hst.: Belmopan. – Als letzte brit. Kolonie in Mittelamerika 1981 unabhängig. – **2)** Hafenstadt in 1), am Karib. Meer, über 45000 E.

Bell, 1) *Alexander Graham,* am. Techniker, 1847–1922; führte 1876 erstes verwendbares Telephon vor. – **2)** *George,* anglikan. Bischof, 1883–1958; Vorkämpfer der → Ökumenischen Bewegung. – **3)** *Larry,* am. Bildhauer der Minimal art, *1939.

Belladonna *w* (it.), Schwarze → Tollkirsche.

Belladonna-Alkaloide (Mz.), psychotrop. Substanzen, die krampflösend wirken u. in hohen Dosen psychoseähnl. Zustände auslösen (→ Psychopharmaka); kommen vor in Nachtschattengewächsen (→ Tollkirsche, → Stechapfel).

Belladonnaextrakt *m,* Auszug aus den Blät-

tern der → Tollkirsche *(Atropa Belladonna),* enthält das Gift Atropin; Verwendung in der Medizin, vor allem in der Augenheilkunde zur Pupillenerweiterung (→ Parasympatholyse).

Bella gerant alii, tu, felix Austria, nube! (lat., ‚Andere mögen Kriege führen; du, glückliches Österreich, heirate!‘), Hexameter auf die habsburgische Heiratspolitik.

Bellagio (:-dscho), it. Kurort am Comer See, 4000 E.

Bellamy, *Jacobus,* Pseud. *Zelandus,* niederl. Schriftsteller, 1757–86; patriot. Dichtung im Einfluß der dt. Anakreontiker.

Bellamy (:belᵃmi), *Edward,* am. Schriftsteller 1850–98; – HW: der utop. sozialreformerische Roman *Rückblick* (1888).

Bellarmin, *Robert* Kard., it. Theologe, 1542–1621; Jesuit; Kirchenlehrer; führend in der Gegenreformation; hl. (17. 9.).

Bellatrix (lat.), Schulterstern im Orion.

Bellay (:belä), *Joachim du,* frz. Schriftsteller, 1522–60; Mitglied der → Pléiade.

Belle-Alliance (:bälaljäß), Gehöft nahe Brüssel; hier Napoleon I. 1815 in der Schlacht v. Waterloo entscheidend geschlagen.

Belleau (:bälo), *Remy,* frz. Schriftsteller 1528–77; Hirtendichtung; Mitglied der → Pléiade.

Bellechose (:bälschos), *Henri,* niederl. Maler am Hof v. Burgund, um 1415–40 tätig; stellte das Altarwerk des J. Malouel der Kartause v. Champmol fertig.

Belle-Île (:bäl il), frz. Insel südl. der Bretagne, 90 km², 3000 E.; Hauptort u. Hafen Le Palais; Ackerbau; Pferdezucht.

Belle Isle (:bel ail), Insel am Eingang der *B.-I.-Straße* zw. Labrador u. Neufundland.

Alexander Graham Bell. Auf dem Photo stellt er die erste offizielle Telephonverbindung zwischen New York und Chicago her

Bellenz, dt. für → Bellinzona.

Bellerophon, 1) griech. Sagengestalt; besiegte die Amazonen, strebte mit dem → Pegasus nach dem Olymp; v. Zeus zur Erde gestürzt. – **2)** engl. Schiff, auf das 1815 Napoleon I. sich in engl. Schutz begab. – **3)** fossile Schnecke aus dem Erdaltertum.

Belletage w (: -etasch͜e, frz.), *Beletage,* das Stockwerk über dem Erdgeschoß.

Belletristik w (frz.), Zusammenfassung der schöngeistigen u. Unterhaltungsliteratur im Ggs. zur wissenschaftl. u. Fachliteratur.

Bellevue (: bälwü, frz.), Name vieler Schlösser u. a. Bauten mit ‚schöner Aussicht'; it. *Belvedere.*

Bellheim, rheinl.-pfälz. Gem. im Queichtal, im Ldkr. Germersheim, 6700, als Verbandsgem. 10 600 E.

Belli, *Giuseppe Gioacchino,* it. Volksschriftsteller, 1791–1863; zahlr. satir. Sonette im röm. Dialekt.

Belling, *Rudolf,* dt. Bildhauer, 1886–1972; konstruktivistische, abstrakte u. gegenständliche Plastiken; Porträtbildnisse.

Bellini, it.-venezian. Malerfamilie: **1)** *Gentile,* um 1429–1507; Sohn v. 3); realist. Legendenbilder. – **2)** *Giovanni,* 1430–1516; Sohn v. 3); der bedeutendste der Familie; Altarbilder der Frührenaissance in leuchtendem Kolorit; als Lehrer v. Giorgione, Palmavecchio u. Tizian v. Einfluß auf die Hochrenaissance in Venedig. – **3)** *Jacopo,* etwa 1400–70; bedeutend durch erstmalige Raumdarstellung u. Perspektive in der venezian. Malerei.

Bellini, *Vincenzo,* it. Komponist, 1801–35; beeinflußte Verdi; Kirchen- u. Instrumentalmusik; insbes. Opern. –WW: Opern: *Die Nachtwandlerin* (1831); *Norma* (1831) u. a.

Bellinzona, *Bellenz,* Hst. des südschweizer. Kt. Tessin, am Tessin, 17400, als Aggl. 33500 E.; altes Stadtbild mit Burgen u. Kirchen; bedeut. Verkehrsmittelpunkt.

Bellis s (lat.), → Gänseblümchen.

Bellman, *Carl Mikael,* schwed. Volksschriftsteller, 1740–95; Trinklieder, Liebeslyrik, Komödien.

Bellmer, *Hans,* dt.-frz. Graphiker u. Kupferstecher, 1902–75; durch seine Zeichnungen (Traumfiguren, erot. Details) Mitbegr. des Phantast. Realismus.

Bello (: beljo), *Andrés,* venezolan. Schriftsteller, Pädagoge, Philosoph u. Kritiker, 1781–1865. – HW: *Alocución a la poesía*

(1823); *Silva a la agricultura en la zona tórrida* (1826).

Belloc, *Hilaire,* engl. kath. Schriftsteller u. Historiker, 1870–1953; Lyrik, Romane, histor. Essays, Kinderbücher u. a. m. – WW: *Der Weg nach Rom* (1902); *Millionär wider Willen* (1925); *Die Reformation* (1928); *Gesch. Englands* (4 Bde, 1925–31); *Cromwell* (1934).

Bellona, röm. Göttin des Kriegs.

Giovanni Bellini malte 1501 den Dogen Leonardo Loredan

Bellow (: bäloᵘ), *Saul,* am. Schriftsteller u. Pädagoge, *1915; psychoanalyt. Romane u. Novellen (aktuelle Judenprobleme); 1976 Nobelpreis für Literatur. – HW: *Die Abenteuer des Augie March* (1953); *Der Regenkönig* (1959); *Herzog* (1964); *Humboldts Vermächtnis* (1975).

bellum s (lat.), Krieg.

Belm, niedersächs. Gem. im Ldkr. Osnabrück, 10400 E.

Belmondo (: bälmõdo), *Jean-Paul,* frz. Filmschauspieler, *1933; in zahlr. Filmen, u. a. in *Außer Atem* (1960), *Der Dieb v. Paris* (1967), *La Magnifique* (1975).

Belmopan, neue Hst. v. → Belize 1).

Belohnung w, **1)** *allg. pädagog.:* gezielte Maßnahme u. gezielter Einsatz v. Erziehungsmitteln, um erwünschtes Verhalten des Kindes od. Jugendlichen zu festigen. – **2)** *behaviorist. Lerntheorie:* im Ggs. zur → Strafe *positive* → *Verstärkung,* bewußtes Einsetzen v. bestimmten Reizen (v. materiellen Zuwendungen, Lob, Anerkennung, liebevoller Zuwendung u. ä.) nach einem bestimmten Verhalten, um dessen späteres Auftreten durch die B. zu fördern. – **3)**

aufgeschobene B., aufgeschobene Befriedigung, deferred gratification, a) allg.: B., die nicht unmittelbar auf eine bestimmte Handlung folgt. – *b) Soziol.:* Befriedigung als Verhaltensmuster od. Einstellung, auf sofortige B. (Vorteile) zugunsten späterer größerer zu verzichten, z. B. die Motivation zu einer längeren Schulausbildung, die mit dem Verzicht auf eine momentane Befriedigung materieller Bedürfnisse, aber mit der Aussicht auf bessere Berufsmöglichkeiten verbunden ist. – **4)** *extrinsische B.* → Motivation. – **5)** *intrinsische B.* → Motivation.

Belo Horizonte (bälorisonti), Hst. des brasilianischen Bundesstaats Minas Gerais, 1000 m ü. M., 1,3 Mill. E.; Universitäten u. andere Bildungsstätten; vielseitige Ind.; Zentrum eines Agrar- u. Bergbaugebiets; Flughafen.

Beloje Osero (:bje-), *Weißer See,* nordruss. See, nordwestl. v. Wologda, 1125 km²; Teil der Kanalverbindung v. Moskau zum Weißen Meer.

Belorussen (:bje-, Mz.), die Weißrussen.

Belorussische SSR (:bje-), → Weißrussische SSR.

Beloruẞland (:bje-), → Weißrussische SSR.

Below (:-lo), *Georg v.,* dt. Wirtschaftshistoriker, 1858–1927; Arbeiten zur Verfassungs- u. Rechtsgeschichte.

Belowescher Heide → Białowiezer Heide.

Belowo (:bje-), westsibir. Stadt in der RSFSR, im Kusnezker Becken, 112000 E.; Kohlenbergbau, Gießereien.

Bel-Paese *m* (it.), vollfetter it. Weichkäse.

Belsazar → Belschazzar.

Belschazzar, *Belsazar, Baltasar,* babylon. König, v. Kyros 538 v. Chr. geschlagen.

Belt *m, Großer* u. *Kleiner B.,* zwei Meeresstraßen in Dänemark; verbinden mit Sund Nord- u. Ostsee; Großer B. zw. Fünen u. Seeland, Kleiner B. zw. Fünen u. Jütland.

Belucha, höchster Berg des russ. Altai, 4506 m hoch.

Beluga *m,* **1)** *Weißwal,* dem Narwal verwandte Walart. – **2)** russ. Bez. für den → Hausen. – **3)** Kaviar aus Hausenlaich.

Belutschen (Mz.), islam. Wanderhirtenvolk in Belutschistan u. Grenzgebieten.

Belutschistan, Hochland im SO v. Iran u. haupts. in Pakistan, trocken-heißes Gebirgsland mit Sandwüsten, Steppen u. steilen Rändern; Viehzucht (Ziegen, Schafe, Kamele, Pferde), in Tälern Ackerbau; islam. Bev., nam. die nomad. *Belutschen.* – Das antike Maka, dann Gedrosia, im MA

Nomaden im Hochland von Belutschistan

Mekran; im 7. Jh. v. den Arabern erobert, seit 17. Jh. persisch, seit 1747 afghanisch, 1876–1947 brit. Schutzstaat.

Belvedere *s* (it.), hochgelegener Gebäudeteil, Schloß od. Park mit ‚schöner Aussicht‘.

‚Benedictus‘ aus dem Kyriale des Adriaan Willaert (1485–1562)

Belyi (: bjelüi), *Andrej,* eig. *Boris Nikolajewitsch Bugajew,* russ. Schriftsteller, 1880–1934; russ. Symbolist; Lyrik, bedeutendere Romane, Memoiren.

Belzig, Stadt im Bez. Potsdam, am Fläming; 7200 E.

Belzner, *Emil,* dt. Schriftsteller, *1901; Versepen; histor. u. zeitkrit. Romane. – WW: *Ich bin der König* (1940); *Der Safranfresser* (1953); *Die Fahrt in die Revolution* (1969) u. a.

Bema *s* (gr.), erhöhter Altarraum in orthodoxen Kirchen; auch Kanzel, Altar.

Bembel *m,* 1) der Glockenschwengel. – 2) Krug für Apfelwein.

Bembo, *Pietro* Kard., it. Humanist u. Schriftsteller, 1470–1547; in der Tradition Petrarcas; Erneuerer der it. Sprache.

Bemelmans (: -mäns), *Ludwig,* am. Schriftsteller, 1898–1962; humorist. Erzähl. u. Romane. – HW: *Hotel Splendid* (1941); *Alte Liebe rostet nicht* (1955).

Bemessungsgrundlage *w,* 1) *Steuerrecht:* → Steuerbemessungsgrundlage. – 2) *Sozialvers.:* → Beitragsbemessungsgrundlage; → Rentenbemessungsgrundlage.

Bemme *w,* Brotschnitte.

Ben *m* (hebr., arab.), 1) Sohn. – 2) Abk. für Benjamin.

Benares, die ind. Stadt → Varanasi.

Benatzky, *Ralph,* österr. Operettenkomponist, 1887–1957; auch Chansons. – HW: *Casanova* (1928); *Im weißen Rößl* (1930).

Benavente, *Jacinto,* span. Schriftsteller, 1866–1954; führender span. Dramatiker der Jahrhundertwende; iron. Komödien; 1922 Nobelpreis für Literatur. – HW: *Der tugendhafte Glücksritter* (1908); *Die frohe Stadt des Leichtsinns* (1916).

Ben Bella, *Mohammed Ahmed,* alger. Politiker, *1916; maßgeblich am Algerienaufstand gg. Fkr. beteiligt; 1962 Min.-Präs., 1963 Staatspräs., 1965 entmachtet durch Boumedienne; 1979 aus Haft entlassen.

Bence-Jones-Protein *s* (: benß-dseho"ns-), nach dem engl. Arzt *H. Bence* (1813–73) benanntes Eiweiß, das bei besond. Knochenmarkskrebsarten im Harn ausgeschieden wird u. im Ggs. zu normalem Eiweiß beim Erhitzen in Lösung geht.

Benda, 1) *Ernst,* dt. Politiker (CDU), *1925; 1957–71 MdB; 1968/69 Bundesinnenmin.; seit 1971 Präs. des Bundesverfassungsgerichts. – 2) *Franz,* dt. Komponist u. Geiger, 1709–86. – 3) *Georg,* dt. Komponist, 1722–95; Bruder v. 2); Singspiele u. Melodramen *(Ariadne auf Naxos, Medea* u. a.)

Benda (: bǎda), *Julien,* frz. Philosoph u. Schriftsteller, 1867–1956; Gegner des Bergsonismus.

Bendemann, *Eduard,* dt. Maler der Düsseldorfer Schule, 1811–89; Großgemälde mit histor. u. alttestamentl. Themen; Bildnisse.

Bender, 1) *Hans,* dt. Parapsychologe, *1907; Ordinarius in Freiburg i. Br. (Institut f. Grenzgebiete der Psychol. u. Psychohygiene), geht bei seinen parapsycholog. Forschungen v. der krit. Analyse des Aberglaubens aus. – HW: *Parapsychologie. Ihre Ergebnisse u. Probleme* (1953). – 2) *Hans,* dt. Schriftsteller, *1919; Gedichte, Erzähl., Romane. – WW: *Eine Sache wie die Liebe* (1954); *Wunschkost* (1959). – 3) *Paul,* dt. Sänger, 1875–1947; Bassist.

Bendery, russ. Ind.-Stadt in der Moldauischen SSR, Hafen am Dnjestr; 97 000 E.; u. a. Elektro-, Schuh-, Textilindustrie.

Bend

Bendin, poln. Stadt, → Będzin.

Bendorf, rheinl.-pfälz. Ind.-Stadt r. am Rhein, 15700 E.; Rheinhafen; Stahlwerk, Masch.-Ind. u. a.

bene (lat., Adverb), gut.

Bene Beraq (: beʿnebeʿrak), israel. Ind.-Stadt nordöstl. v. Tel Aviv - Jaffa, 86000 E.

benedeien (lat.), segnen.

Benedetto da Maiano → Maiano.

Benedict, *Ruth,* am. Anthropologin, 1887–1948; Untersuchungen über menschl. Verhaltensmuster.

Benedictio *w* (lat.), *Benediktion,* Segen; Weihe.

Benedictsson, *Victoria,* geb. *Bruzelius,* schwed. Schriftstellerin, → Ahlgren 1).

Benedictus *s* (lat.), **1)** Lobgesang des Zacharias im NT. – **2)** Teil des Sanctus im Hochgebet der Eucharistiefeier.

Benedikt (lat., ,gesegnet'), *Benediktus,* männl. Vorname.

Benedikt, 15 Päpste, darunter: **1) B. XII.,** †1342; 1334–42 Pp.; erbaute den Papstpalast in Avignon. – **2) B. XIII.,** um 1328–1423; 1394–1417 Gegenpapst in Avignon. – **3) B. XIV.,** 1675–1758; seit 1740 Pp.; Förderer v. Kunst u. Wiss. – **4) B. XV.,** 1854–1922; seit 1914 Pp.; erfolglose Friedensbemühungen im 1. Weltkrieg; 1917 Veröff. des neubearb. Codex Iuris Canonici.

Benediktbeuern, oberbayer. Gem. im Ldkr. Bad Tölz - Wolfratshausen, am Fuß der → Benediktenwand, als Verw.-Gemeinschaft 4100 E.; ehemal. Benediktinerkloster, um 740 gegr., Blüte im 12. Jh., 1803 aufgehoben; Kloster seit 1931 Studienhaus der Salesianer; Klosterkirche (17. Jh.) mit Fresken v. H. G. Asam.

Benediktenkraut *s, Cnicus benedictus, Bitterdistel,* der Färberdistel ähnlicher Korbblütler; im Mittelmeerraum verbreitet; früher Heilpflanze.

Benediktenwand *w,* 1801 m hoher Berg der Bayer. Alpen (Kocheler Berge).

Benediktiner (Mz.), lat. *Ordo Sancti Benedicto, OSB, B.orden,* v. → Benedikt v. Nursia 529 auf dem Monte Cassino gegr. beschaulicher Mönchsorden nach der *B. regel* mit besonderer Pflege der Liturgie. 596 Aussendung der ersten B.missionare nach England, v. da Übersiedlung ins Frankenreich u. Fortsetzung der ir. Mission; Gründung der Klöster Reichenau, Pfäfers, Disentis u. a.; seit 15. Jh. territoriale Kongre-

Benedikt von Nursia trifft mit dem König der Ostgoten, Totila (regierte 541–552), und dessen Gefolge zusammen

gationen mehrerer B.klöster. Im MA Missionierung ganz Mitteleuropas, Schaffung der Agrarkultur, Vermittlung des antiken Bildungserbes in den B.klosterschulen. Im Barock Blüte der Architektur u. bildenden Kunst: Melk, St. Florian, Altenburg, Einsiedeln, Ettal u. a. → Cluny, → Beuron.

Benediktiner *m,* aromatischer süßer Kräuterlikör; urspr. v. B.mönchen in der Normandie hergestellt.

Benediktinerinnen (Mz.), der weibl. Zweig des nach der Regel des hl. Benedikt lebenden Benediktinerordens, v. → Scholastika gegründet.

Benediktion *w* (lat.), → Benedictio.

Benedikt von Aniane, eig. *Witiza,* Gründer u. Abt des Benediktinerklosters v. Aniane in Süd-Fkr., um 750–821; Berater Ludwigs des Frommen; hl. (11.2).

Benedikt von Nursia, Vater des abendländ. Mönchtums, um 480–542; gründete 529 das Benediktinerkloster Montecassino; verfaßte die *Regel* der → Benediktiner; hl. (11.7.).

Benedix, *Roderich,* dt. Schriftsteller, 1811–73; Lustspiele.

Benefiz(ium) *s* (lat.), **1)** Wohltat. – **2)** Landleihe im MA, Lehen. – **3)** kirchliches Amt, Pfründe.

Beneke, *Friedrich Eduard,* dt. Philosoph,

1798–1854; Prof. in Berlin; Vertreter eines psychologist. Empirismus, der die Psychologie zur Grundlage aller Geisteswissenschaften (der Philos., der Religionsphilos., der Rechtsphilos., der Päd. usw.) macht. – WW: *Lehrb. der Psychol. als Naturwiss.* (1833); *Grundlinien des natürl. Systems der prakt. Philos.* (1837–40).

Benelli, *Sem,* it. Schriftsteller, 1874–1950; Dramen; u. a. *Mahl der Spötter* (1909).

Benelux(staaten), die Länder **B**elgique (Belgien), **N**ederland (Niederlande) u. **Lux**embourg (Luxemburg), die sich 1947 zu einer Zollunion, 1960 zur Wirtschaftsgemeinschaft zusammenschlossen; die drei Länder traten einzeln auch der EWG bei.

Beneš (: benesch), dt. *Benesch,* **1)** *Eduard,* tschech. Politiker, 1884–1948; betrieb mit → Masaryk die Gründung der Tschechoslowakei (1918); 1935–38 u. 1945–48 Staatspräs.; trat nach kommunist. Staatsstreich zurück. – **2)** *Karel Josef,* tschech. Schriftsteller, *1898; psycholog. u. sozialkrit. Romane u. Erzählungen. – WW: *Das rote Siegel* (1948); *Drachensaat* (1957); *Die Vergeltung* (1963).

Benet (: benᵗt), *William Rose,* am. Schriftsteller, 1886–1950; Gedichte; Kritiken.

Benét (: beneⁱ), *Stephen Vincent,* am.

Feuerwerk und Bengalisches Feuer sind häufig der Abschluß von Feierlichkeiten

Miniatur aus Bengalen um 1760. Ein Engländer läßt sich von Indern bedienen

Schriftsteller, 1898–1943; patriot.-histor. Gedichte, Erzählungen, Kurzgeschichten. – HW: *Er war ein Stein* (1928; ep. Balladenkranz).

Benevent, it. *Benevento,* **1)** it. Prov. in der Region Campania, 2071 km², 294 000 E.; Hst.: B. – **2)** Hst. v. 1), östl. v. Neapel, 62 600 E.; röm. u. mittelalterl. Bauten (Triumphbogen Trajans, röm. Theater). – Im frühen MA langobard. Hzt., vom 11. Jh. bis 1860 Teil des Kirchenstaats.

Benevoli, *Orazio,* it. Komponist, 1605–72. – WW: Motetten, Psalmen, mehrchörige Messen, darunter 52stimmige Messe für Salzburger Dom (1628).

Bengalen, 1) Landschaft im nordöstl. Vorderindien, am Golf v. B., umfaßt das Ganges- u. Brahmaputradelta; 1947 geteilt in West-B. mit Hst. Kalkutta, das heutige → West Bengal (Gliedstaat der Ind. Union) u. Ost-B. mit Hst. Dacca, seit 1971 die unabhängige Rep. → Bangladesch. – **2)** *Golf v. B.,* Teil des Ind. Ozeans, zw. Sri Lanka (Ceylon), Vorder-, Hinterindien, Andamanen u. Nikobaren.

Bengali *s,* eine ind. Sprache mit altem Schrifttum, in Bangladesch u. West Bengal Amtssprache.

Bengaline *w,* ripsartig gemusterter, einfarbiger, halbseidener Kleiderstoff.

Bengalischer Golf → Bengalen 2).

Bengalischer Meerbusen, der Golf v. → Bengalen.

bengalisches Feuer *s,* Feuerwerk; Name v. Bengalen wegen der farbigen Festbeleuch-

Beng

tung an altind. Fürstenhöfen; Gemisch aûs Kohle-, Schwefelpulver, Magnesium, Oxidationsmitteln und flammenfärbenden Stoffen.

Bengasi, arab. *Banghasi,* **1)** libysche Prov., etwa 350 000 E.; Hst.: B. – **2)** Hst. v. 1), an der Ostküste der Großen Syrte, rd. 310 000 E.; Hafenstadt; Nahrungsmittel-, Teppich- u. a. Ind.; Flughafen.

Ben-Gavriêl, *Mosche Ya'akov,* eig. *Eugen Hoeflich,* israel. Schriftsteller, 1891–1965; Romane, Erzähl., Essays, Hörspiele. – HW: u. a. *Das Haus in der Karpfengasse* (1958; Roman); *Ein Löwe hat den Mond verschluckt* (1965; Novelle).

Bengsch, *Alfred* Kard., dt. kath. Theologe, 1921–79; seit 1961 Bisch. v. Berlin.

Bengtson, *Hermann,* dt. Althistoriker, *1909. – HW: *Einf. in die alte Gesch.* (1949).

Bengtson, *Frans Gunnar,* schwed. Schriftsteller, 1894–1954; Gedichte, Essays, histor. Themen. – HW: *Karl XII.* (1935 f.; Biogr.); *Die Abenteuer des Röde Orm* (1941–45; Wikingerroman).

Benguela, *Benguella,* **1)** Prov. in Angola, 37 808 km², 475 000 E.; Hst. B. – **2)** Hst. v. 1), alte Hafenstadt, 45 000 E.; Ausgangspunkt der *B.bahn.*

Benguelabahn *w,* Bahnverbindung von Benguela (Angola) durch Zaire, Sambia, Rhodesien u. Mosambik bis Beira (Mosambik) am Ind. Ozean.

Benguelastrom *m,* kühle, nördlich fließende Meeresströmung vor der Südwestküste Afrikas.

Ben Gurion, *David,* israel. sozialist. Politiker, 1886–1973; seit 1906 als Zionist in Palästina; Mitbegr. der israel. Arbeiterpartei Mapai; 1948–53 u. 1955–63 Min.-Präs. u. Verteidigungsmin. v. Israel.

Beni, *Río B.,* Fluß in Bolivien, Quellstrom des Madeira, aus den Kordilleren.

benigne (lat.), *Med.:* gutartig; z. B. b.r Tumor. – Ggs: *maligne.*

Beni Hasan, altägypt. Ort östl. des Nils; bekannt durch Felsengräber mit Wandmalereien (um 2000 v. Chr.).

Benin, 1) VR in Westafrika, bis 1976 *Dahome(y),* 112 622 km², 3,3 Mill. E.; Hst.: Porto Novo; B. liegt zw. Altant. Ozean, Togo, Obervolta, Niger u. Nigeria; feuchtheiße Küstenniederung mit Anbau v. Hirse, Reis, Zuckerrohr, Erdnüssen, Ölpalmen, Yams, Tabak, Kautschuk, Edelhölzern, Baumwolle; im hügeligen Hochland des Innern Grassteppe, teils Savanne; Viehzucht; Ausfuhr v. Palmkernen u. -öl im Haupthafen Cotonou. – 1894 Dahomey v. Fkr. besetzt, 1904–58 bei Frz.-Westafrika, 1958–60 Rep. in der Frz. Gemeinschaft, seit 1960 unabhängig, 1975 VR B. – **2)** eh. *Kgr. B.,* berühmtes Neger-Kgr., wohl im 12. Jh. gegr., bestand bis ins 19. Jh., bis der letzte Herrscher v. den Engländern verbannt wurde; besaß eine hohe Kultur u. die höchstentwickelte Negerkunst, v. Ife beeinflußt; Höhepunkt wohl im 17. Jh.: Terrakotta-, Elfenbein-, Gelbguß- u. bes. Bronzearbeiten *(Beninbronzen);* entsprachen denen der Yoruba, doch strenger-feierlich u. weniger naturalistisch. – **3)** südnigerian. Fluß in den Golf v. Guinea, 100 km lang. – **4)** *B.City,* Hst. des nigerian. Staats Bendel, 122 000 E., Flughafen. Einstige Hst. des Kgr. B. (→ Benin 2).

Bronzefigur aus dem Königreich Benin

Benin City (: -ßit') → Benin 4).
Bening, *Simon,* niederl. Buchmaler, 1483–1561; Miniaturen.
Benjamin (hebr., ‚Sohn meiner Rechten‘, **1)** im AT jüngster Sohn Jaboks. – **2)** israelit. Stamm. – **3)** männl. Vorname.
Benjamin, 1) *Hilde,* dt. Politikerin (SED), *1902; 1953–67 Justizmin. der DDR. – **2)** *Walter,* dt. Schriftsteller u. Literaturkritiker, 1892–1940 (Freitod); emigrierte 1933; Essays; literarwiss. Werke; autobiograph. Prosa, Aphorismen.
Benjamin (: bäsehamä), *René,* frz. Schriftsteller, 1886–1956; Romane, Essays, Biographien; auch Dramen u. Satiren.
Benn, *Gottfried,* dt. Schriftsteller, 1886–1956; Arzt; mit Gedichtbänden einer der Bahnbrecher des Expressionismus; kehrte 1948 nach langer Pause zu literar. Produktion zurück u. stellte in einer Periode der Absolutsetzung der Kunst in Vers u. Prosa ‚die Form als Sein‘ dem Nihilismus gegenüber; Gedichte, Dramen, Novellen, philosoph. u. kunsttheoret. Betrachtungen. – WW: u. a. *Morgue* (1912); *Statische Gedichte* (1948); *Fragmente* (1951); *Der Ptolemäer* (1949); *Ausdruckswelt* (1949); *Probleme der Lyrik* (1951).
Benndorf, 1) *Friedrich Kurt,* dt. Schriftsteller u. Musiker, 1871–1945; Lyrik. – **2)** *Otto,* österr. Archäologe, 1838–1907; organisierte Erforschung v. Ephesos, Samothrake u. a.
Bennett *s, Rothalskänguruh, Wallaby,* Känguruhart Tasmaniens.
Bennett, 1) *Arnold,* engl. Schriftsteller u. Kritiker, 1867–1931; realist. Unterhaltungsromane, Erzählungen u. Dramen. – **2)** *James Gordon,* am. Publizist, 1841–1918; sandte 1871 Stanley auf die Suche nach Livingstone nach Afrika. – **3)** *Sir William Sterndale,* engl. Komponist, 1816–75; Kammermusik; Klavier-, Chorwerke u. a.
Ben Nevis, höchster Berg Großbritanniens in Westschottland, 1 343 m hoch.
Bennigsen, *Rudolf v.,* dt. Politiker, 1824–1902; 1859 Präs. des Dt. Nationalvereins; 1866–98 Leiter der Nationallib. Partei.
Benno, 1) Bisch. v. Meißen, 1010(?)–1106; seit 1066 Bisch.; 1085–88 wegen Gegnerschaft gg. Heinrich IV. abgesetzt; Wendenapostel; hl. (16.6.). – **2)** männl. Vorname, Kurzform zu Bernhard.
Bennußgewächse (Mz.), → Moringagewächse.

Miniatur von Simon Bening. Dargestellt wird der Transport von Weinfässern in Brügge

Benois (: bᵉnᵒa), *Alexander Nikolajewitsch,* russ. Maler, Kunsthistoriker, 1870–1960; Bühnenbilder, Illustrationen u. a.
Benoît (: bᵉnᵒa), **1)** *Peter,* belg. Komponist, 1834–1901; Vorkämpfer für nationalfläm. Musik; weltl. Oratorien, Te Deum, Requiem, Chorsinfonie, Klavierkonzert. – **2)** *Pierre,* frz. Schriftsteller, 1886–1962; Abenteuer- u. Unterhaltungsromane.
Benommenheit *w,* leichte Form der Bewußtseinsstörung; der Benommene reagiert noch auf seine Umwelt, komplizierte Gedankenabläufe sind jedoch nicht mehr möglich.
Benoni, südafrik. Stadt in Transvaal, im Goldminengebiet des Witwatersrand, 150 000 E.
Benrath, Stadtteil v. Düsseldorf.
Benrath, *Henry,* eig. *Albert H. Rausch,* dt. Schriftsteller, 1882–1949; Lyrik, Erzählungen, histor. Romane. – HW: *Ball auf Schloß Kobolnow* (1932); *Die Kaiserin Konstanze* (1935).
Benrather Linie → Niederdeutsch.
Bense, *Max,* dt. Philosoph, *1910; Prof. in Jena u. Stuttgart; Vertreter eines existentiellen Rationalismus (die Intelligenz als Charakteristikum des Menschen); Haupt-

Bens

arbeitsgebiete: Philos. der Technik, Wissenschaftstheorie u. Entwicklung der Informationstechnik in der Ästhetik. – WW: *Hegel u. Kierkegaard* (1946); *Philos. als Forschung* (1948); *Konturen einer Geistesgeschichte der Mathematik* (1945–49); *Aesthetica* (1954–60).

Bensheim, hess. Stadt im Ldkr. Bergstraße, 32900 E.; Kurort; Obst- u. Weinbau.

Benson (:-ß^{e}n), **1)** *Edward Frederic,* engl. Schriftsteller, 1867–1941; Unterhaltungsromane. – **2)** *Robert Hugh,* engl. Schriftsteller, 1871–1914; Bruder v. 1); Dramen, Romane relig. Gehalts. – **3)** *Stella,* engl. Schriftstellerin, 1892–1933; Erzählungen.

Bensonkessel *m* (:-ß^{e}n-), Hochdruckdampfkessel.

Bentham (:-ß^{e}m), *Jeremias,* engl. Philosoph u. Jurist, 1748–1832; Vertreter einer utilitarist. Moral- u. Rechtsphilosophie, in der er Gesetzgebung u. Moral als Kunst bestimmt, das menschl. Leben nach größtmöglichem Glück auszurichten; hatte damit großen Einfluß auf die Sozial- u. Wirtschaftswissenschaften. – HW: *Introduction to the Principles of Moral and Legislation* (1780).

Bentheim, *Bad B.,* → Bad Bentheim.

Benthos *s* (gr., ‚Tiefe‘), die Lebensgemeinschaft der auf dem Grund eines Gewässers (Meer, See od. Fluß) lebenden Tiere u. Pflanzen.

Bentzon, 1) *Jørgen,* dän. Komponist, 1897–1948; Kammermusik, Sonfonien, Opern. – **2)** *Niels Viggo,* dän. Komponist, *1919; Vetter v. 1); extrem modern.

Benue *m,* größter l. Nebenfluß des Niger in Afrika, 1400 km lang; in der Regenzeit auf 900 km schiffbar.

Benvenuti, *Pietro,* it. klassizist. Maler, 1769–1844; Fresken, Porträts.

Benz, 1) *Carl Friedrich,* dt. Ingenieur, 1844–1929; erbaute 1885/86 den ersten (dreirädrigen) Kraftwagen; gründete die *Benzwerke* (Mannheim). – **2)** *Ernst,* dt. ev. Theologe u. Religionsphilosoph, 1907–79; Prof. in Marburg f. Kirchen- u. Dogmengeschichte; befaßte sich nicht primär mit der institutionellen Kirche, sondern mit Glaubensformen u. Frömmigkeit als allg. menschlicher relig. Erscheinung: nam. mit der Beziehung zw. Ost- u. Westkirche, zw. christl. u. asiat. Erlösungslehren (Zen-Buddhismus) u. mit der Beziehung zw.

Philosophie u. Theologie unter geschichtl. Aspekt. – WW: *Das Todesproblem in der stoischen Philosophie* (1929); *Nietzsches Ideen zur Gesch. des Christentums* (1938); *Schellings theolog. Geistesahnen* (1955); *Der Übermensch* (1961). – **3)** *Richard,* dt. Literatur- u. Kulturhistoriker, 1884–1966; erforschte das dt. MA u. die Romantik.

Molekularmodell von Benzaldehyd

Benzaldehyd *m,* einfachster aromat. Aldehyd; Formel C_6H_5–CHO; farblose Flüssigkeit; riecht nach bitteren Mandeln; Vorkommen in bitteren Mandeln, Aprikosen- u. Kirschkernen; Verwendung in der Parfümerie u. als Aromastoff.

Benzidin *s,* aromat. Amin; Nachweismittel für Blut; Ausgangsstoff für *B. farbstoffe.*

Benzin *s,* Gemisch aus leichten Kohlenwasserstoffen; giftige, feuergefährliche Flüssigkeit; im Gemisch mit Luft explosiv, daher Verwendung als Treibstoff für Verbrennungsmotoren; wasserunlöslich, löst Fette u. andere organ. Stoffe, daher Verwendung als *Reinigungsbenzin (Waschbenzin);* Gewinnung aus Erdöl durch fraktionierte Destillation, aus Kohle durch → Kohleveredelung; B.ausbeute u. Eigenschaften (→ Klopffestigkeit) durch → Crackverfahren stark verbessert.

Benzinvergiftung *w,* häufig durch Einatmen der Dämpfe: **1)** *akute B.:* Schwindel, Erbrechen, Husten, langsamer Atem u. Puls, Lungenentzündung. – **2)** *chron. B.:* Verlangsamung, Gedächtnisverlust, Verwirrung.

Benzoe *w* (:-tßo-e), *Benzoeharz,* im wesentlichen Verbindungen der Benzoesäure enthaltendes Harz des *B.baums* (Sundainseln, Sumatra); medizin. u. kosmet. Verwendung.

Benzoeharz *s,* → Benzoe.

Benzoesäure w, einfachste aromat. Carbonsäure, Formel C_6H_5COOH, Vorkommen in → Benzoe u. andern Harzen; zur Lebensmittelkonservierung u. für die Härtung v. Kautschuk verwendet.

Benzol s, einfachster aromat. Kohlenwasserstoff, Formel C_6H_6; wasserhelle, aromatisch riechende Flüssigkeit; durch Destillation aus Steinkohleteer u. Erdölfraktionen gewonnen. Struktur: ebener Sechsring *(Benzolring)* aus Kohlenstoffatomen, deren Bindungen untereinander gleichwertig, kürzer als Einfach-, aber länger als Doppelbindungen sind (aromat. Bindungszustand); Strukturformel erstmals durch den dt. Chemiker *Kékulé* aufgestellt. Große Bedeutung als Lösungsmittel, Ausgangsstoff für Synthesen (Anilin, Phenol), u. Treibstoffzusatz.

Benzolhexachlorid s, → Hexachlorcyclohexan.

Benzoylperoxid s, aromat. Peroxid, Formel $C_6H_5-CO-O-O-COC_6H_5$; Verwendung als → Katalysator zur Polystyrolherstellung u. als Bleichmittel für Öle, Fette, Mehl.

Benzpyren s, aromat. Kohlenwasserstoffverbindung aus Steinkohlenteer, Industrieabgasen u. Zigarettenrauch; krebserregend.

Ben Zwi, *Isaak*, israel. Politiker u. Schriftsteller, 1884–1963; war 1931–48 Präs. des Nationalrats der Juden in Palästina, seit 1952 Staatspräs. v. Israel.

Benzoesäure wird oft als Konservierungsmittel in Fruchtgetränken benutzt. Beide Gläser enthalten den Saft einer ausgepreßten Apfelsine mit 5% Zucker; das eine Glas enthält keine, das andere Benzoesäure. Nach 72 Stunden an der Luft in einem warmen Zimmer ist der nicht-konservierte Saft mit einer dicken Schimmelschicht überzogen

Fragment aus dem Manuskript des ‚Beowulf' um 1000 n. Chr. (Britisches Museum, London)

Benzylalkohol m, aromat. Alkohol, Formel $C_6H_5CH_2OH$; als farblose, wohlriechende Flüssigkeit in der Parfümerie verwendet; Vorkommen in Blüten.

Benzylgruppe w, in organ.-chem. Verbindungen: der *Benzolring* als Bestandteil eines Moleküls.

Beobachtung w, 1) *allg.:* die mehr od. weniger gezielte Erfassung eines bestimmten Gegenstands od. Ereignisses in bezug auf eine Fragestellung anhand aufmerksamer Wahrnehmung. – 2) *Sozialwiss.:* zielgerichtete, methodisch kontrollierte Wahrnehmung als grundlegende Methode der erfahrungswissenschaftl. Datenerhebung mit Hilfe eines Beobachtungs- od. Kategorienschemas (→ Beobachtungsbogen). Die Unterscheidung zw. *systemat. (wissenschaftl.) B.* u. *unsystemat. (naiver, vorwissenschaftl.) B.* bezieht sich auf das Ausmaß der Kontrolle, die der Beobachter auf die → Variablen der B.ssituation hat. Außerdem gehört zur wissenschaftl. B. neben Planmäßigkeit u. Systematik die Klärung des Zusammenhangs zw. theoret. Bezugsrahmen u. dem gewählten Ausschnitt der sozialen Wirklichkeit. In der Psychologie unterscheidet man zw. *Selbst.-B. (Erlebnis-B.,* → Introspektion) u. *Fremd-B. (Verhaltens-B.).*

Beobachtungsbogen m, 1) *Sozialwiss.:* → Beobachtung 2). – 2) *Schülerbogen,* der v. den Lehrern fortlaufend angefertigt wird u. vor allem über die Entwicklung des Schülers Auskunft geben soll; wird bei Schulwechsel des Schülers v. Schule zu Schule weitergegeben u. auch später noch zur Persönlichkeitsbeurteilung (z. B. bei Straffälligkeit) herangezogen; jetzt auch v. Eltern bzw. v. volljährigen Schülern einsehbar.

Beobachtungslernen s, *Imitationslernen,* → Lernen durch Beobachtung (am Modell).

Die Berber mußten sich infolge der Invasion arabischer Beduinen im 11. Jahrhundert zum größten Teil in die Oasen der Wüste zurückziehen

Beograd, serbokroatischer Name v. → Belgrad.

Beowulf, ältestes vollständiges altengl. Heldenepos, nach Quellen aus 8. Jh. im 10. Jh. entstanden; schildert Sieg des Gautenkönigs B. über das Meerungeheuer Grendel, seine friedl. Regentschaft u. seinen Tod im Kampf mit dem Drachen.

Beran, *Josef* Kard., tschech. Theologe, 1888–1969; 1942–45 im KZ Dachau, 1946 Erzb. v. Prag, 1951 interniert; seit 1965 in Rom.

Béranger (:berãsche), *Pierre-Jean,* frz. Schriftsteller, 1780–1857; volkstümliche moral.- u. polit.-satir. Lieder.

Berar, ind. Landschaft in Madhya Pradesh, 46200 km²; Hauptort: Amravati.

Beratung *w, psycholog. B.:* bezieht sich auf den Gesamtkomplex helfender Maßnahmen mit dem Ziel der Beseitigung persönlicher u. sozialer Probleme in verschiedenen Lebensbereichen, z. B. Erziehungs-, Ehe-, Schul-, Berufs-B. u. a. Es geht bei der B. nicht um die Erteilung ‚guter Ratschläge‘, sondern um die Anwendung v. Behandlungstechniken (z. B. Gruppen-, Gesprächstherapie, Konzentrationstraining, Familientherapie usw.).

Beraun *w,* tschech. *Berounka,* größter l. Nebenfluß der Moldau in Böhmen; mündet nach 230 km südl. v. Prag.

Berber (Mz.), nichtsemit. Völkergruppe Nordafrikas (Weißafrikas), vor allem im Atlas Algeriens, in der Kabylie, in Südtunesien u. in Marokko; auch die Tuareg der zentralen Sahara (Hogar) gehören zu den B.; Überreste der Ureinwohner; treiben in den Oasen Acker- u. Gartenbau, sind teils halbseßhaft, teils Nomaden mit Viehzucht; die B. erhielten alte Traditionen u. Dialekte *(Berbersprachen).*

Berbera, Hafenstadt in Somalia, am Golf v. Aden, wechselnd 15000–30000 E.; Handelsplatz.

Berberaffe *m, Magot,* in Horden auf Felsen

Verbreitung verschiedener Berbervölker

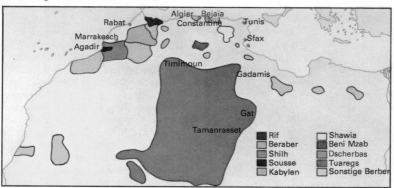

Berberfrau mit traditionellem Spinnwerkzeug

lebender Affe aus der Gruppe der Makaken (→ Affen II b); in Nordwestafrika u. auf Gibraltar.

Berberei *w,* fr. Name für das nordwest.-afrik. Gebiet (Marokko, Algerien u. Tunesien); haupts. v. Berbern bewohnt.

Berberin *s,* gelbgefärbtes Alkaloid aus der Wurzel des Sauerdorns *(Berberis);* Verwendung als Farbstoff u. in der Medizin.

Berberis *m,* → Sauerdorn.

Berberitze *w,* → Sauerdorn.

Berceuse *w* (:-ßös, frz.), **1)** Wiegenlied; auch lyrische Instrumentalform. – **2)** Schaukelstuhl.

Berchem, *Berghem, Nicolaes,* niederl. Maler, 1620–83; Genrebilder; it. u. holländ. Landschaften.

Berchet (: bärschä, frz.), *Giovanni,* it. romant. Schriftsteller, 1783–1851; patriot. Dichtung, Novellen; Übersetzungen.

Berchfrit *m,* der → Belfried.

Berching, bayer. Stadt in der Oberpfalz, im Ldkr. Neumarkt i. d. OPf., 7600 E.

Berchta, *Percht(a),* weibl. Dämon des Volksglaubens; *Berchtenspringen,* Maskenumzüge als Fruchtbarkeits- u. Abwehrzauber in Ober-Dtl., Tirol u. Salzburger Land in der Advents- u. Fastnachtszeit.

Berchtenspringen *s,* → Berchta.

Berchtesgaden, bayer. heilklimat. Luftkurort im *B.er Land,* am Fuß des Watzmann, 571 m ü. M., 8300 E.; Solbad, Wintersport; Salzbergwerk.

Berchtesgadener Alpen, Teil der Nördl. Kalkalpen zw. Saalach u. Salzach, mit Watzmann (2714 m) u. Königssee.

Berchtesgadener Land, Landschaft um den Königssee in den Berchtesgadener Kalkalpen, zw. Saalach u. Salzach.

Berchtold, *Leopold* Graf v., österr. Politiker, 1863–1942; war 1912–14 österr. Außenmin.; löste durch Ultimatum an Serbien den 1. Weltkrieg aus.

Berchtold von Litzelstetten, um 1330, möglicherweise Erfinder des Schießpulvers, Magister u. Domherr in Konstanz, später Universität Paris.

Berckheyde, 1) *Gerrit,* niederl. Maler, 1638–98; lichte Ansichten v. Städten, Plätzen u. Straßen. – **2)** *Job,* niederl. Maler, 1630–93; Bruder v. 1); Architekturbilder, Innenansichten v. Kirchen u. a.

Berditschew, russ. Stadt in der Ukrain. SSR, 65000 E.; Masch.-, Leder-, Holzindustrie.

Berdjajew, *Nikolai Alexandrowitsch,* russ. Philosoph, 1874–1948; 1917 Prof. für Philos. in Moskau; 1922 wegen seiner Kritik am atheist. Materialismus aus der UdSSR ausgewiesen; seit 1924 in Paris. Beeinflußt v. Marx, Kant, Nietzsche, Ibsen u. a., lehrte er eine Existenzphilosophie, die vom Primat der Freiheit vor dem Sein ausgeht, u. die Offenbarung des Seins durch den gottähnl. Menschen im Sinn einer Verabsolutierung des Schöpferischen. – WW: *Wahrheit u. Lüge des Kommunismus* (1936); *Das Christentum u. der Klassenkampf* (1931); *Existentielle Dialektik des Göttlichen u. Menschlichen* (1951).

Berdjansk, sowjet. Hafenstadt in der Ukrain. SSR, an der Nordküste des Asowschen Meers, 122000 E.; Schiffbau; Maschinen- u. a. Ind.; Ausfuhrhafen.

bere

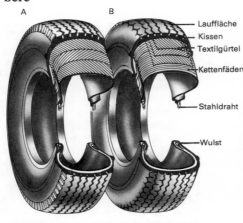

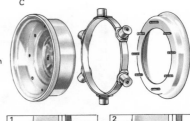

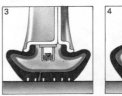

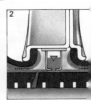

A — B — C

Lauffläche
Kissen
Textilgürtel
Kettenfäden
Stahldraht
Wulst

A. In einem Diagonalreifen liegen die Schichten mit Kettenfäden gekreuzt in einem Winkel von 45° zur Felge. Hierdurch sind die Seitenteile des Reifens sehr steif, trotzdem bleibt die Lauffläche geschmeidig.

B. In einem Radialreifen liegen die Kettenschichten in einem Winkel von 90° zur Felge. Über diesen Schichten sind noch Stahl- oder Textilgürtel angebracht.

C. Obwohl geplatzte Reifen heute relativ selten vorkommen, arbeitet man dennoch an Reifen/Radkonstruktionen, die eine größere Sicherheit bieten. Eine technische Entwicklung macht Gebrauch von einem Ring, auf dem kleine Halter(ungen) montiert sind. Diese Halterungen, die sich innerhalb des Reifens (1) befinden, werden im Fall einer Reifenpanne aufgedrückt (2). Hierdurch kann eine Substanz entweichen, die in das Loch dringt (3), erstarrt und durch Verdampfung den Reifen wieder aufbläst (4)

bereden → besprechen.
Bereicherung w, Vermögensvermehrung; ungerechtfertigte → ungerechtfertigte B.
Bereifung w, Einrichtung an Fahrzeugen, um zus. mit Wagenfederung Stöße aufzunehmen. Man unterscheidet Luftreifen u. Vollgummireifen. Ersterer, bereits 1888 vom irischen Tierarzt Dunlop erfunden, besteht aus einem Schlauch, der mittels eines Ventils mit Luft aufgepumpt wird, u. einem Mantel (Decke) aus gummiertem Cordgewebe, der den Schlauch umgibt. Mantel ist an der Lauffläche mit dickem Gleitschutzprofil versehen. Nach dem Verwendungszweck unterscheidet man: Fahrrad-, Motorrad-, Pkw-, Lkw- u. Flugzeugreifen. Nach dem Aufbringen der Reifen auf die Felgen unterscheidet man Wulst- u.

Der Unterschied zwischen einem normalen Reifen für einen PKW (A) und Reifen, die bei Rennwagen benutzt werden. Der glatte Reifen (B) ist ein Rennreifen, der bei trockenem Wetter benutzt wird. Hierdurch wird eine große Griffigkeit auf die Straßenoberfläche erreicht. Der andere Reifen (C) ist ein Regenreifen für Rennwagen. Diese müssen, um das Wasser ableiten zu können, ein Profil besitzen

A — B — C

Stahlseilreifen, schließlich nach dem Luftdruck Hochdruck- od. Niederdruckreifen, Ballon-, Überballon- od. Riesenluftreifen. Schlauchlose Reifen werden luftdicht auf die Felgen montiert.

Bereitschaftsdienst *m,* Dienstzeit, während der sich der Diensttuende an bestimmtem Ort bereithalten muß, um ggf. einsatzfähig zu sein. – Ggs.: → Rufbereitschaft.

Bereitschaftspolizei *w,* → Polizei.

Berengar, 1) B. I., röm. Kaiser, † 924 (ermordet); Markgraf v. Friaul. – **2)** B. II., König v. Italien, † 966; seit 952 Vasall Kg. Ottos I. – **3)** B. v. Tours, frz. Scholastiker, um 1000–88; verwarf die Transsubstantiationslehre.

Bérénice *w* (: -niß), frz. Weltraumrakete.

Berenike, 1) bedeut. antike Hafenstadt am Roten Meer, das heutige *Bender el-Kebir.* – **2)** das heutige *Benghasi* an der Großen Syrte.

Berenike, 1) B. III., seit 247 v. Chr. Gattin des Ptolemäus III. v. Ägypten. – **2)** B., Tochter des Herodes Agrippa I., Königs v. Judäa, 28–75 n. Chr. (Apg 25, 13).

Berenike, *Haar der B.,* Sternbild des nördl. Himmels.

Berens-Totenohl, *Josefa,* dt. Schriftstellerin, 1891–1969; Lyrik, Erzählungen, Sippenromane ihrer westfäl. Heimat; z. B. *Der Femhof* (1934).

Beresford (: berˈsfᵉrd), *John Davys,* engl. Schriftsteller, 1873–1947; Romane (z. T. psychoanalytisch), Kurzgeschichten. – HW: *The House in Demetrius Road* (1914).

Beresina *w,* r. Nebenfluß des Dnjepr, 585 km lang; Holzflößerei. – 1812 verlustreicher Übergang der Truppen Napoleons I. auf seinem Rückzug v. Moskau.

Beresniki, sowjet. Ind.-Stadt in der RSFSR, am Kama-Stausee, 185000 E.; chem. u. Masch.-Ind.; Steinsalz-, Magnesiumgewinnung.

Berg *m,* aufragende Erhebung in → Gebirgen, die Umgebung deutlich überragende Bodenerhebung, seltener einzelner B. (Inselberg der Tropen, Vulkan im Flachland); entstanden durch Abtragungsvorgänge od. durch aufbauende Naturkräfte. B.formen: Kuppe, Rücken, Tafel, Kegel, Kogel, Pyramide, Horn, Spitze, Nadel, Zinne u. a. m.

Berg, oberbayer. Gem. im Ldkr. Starnberg, 6500 E.

Berg, ehem. Hzt. r. am Rhein mit Hst.

Düsseldorf; kam 1614 zu Pfalz-Neuburg, 1777 Bayern, 1806 Fkr. *(Großhzt. B.),* 1815 Preußen.

Berg, 1) *Alban,* österr. Komponist, 1885–1935; Zwölftonmusiker, Schönberg-Schüler; Vertreter des musikal. Expressionismus. – WW: Opern *(Wozzek,* 1926; *Lulu,* 1937); Orchesterstücke u. -lieder; Kammerkonzert; Violinkonzert; Konzertarie *Der Wein; Lyr. Suite* für Streichquartett. – **2)** *Claus,* dt. spätgot. Bildschnitzer, etwa 1475–1535; Altar v. Odense.

Berg (: bärj), *Bengt,* schwed. Schriftsteller u. Ornithologe, 1885–1967; unternahm zahlreiche Forschungsreisen u. schrieb vor allem Tierbücher; auch Tierphotograph.

Bergahorn *m,* → Ahorn.

Bergakademie *w,* Hochschule für höhere Bergbau- u. Hüttenkunde.

Bergama, türk. Stadt u. Thermalbad in Westanatolien, rd. 25000 E.; Baumwoll- u. Leder-Ind., Teppichherstellung; über B. der Burgberg des antiken → Pergamon.

Bergamasker Alpen (Mz.), it. *Alpi Orobie,* it. Hochgebirgskette zw. Comer See u. Oglio; im *Pizzo di Coca* 3052 m hoch.

Bergamín, *José,* span. Schriftsteller u. Kritiker, *1897; bedeut. Essayist u. Prosaschriftsteller.

Alban Berg

Berg

*Im Winter müssen Bergbahnen häufig Schnee-
räumer einsetzen*

Bergamo, 1) oberit. Prov. in der Region
Lombardei, 2759 km², 894 000 E.; Hst.: B. –
2) Hst. v. 1), nördl. v. Mailand, 124 000 E.;
roman. Basilika, got. Palazzo Vecchio (14.
Jh.), Dom (15. Jh.) aus Frührenaissance;
Handel; chem., Baustoff-, Textil-, Kfz.- u.
Maschinenindustrie.
Bergamotte *w,* **1)** Birnensorte. – **2)** Unter-

art der Orange; Frucht bittersüß mit stark
duftender Schale, die das in der Parfümerie
verwendete *B.öl* liefert.
Bergamt *s,* die unterste Bergbehörde.
Berganza, Teresa, span. Sängerin, *1934;
Sopran u. Koloraturalt; Opern, Oratorien,
Lieder.
Bergarbeiter *m,* unter Tage *Bergmann,
Knappe,* der in Kohlen-, Erz- u. Salzberg-
bau tätige Arbeiter; *Hauer,* der B. vor Ort;
die B. haben als einzige Berufsgruppe in der
→ Knappschaftsversicherung einen eige-
nen Versicherungsträger.
Bergbadachschan, Autonomes Gebiet,
Gorno-Badachschan, sowjet. autonomes
Gebiet in der Tadschikischen SSR, im Pa-
mir, an der chines. u. afghan. Grenze,
63 700 km², 127 000 E.; Hst.: Chorog; Hoch-
gebirgsland; Seidenraupen- u. Viehzucht;
Bodenschätze: Gold, Eisenerz, Bergkri-
stall, Kohle, Salz.
Bergbahn *w,* Beförderungsmittel auf Berg-
gipfel od. Aussichtspunkte. Für geringe
Steigungen (bis 4%) verwendet man →
Reibungsbahnen od. *Adhäsionsbahnen.*
Bei größerer Steigung (bis 48%) werden →
Zahnradbahnen od. *Drahtseilbahnen* ein-
gesetzt. Sind sehr große Steigungen od.
Abgründe zu überwinden, baut man →
Seilschwebebahnen (Steigung bis 90 %).
Bergbau *m,* das Aufsuchen, Gewinnen u.
Fördern v. nutzbaren Mineralien (Erze,
Kohlen, Salze usw.). In seltenen Fällen

*Diamantenmine, von oben gesehen. Der Diamant ist in den Gesteinen eines alten Vulkanrohrs
konzentriert und wird (wie beim Bergbau) stufenweise abgetragen*

Blick auf Bergen (Norwegen)

(z. B. im mitteldt. Braunkohlengebiet) liegen die nutzbaren Schichten so dicht unter der Erdoberfläche, daß der *Abbau* v. oben im *Tagebau* erfolgen kann. Meist geschieht der Abbau durch→ Bergwerke im *Untertagebau.*

Bergbaufreiheit *w,* → Bergrecht.
Bergbaukunde *w,* → Bergwissenschaft.
Bergbaurecht *s,* → Bergwerkseigentum.
Bergbehörden (Mz.), → Bergrecht.
Bergdama(ra), Rest der Urbevölkerung in Südwestafrika.
Bergeidechse *w,* → Eidechsen.
Bergell *s,* malerisches Stufental des Schweizer Kt. Graubünden u. der it. Prov. Sondrio, vom Malojapaß bis Chiavenna.
Bergelohn *m,* Vergütung für → Bergung.
Bergelson, *David,* jidd. Schriftsteller, 1884–1952 (unter Stalin umgebracht); Theaterstücke, Romane, Erzählungen.
Bergen, 1) Hafenstadt an der Westküste Norwegens, am Byfjord, Hst. des Verw.-Gebiets Hordaland, 214000 E.; Univ.; Fisch-Ind. u. -handel. – **2)** niedersächs. Stadt in der Lüneburger Heide, Ldkr. Celle, 12000 E.; südwestl. v. B. das ehemal. nat.-sozialist. KZ *B.-Belsen.* – **3)** *B. (Rügen),* Krst. der Insel Rügen, DDR-Bez. Rostock, 13700 E.; Möbel-Ind., Fischverarbeitung. – **4)** *B. op Zoom,* niederl. Stadt an der Ooster Schelde, 44000 E.; Gemüse- u. Spargelanbau, Austernzucht, Zuckerindustrie.
Bergen-Belsen, im 2. Weltkrieg nat.-sozialist. KZ, → Bergen 2).

Bergengruen, *Werner,* dt. Schriftsteller, 1892–1964; Gedichte, Erzählungen, formvollendete Novellen u. Romane um menschliche Schuld, Schwäche u. Gnade. – WW: u. a. *Feuerprobe* (1933; Novelle); *Drei Falken* (1937; Novelle); *Der Großtyrann u. das Gericht* (1935; Roman); *Am Himmel wie auf Erden* (1940; Roman).
Bergen op Zoom (:bärchᵉ op som), → Bergen 4).
Berger, 1) *Alfred* Frh. v., österr. Schriftsteller u. Theaterleiter, 1853–1912; Gedichte, Essays. – **2)** *Erna,* dt. Sängerin, *1900; Koloratursopran; weltbekannte Opern- u. Konzertsängerin, Liedinterpretin. – **3)** *Johan Henning,* schwed. Schriftsteller, 1872–1924; Romane, Novellen, Kritiken. – **4)** *Ludwig,* dt. Schriftsteller u. Regisseur, 1892–1969; histor. Erzählungen, Hör- u. Fernsehspiele; zahlr. Inszenierungen. – **5)** *Theodor,* österr. Komponist, *1905; Kammer-, Theater-, Filmmusik, Orchesterwerke.
Bergerac (:bärschᵉrak), südfrz. Stadt im Dep. Dordogne, an der Dordogne, 28000 E.; Ind.; Weinbau; Brennereien.
Bergerac (:bärschᵉrak), *Cyrano de,* → Cyrano de B.
Bergère *w* (:bärschär, frz.), **1)** Schäferin. – **2)** gepolsterter Rokokoschaukelstuhl.
Bergfahrt *w,* in der Schiffahrt die Fahrt stromaufwärts.
Bergflachs *m,* das Mineral Asbest.
Bergföhre *w,* → Latschenkiefer.
Bergfried *m,* → Belfried 1).

Salzminenarbeiter in Wieliczka (südöstlich von Krakau), wo schon seit dem 11. Jahrhundert Salz gefördert wird. Um die mineralischen Reichtümer des Landes der polnischen Wirtschaft verfügbar zu machen, wurde nach dem 2. Weltkrieg die Zahl der Minenarbeiter stark angehoben, ihr sozialer Status erhöht und die schwere Arbeit durch hohe Löhne und besondere Privilegien attraktiver gemacht

Bergführer *m,* Berater u. Begleiter im Gebirgswandern u. Bergsteigen.

Berggeister, Naturdämonen des Volksglaubens, leben in, an od. auf Bergen als zwergähnl. Bergmännlein od. als Riesen.

Bergh (: bärch), *Herman van den,* niederl. Schriftsteller u. Journalist, *1897; u. a. expressionist. Gedichte u. Essays.

Bergh, 1) *Johan Edvard,* schwed. Maler, 1828–80; realist. Landschaften. – **2)** *Sven Richard,* schwedischer realist., später neuromant. Maler, 1858–1919; Landschaften, Porträts.

Berghauptmann *m,* Leiter eines staatl. Oberbergamts.

Berghe, *Frits van de,* belg. Maler, 1883–1939; Expressionist, später Surrealist.

Bergheim, nordrh.-westfäl. Stadt im Erftkreis, 53 200 E.; Kohlenbergbau, Industrie.

Berghem (: -chem), *Nicolaes,* → Berchem.

Berghoheit *w,* staatl. Aufsichts- u. Kontrollrecht im Bergbau.

Bergingenieur *m* (: -inschenjör), techn. Leiter eines Bergwerks.

Berginverfahren *s,* → Bergius.

Bergisches Land, Hügelland zw. Ruhr u. Sieg, der Westabfall des Sauerlands, ehem. *Hzt.* → *Berg;* Kleineisen- (Solingen, Remscheid) u. Textil-Ind. (Wuppertal); zahlr. Talsperren mit insges. 72 Mill. m³.

Bergisch-Gladbach, nordrh.-westfäl. Ind.-Stadt im Reg.-Bez. Köln, am Rand des Berg. Lands, 101 000 E.; Papier-, Masch.-, Metall-, Textil-, Elektroind. u. a.

Bergius, *Friedrich,* dt. Chemiker, 1884–1949; mit C. Bosch 1931 Nobelpreis für Chemie; erfand das *Bergiusverfahren (Berginverfahren)* zur Gewinnung v. Benzin aus Kohle (→ Kohleveredelung). *Bergius-Rheinau-Verfahren, Holzverzukkerung:* saure → Hydrolyse v. Holz zu Glucose; in der Lebensmitteltechnik angewendet.

Bergjuden, seit dem 8. Jh. im Kaukasus lebender jüd. Stamm mit altertüml. Jahwekult.

Bergkamen, nordrh.-westfäl. Stadt im Kr. Unna, 47 500 E.; Kohlenbergbau; chem., Metall-, Textilindustrie.

Bergkarabach, Autonomes Gebiet, *Nagorno-Karabach,* haupts. v. *Bergkarabachen* bewohntes sowjet. autonomes Gebiet innerhalb der Aserbeidschan. SSR, im O des Kleinen Kaukasus, 4400 km², 161 000 E.; Hst.: Stepanakert; Anbau v. Tabak u. Wein, Seidenraupenzucht.

Ende des 16. Jahrhunderts wurde in Florenz dieser Halter aus Bergkristall geschnitzt. Auf dem Bauch ist eine Jagdszene angebracht (Museo degli Argenti, Florenz)

Der schwedische Regisseur Ingmar Bergman bei der Arbeit

Bergknappe *m*, der Bergmann (→ Bergarbeiter).

Bergkrankheit *w*, leichte Form der *Höhenkrankheit*, auf Luftdruckerniedrigung u. Sauerstoffmangel zurückzuführende Krankheitserscheinungen, wie Kopfschmerzen, Müdigkeit, Leistungsverminderung, Herzklopfen, Erbrechen u. a., die gewöhnlich erst über 3000 m, bei vielen Menschen aber nach zu schnellem Aufstieg (Bergbahnen) auch schon in Höhen v. 1500–2000 m auftreten. Vorbeugung: Akklimatisation; Erste Hilfe: Ruhe u. Abtransport.

Bergkristall *m*, farbloser, wasserklarer Kristall des Minerals → Quarz.

Bergl, *Johann,* österr. Maler des Spätbarock u. Rokoko, 1752–83 tätig; Fresken.

Bergman (: bärj-), **1)** *Bo Hjalmar,* schwed. Schriftsteller u. Theaterkritiker, 1869–1967; tragische Novellen, gefühlvolle, melanchol. Lyrik, bes. Liebeslyrik, auch zeitkrit. Stücke. – **2)** *Hjalmar Fredrik Elgérus,* schwed. Schriftsteller, 1883–1931; pessimist. Romane, Novellen, Dramen u. Erzählungen. – WW: u. vielen anderen *Amouren* (1910; Roman); *Der Eindringling* (1921; Roman); *Der Nobelpreis* (1925; Lustspiel). – **3)** *Ingmar,* schwed. Theater- u. Filmregisseur, Drehbuchautor, *1918; eindrucksstarke, auch schockierende Darstellung v. Spannungen im menschl. Zusammenleben. – Filme: u. a. *Abend der Gaukler* (1953); *Wilde Erdbeeren* (1956); *Jungfrauenquelle* (1958); *Wie in einem Spiegel* (1960); *Das Schweigen* (1963); *Szenen einer Ehe* 1974); *Das Schlangenei* (1977). – **4)** *Ingrid,* schwed. Filmschauspielerin, 1915–82; spielte in zahlr. Filmen, u. a.: *Intermezzo* (1936); *Wem die Stunde schlägt* (1943); *Johanna v. Orléans* (1948); *Anastasia* (1957); *Mord im Orientexpress* (1975).

Bergmann *m*, → Bergarbeiter.

Bergmann, 1) *Ernst v.,* balt. Chirurg, 1836–1907; Verdienste um Asepsis, Gehirnchirurgie u. Behandlung v. Kriegsverletzungen; *B.sche Operation* des Wasserbruchs. – **2)** *Karo,* dt. Malerin, *1903; Aquarelle, Porträts.

Bergmannsknie *s*, Meniskusschaden durch ständiges Knien; bei Bergleuten u. Fließenlegern, Berufskrankheit.

Bergmüller, *Johann Georg,* dt. Maler, 1688–1762; Altarblätter, Fresken in Dießen (Stiftskirche) u. Steingaden (Klosterkirche).

Bergner, *Elisabeth,* österr. Theater- u. Filmschauspielerin, *1897; Darstellerin tragischer Frauengestalten; wirkte in Berlin, Wien u. den USA; Hauptrollen: Rosalinde in *Wie es euch gefällt,* Strindbergs Königin Christine, Frl. Julie, Shakespeares Viola, Nora, Shaws hl. Johanna u. viele andere, nam. auch im Film.

Bergneustadt, nordrh.-westfäl. Stadt im Oberberg. Kreis, 17800 E.; Textil- u. Metallindustrie.

Bergonzi, *Carlo,* it. Sänger, *1924; Tenor; internat. Gastspiele.

Bergpartei *w*, frz. *Montagnards,* in der Frz. Revolution die radikalen Abgeordneten im Konvent.

Bergpredigt *w*, im NT (Mt 5–7, Lk 6) Jesu Rede über seine Botschaft u. das kommende Reich Gottes; enthält die Seligpreisungen u. das Gebet des Vaterunser.

Bergrat *m*, höherer staatl. Bergbeamter.

Bergrecht *s*, die Rechtsbestimmungen zum

Berg

Bergbau. Bei grundsätzl. *Bergbaufreiheit* steht die Erschließung gewisser Mineralien (wie Erdöl, Steinkohle u.a.) ausschl. dem Staat zu, der Gewinnungsrechte an Private vergeben kann. Die *Bergbehörden* (Bergamt, Oberbergamt) verleihen Abbaurecht *(Bergwerkseigentum)*, das der staatl. *Bergaufsicht* unterliegt; entstandene *Bergschäden* hat der Bergwerkseigentümer dem Grundstückseigentümer zu ersetzen.

Bergrechtliche Gewerkschaft → Gewerkschaft.

Bergregal *s*, mittelalterl. Bergrecht, alleiniges Verfügungsrecht des Landesherrn über sämtliche nutzbaren Mineralien.

Bergreigen *m*, → Bergreihen.

Bergreihen *m*, *Bergreigen*, Tanzlieder der Bergleute in Bergbaugebieten; von da weiterverbreitet.

Bergrutsch *m*, *Bergsturz*, Hinabgleiten od. Hinabstürzen v. Erd-, Schutt- od. Felsmassen an Abhängen, ausgelöst durch Erdbeben, starken Regen, rasche Schneeschmelze, Flußerosion, Bahn- u. Straßenbauten.

Bergschaden *m*, Schaden an Grundstücken durch Bergbaubetrieb; Ersatzpflicht hat Bergwerkseigentümer.

Bergschrund *m*, Spalte in der Übergangszone v. steiler Blankeiswand zur flacheren Firnmulde.

Bergsteiger in Nepal müssen große Höhenunterschiede überwinden, um zu den schneebedeckten Achttausendern zu gelangen. Als Bergführer und Lastenträger haben sich Sherpas, die Bewohner der nepalischen Landschaft an der Südseite des Mount Everest, bewährt.

Bergschule *w*, Fachschule für mittlere Bergbau- u. Hüttenberufe: Steiger bis Ingenieur.

Bergson (:-ßō), *Henri*, frz. Philosoph, 1859–1941; seit 1900 Prof. am Collège de France, seit 1914 Mitglied der Académie française; sehr einflußreich auf die frz. Gegenwartsphilosophie; 1927 Nobelpreis für Literatur. Als Kritiker v. Rationalismus u. Mechanismus vertritt er eine spiritualist. → Lebensphilosophie u. trägt dadurch wesentlich zur Überwindung des Positivismus in Fkr. bei. Grundgedanke seiner Lebensphilosophie ist, daß das Leben aufgrund seines schöpfer. Charakters im Unterschied zur toten (anorgan.) Natur begrifflich nicht faßbar u. nur durch Intuition begreifbar sei. Individuum u. Universum, das sich frei nach dem ihm innewohnenden Lebensdrang entfaltet, sind v. fließender, unzerlegbarer u. daher rational nicht festhaltbarer Mannigfaltigkeit. – WW: *Zeit u. Freiheit* (1889); *Einführung in die Metaphysik* (1909); *Denken u. schöpfer. Werden* (1934).

Bergsport *m*, Skilaufen u. Bergsteigen im Hochgebirge; → Alpinismus.

Bergstedt, *Harald*, dän. Schriftsteller, 1877–1965; volkstüml. Lieder u. Laienspiele.

Bergsteigen *s*, → Bergsport; → Alpinismus.

Bergstelze *w*, → Gebirgsstelze.

Bergstraße *w*, fruchtbare Landschaft am Westfuß des Odenwalds, zw. Darmstadt u. Heidelberg; Wein- u. Obstbau.

Bergstrasser, *Ludwig*, dt. Historiker u. Politiker (SPD), 1883–1960; 1945 Reg.-Präs. v. Hessen, 1949–53 MdB.

Bergstraesser, *Arnold*, dt. Kulturhistoriker u. Soziologe, 1896–1964; Hauptvertreter der polit. Wiss. in der BRD.

Bergsturz *m*, → Bergrutsch.

Bergung *w*, **1)** *allg.:* Rettung von Menschen, Tieren od. Gütern bei Unfällen u. Katastrophen. – **2)** *Seerecht:* Rettung eines Schiffs od. einer Schiffsladung aus Seenot. *Bergelohn:* Entschädigung für die erfolgte Hilfe. → Seerecht.

Bergwaage *w*, Gerät zur Messung des Steigungswinkels.

Bergwachs *s*, *Erdwachs, Bergtalg, Montanwachs*, aus Braunkohle gewonnenes Paraffin zur Herstellung v. Kerzen, Bohnerwachs, Schuhkrem u. zum Imprägnieren v. Gewebe.

mit Hilfe v. *Förderkörben,* die mittels Seilwinden in den *Fördertürmen* bewegt werden.

Bergwerkseigentum *s, Bergbaurecht,* ein Aneignungsrecht; das nach entsprechender Verleihungsurkunde ausschließliche Recht, in bestimmtem Bergwerksgebiet *(Revier)* ein bestimmtes Mineral zu suchen u. zu gewinnen. → Bergrecht.

Bergwissenschaft *w, Bergbaukunde,* die Wissenschaft vom Bergbau, v. der Aufbereitung, den Lagerstätten, der Gewinnung. u. Förderung, allen techn., rechtl. u. wirtschaftl. Bereichen samt den zugehörigen Hilfswissenschaften.

Bergzabern, *Bad B.,* → Bad Bergzabern.

Beriberi *w* (singhales., ‚steifer Gang‘), Vitaminmangelkrankheit infolge Fehlens v. → Vitamin B_1 bei einseitiger Ernährung mit geschältem od. poliertem Reis, in Ostasien sehr verbreitet; Krankheitserscheinungen: Nervenentzündung u. Lähmungen, Kreislaufstörungen u. Wassersucht.

Berichterstatter *m,* 1) *Referent,* wer als Mitglied eines Gerichts od. Ausschusses einen Sachverhalt unparteiisch darzustellen hat. – 2) *Reporter,* ständiger Mitarbeiter v. Zeitungen, Rundfunk, Fernsehen, Film zur Mitteilung v. Tagesereignissen.

Berichtigung *w,* 1) nachträgl. Änderung unrichtiger Angaben, so in einem Gerichtsurteil, im Grundbuch. – 2) in period. Veröffentlichungen (Zeitung, Zeitschrift) Richtigstellung einer Falschangabe auf Verlangen einer beteiligten Privatperson od. Behörde durch den verantwortl. Redakteur nach der → Berichtigungspflicht.

Berichtigungspflicht *w,* 1) unter bestimmten Bedingungen Verpflichtung eines verantwortl. Redakteurs zur → Berichtigung 2). – 2) Pflicht u. Recht der Behörden, fehlerhafte Schriftstücke aller Art zu berichtigen.

Berieselung *w, Beregnung, Landwirtschaft:* Bewässerung durch Versprühen von Wasser auf die Pflanzen.

Berija, *Lawrentij,* sowjet. Politiker, 1899–1953 (hingerichtet); seit 1934 im Zentralkomitee der KP, 1938–46 Staatskommissar des Innern u. Chef des Staatssicherheitsdienstes (NKWD); 1946 stellv. Min.-Präs.; nach Stalins Tod seiner Ämter enthoben.

Bering (:bering), *Vitus Joannsen,* dän. Polar- u. Asienforscher, 1680–1741; um-

Bei der konventionellen Steinkohlengewinnung im Bergwerk unter Tage bringt man zur Beschränkung der Einsturzgefahr in festen Abständen einen Stempel an. Nach der Entkohlung werden die Stempel wieder entfernt, und man füllt den Raum mit Steinen oder anderem Abfallmaterial auf

Bergwacht *w,* Hilfsorganisation für Bergunfälle u. praktische Naturschutzaufgaben; *Dt.B.* des Dt. Alpenvereins seit 1920.

Bergwerk *s,* unterirdische Anlage zur Gewinnung v. Mineralien. Ein B. besteht aus senkrecht in die Tiefe getriebenen *Schächten* u. waagrechten Gängen od. *Stollen.* Die Schichten des nutzbaren Minerals werden *Flöze* genannt. Zu ihnen führen v. den Schächten aus *Querschläge,* wodurch die *Grube* in waagrechte *Sohlen* unterteilt wird. Der *Abbau* erfolgt durch Bohrung u. Sprengung u. durch Abbaumaschinen. Den Transport des abgebauten Materials über Tage nennt man *Förderung.* Sie geschieht

fuhr die asiat. Ostspitze, durchquerte 1728 die B.straße, entdeckte Alaska u. Aleuten 1741 zusammen mit dem dt. Naturforscher *Steller.*

Beringinsel *w,* größte der russ. Kommandeursinseln; nach V. Bering benannt.

Beringmeer *s,* nördl. Randmeer des Stillen Ozeans, zw. Nordostsibirien, den Aleuten u. Alaska; nach V. Bering benannt; 2,29 Mill. km², bis 4773 m tief; im Winter durch Packeis blockiert; Robbenjagd.

Beringstraße *w,* 75–100 m breite Meeresstraße zw. Alaska u. Tschuktschenhalbinsel; nach V. Bering benannt.

Berio, *Luciano,* it. Komponist der seriellen u. elektron. Musik, *1925.

Berka, *Bad B.,* → Bad Berka.

Berke, *Hubert,* dt. Maler u. Zeichner, 1908–79; Gouache- u. Ölgemälde u.a.

Berkefeldfilter *m,* Bakterienfilter aus Kieselgur, zur Reinigung v. Flüssigkeiten, insbes. zur Entkeimung v. Trinkwasser (nach *W. Berkefeld,* 1836–97).

Berkeley (: bö^rklⁱ), Stadt im Bundesstaat Kalifornien (USA), an der *B.bucht,* gegenüber v. San Francisco, 120000 E.; Staatsuniv.; Eisen-Ind.; Flugzeugmotorenbau; Kernforschungszentrum; Flughafen; nach B. das → Berkelium benannt.

George Berkeley

Berkeley (: ba^rklⁱ), *George,* engl. Theologe u. Philosoph, 1684–1753; seit 1734 anglikan. Bisch. v. Cloyne (Irland), seit 1752 in Oxford; begr. in Anschluß an den Empirismus J. Lockes den subjektiven → Idealismus: alles Sein besteht nur aus Bewußtsein, aus geistigen Einzelwesen, deren Wesen im Wollen u. Vorstellen liegt. Er bestreitet damit die Realität der Außenwelt, da auch die körperl.-sinnl. Welt nur wirklich als Vorgestelltes (idea) existiert. Schöpfer der geistigen Substanzen ist Gott als höchstes geistiges Wesen. – HW: *Treatise Concerning the Principles of Human Knowledge* (1710).

Berkelium *s, Bk,* radioaktives Element, Ordnungszahl 97, Massenzahlen 243–250; 1949 in → Berkeley zum erstenmal v. → Seaborg aus → Americium künstlich hergestellt.

Berkenthin, schlesw.-holstein. Gem. (1200 E.) u. Amt im Kr. Hzt. Lauenburg, 6100 E.

Berkhan, *Karl Wilhelm,* dt. Politiker (SPD), *1915; 1957–75 MdB; seitdem Wehrbeauftragter des Dt. Bundestags.

Berkshire (: ba^rkschi^{er}), mittelengl. Grafschaft, 1259 km², 675200 E.; Hst.: Reading.

Berlage (: -ch^e), *Hendrik Petrus,* niederl. Architekt, 1856–1934; Pionier der modernen architekton. Sachlichkeit in den Niederlanden. – WW: *Neue Börse* in Amsterdam u.a.

Berleburg, *Bad B.,* → Bad Berleburg.

Berlepsch, *Hans* Frh. v., dt. Ornithologe, 1857–1933; Begr. des wissenschaftl. Vogelschutzes; gründete in Seebach (Kr. Langensalza, Thüringen) ein ornitholog. Institut (heute Vogelschutzwarte).

Berlichingen, *Götz v.,* fränk. ,Ritter mit der eisernen Hand', 1480–1562; im Bauernkrieg 1525 Führer der Odenwälder Bauern; Drama *G.v.B.* v. Goethe.

Berlin, größte dt. Stadt, bis 1945 Hst. des Dt. Reichs u. des Lands Preußen, an der Mündung der Spree in die Havel, 883 km², 3,03 Mill. E.; B.(West) 480 km², 1,90 Mill. E.; B.(Ost) 403 km², 1,13 Mill. E. – B. liegt in einem der Urstromtäler des Norddt. Tieflands, wird v. Spree, Havel u. zahlr. Kanälen durchflossen, hat mehrere Seen u. waldreiche Umgebung; im 2. Weltkrieg Alt-B. zu 75% zerstört. – Durch die Sperrmauer (1961) ist Groß-B. in 2 getrennte Lebensräume gespalten, der ehem. Stadt-

Börse in Amsterdam. Gebaut von Hendrik Petrus Berlage

kern der Spreeinsel hat seine Bedeutung verloren. In beiden Teilen entwickelte der Wiederaufbau neue städtebaul. Zentren: B.(West) Zooviertel mit Kurfürstendamm, Fehrbelliner Platz, Hansaviertel u. a.; B.(Ost) Alexanderplatz, Frankfurter Allee u.a. – B. ist auch heute wieder Sitz vieler Bildungs- u. Forschungsanstalten sowie vielfältiger kultureller Einrichtungen. *B.(West)* verfügt über zahlreiche Theater: Schiller-, Schloßparktheater, Dt. Oper, Philharmonie, Freie Volksbühne, Renaissancetheater, Theater am Kurfürstendamm u.a.; Staatl. Museum der Stiftung Preuß. Kulturbesitz, Neue Nationalgalerie, Zoolog. u. Botan. Garten, Olympiastadion, Deutschlandhalle, Kongreßhalle (1980 z.T. eingestürzt), neues Internat. Congreß-Centrum (ICC, 1979 eröffnet), Avus; Internat. Filmfestspiele (Berlinale), Berliner Festwochen u. andere regelmäßige Veranstaltungen. – *B.(Ost):* Theater: Dt. Staats- u.

Komische Oper, Theater am Schiffbauerdamm u. a.; Staatl., Märkisches Museum, Mus. für Naturkunde, Tierpark. – In B.(West) bestehen neben der Freien u. Techn. Univ. zahlreiche weitere Hoch- u. Fachschulen u. Akademien, dazu das Max-Planck-Institut; in B.(Ost) die Humboldt-Univ. u. mehrere Hochschulen, die Akad. der Wissenschaften; Berliner Festtage u.a.m. – Baudenkmäler (im 2. Weltkrieg weitgehend zerstört, z.T. wiederhergestellt): Zeughaus (1695–1706, v. J.A. Nering, A. Schlüter u. J. de Bodt), Schloß Charlottenburg (1695–1712, v. J.A. Nering u. J.F. Eosander v. Göthe) mit Reiterstandbild des Großen Kurfürsten (1696–1700, v. A. Schlüter), Oper 1741–43, v. G.W. Knobelsdorff), Prinz-Heinrichs-Palais (1748–53, v. J. Boumann, seit 1810 Humboldt-Univ.), Schloß Bellevue (1785–89, v. M.Ph. Boumann u. C.G. Langhans, heute B.er Amtssitz des Bundespräs.), Brandenburger Tor (1788–91, v. C.G. Langhans) mit Viergespann v. J.G. Schadow (1794), Neue Wache (1816–18), Altes Museum (1824–28), beide v. K.F. Schinkel, Neues Museum (1843–55, v. F.A. Stüler), Rathaus (1859 bis 1870, v. H.F. Waesemann), Nationalgalerie (1867–76, v. H. Strack), Kaiser-Wilhelm-Gedächtniskirche (1891–95, v. F. Schwechten, heute Ruine neben gleichnam. Neubau v. E. Eiermann), Dom am Lustgarten (1894–1905, v. J. Raschdorff), Staatsbibl. (1903–14, v. E. v.Ihne) u. zahlr. neuere u. modernste Großbauten.

Blick auf das Brandenburger Tor von Berlin (Ost) aus

Berl

– In beiden Teilen der Stadt vielseitiger *Handel u. Industrie:* u.a. Elektro-, Masch.-, Metall-, Bekleidungs-, Nahrungs- u. Genußmittel- u. chem. Ind.; zweitgrößter dt. Binnenhafen, Schnell- u. U-Bahnen; mehrere Flugplätze. – *Geschichte.* 1307 durch Vereinigung der Fischerdörfer B. u. Kölln entstanden, Vorort des Märkischen Städtebunds, Mitglied der Hanse; seit Ende des 15. Jh. ständige Residenz; Aufschwung durch den großen Kurfürsten; Einwanderung v. Hugenotten; seit 1871 Hst. des Dt. Reichs; seit 1920 Groß-B. als eigene Provinz, Scheitern des Kapp-Putschs; durch Luftangriffe in 2. Weltkrieg zu 40% zerstört, 1945 nach schweren Kämpfen v. den Sowjets erobert. Seit 1945 Viermächteverwaltung unterstellt u. in einen brit., am.,

frz. u. sowjet. Sektor geteilt; 1948 Spaltung der einheitl. dt. Verwaltung durch Ausscheiden der Sowjets aus der Viermächteverwaltung u. Bildung eines Magistrats für den sowjet. Sektor; 1948/49 Blockade der Westsektoren durch sowjet. Militärverwaltung, Versorgung der Bev. über am. Luftbrücke. 1949 besond. Besatzungsstatut *(Berlinstatut)* für die drei Westsektoren. Seit 1950 *B. (West)* dt. Land u. zugleich eine Stadt: 12 Verwaltungsbezirke, Regierung v. B. (West) durch Senat (Regierender Bürgermeister, Bürgermeister u. höchstens 16 Senatoren) ausgeübt, Parlament auf vier Jahre gewähltes Abgeordnetenhaus; entsendet 22 Abgeordnete in den Bundestag, wo sie nur beratende Stimme haben; Bundesgesetze werden erst durch Verkündung

Stadtplan von Berlin mit Ausschnittskarte:
1. Brandenburger Tor; 2. Kaiser-Wilhelm-Gedächtniskirche; 3. Charlottenburg; 4. Museumsinsel; 5. Neue Nationalgalerie; 6. Jagdschloß Grunewald; 7. Kongreßhalle; 8. Reichstagsgebäude; 9. Funkturm; 10. Rathaus Schöneberg; 11. Schloß Bellevue; 12. Philharmonie

Aussicht auf die Kaiser-Wilhelm-Gedächtniskirche und den Kurfürstendamm im Zentrum von Berlin

als B.er Gesetze gültig. – *B.(Ost):* 17.6.1953 Arbeiteraufstand, durch Volkspolizei mit sowjet. Unterstützung niedergeschlagen; B.(Ost) 1955 als ‚Hst. B.' der DDR eingegliedert, Regierungssitz der DDR, 8 Verwaltungsbezirke; Gesetzgebungs- u. Verwaltungsorgan der Stadt ist der Magistrat mit dem Oberbürgermeister. 1961 Trennung v. B.(Ost) gg. B.(West) durch Mauerbau der DDR. – 1971/72 Viermächteabkommen über B. mit Erleichterungen im Personen- u. Güterverkehr zw. BRD u. B.(West) u. über Besucherverkehr zw. BRD u. DDR; 1972 Grundvertrag zw. BRD u. DDR mit Auswirkungen auch für die Stadt B.

Berlin (: böɾ-), *Irving,* am. Operetten- u. Filmkomponist, *1888; auch Musicals *(Annie Get Your Gun)*.

Berlinale *w,* Bez. für die alljährlich in Berlin stattfindenden Filmfestspiele.

Berline *w,* viersitziger Reisewagen im 17./18. Jh., mit zurückschlagbarem Verdeck.

Berliner Bär *m,* das Wappentier der Stadt Berlin.

Berliner Bischofskonferenz *w,* Zusammenschluß des kath. Episkopats der DDR; bis 1976 *Berliner Ordinarienkonferenz;* hat dieselben Befugnisse wie andere Bischofskonferenzen; in der Dt. Bischofskonferenz seitdem nur noch der Bischof des exemten Bistums Berlin (Ost u. West) vertreten mit Sitz in Berlin (Ost).

Berliner Blau *s,* tiefblaue chem. Verbindung, bildet sich aus gelbem → Blutlaugensalz u. dreiwert. Eisensalzen; in Wasser unlöslich; für Ölfarben u. Wäschefärbung verwendet.

Berliner Blockade *w,* v. der UdSSR nach Boykott des Interalliierten Kontrollrats 1948 unternommener Versuch, durch Blockierung der Zufahrtswege nach Berlin die Westmächte aus Berlin zu verdrängen; dem begegneten die USA durch Einrichtung der ‚Luftbrücke' zur Versorgung der Berliner Bevölkerung, worauf die UdSSR 1949 die B.B. aufgab.

Regierende Bürgermeister von Berlin (West)	
1948–53	E. Reuter (SPD)
1953–55	W. Schreiber (CDU)
1955–57	O. Suhr (SPD)
1957–66	W. Brandt (SPD)
1966–67	H. Albertz (SPD)
1967–77	K. Schütz (SPD)
1977–80	D. Stobbe (SPD)
seit 1980	R. v. Weizsäcker (CDU)

Checkpoint Charlie; einer der Grenzübergänge von Berlin (West) nach Berlin (Ost)

Berliner Ensemble *s* (:-ắßắbl᷄), in Berlin (Ost) 1949 v. B. Brecht u. H. Weigel gegr. Schauspielensemble (unter Leitung v. H. Weigel), erst am Dt. Theater, ab 1954 im einstigen Theater am Schiffbauerdamm als eigenem Haus.

Berliner Kongreß *m,* v. Bismarck 1878 nach dem russ.-türk. Krieg auf Drängen Österreichs u. Englands einberufene polit. Zusammenkunft. Zweck: Revision des russ.-türk. Friedens v. San Stefano. Ergebnis: Montenegro, Rumänien u. Serbien wurden selbständig, das Fürstentum Bulgarien verlor Makedonien an die Türkei u. Ostrume-lien, das innere Autonomie erhielt. Rußland bekam Teile Armeniens sowie Bessarabien (v. Rumänien, das dafür die Dobrudscha erhielt). England wurde Zypern zugesprochen, u. Österreich erhielt die Verwaltung Bosniens u. der Herzegowina.

Berliner Mauer *w,* seit 1961 bestehende Sperrmauer an der Sektorengrenze zw. Berlin (West) u. Berlin (Ost), v. der DDR errichtet zur Abschnürung des Flüchtlingsstroms aus der DDR in die BRD.

Berliner Pfannkuchen *m,* kurz *Berliner,* schwimmend in Fett gebackenes rundliches, mit Konfitüre gefülltes Hefegebäck.

Berliner Phänomen *s, Meteorol.:* plötzlich gg. Winterende auftretende kurze hohe Erwärmung (bis 80°C) der Stratosphäre in 30 km Höhe, über Berlin 1952 erstmals festgestellt.

Berliner Porzellan *s,* erste private Manufaktur 1751–57 v. W. C. Wegely. Neugründung mit Meißner Künstlern 1761 v. J. E. Gotzkowski, Übernahme der Manufaktur durch Friedrich d. Gr. 1763; vor allem Herstellung v. Rokoko-Tafelgeschirr für den Hof. Ab 1918 Staatl. Manufaktur, im 2. Weltkrieg stark beschädigt; nach Kriegsende vorübergehend in Selb; Werkstätten in Berlin-Charlottenburg wieder aufgebaut. → Porzellan.

Berliner Schule, psycholog. Richtung, die die → Gestaltpsychologie vertritt (K. Koff-

Berlin Alexanderplatz liegt heute im Osten der geteilten Stadt

ka, W. Köhler, M. Wertheimer, K. Lewin, W. Metzger).

Berliner Testament s, gemeinschaftl. Testament v. Ehegatten, die sich gegenseitig als Alleinerben einsetzen mit der Bestimmung, daß nach dem Tod des Überlebenden der Nachlaß an einen Dritten (meist die Kinder) fällt.

Der französische Komponist Hector Berlioz

Berliner Vertrag *m,* 1) Vertrag zw. Österreich u. Preußen v. 1728; Bestätigung der → Pragmat. Sanktion u.a. – 2) Abschluß des Berliner Kongresses 1878. – 3) dt.-sowjet. Vertrag v. 1926 zur Ergänzung des Vertrags v. Rapallo.

Berliner Weiße *w,* helles, obergäriges Bier in breitem Glas; *B.W. mit Schuß,* mit Himbeergeist.

Berliner Zimmer, zum Hof gelegenes Durchgangszimmer mit großem Fenster in Berliner Mietwohnungen des 19. Jh.

Berlinförderungsgesetz *s,* urspr. *Berlinhilfegesetz* (1964), Gesetz zur Förderung der Berliner Wirtschaft durch steuerl. Erleichterungen u. andere Maßnahmen.

Berlingske Tidende *w,* dän. Zeitung (konservativ), seit 1748; Sitz: Kopenhagen.

Berlinguer (:-gⁱär), *Enrico,* it. Politiker (KPI), *1922; seit 1972 Generalsekr. der KPI; Vertreter des Eurokommunismus.

Berlin-Stettiner Großschiffahrtsweg *m,* 1914 fertiggestellte Wasserstraße v. Berlin nach Stettin, 194 km lang; zw. Havel u. Oder.

Berlioz, *Hector,* frz. Komponist, 1803–69; Romantiker; Wegbereiter der sinfon. Programmusik; Sinfonien, sinfon. Dichtungen,

Ouvertüren, Oratorien, Requiem, Opern (u.a. *Benvenuto Cellini,* 1838), Chöre u. Lieder; *Die Kindheit Christi* (1854; Trilogie); *Tedeum* (1855). – *Memoiren* (1870).

Berlitzschulen (Mz.), private Fremdsprachenschulen mit ausländ. Lehrkräften; 1878 v. *M.D. Berlitz* (1852–1921) in Providence (USA) gegründet.

Berlocke *w* (frz.), oft kuriose Ziergehänge an Uhr- u. Halsketten; seit 18. Jh.

Berme *w* (niederl.), → Bärme.

Bermejo (:-mecho), *Río B.,* r. Nebenfluß des Paraguay, v. den bolivian. Anden, rd. 1500 km lang.

Bermejo (:-mecho), *Bartolomé,* span. Maler, etwa 1430–98; u.a. relig. Gemälde.

Bermudagras *s, Hundszahn,* gutes Futtergras.

Bermudainseln (Mz.), *Bermudas,* brit. Inselgruppe (Kronkolonie) im westl. Atlant. Ozean, 53 km², 60 000 E.; Hst.: Hamilton; Südfrüchte, Gemüse, Tabak, Kaffee; brit. u. am. Flotten- u. Flugstützpunkt.

Bermudez (:-deß), *F. Morales,* peruanischer General u. Politiker, *1921; seit 1975 Staatspräs. v. Perú.

Bern, 1) zweitgrößter Kt. der Schweiz, 6049 km², 918 000 E.; Hst.: B.; umfaßt das Schweizer Mittelland, reicht im S bis zum Kamm der Berner Alpen, im NW bis zum Jura; Viehzucht, Molkereierzeugnisse, Getreide, Obst; Textil- u. Masch.-Ind. – 2) Hst. der Schweiz u. v. 1), an der Aare, 141 000, als Aggl. 282 000 E.; histor. Stadtkern, spätgot. Münster (15./16. Jh.), Rathaus, barocke Bürgerhäuser, z.T. mit Lau-

Bartolomé Bermejo: ‚Höllensturz / Auferstehung' (Museo de Arte de Cataluña)

Bern

Zeitglockenturm in Bern

bengängen; Univ.; Sitz der Bundesbehörden u. internat. Organisationen; u.a. Textil-, Masch.-, chem. u. Nahrungsmittel-Ind.; Fremdenverkehr. – 1191 v. Berthold V. v. Zähringen gegr., ab 1218 Reichsstadt; behauptete Unabhängigkeit gg. Habsburg u. Savoyen, ab etwa 1300 territoriale Erweiterung. 1353 Beitritt zur Eidgenossenschaft. 1415 Eroberung des habsburg. Aargaus, 1536 der savoy. Waadt; 1528 Einführung der Reformation; im 17. u. 18. Jh. Aufstände gg. Patrizierherrschaft; 1798 Einmarsch v. frz. Revolutionstruppen, Verlust v. Aargau u. Waadt; 1815 Angliederung des Jura; seit 1848 Bundes-Hst. – 3) *Welsch-Bern,* alter dt. Name für Verona.

Bernadette (: -dät), *B. Soubirous,* frz. Hirtenmädchen, 1844–79; hatte 1858 in der Grotte v. Lourdes Marienvisionen; hl. (16.4.).

Bernadotte (: -dot), **1)** *Folke* Graf, Präs. des Schwed. Roten Kreuzes, 1895–1948; als Vermittler der UN in Palästina ermordet. – **2)** *Jean-Baptiste,* frz. Marschall Napoleons I., 1763–1844; als → Karl XIV. 1818 Kg. v. Schweden u. Norwegen. Das Haus B. regiert noch heute in Schweden.

Bernanos, *Georges,* frz. kath. Schriftsteller, 1888–1948; mit Claudel Vertreter der kath. Erneuerung; kulturpolit. Schriften, relig. Romane u. Dialoge. – WW: *Die Sonne Satans* (1926); *Tagebuch eines Landpfarrers* (1936); *Die großen Friedhöfe unter dem Mond* (1938); *Die tote Gemeinde* (1943) u. a. m.

Bernard (: -nar), **1)** *Claude,* frz. Physiologe, 1813–78; Entdecker der Fettverdauung durch die Bauchspeicheldrüse, der zentralnervösen Stoffwechselregulation u. der Glycogenbildung in der Leber. – **2)** *Émile,* frz. Maler u. Graphiker, 1868–1941; machte auf van Gogh u. Gauguin aufmerksam; Gemälde, Plastiken, Illustrationen u.a.; Kunstkritik. – **3)** *Jean-Jacques,* frz. Schriftsteller, *1888; u.a. Dramen u. Romane. – **4)** *Jean-Marc,* frz. Schriftsteller, 1881–1915; neuklassizist. Lyrik. – **5)** *Joseph,* frz. Bildhauer u. Maler, 1866–1931; weibl. Figuren, Porträtplastiken, Aquarelle u.a. – **6)** *Marc,* frz. Schriftsteller, *1900; Erzähl. u. Romane. – **7)** *Tristan,* frz. Schriftsteller, 1866–1947; Komödien (z.T. frivol), Romane.

Bernardes (: -disch), *Diego,* portug. Schriftsteller, 1530–1605; Hirtengedichte, Idyllen, Elegien.

Bernárdez (: -deß), *Francisco Luís,* argentin. Schriftsteller, *1900; Lyrik (vielfach religiös-theologisch).

Bernart de Ventadour (: -nar d° wătadur), *B. v. Ventadorn,* provenzal. Troubadour, etwa 1125–95; Minnelieder an Eleonore v. Poitou.

Bernatzik, *Hugo Adolf,* österr. Ethnologe, 1897–1953; Afrika-, Hinterindien- u. Salomonenreise. – HW: *Die große Völkerkunde* (3 Bde, 1939).

Bernau (bei Berlin), Stadt im DDR-Bez. Frankfurt a.d.O., 17800 E.; Textilindustrie.

Bernauer, *Agnes,* Augsburger Bürgerstochter, 1432 heiml. Gattin Hzg. Albrechts III. v. Bayern, 1435 in der Donau ertränkt; u.a. v. Hebbel dramatisiert.

Bernburg/Saale, Krst. im DDR-Bez. Halle, an der Saale, 42300 E.; Solbad; Kalilager, Sodaindustrie.

Berndorf, niederösterr. Stadt u. Sommerfrische im Bez. Baden, im Triestingtal, rd. 10000 E.

Berne, niedersächs. Gem. im Ldkr. Wesermarsch, 6200 E.; Schiffbau.

Berneck, *Bad B.,* → Bad Berneck.

Berner Alpen → Berner Oberland.

Berner Klause w, *Veroneser Klause,* Talenge der Etsch nordwestl. v. Verona; stark befestigt.

Berner Konventionen (Mz.), mehrere in Bern abgeschlossene internat. Übereinkommen betr. Post- u. Eisenbahnwesen sowie künstler. u. literar. Urheberrecht

(Berner Übereinkunft 1886, in der Folge mehrfach abgeändert).

Berner Oberland, *Berner Alpen,* im Kt. Bern gelegener Teil der Westalpen, zw. Rhône-, Simmen- u. Sensetal, mit mehreren Gipfeln über 4000 m (Finsteraarhorn 4274 m), Aletschgletscher, zahlr. Pässen u. Bergbahnen; Fremdenverkehrsgebiet.

Berner Sennenhund *m,* Schweizer Hunderasse; → Haushunde.

Berner Übereinkunft *w,* → Berner Konventionen.

Berneuchener Bewegung *w, B.Kreis,* ev. Erneuerungsbewegung v. luther. Geistlichen u. Laien mit Verlebendigung v. Liturgie, Sakrament u. Ökumene; 1923 auf Gut Berneuchen in Brandenburg gegr., getragen v. der → Michaelsbruderschaft.

Bernhard, 1) *Sankt B.,* 2 Alpenpässe, → Sankt Bernhard. – **2)** männl. Vorname.

Bernhard, 1) *Markgraf v. Baden,* um 1428–58; Söldnerführer u. Diplomat Ks. Friedrichs III.; sel. (15.7.). – **2)** *Prinz zur Lippe-Biesterfeld,* *1911; seit 1937 verheiratet mit Juliana v. Oranien-Nassau, seit 1948 Königin der Niederl.; B. seitdem *Prinz der Niederlande.* – **3)** *Hzg. v. Sachsen-Weimar,* Heerführer im 30jähr. Krieg, 1604–39; erst auf prot. Seite, seit 1635 in frz. Diensten.

Sarah Bernhardt. Jugendstilplakat von Alphonse Mucha (1860–1939)

Bernhard von Clairvaux besucht ein Zisterzienserkloster (mittelalterliche Miniatur)

Bernhard, 1) *Christoph,* dt. Komponist, 1627–92; seit 1681 Kapellmeister der Dresdener Hofkapelle; verf. Kompositionslehre. – **2)** *Thomas,* österr. Schriftsteller, *1931; melanchol.-pessimist. Lyrik u. Erzählungen, Dramen u. selbstreflektorische, aggressive Romane. – WW: u.a. *Frost* (1963; Roman); *Verstörung* (1967; Roman); *Ungenach* (1968; Erzähl.); *An der Baumgrenze* (1969; Erzähl.); Dramen: *Ein Fest für Boris* (1970); *Der Ignorant u. der Wahnsinnige* (1972); *Der Präsident* (1975).

Bernhardi, *August Ferdinand,* dt. Schriftsteller, 1769–1820; verheiratet mit L. Tiecks Schwester Sophie; satir. Erzählungen u. Dramen.

Bernhardiner *m, St.-Bernhards-Hund,* große Schweizer Hunderasse (bis 80 cm Schulterhöhe), mit kurzer Schnauze, Fell urspr. kurz, heute auch langhaarig, weiß mit rötl.-gelben bis braunen Flecken; v. den Mönchen auf dem St. Bernhard als Wach- u. Suchhund gezüchtet.

Bernhardinerkraut *s,* das → Benediktenkraut.

Bernhardin von Siena, Volksprediger, 1380–1444; Förderer der Franziskaner-Observanten; hl. (20.5.).

Bernhardt (: bärnar), *Sarah,* eig. *Henriette Rosine Bernard,* frz. Schauspielerin, 1844–1923; Tragödin; an der Comédie Française u. später am Théâtre des Nations, das man nach ihr benannte; schrieb Schauspiele u. *Memoiren.*

Bernhard von Chartres, Philosoph, † um 1130; Lehrer an der Philosophenschule v.

Bern

Chartres; bemühte sich um einen Ausgleich zw. → Platonismus u. → Aristotelismus: der Universalienbegriff des Aristoteles u. der Ideenbegriff Platons seien identisch.

Bernhard von Clairvaux, Kirchenlehrer, um 1090–1153; Zisterzienser, 1115 Abt des v. ihm gegr. Klosters Clairvaux; Bußprediger u. Mystiker; beendete Papstschisma u. predigte 2. Kreuzzug; hl. (20.8.).

Berni, *Francesco,* it. Schriftsteller, 1497–1535; unterhaltsame polit.-satir. Dichtung (Sonette u.a.); diese Art ‚genere bernesco‘ genannt.

Bernina *w,* höchstes Gebirge der Ostalpen, zw. Oberengadin (Graubünden, Schweiz) u. Veltlin; im *Piz B.* 4049 m hoch.

Berninabahn *w,* → Berninapaß.

Berninapaß *m,* Alpenpaß im Schweizer Kt. Graubünden, nordöstl. des Piz Bernina, 2323 m ü.M. Die *Berninabahn* führt v. St. Moritz über Pontresina u. den B. nach Poschiavo u. Tirano in Italien.

Bernini, *Giovanni Lorenzo,* führender Architekt u. Bildhauer des röm. Barocks, 1598–1680; Altäre, Grabmäler u. Brunnen mit allegor. Figuren u. rahmenden Architekturen; bestimmte das Bild des neuen Rom mit Kirchen, Palästen u. Platzgestal-

Stilbegründender Künstler des italienischen Barock war der Bildhauer und Baumeister Giovanni Lorenzo Bernini

Eines der bekanntesten Werke von Giovanni Lorenzo Bernini ist die ‚Verzückung der heiligen Theresia‘ in Santa Maria della Vittoria in Rom

tungen. – HW: Skulpturen *Apollon u. Daphne, Verzückung der hl. Theresia;* Grabmal *Urbans VIII.; Bronzebaldachin* in St. Peter (Rom); *Kolonnaden* am Petersplatz.

Bernkastel-Kues (:-kuß), rheinl.-pfälz. Krst. im Reg.-Bez. Trier, an der Mosel, 6700, als Verbandsgem. 23 300 E.; Weinort.

Bernoulli (:-nuli), Schweizer Gelehrtenfamilie: **1)** *Daniel,* Mathematiker u. Physiker, 1700–82; Sohn v. 4); begr. die Hydrodynamik. – **2)** *Hans,* Architekt des modernen Städtebaus, 1876–1959; Planungen für Basel, Genf, Montreux u.a. – **3)** *Jakob,* Mathematiker, 1654–1705; Hauptarbeitsgebiete: Analysis, Wahrscheinlichkeitsrechnung. – **4)** *Johann,* Mathematiker, 1667–1748; Bruder v. 3); Erfinder der Variationsrechnung.

Bernstein *m,* altdt. *Amber,* das antike *Elektron;* Name v. *Brennstein* abgeleitet, da brennbar; fossiles Harz aus dem Tertiär; stammt v. Nadelbäumen Skandinaviens *(B. kiefer);* wurde vom Meer fortgeschwemmt u. an den Ostseeküsten (vor allem *B. küste* im Samland) abgelagert; Farbe gelb bis rötlichbraun, milchigtrüb bis durchsichtig; häufig mit Einschlüssen v. Insekten u. Pflanzenteilen; für Schmuck.

Bernstein, 1) *Eduard*, dt. sozialist. Politiker u. Schriftsteller, 1850–1932; Mitarbeiter v. Engels; Theoretiker des Revisionismus. – **2)** *Felicia Montealegre Cohn*, am. Schauspielerin, 1922–78; seit 1951 Gattin v. 4); zahlr. Hauptrollen am Broadway. – **3)** *Henry*, frz. Schriftsteller, 1876–1953; psycholog. Dramen. – **4)** *Leonard*, am. Komponist, Dirigent u. Pianist, Musikpädagoge, *1918; Orchester- u. Kammermusik, Sinfonien, Ballette u. Musicals *(Westside Story, Candide).*

Der amerikanische Komponist und Dirigent Leonard Bernstein bei einer Orchesterprobe

Bernsteinküste *w*, → Bernstein.

Bernsteinsäure *w*, eine → Dicarbonsäure; wichtiges Zwischenprodukt im → Stoffwechsel v. Zellen, bes. im → Zitronensäurezyklus; Vorkommen in Beeren, Bernstein.

Bernsteinschnecken (Mz.), 2 bis 3 cm große, bernsteinfarbige, weltweit verbreitete Landschnecken; meist an Sumpfpflanzen.

Bernstorff, *Johann Heinrich* Graf v., dt. Diplomat, 1862–1939; 1908–17 Botschafter in Washington; versuchte den Eintritt der USA in den 1. Weltkrieg zu verhindern; 1920–28 MdR; nach 1933 im Exil.

Bernward, 1) sächs. Edelmann, um 960–1022; Erzieher Ks. Ottos III.; 993 Bisch. v. Hildesheim; machte Hildesheim zum Kunstzentrum; hl. (20.11.). – **2)** männl. Vorname.

Bernwardskunst *w*, Werke der ottonischen Kunst aus den v. Bischof → Bernward in Hildesheim gegr. Werkstätten: *Bernwardstür* am Dom, Bronzetür urspr. für St. Mi-

chael; *Bernwardssäule*, Christussäule im Dom; Silberleuchter u. -kreuze; auch vier Handschriften mit Miniaturen.

Berolina *w*, neulat. Name für Berlin u. dessen weibliche Personifikation.

Beromünster, fr. *Münster*, Gem. im Schweizer Kt. Luzern, 1600 E.; nahebei der Schweizer *Landessender B.*

Berquin (:-kǎ), *Arnaud*, frz. Schriftsteller, 1747–91; Romanzen, Idyllen.

Berruguete (:-gete), **1)** *Alonso González*, span. Bildhauer, Maler u. Architekt der Renaissance, um 1490–1561; bereitete den span. Barock vor; Altäre, Chorgestühl; in Dekorationen Meister des platteresken Stils. – **2)** *Pedro*, span. Renaissancemaler, etwa 1450–1504; vor allem relig. Themen.

Berry (:bäri), frz. Landschaft der Dep. Cher u. Indre, an der Loire; Hst.: Bourges; Ackerbau, Viehzucht (Schafe; Wolle).

Berry (:bäri), **1)** *Charles Edward*, am. Rockmusiker, *1931; v. Einfluß auf Beatles u. andere engl. Rockmusikgruppen. – **2)** *Walter*, österr. Sänger, *1929; Baßbariton; Wiener Staatsoper; Salzburger Festspiele.

Bersabee → Beerscheba.

Bersaglieri (:-ßaljäri, it., Mz.), Scharfschützeneinheiten der it. Armee; seit 1836.

Das Gesetz von Bernoulli über strömende Flüssigkeiten beschreibt die Tatsache, daß der Druck in strömenden Flüssigkeiten niedriger ist als außerhalb. Ein Tischtennisball, der an eine Schnur geklebt wurde, wird durch diesen niedrigen Druck mitten im Wasserstrahl gehalten, aber nicht, wie man erwarten würde, durch den Wasserstrahl weggespritzt

Bernwardskunst: Fragment (um 1000) einer bronzenen Tür in der Krypta der St.-Michaelis-Kirche in Hildesheim. Dargestellt ist die Vertreibung von Adam und Eva aus dem Paradies

Bersenbrück, niedersächs. Stadt an der Hase, im Ldkr. Osnabrück, 5100, als Samtgem. 17700 E.

Berserker (altnord., ,Krieger im Bärenfell', Mz.), in der nord. Sage Krieger v. übermenschlicher Kraft, Haudegen.

Bertalanffy, *Ludwig v.,* österr. Biologe u. Naturphilosoph, 1901–72; Prof. in Wien, seit 1949 in Ottawa; Arbeiten zur Zellphysiologie, Zytochemie, Krebsforschung u. Biophysik; führt die Harmonie des Lebensprozesses auf ,ein Formpotential' als ihm gegebene immanente Kraft zurück. – WW: *Kritische Theorie der Formbildung* (1928); *Theoret. Biol.* (1932–42); *Das biolog. Weltbild* (1949); Hrsg. des *Handbuchs der Biologie.*

Berté, *Heinrich,* ungar. Komponist, 1857–1924; eine Oper, zahlr. Operetten (darunter nach Schubert-Melodien *Das Dreimäderlhaus,* 1916) u. Ballette.

Bertha, 1) *Bertrada,* † 783; Gemahlin Pippins d.J. u. Mutter Karls d.Gr. – **2)** Tochter Karls d.Gr., um 780–829; Geliebte des Angilbert, Mutter des Geschichtschreibers Nithard. – **3)** Gemahlin Kg. Heinrichs IV., um 1051–87; begleitete ihn 1077 nach Canossa. – **4)** Königin v. *Kent,* † vor 616; Urenkelin Chlodwigs. – **5)** *allg.:* weibl. Vorname.

Berthelot (: -t⁰lo), *Marcelin,* frz. Chemiker u. Politiker, 1827–1907; zahlreiche Synthesen organischer Verbindungen u. Arbeiten über Thermochemie u. Biologie.

Berthier (: -tje), *Louis-Alexandre,* frz. Marschall, 1753–1815; eroberte 1798 den Kirchenstaat u. machte ihn zur Republik.

Berthold, 1) *v. Henneberg,* Kurfürst v. Mainz, 1442–1504; seit 1484 Erzb. v. Mainz; Reichsreformer; erzwang 1495 die Einsetzung des Reichskammergerichts u. die Verkündung des ewigen Reichsfriedens. – **2)** *v. Regensburg,* größter Volksprediger des MA, um 1210–72; Franziskaner; hl. (14.12.). – **3)** *v. Reichenau,* Chronist, um 1030–88; führte Hermanns des Lahmen *Weltchronik* weiter. – **4)** *allg.:* männl. Vorname.

Berthollet (: -tolä), *Claude Louis* Graf v., frz. Chemiker, 1748–1822; Arbeiten über die Zusammensetzung chem. Verbindungen aus ihren Elementen (→ Stöchiometrie); Einführung v. Chlor als Textilbleichmittel.

Bertillon (: -tijõ), **1)** *Alphonse,* frz. Anthropologe, 1853–1914; Sohn v. 2); erfand System zur Identifizierung rückfälliger Verbrecher. – **2)** *Louis Adolphe,* frz. Mediziner, 1821–83; betrieb Bevölkerungsstatistik.

Berto, *Giuseppe,* it. Schriftsteller, 1914–78; bedeut. Romane: *Der Himmel ist rot* (1947); *Mein Freund der Brigant* (1951); *Meines Vaters langer Schatten* (1964).

Bertoldo di Giovanni, it. Bildhauer der Frührenaissance, um 1420–91; haupts. Kleinkunst: Medaillen, Plaketten, Kleinstatuen.

Bertolucci (: -lutschi), *Bernardo,* it. Filmregisseur, *1941. – Filme: *Der große Irrtum* (1970); *Der letzte Tango in Paris* (1972) u.a.
Bertram, *Meister B.,* dt. Maler u. Bildschnitzer, um 1345–1414/15; Hauptmeister der norddt. spätgot. Malerei; *Grabower Altar* (Kunsthalle Hamburg), *Passionsaltar* (Hannover) u.a.
Bertram, 1) *Adolf* Kard., 1859–1945; 1906 Bisch. v. Hildesheim, 1916 Fürsterzb. v. Breslau; Vorkämpfer der dt. kath. Bischöfe gg. den Nat.-Sozialismus. – **2)** *Ernst,* dt. Schriftsteller u. Literarhistoriker, 1884–1957; gehörte zum Georgekreis; Lyrik, Essays; u.a.: *Nietzsche* (1918); *Das Gedichtwerk* (1922).
Bertramwurzel *w, Anacyclus,* der Kamille verwandter Korbblütler aus dem Mittelmeerraum; in Dtl. früher als Heil- u. Zierpflanze kultiviert.
Bertrand (: -trã), **1)** *Aloysius (Louis),* frz. Schriftsteller, 1807–41; Begr. des frz. lyr. Prosagedichts; Lyrik, Prosadichtung (*Gaspard de la nuit,* 1842). – **2)** *Louis-Marie,* frz. Schriftsteller, 1866–1941; realist. Romane über Algerien u. andere Mittelmeerländer, Reisebeschreibungen u.a.
Bertran de Born (: -trã d⁰-), Vicomte de Hautefort, Troubadour, etwa 1140–1215; polit. Kampfdichtung u. Minnelieder.
Beruf *m* (mhd.), **1)** *allg.*: jede regelmäßige u. meist zu Erwerbszwecken ausgeübte Tätigkeit, die im Sinn eines erkennbaren → Berufsbilds bestimmte Fähigkeiten, Fertigkeiten u. Kenntnisse verlangt, an bestimmte Rechte u. Pflichten gebunden ist u. im Rahmen der Volkswirtschaft einen bestimmten Platz einnimmt. Damit unterscheidet sich der B. v. einer zufälligen Erwerbstätigkeit („Job‘), der Berufausübende v. einem Amateur od. Landstreicher, die zwar mit ihren Tätigkeiten Einnahmen erzielen, deren Tätigkeit aber keinem festen B.sbild entspricht. – **2)** i.e.S. als *Berufung:* urspr. im geistigen Sinne (lat. *vocatio,* heute noch in der Kirchensprache z.B. ‚Ordensberuf‘), seit Luther im weltl. Sinne für Amt u. Stand, im Calvinismus als göttl. Berufung, bei der die B.stätigkeit zum Selbstzweck wird (→ Berufsethos); heute: *a)* im Sinn v. *„sich berufen fühlen‘* zu einer bestimmten Aufgabe aufgrund eines Talents (Künstler) od. als Persönlichkeitsverwirklichung, zurückgehend auf den dt. Idealismus; *b)* im Sinn v. *‚einem Ruf folgen‘,* die Berufung zu einem bedeutungsvollen Amt (z.B. zum Intendanten, Universitätsprof., Berufung ins Beamtenverhältnis). – Die Bedeutung des B. liegt in den heutigen Industriegesellschaften auf dem *volkswirtschaftl. Aspekt* als arbeitsteilige, gesellschaftlich notwendige Arbeitslei-

Nachweis von Claude Berthollet. Natriumhypochlorit (NaOCl), auch Chlorbleichlauge oder (als verdünnte Lösung) Bleichwasser genannt, ist ein kräftiges Bleichmittel. Um dies zu demonstrieren, wurde ein Stück Papier mit verschiedenfarbigen Kugelschreibern beschrieben und kurz ins Bleichwasser getaucht. Die Kugelschreibertinte wird schnell angegriffen und in eine hellgelbe Substanz umgewandelt. Auf die Dauer verschwindet sogar diese Farbe. Leider ist Bleichwasser als Fleckenentferner oft das schlimmere Übel: farbiges Gewebe (Textil) z. B. wird häufig auch entfärbt. Manchmal wird sogar die Faser angegriffen

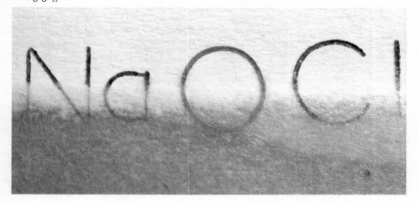

‚Der geplagte Schulmeister'. Gemälde von Jan Steen (1626–79) aus dem Jahr 1672. Das Bild zeigt eine Szene aus einer für die damalige Zeit typischen Zwergschule

stung, die dem einzelnen zum Lebensunterhalt dient, u. in *sozialer Hinsicht* auf der Funktion der Statuszuweisung (→ Status), da heute die → Sozialstruktur einer Gesellschaft weitgehend v. der Berufsstruktur bestimmt wird. Ein anderes Kennzeichen ist die zunehmende *Professionalisierung* (‚*Verberuflichung'*) v. Tätigkeiten, d.h., ihre Zugangsmöglichkeiten werden immer eindeutiger festgelegt u. nam. durch bestimmte Ausbildungsgänge formalisiert. Für die Zukunft sagen Forscher voraus, daß die berufl. Tätigkeit im Verhältnis zur Freizeit im Leben des Menschen einen immer geringeren Raum einnehmen wird, was neben der Zunahme der Arbeitsteilung dazu beiträgt, daß das Erkennen des Sinns der einzelnen B.stätigkeit u. die Identifizierung mit dem Beruf weiter erschwert wird.

berufliche Arbeitsteilung → Berufsdifferenzierung.

berufliche Bildung, *Berufsbildung,* umfaßt nach dem → Berufsbildungsgesetz den Bereich der → Berufsausbildung, der → beruflichen Fortbildung u. der → beruflichen Umschulung. → Bildung.

berufliche Fortbildung, dient durch Intensivierung, Erweiterung u. Vertiefung der Kenntnisse, im ausgeübten Beruf der Anpassung an die technische u. wirtschaftl. Entwicklung.

berufliche Integration → Behindertenausbildung.

berufliches Schulwesen, Sammelbez. für berufsbildende Schulen, die auf der → Sekundarstufe I aufbauen. Im Unterschied zu den allgemeinbildenden Schulen vermitteln sie eine berufsbezogene Bildung. Dazu gehören: → Berufsschulen, → Berufsgrundschulen, → Berufsfachschulen, → Berufsaufbauschulen, → Berufssonderschulen, → Fachoberschulen, → Berufliche Gymnasien, → Fachschulen u. (in Bayern u. B.-Württ.) → Fachakademien u. → Berufsoberschulen.

berufliche Umschulung, ermöglicht den Übergang in eine andere berufl. Tätigkeit, die aus individuellen Gründen (anderer Berufswunsch, finanzieller u. sozialer Aufstieg od. eingetretene Behinderung) u. aus arbeitsmarktpolitischen Gründen (Abbau der Arbeitslosigkeit) angestrebt wird.

Berufsakademie *w,* berufsorientierte Studienanstalt, deren Besuch Abitur u. einen betriebl. Ausbildungsplatz voraussetzt; vermittelt eine praxis- u. wissenschaftsorientierte Ausbildung.

Berufsaufbauschule *w,* führt als Einrichtung des → zweiten Bildungswegs zur → Fachschulreife, die dem Realschulabschluß in allgemeiner u. fachlicher Hinsicht gleichkommt. Besucht wird sie nach abgeschlossener Berufsausbildung v. Berufstätigen od. auch v. Auszubildenden neben der Berufsschule. Als Vollzeitschule umfaßt die B. ein Schuljahr. Unterschieden wird zw. einem allg. gewerblichen, einem gewerblich-technischen, einem hauswirtschaftl., einem sozialpfleger., einem landwirtschaftl. u. einem kaufmänn. Zweig.

Berufsausbildung w, die Aneignung aller für eine qualifizierte berufl. Tätigkeit notwendigen fachl. Kenntnisse u. Fertigkeiten. Sie findet in schulischen (außerbetriebl.), betriebl. u. überbetriebl. Bildungseinrichtungen statt. Dabei kann es sich im Sinn des → Berufsbildungsgesetzes um einen staatl. anerkannten Ausbildungsberuf od. um Ausbildung an Fachschulen, -oberschulen u. -hochschulen mit einem anerkannten Abschluß handeln. Im Unterschied zur allg. Ausbildung führt die B. als → zweiter Bildungsweg zu fachbezogenen Abschlüssen (→ Fachschulreife, → Fachhochschulreife, fachgebundene → Hochschulreife).

Berufsausbildungsverhältnis s, bezieht sich auf das Verhältnis zw. dem → Auszubildenden u. dem Betriebsinhaber. Das → Berufsbildungsgesetz faßt es als Arbeitsverhältnis, so daß neben dem Jugendarbeitsschutzgesetz auch die Bedingungen des Arbeitsrechts gelten.

Berufsbeamte (Mz.), → Beamte.

Berufsberatung w, die Beratung v. Jugendlichen u. Erwachsenen hinsichtlich aller Fragen u. Probleme, die mit dem Berufsleben zusammenhängen. Die Aufgaben der

Berufliche Arbeitsteilung findet im extremen Maß am Fließband statt: Jeder Arbeiter hat im einzelnen genau vorgeschriebene Handgriffe auszuführen, um das Endprodukt (in diesem Fall das Auto) herzustellen

B. im einzelnen: Berufsaufklärung u. -orientierung (durchgeführt in der Schule u. durch Unterrichtsmaterial zur Berufskunde), berufliche Einzelberatung (psycholog. u. medizin. Eignungsuntersuchungen, Vermittlung v. berufl. Ausbildungsstellen u. Förderung der betriebl. Berufsausbildung [Fortbildung, Umschulung u. ä.]). Durch-

Im modernen Schulunterricht sitzen die Schüler nicht mehr hintereinander, sondern gruppieren sich integrativ um den Lehrer

geführt wird die B. v. den Arbeitsämtern, da das → Arbeitsförderungsgesetz die B. der Bundesanstalt für Arbeit übertragen hat (vgl. Berufsorientierung).

Berufsbewertung *w,* die Bewertung v. Berufen durch die Gesellschaft hinsichtlich Einkommen, Macht u. Ansehen aufgrund v. Faktoren wie Einfluß, erforderlicher Ausbildung od. gesellschaftlicher Bedeutung, die einer → Berufsposition zukommen.

Berufsbild *s,* die Darstellung eines Berufs hinsichtlich seiner wichtigen Merkmale: Eignungsanforderungen, Ausbildungsgang, Aufstiegsmöglichkeiten, Arbeitsmarktbedingungen, rechtliche Voraussetzungen u. Forderungen u. ä. m.

Berufsbildung *w,* → berufliche Bildung.

Neue Techniken ziehen sehr oft neue Berufe nach sich, was eine längere Berufsausbildung erfordert und zum Spezialistentum führt

Berufsbildungsabgabe *w,* wird aufgrund des Ausbildungsplatzförderungsgesetzes v. Betrieben mit einer Lohnsumme über 400 000 DM erhoben, wenn das Lehrstellenangebot die Nachfrage um weniger als 12,5% übersteigt, so daß die Ausbildungsplätze in benachteiligten Regionen nicht mehr sichergestellt sind. Eingehoben wird die B. v. den Berufsgenossenschaften bzw. v. anderen Trägern der Unfallversicherung. Verteilt werden die Mittel durch das Bundesinstitut für Berufsbildung.

Berufsbildungsgesetz *s,* Abk.: *BBiG,* v. 1969, neugefaßt 1979, regelt den gesamten Bereich der → beruflichen Bildung hinsichtlich der arbeitsrechtl. Bedingungen des → Berufsausbildungsverhältnisses u. der

ordnungsrechtlichen Vorschriften über die Berechtigung zur Ausbildung sowie über das Prüfungswesen. Auch die heftig umstrittene Reform, im BBiG v. 1979 geplant, will das Prinzip der dualen Berufsbildung einer betriebl. u. schulischen Ausbildung beibehalten. Sie sieht aber eine Beschneidung des Einflusses der Kammern (Industrie- u. Handelskammer, Handwerks-, Landwirtschaftskammer u.ä.) vor, da die betriebl. Ausbildung zusätzlich v. einem Bundesinstitut für Berufsbildung u.v. Berufsbildungsausschüssen kontrolliert werden soll.

Berufsdifferenzierung *w, berufliche* → *Arbeitsteilung,* der Entstehungsprozeß neuer Berufspositionen aufgrund v. Vorgängen der Produktionsteilung, der Arbeitszerlegung od. der Berufsspaltung, die technologisch od. sozial bedingt sein können.

Berufseignung *w,* das Ausmaß, in welchem eine Person aufgrund ihrer Qualifikationen den gegebenen Voraussetzungen u. Anforderungen eines Berufs entspricht. Zur Ermittlung der B. werden neben anderem auch Tests (Berufseignungstests) herangezogen.

Berufserziehung *w,* → Berufspädagogik.

Berufsethik *w,* **1)** Verhaltensvorschriften, die v. Berufsverbänden für ihre Mitglieder erlassen werden. – **2)** die berufsbezogenen Wertvorstellungen u. -erwartungen, die das berufl. Verhalten bestimmen (vgl. Berufsethos).

Berufsethos *s,* die innere Verbundenheit mit dem Beruf, die v. Pflichterfüllung gekennzeichnet ist; geht zurück auf den Einfluß des puritanist. Protestantismus, der die Pflichterfüllung zum sittl. Gebot machte u. daher die Berufsarbeit als Leistung mit sittl. Wert herausstellte.

Berufsfachschule *w, BFS,* berufsbildende Schule, die anschließend an Schulen der → Sekundarstufe I in ein- bis dreijährigem Vollzeitunterricht die Fachschulreife vermittelt. Sie berechtigt zum Besuch der Fachoberschule, entbindet v. der Berufsschulpflicht u. verkürzt das spätere Ausbildungsverhältnis, da sie einen Teil der Berufsausbildung u. eine über die Berufsschule hinausgehende Allgemeinbildung vermittelt.

Berufsgeheimnis *s,* Verpflichtung der Apotheker, Ärzte, Geistlichen, Notare, Rechts-

Blindenunterricht findet in der angepaßten Umgebung eines Internats statt. Das erste Blindeninstitut wurde 1784 von dem Franzosen Valentin Haüy (1745–1822) gegründet

anwälte usf. zum Schweigen über ihnen beruflich anvertraute u. erfahrene Tatsachen; Verletzung des B. ist strafbar.

Berufsgenossenschaft *w,* Träger der gesetzl. → Unfallversicherung, nach Wirtschaftszweigen gegliedert; getragen v. den versicherungspflichtigen Unternehmen.

Berufsgrundschule *w, Berufsgrundschuljahr, Berufsvorjahr,* eine freiwillige einjährige Vollzeitschule, die als berufsfindende Einrichtung entweder direkt an die Hauptschule als 10. Klasse angegliedert ist od. als Berufsgrundschuljahr der berufl. Ausbildung vorangeht.

Berufsgrundschuljahr *s,* → Berufsgrundschule.

Berufsgruppe *w,* Personen, die einen bestimmten Beruf ausüben u. sich aufgrund der gleichen od. ähnlichen Fertigkeiten u. Kenntnisse sowie der Berufsbedingungen zusammengehörig fühlen.

Berufsheer *s,* ein aus langdienenden *Berufssoldaten* aufgestelltes Heer.

Berufsideologie *w,* die Wert- u. Rechtfertigungsvorstellungen einer → Berufsgruppe, vor allem über den gesellschaftl. Stellenwert des eigenen Berufs.

Berufskolleg *s,* in B.-Württ. dreijährige berufl. Schulform, die ähnlich wie die Fachoberschule Praktikantentätigkeit in Betrieben u. schul. Ausbildung koppelt, aber im Unterschied dazu zu einem Abschluß in einem handwerkl. od. kaufmänn. Ausbildungsberuf führt; setzt mittlere Reife voraus.

Berufskrankheit *w,* Störung der Gesundheit infolge wiederholter, durch den Beruf bedingter Reize, deren Summe krankmachend wirkt; z.B. Staublunge, gewerbl. Vergiftungen, Meniskuserkrankungen bei Bergleuten. B. zählt als Arbeitsunfall u. wird v. Berufsgenossenschaften entschädigt.

Berufskraut *s, Beschreikraut,* der Aster ähnliche Gattung der Korbblütler; das *Kanad. B.* weltweit verbreitet.

Berufskrankheiten können verschiedene Ursachen haben. Häufig treten Erkrankungen infolge von Lärm auf. Die Skala zeigt verschiedene Geräuschquellen (Angaben in Dezibel)

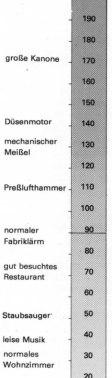

Geräuschquelle	dB	
	190	
	180	
große Kanone	170	
	160	
	150	
Düsenmotor	140	
mechanischer Meißel	130	Schmerzgrenze
	120	
Preßlufthammer	110	
	100	verständlich nur durch Schreien am Ohr
normaler Fabriklärm	90	Grenze für Gehörschäden
	80	bei starkem Anheben der Stimme
gut besuchtes Restaurant	70	verständlich auf 3,5 m
	60	ohne Anheben der Stimme verständlich auf 3 m
Staubsauger	50	
leise Musik	40	
normales Wohnzimmer	30	
	20	

Beru

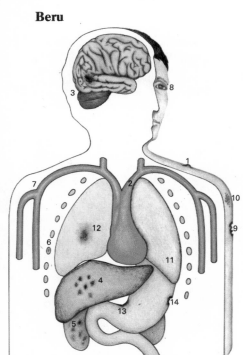

2. *Über Haut, Lunge oder Magen aufgenommene giftige Stoffe*
3. *Aufnahme schwerer Metalle (Quecksilber, Thallium) im Gehirn oder im Nervensystem*
4. *Angreifen der Leber durch giftige Stoffe. In ernsten Fällen kann Nekrose (Absterben von Gewebe) auftreten*
5. *Angreifen der Niere durch schwere Metalle (Blei, Quecksilber) oder durch vergiftete Kohlenstoffverbindungen, die nicht oder schwer ausgeschieden werden können (Phenole, chlorierte Verbindungen)*
6. *Angreifen der blutbildenden Organe durch giftige Stoffe (Benzol und andere Aromata, Arsen)*
7. *Angreifen des Hämoglobins in den roten Blutkörperchen, wodurch der Sauerstofftransport gebremst wird (Kohlenmonoxid, Cyanide)*
8. *Augenverletzung durch Spritzer beißender Stoffe, wobei vor allem basische Stoffe gefährlich sind*
9. *Hautverbrennung und Ätzwunden durch beißende Stoffe (Säuren, Basen, Halogene)*
10. *Kontaktdermatitis durch andauernde Berührung mit irritierenden Stoffen oder Entfettung durch fettlösende Flüssigkeiten*
11. *Lungenödem bei Einatmen beißender Stoffe*
12. *Lungenerkrankungen (Krebs, Silikose, Asbestose) durch Einatmen von Staubteilchen, die nicht entfernt werden können*
13. *Schleimhauterkrankung in Kehle, Magen und Darm durch irritierende Stoffe*
14. *Brandwunden und Magen-/Darmperforationen durch Schlucken beißender Stoffe*

Einige Formen berufsbedingter Krankheiten durch Schadstoffe:
1. Hauttumor durch Einwirkung giftiger Stoffe (Arsen, Aromata)

Berufskunde *w*, Lehre, die sich mit dem Gesamtkomplex der berufl. Tätigkeitsformen beschäftigt. *Aufgabengebiete:* die Untersuchungen der spezif. Aufgaben u. Voraussetzungen v. Berufen (Ausbildung, Fortbildung, Aussicht, Eignung usw.), ihrer historischen, kulturellen u. sozialen Bedeutung, ihrer Ordnung u. Gliederung (Hochschul-, Fachhochschul-, Fachschul-, Ausbildungs-, Anlernberufe) u. allgemeiner Fragen der Berufsberatung u. Berufswahl.

Berufsmobilität *w*, die in großer Anzahl stattfindende Veränderung der Berufe in bezug auf ihre Tätigkeit u. Anforderungen an die Arbeiter, die zu anderen Qualifikationen der Arbeiter führt.

Berufsoberschule *w*, führt in 2 Jahren zur fachgebundenen → Hochschulreife. Sie baut auf einem mittleren Schulabschluß u. einer abgeschlossenen Berufsausbildung auf. Man unterscheidet die Ausbildungs-

richtungen: Technik u. Gewerbe, Wirtschaft, Hauswirtschaft u. Sozialpflege sowie Landwirtschaft.

Berufsorientierung *w*, **1)** der Prozeß der Berufsfindung als Abwägen verschiedener Möglichkeiten unter Berücksichtigung der persönl. Voraussetzungen (Fähigkeiten, Schulbildung, Wertvorstellungen usw.) u. der gesellschaftl. Voraussetzungen (Bewertung, Aufstiegsmöglichkeiten, formale Voraussetzungen usw.). – **2)** → Berufsberatung als Bestandteil des Unterrichts (→ Arbeitslehre) u. als Leistung der Arbeitsämter.

Berufspädagogik *w*, *Arbeitspädagogik*, *Wirtschaftspädagogik*, spezielle Forschungsrichtung der Pädagogik, die sich mit den Bedingungen der modernen Arbeits- u. Wirtschaftswelt (→ Berufskunde) u. ihren Konsequenzen für Erziehung u. Ausbildung beschäftigt. Dabei geht es nicht nur um die Vermittlung spezieller Qualifikatio-

Die Betriebspsychologie – neuerdings auch oft als Arbeits- oder Organisationspsychologie bezeichnet – befaßt sich mit einer Reihe von Aspekten in Betrieb oder Organisation. Wichtig sind Mensch und Aufgabe, Mensch und Gruppe, Mensch und Organisation. Diese Bestandteile oder ‚Untersysteme' (Subsysteme) sind durch dauernde Wechselwirkung miteinander verbunden. Einige dieser Beziehungen werden in dieser Zeichnung schematisch angegeben

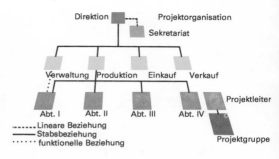

------ Lineare Beziehung
—— Stabsbeziehung
· · · · · funktionelle Beziehung

nen für eine zukünftige berufliche Tätigkeit, sondern auch im Sinn einer allg. *Berufserziehung* um die Vermittlung einer leistungsbezogenen *Arbeitshaltung (Arbeitsbereitschaft)*. Ihren Ursprung hat die B. in der Arbeitsschulbewegung (→ Arbeitsschule), aufgrund deren Einfluß es 1918 zu einer Neuordnung u. Ausweitung des berufl. Schulwesens kam. Durch die heutige Gleichstellung der berufl. Ausbildung mit der allgemeinen (→ zweiter Bildungsweg) gewinnt die B. zunehmend an Bedeutung. **Berufsposition** *w,* ein ‚Platz' in einer berufl. Organisation, im Rahmen der gesellschaftl. Arbeitsteilung, an den die Verrichtung einer bestimmten Teilaufgabe gebunden ist,

Berufsqualifikation wird immer öfter ein Maßstab zur Erlangung eines Arbeitsplatzes. Je nach dem Grad der Spezialisierung verlängert sich die Berufsausbildung um einen beträchtlichen Zeitraum

z.B. die B. ‚Sportlehrer' mit der Aufgabe ‚körperlicher Ausbildung' als Teil der Gesamtausbildung der Schüler. An eine B. sind nicht nur bestimmte Funktionen, sondern auch bestimmte Verhaltenserwartungen (→ Berufsrolle) gebunden.
Berufspsychologie *w,* Teilgebiet der Angewandten Psychologie bzw. der Arbeits-, Betriebs- u. Industriepsychologie, die sich mit den psycholog. Voraussetzungen der Aufnahme u. Ausführung beruflicher Tätigkeiten befaßt.
Berufsqualifikation *w,* die gesamten Voraussetzungen in bezug auf Wissen, Fertigkeiten, Fähigkeiten usw., die ein bestimmter Beruf fordert bzw. die eine Person befähigen, eine bestimmte berufl. Tätigkeit auszuüben.
Berufsrevolutionär *m,* Revolutionär, der die Überwindung u. Abschaffung eines bestehenden gesellschaftl. Systems als → Beruf betrachtet u. sein gesamtes Leben danach ausrichtet.
Berufsrichter *m,* fachlich vorgebildeter hauptamtlicher Richter.
Berufsrolle *w,* die Verhaltenserwartung, die an eine bestimmte → Berufsposition gebunden ist, z.B. die B. ‚einfache Lebensführung' als Verhaltenserwartung der Berufsposition ‚Pfarrer'.
Berufsschule *w,* Pflichtschule für alle Jugendlichen unter 18 Jahren, die keine allgemeinbildende od. berufliche Schule mit mindestens 24 Wochenstunden besuchen. Der Berufsschüler, der in einem Ausbildungs- od. Arbeitsverhältnis beschäftigt od. auch arbeitslos ist, hat in der Regel 8–12 Schulstunden an ein bis zwei Wochentagen, manchmal auch in Form v. → Blockunterricht. Man unterscheidet zw. gewerblichen, kaufmännischen, hauswirtschaftl. u. land-

Beru

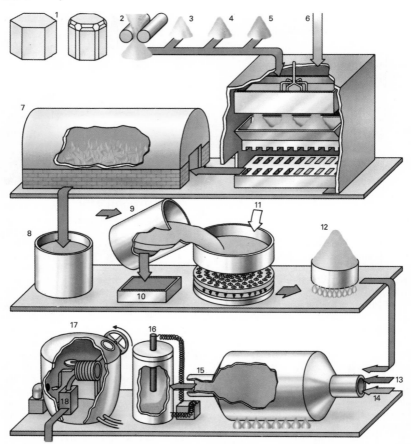

Kristalle des Erzes Beryll (1) werden zermahlen (2) und mit Soda (3), Natriumfluorsilikat (4) und fluorhaltigen Zusatzstoffen (5) gemischt. Die Masse wird befeuchtet (6), zu Briketts gepreßt und in einem Ofen erhitzt (7). Es entsteht eine in Wasser lösliche Verbindung (8), die von unlöslichen Restbeständen (10) abgegossen wird (9). Nach Zufügen von Natronlauge (11) entsteht ein Niederschlag aus Be(OH)₂, der abgefiltert wird. Durch Trocknen (12) erhält man relativ sauberes BeO. Dieses wird mit Kohlenpulver (13) und Chlorgas (14) gemischt und erhitzt. Es entsteht flüchtiges BeCl₂ (15), das aufgefangen und in geschmolzenem Kochsalz zu Berylliummetall elektrolysiert (16) wird. Das Metall kann evtl. in einem Vakuumofen (17) geschmolzen und gegossen werden (18), jedoch wird es oft mit Sintertechniken verarbeitet

wirtschaftl. B.n, die nach Berufsgruppen in verschiedene Berufsklassen differenziert sind. Ziel der B. ist, die betriebliche Ausbildung durch einen theoret. berufl. Unterricht zu ergänzen u. darüber hinaus allgemeinbildende Lehrinhalte zu vermitteln.
Berufsschullehrer *m*, Lehrer mit Studienratslaufbahn an berufl. Schulen; setzt heute Hochschulstudium u. pädagogische Ausbildung voraus.

Berufsschulpflicht *w*, → Berufsschule.
Berufssonderschule *w*, spezielle Berufsschule für Absolventen v. Sonderschulen (Sonderschulen für Lernbehinderte, für Körperbehinderte usw.), die ihnen im Zusammenhang mit einer betriebl. Ausbildung die Ableistung der Berufsschulpflicht u. z.T. einen Berufsabschluß ermöglicht.
Berufssoziologie *w*, spezielle Soziologie, die sich anhand soziologischer Begriffe u.

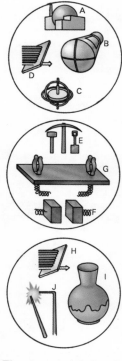

Einige Anwendungsbereiche von Beryllium:
A. in Kernreaktoren als Neutronenquelle;
B. hitzebeständige Raumfahrtschilde;
C. hochwertige Instrumente;
D. Schirm, der alle Strahlung abhält, außer Röntgenstrahlung (Berylliumlegierungen);
E. funkenfreie Werkzeuge;
F/G. schwerbelastete elektrische Kontakte (Berylliumverbindungen);
H. Glas, das UV-Strahlung durchläßt;
I. Emaille;
J. Schweißstab für Aluminium

Theorien mit Arbeit u. Beruf beschäftigt. *Hauptaufgabengebiete:* Arbeit u. Beruf als menschl. Tätigkeit, die Berufsdifferenzierung u. -organisation einer Gesellschaft, Berufsqualifikationen u. ihre Veränderungen.

Berufssportler *m*, engl. *Professional, Profi*, Sportler, der seine Sportart um Gelderwerb betreibt.

Berufsunfähigkeit *w*, liegt im Sinn der Rentenversicherung vor, wenn die Erwerbsfähigkeit des Versicherten auf weniger als die Hälfte derjenigen eines gesunden Versicherten ähnlicher Ausbildung gesunken ist.

Berufsunfall *m*, *Arbeitsunfall*, während der berufl. Arbeit od. auf dem direkten Weg zw. Arbeitsstätte u. Wohnung eintretendes Unfallereignis; auch → Berufskrankheit zählt als B. → Unfallversicherung.

Berufsverbot *s*, 1) *allg.:* gerichtl. Verbot zur Ausübung eines bewilligungspflichtigen Berufs wegen schuldhaften Verhaltens. – 2) *Beamtenrecht:* → Radikalenerlaß.

Berufsverbrecher *m*, wer aus regelmäßigen Vergehen seinen Lebensunterhalt bestreitet, auch Gewohnheitsverbrecher; oft organisiert (Gangstertum).

Berufsvererbung *w*, die bei → Selbständigen, vor allem im landwirtschaftl. u. handwerkl. Bereich, gegebene Übernahme der elterlichen berufl. Tätigkeit durch die Kinder.

Berufsvorjahr *s*, → Berufsgrundschule.

Berufsvormund *m*, → Amtsvormund.

Berufswahl *w, freie B.*, im GG der BRD anerkanntes Grundrecht, den Beruf frei zu wählen.

Berufszuweisung *w*, → Rekrutierung.

Berufung *w*, 1) *allg.:* → Beruf. – 2) *Recht:* Rechtsmittel, das die Nachprüfung eines Urteils durch höheres Gericht bezweckt; im Zivil- u. Verwaltungsprozeß der BRD *B.sfrist* 1 Monat, im Strafprozeß 1 Woche.

Beruhigungsmittel *s, Sedativum*, Mittel zur Dämpfung des Zentralnervensystems; z.B. Brom- u. Baldrianpräparate, Schlafmittel. B. setzen die Fahrtauglichkeit im Straßenverkehr herab.

Berührungsspannung *w*, elektr. Spannung, die bei der Berührung zweier verschiedener Metalle entsteht.

Beryll *m* (gr.), Silikatmineral der chem. Formel $Al_2Be_3(Si_6O_{18})$; durchsichtige B.e (meergrüner *Aquamarin*, grüner *Smaragd* u. *Chrysoberyll*) sind Edelsteine, Vorkommen: Österreich, Böhmen, Südafrika, Brasilien.

Beryllium *s, Be*, chem. Element, Ordnungszahl 4, Massenzahl 9; dient als Legierungszusatz zur Härtung v. Nickel u. Kupfer u. wird heute haupts. in der Reaktor- u. Raumfahrttechnik verwendet.

Berylliumlunge *w*, Staublunge bei Arbeitern in der Leuchtkörperindustrie.

Berzelius, *Jöns Jacob* Frh. v., schwed. Chemiker, 1779–1848; beschäftigte sich mit der Zusammensetzung der Verbindungen aus Atomen u. den Bindungskräften, die ihren Zusammenhalt bewirken; Einführung der heute gebräuchl. Symbole für die chem. Elemente.

Besamung *w*, → Befruchtung.

Besan *m* (niederl.), Gaffelsegel am hintersten Mast *(B.mast)* eines Segelschiffs.

Besançon (: bᵉsäßō̃), Hst. des frz. Dep. Doubs, Festung am Nordwestrand des Frz. Jura, 120000 E.; Reste röm. Bauten; roman.-got. Kathedrale (11.–13. Jh.); Univ.; Uhren-, Metall-, Textil-Ind.; Internat. Uhrensalon. – Im Altertum als *Vesontio* Hst. der Sequaner; kam 888 zu Hochburgund; 1307–1648 als Bisanz Reichsstadt; 1678 zu Frankreich.

Besant (: -sᵉnt), **1)** *Annie,* geb. *Wood,* engl. Theosophin, 1847–1933; seit 1907 Präs. der Theosoph. Ges.; leitete anfangs die ind. Freiheitsbewegung. – **2)** Sir *Walter,* engl. Schriftsteller, 1836–1901; histor. u. soziale Romane; mit J. Rice Novellen.

Besatz *m,* **1)** Teil des Schuhs. – **2)** Aufschläge, Kanten, Bänder an Kleidern.

Besatzdichte *w,* in der Weidewirtschaft u. Fischzucht: Lebendgewicht des Viehs bzw. der Fische je ha Weidefläche bzw. je l Wasser.

Besatzung *w,* **1)** Bemannung (eines Schiffs usw.). – **2)** Truppe zur Verteidigung eines festen Platzes, einer befestigten Anlage. – **3)** Truppe, die ein Gebiet besetzt hält.

Besatzungsstatut *s,* Regelung des Besatzungsrechts der Westalliierten in der dt. Trizone nach dem 2. Weltkrieg, 1949 erlassen, 1951 revidiert, 1955 aufgehoben.

Beschäftigung *w,* **1)** *allg.:* Betätigung, nam. die berufl. Tätigkeit. – **2)** *Volkswirtschaft:* das Verhältnis v. Erwerbstätigen u. Arbeitslosen zur Zahl der Erwerbsfähigen; erstrebt wird → Vollbeschäftigung.

Beschäftigungsgrad *m,* **1)** *Betriebswirtschaft:* Verhältnis der Beschäftigtenzahl zur Betriebskapazität; bei Veränderung des B. ändern sich nur variable Gesamtkosten, während fixe Gesamtkosten (Zinskosten, Abschreibungen, z.T. auch Gehälter) unverändert bleiben. – **2)** *Volkswirtschaft:* → Vollbeschäftigung.

Beschäftigungstherapie *w, Arbeitstherapie,* die Anwendung sinnvoller Arbeitstätigkeit bzw. Beschäftigung zu Heilzwecken bei psychisch Kranken bzw. zur Rehabilitation bei Körpergeschädigten. Wichtig ist, daß es sich dabei um eine sinnvolle Tätigkeit handelt, die auf einen Zweck hinzielt, daß sie den Patienten leistungsmäßig fordert u. daß ästhetische u. schöpferische Aspekte einbezogen werden. Man spricht daher auch v. *Werktherapie* od. *Ergotherapie.*

beschälen, *Pferdezucht:* begatten.

Beschäler *m,* der Zuchthengst.

Beschälseuche *w, Zuchtlähme,* Geschlechtskrankheit der Zuchtpferde, eine Trypanosomeninfektion; anzeigepflichtig.

Beschauung *w,* → Kontemplation.

Beschauzeichen (Mz.), gepunzte Qualitätsstempel (v. Zünften, später auch staatl. Stellen) auf Silber- u. Goldschmiede- sowie Zinnarbeiten.

Beschläge (Mz.), **1)** Tür-, Fensterangeln, Scharniere, Haken usw. – **2)** kunstgewerbl. Türbänder, Schlösser, Griffe u.a. – **3)** Hufeisen.

Beschlagnahme *w,* zwangsweise Sicherung v. Gegenständen für Zwangsvollstreckung od. Sicherstellung v. Beweismitteln im Strafrecht.

Beschleuniger (Mz.), die *Teilchenbeschleuniger* → Betatron, → Synchrotron, → Zyklotron.

Beschleunigung *w,* Änderung der Geschwindigkeit pro Zeiteinheit.

Beschleunigungsanlagen *w,* die Beschleuniger.

Beschluß *m,* **1)** *allg.:* Entscheidung od. Entschließung eines Gremiums (meist einer Mehrheit) aufgrund einer Abstimmung. – **2)** gerichtl. Entscheidung (nicht Urteil od. Verfügung); verkündet bzw. zugestellt; meist Beschwerde zulässig.

Beschneidung *w, Circumcisio,* Entfernung der Vorhaut (Praeputium) am männl. Geschlechtsglied, wird bei vielen Naturvölkern (z.T. als *Incisio,* Aufschneidung) vorgenommen. In der jüd. Religion hat die B. die Bedeutung des Bundeszeichens, der Zugehörigkeit zum Volk Jahwes.

beschreibende Psychologie, *deskriptive Psychologie,* Forschungsrichtung, die psycholog. Sachverhalte überwiegend durch → Beschreibung ermittelt, entweder auf der Basis der → Phänomenologie (F. Brentano, E. Husserl, M. Scheler), auf der Grundlage des → Verstehens (Ph. Lersch) od. auf der Grundlage der Verhaltens- u. Ausdrucksbeobachtung (→ Beobachtung). Der Begriff b. P. wurde zuerst v. W. Dilthey angewendet.

Silberstempel als Beschauzeichen

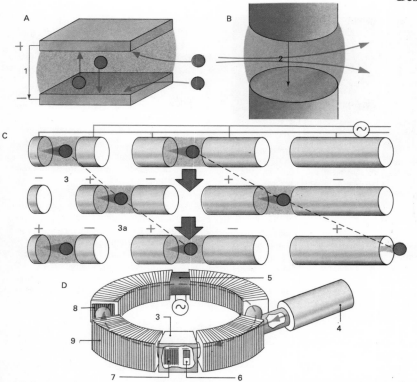

(A) In einem elektrischen Feld (1) wird ein positives Teilchen in Richtung des Felds beschleunigt, ein negatives Teilchen in entgegengesetzter Richtung.

(B) In einem magnetischen Feld (2) werden elektrisch geladene Teilchen quer über der Richtung des Felds abgebogen.

(C) Ein linearer Beschleuniger besteht aus einem System von immer längeren ‚Driftrohren', an dem eine Wechselspannung angeschlossen wird. Ein positives Teilchen, das sich in 3 befindet, wird in Richtung des nächsten Rohrs beschleunigt. Während es dieses passiert, kehrt die Spannung um, wodurch das Teilchen in Richtung des darauffolgenden Rohrs (3a) beschleunigt wird. Bei jeder Passage erfährt das Teilchen einen Energiegewinn gleich dem Potentialunterschied, den es durchläuft, mal seine eigene Ladung.

(D) Im Synchrotron wird das Teilchen durch das Magnetfeld (8) der Magnete (9) gezwungen, eine Zirkelbahn zu beschreiben. Nachdem das Teilchen z. B. durch den linearen Beschleuniger (4) eingeschossen wurde, nimmt seine Geschwindigkeit bei jedem Umlauf zu. Die Frequenz der beschleunigenden Wechselspannung (5) muß daran angepaßt werden. Schließlich läßt man die Teilchen das Zielplättchen (6) treffen, wonach die Kernreaktionen z. B. im Funkenfaß (7) analysiert werden

Beschreibung w, *Deskription,* **1)** *allg.:* Darlegung eines Sachverhalts mit dem Ziel der Vermittlung einer klaren Vorstellung v. ihm. – **2)** *Wissenschaftstheorie:* deskriptive Erkenntnismethode als ‚reine' Wiedergabe eines Sachverhalts, die sich im Unterschied zur → Erklärung jeglicher Deutung od. Theorie enthält. Wichtigstes Mittel der B. ist die Selbst- u. Fremdbeobachtung (→ Beobachtung).

Beschreikraut *s,* das → Berufskraut.

Beschuldigter *m,* wer einer Straftat verdächtigt wird; nach Anklageerhebung *Angeschuldigter,* nach Eröffnung des Strafverfahrens *Angeklagter.*

beschützende Werkstätte → Werkstätten für Behinderte.

Beschwerde w, Rechtsmittel gg. Beschlüsse u. Verfügungen v. Gericht u. Verwaltungsbehörde.

Besenginster

Beschwerden (Mz.), *Med.:* Krankheitszeichen, z.B. Schmerzen.

beschwören, 1) Geister anrufen. – **2)** ernstlich bitten.

Beseler, *Georg,* dt. Jurist u. Politiker, 1809–88; vertrat 1848/49 auf der Frankfurter Nationalversammlung die Aufnahme der Grundrechte in die dt. Verfassung; 1874–81 MdR.; Arbeiten zur Genossenschaftstheorie.

Besenginster *m,* strauchiger, gelbblühender Schmetterlingsblütler; im Mittelmeerraum beheimatet, vom Menschen in Mitteleuropa eingebürgert.

Besenheide *w,* → Heidekraut.

Besenpalme *w,* → Zwergpalme.

Besessenheit *w,* psychische Störung, die sich als vermeintliches Ergriffensein durch Dämonen äußert, deren Kräfte das Handeln u. Reden eines Menschen beeinflussen; meist religiös od. kulturell motiviert (→ Exorzismus). Früher hielt man Epileptiker für Besessene.

Besetzung *w,* **1)** → Okkupation. – **2)** *Cathexis, Psychoanalyse:* die Bindung psychischer Energie an einen Gegenstand (→ Objektbesetzung), an eine Vorstellung od. an eine Person; äußert sich als emotionales Interesse daran.

Besetzungszahl *w,* Zahl der Elektronen in einer → Schale eines Atoms.

Besigheim, b.-württ. Stadt am Neckar, 8300, als Gem.-Verw.-Verband 25 200 E.; chem. u. Textilindustrie.

Besitz *m,* tatsächliche Verfügung über eine Sache, im Ggs. zum rechtl. → Eigentum.

Besitzeinkommen *s,* Einkommen an Zinsen, Dividenden u. Renten aus Besitz an Boden u. Kapital.

Besitzsteuern (Mz.), Gesamtheit der Steuern aus Einkommen, Ertrag u. Vermögen (Personen- u. Realsteuern). → Steuer.

Beskiden (Mz.), waldreiches Hauptgebirge der Westkarpaten; zerfallen in *West-* u. *Ost-B.*; im *Babia Góra* 1725 m hoch.

Besnard (:benar), *Albert,* frz. Maler u. Radierer, 1849–1934; impressionist. Akt- u. Freilichtbilder, Fresken, Graphik.

Besnier-Boeck-Schaumannsche Krankheit *w,* → Sarkoidose.

Besoldung *w,* in der BRD nach 16 *Besoldungsgruppen* gestufte Dienstbezüge der Beamten: Grundgehalt, Ortszuschlag, Kinderzulage, Beihilfen, Pension; ggf. Amts-, Stellen- u. Ausgleichszulagen.

Besonnenheit *w,* Haltung, gekennzeichnet v. Selbstbeherrschung u. Weitsicht, die vernunftbestimmtes, der Situation entsprechendes u. maßvolles Handeln ermöglicht; bei Platon eine der vier → Kardinaltugenden.

besprechen, Heilung v. Krankheiten mit Hilfe v. Zauberformeln u. Ritualien betreiben, ausgehend v. der Vorstellung, daß Krankheiten durch böse Geister hervorgerufen werden.

Einige Anthropologen vertreten die Meinung, daß Werkzeug der erste Besitz des Menschen war. Andere Wissenschaftler dagegen glauben, daß die frühesten menschlichen Produktionsmittel Gemeinschaftseigentum geblieben sind

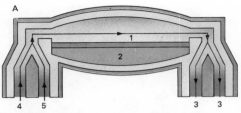

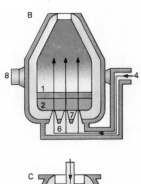

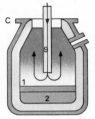

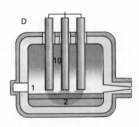

Schematische Übersicht der verschiedenen Stahl-öfen (A–D):
A. Siemens-Martin-Ofen, bei dem vorgewärmtes Gas (4) und Luft (5) in den Ofen geleitet werden. Das Gas verbrennt und erwärmt die mit Schlacke (1) überdeckte Eisenmasse (2) und wird abge-führt (3) zu einer Gas- und einer Luftkammer, die aufgewärmt werden.
B. Bessemer-Konverter, bei dem Luft (4) über den Windkasten (6) durch Öffnungen im Boden-teil (7) geblasen wird. Da dieser Boden in star-kem Maß dem Verschleiß unterliegt, wird er als austauschbarer Teil zum Einsetzen konstruiert. Der ganze Ofen kann um zwei Drehzapfen (8) gekippt werden; die Luft wird durch einen dieser Zapfen eingeführt.
C. Oxystahlkonverter mit einer Lanze (9), durch die Sauerstoff auf eine geschmolzene Masse ge-blasen wird.
D. Drei-Phasen-Elektrostahlofen, bei dem elek-trischer Strom einen Flammenbogen zwischen den Kohlenstoffanoden (10) und dem Stahlbad unterhält. Das Stahlbad wird auf Temperatur gehalten, wobei man Eisenerz als Oxidationsmit-tel zufügt

Bess, *Bessie,* engl. Koseform für Elisabeth.
Bessarabien, sowjet. Landschaft nord-westl. des Schwarzen Meers, fruchtbares Hügelland zw. Dnjestr u. Pruth, 45 000 km², rd. 3 Mill. E.; Viehzucht, vielseit. Acker-bau: Gerste, Weizen, Sonnenblumen, Ha-fer, Raps, Soja, Hanf, Obst u. Wein. – Im 14. Jh. walach. Fürstentum (Dynastie *Bas-arab*); 1812 an Rußland; 1918 zu Rumänien; im 2. Weltkrieg v. der UdSSR 1940 besetzt, 1941–44 wieder rumänisch, seit 1944 Mol-dauische SSR der UdSSR. Die *B. deutschen* (Einwanderung 1814–42) wurden 1940 aus-gesiedelt.
Bessarion, *Basileios (Johannes)* Kard., by-zantin. Theologe u. altgriech. Philologe, 1403–72; seit 1437 Erzb. v. Nizäa, seit 1463 Patriarch v. Konstantinopel; trat auf dem Basler Konzil für die Einheit der orthodo-xen u. kath. Kirche ein; Verbreiter der altgriech. Philologie u. des Platonismus im Abendland.

Bessel, *Friedrich Wilhelm,* dt. Astronom, 1784–1846; Hauptarbeitsgebiete: Bestim-mung der Erdbahn, Messung v. Fixsternpo-sitionen.
Bessemer, Sir *Henry,* engl. Ingenieur 1813–98; Erfinder des nach ihm benannten Ver-fahrens zur Stahlerzeugung in der → Bes-semer-Birne.
Bessemer-Birne w, *Konverter,* feuerfest ausgekleideter birnenförmiger Stahlbehäl-ter, der um eine horizontale Achse drehbar ist. In diesem Stahlbehälter wird flüssiges Roheisen durch Einblasen v. Luft v. über-schüssigem Kohlenstoff u. andern uner-/ wünschten Beimengungen gereinigt. Mit der B.-B. kann nur phosphorarmes Rohei-sen in Stahl umgewandelt werden; zum Entfernen v. Phosphor wird die → *Thomas-birne* verwendet.
Bessemer-Verfahren s, *Windfrisch-Verfah-ren,* → Bessemer-Birne.
Bessenyei (: besch-), *György,* ungar.

Best

Schriftsteller, 1747–1811; Gedichte, Tragödien; v. Bedeutung für Entwicklung der modernen ungar. Literatur.

Best, *Charles Herbert,* am. Physiologe, 1899–1978; entdeckte mit → Banting das Insulin.

Bestallung *w,* **1)** Anstellung eines Beamten. – **2)** → Approbation für Arzt u. Apotheker. – **3)** Ernennungsbescheinigung für einen Vormund.

Bestandteil *m,* Stück eines Ganzen; alle zum Bestand einer Sache gehörigen Teile, die von ihr nicht getrennt werden können, ohne daß sie zerstört, beschädigt od. in ihrem Wesen verändert wird.

Bestätigung *w, Wissenschaftstheorie:* → Beweis.

Bestattung *w,* Beisetzung v. Leichen in Gräbern, aber auch auf Bäumen u. Gerüsten. *Feuer-B.:* Leichenverbrennung *(Kremation)* u. Beisetzen der Asche in Urnen.

Bestäubung *w,* das Aufbringen des Blütenstaubs *(Pollen)* auf die Narbe v. Blütenpflanzen. Anschließend findet → Befruchtung der unter der Narbe im Fruchtknoten gelegenen Eizelle durch die im Pollen enthaltenen männl. Geschlechtszellen statt: **1)** *Selbst-B.:* in Zwitterblüten wird der eigene Pollen auf die Narbe übertragen. – **2)** *Fremd-B.:* die Narbe wird mit dem Pollen einer anderen Blüte belegt. Sie ist aber der Selbst-B. gleichwertig, wenn der Pollen v. einer anderen Blüte der gleichen Pflanze stammt. Fremd-B. wird begünstigt durch Eingeschlechtigkeit der Blüten, Zweihäusigkeit, ungleichzeitige Reifung v. Pollen u. Fruchtknoten, bestimmte Anordnung der Staubblätter u. Narben. Die Übertragung des Pollens erfolgt durch Wind (vor allem Gräser, Nadelbäume), Tiere (viele Blütenpflanzen), selten durch Wasser (Seegras, Nixkraut). *Windblütler* haben glatten, trockenen, staubfeinen Pollen u. besond. Einrichtungen zum Auffangen desselben. Bei durch Tiere bestäubten Blüten ist der Pollen rauh, klebrig, oft in Paketen verbunden. Die Blütenbesucher, welche die B. durchführen, werden angelockt durch auffallend gefärbte Blüten od. Blütenteile, auch Hochblätter (Weihnachtsstern) od. durch Zusammenfassen vieler Blüten zu auffälligen *Blütenständen* (Korbblütler, Doldengewächse). Blaue Blüten werden haupts. durch Bienen, gelbe durch Fliegen, rote oft

Feuerbestattung auf der indonesischen Insel Bali

durch Vögel bestäubt. Ferner locken die Blüten durch nahrhaften Blütenstaub, Nektar, Futtergewebe sowie Duftstoffe. Sehr viele zeigen in Form u. Zeichnung u. mechan. Einrichtungen (Hebel-, Klapp-, Kleb-, Schleudereinrichtungen, Gleitbahnen) Anpassung ihrer Blüten an den Besucher, so wie die Organe der Bestäuber umgekehrt an den Blütenbesuch angepaßt sein können.

Beste, *Konrad,* dt. Schriftsteller, 1890–1958; humorvolle Erzählungen u. Romane.

Bestechung *w, Beamtenbestechung,* strafbares Anbieten od. Gewähren v. Geschenken, um Beamte zu pflichtwidr. Amtshandlung zu veranlassen *(aktive B.);* Annahme, Forderung od. Versprechenlassen v. Geschenken od. Vorteilen durch Beamte für künftige pflichtwidrige Amtshandlung ist *passive B.*

Besteck *s,* **1)** das *Eß-B.* (Messer, Gabel, Löffel). – **2)** *Arzt-B.,* Zusammenstellung der für eine Operation u.ä. wichtigen chirurgischen Instrumente. – **3)** Positionsbestimmung durch Navigator; urspr. die dazu benötigten Instrumente in Schiff u. Flugzeug.

Bestelmeyer, *German,* dt. Architekt, 1874–1942; Prof. an der TH München; schuf modern-sachliche Bauten in neubarockem Stil.

bestialisch (lat.), roh.

Bestialität w (lat.), Roheit; auch → Sodomie.

Bestie w (: -ßti-e, lat.), wildes Tier; Unmensch.

Bestiensäule w, architektonische Stütze der roman. Baukunst in Italien u. Fkr., mit Darstellungen v. kämpfenden Tieren u. Menschen, z.B. in Souillac in Süd-Fkr. (um 1150).

Bestimmungsort m, der Ort, zu dem eine Ware vom Verkäufer zu senden ist; meist der ‚Erfüllungsort‘.

Bestimmungswort s, Vorderteil eines Grundworts, das dieses näher bestimmt, z.B. ‚Blumen‘topf, ‚Apfel‘kern, ‚da‘-bleiben.

Bestockung w, 1) *Gärtnerei:* Entwicklung einer Verzweigung v. Pflanzen aus dem Wurzelstock (bei Bäumen durch Hieb, bei Getreide durch Walzen). – 2) *Forstw.:* Baumbewuchs einer Waldfläche.

Bestrafung w, *Strafe pädagog.,* in *Päd., Psychol.:* negative od. unangenehme Handlungsfolge mit dem Ziel, die Handlung zu unterbinden; im Sinn der behaviorist. → Lerntheorie ein negativer Reiz (z.B. ein Elektroschock bei Versuchstieren od. bei Suchtkranken innerhalb v. Entwöhnungskuren), der dem unerwünschten Verhalten folgt, od. ein positiver Reiz, der vorenthalten wird (z.B. Liebesentzug der Eltern als Erziehungsmaßnahme auf ungezogenes Verhalten). Allerdings zeigen Experimente, daß diese B.methoden im Sinn der behaviorist. Lerntheorie (→ Behaviorismus) nur eine Verhaltensunterdrückung bewirken, so daß das unerwünschte Verhalten wieder auftritt, sobald die Strafe ausbleibt. Für den Erziehungsbereich bedeutet

Bestäubung. Nach der Euanthientheorie (Schema A) soll die Blüte der Bedecktsamigen (Angiospermen) ursprünglich eine einachsige Ansammlung von Sporophyllen gewesen sein, wie sie heute noch bei Palmfarnen vorkommen. Die männlichen oder Mikrosporophylle (1) sollen sich zu Staubgefäßen entwickelt haben, die weiblichen oder Makrosporophylle (2) sollen durch Einrollen (3) der Fruchtblätter den Stempel gebildet haben. Das Ergebnis ist eine zweigeschlechtliche Blüte (4). Nach der Pseudanthientheorie (Schema B) sind die Blüten der Bedecktsamigen denen der heutigen Nacktsamer (Gymnospermen) homolog. Männliche (1) und weibliche (2) Organe sollen sich nicht aus Sporophyllen entwickelt haben, sondern getrennt entlang der Stengelachse gestanden haben und allmählich (3) zu einer (zweigeschlechtlichen) Blüte ‚zusammengeschmolzen‘ sein. Keine der Theorien ist unwiderlegbar bewiesen

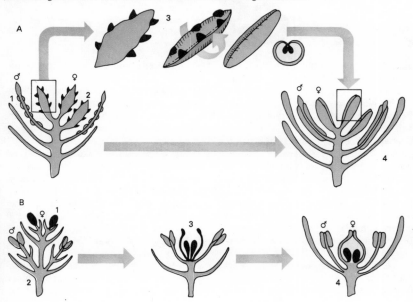

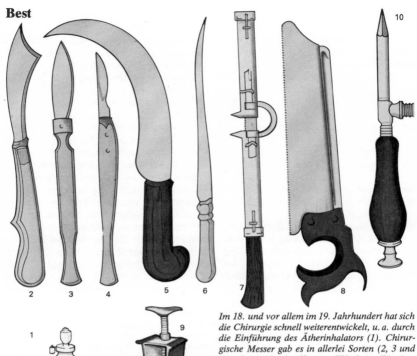

Im 18. und vor allem im 19. Jahrhundert hat sich die Chirurgie schnell weiterentwickelt, u. a. durch die Einführung des Ätherinhalators (1). Chirurgische Messer gab es in allerlei Sorten (2, 3 und 4), oft mit Handgriffen aus Elfenbein. Für Amputationen benutzte man Messer eines besonderen Formats (5, 6) und verschiedene Sorten Sägen (7, 8). Die erste Säge (7) hat einen Schutzkopf an den Enden, so daß man unnötige Verletzungen vermeiden konnte. Zum Abbinden von Gliedmaßen benutzte man ein Tourniquet (Drehkreuz, 9). Körperhöhlen wurden mit einem Trokar punktiert (10)

dies, daß eine Strafe nur sinnvoll ist, wenn sie im Zusammenhang mit einer einsichtsvollen Aufklärung über die Konsequenzen des Fehlverhaltens steht.

Bestrahlung *w, Med.:* → Strahlenbehandlung.

Bestseller *m* (engl., ‚bestverkäuflich‘), Erfolgsbuch mit hoher Auflage.

Bestückung *w,* Geschützausstattung v. Festungen, Artillerieeinheiten, Kriegsschiffen u. Flugzeugen.

Bestuschew, *Alexander Alexandrowitsch,* russ. Schriftsteller, 1797–1837; romantischhistor. Romane.

Bestwig, nordrh.-westfäl. Gem. im Hochsauerlandkreis, 11 700 E.

Beta *s,* B, β, zweiter Buchstabe des griech. Alphabets.

Beta *w, Bete,* Runkel-, Rotrübe (*Rote Bete),* Mangold u. andere Gänsefußgewächse. → Rübe.

Betablocker (Mz.), Substanzen, die Betarezeptoren des → Sympathischen Nervensystems blockieren; in der Medizin u. a. zum Senken der Herzfrequenz u. des Blutdrucks eingesetzt.

Betain *s,* Trimethylglykokoll, Aminosäureabkömmling aus der Runkelrübe u. a.

Betanien, im NT Ort am Ölberg (Lazarus) u. Taufort Johannes' d.T. am Jordan.

Betanin *s* (lat.), roter Pflanzenfarbstoff der → Roten Rübe; als Lebensmittelfarbstoff verwendet.

Betarezeptorenblocker (Mz.), → Betablocker.

Betastrahlen, β-*Strahlen,* energiereiche radioaktive Strahlung, die v. zerfallenden Atomkernen ausgeschickt wird. Die B. bestehen aus Elektronen v. sehr hoher Geschwindigkeit (fast → Lichtgeschwindigkeit).

Betatron s (Kw.), Gerät zur Beschleunigung v. Elektronen auf sehr hohe Geschwindigkeiten (fast → Lichtgeschwindigkeit).

Betäubung w, → Anästhesie 2).

Betäubungsmittel (Mz.), *Narkotika,* Stoffe zur Linderung od. Beseitigung v. Schmerzen; z.B. Alkohol, Opium, Morphin, Kokain, Haschisch. B. sind Rauschgifte, deren ständige Anwendung zur Sucht führt; unterliegen dem *B.gesetz,* das ihre Abgabe regelt.

Betazerfall m, β-*Zerfall,* der Zerfall eines Atomkerns unter Aussendung v. → Betastrahlen. Beim B. verwandelt sich der Atomkern in einen Kern des Elements, das eine um eine Einheit höhere Ordnungszahl hat.

Bete w, *Rote Bete,* → Beta.

Beteigeuze w (arab.), Stern 1. Größe im Sternbild des → Orion.

Beteiligung w, Teilnahme mit Kapital an Unternehmung (Ertrags-, Risikoanteil).

Beteiligungsgesellschaften (Mz.), Handelsgesellschaften, die an andern Unternehmen finanziell beteiligt sind; Aktien-, Holdingges., Investment Trusts.

Betel m, aus den Früchten der Betelpalme hergestelltes Genußmittel; Kauen des B. in Südostasien weit verbreitet; schädliche Nebenwirkungen auf die Herztätigkeit.

Bet-El, *Bethel,* Ort nördl. v. Jerusalem.

Betelnuß w, Frucht der Betelpalme.

Betelpalme w, Kulturpflanze in Südostasien; → Betel.

Betesda, Teich in Jerusalem.

Bethanien → Betanien.

Bethe, 1) *Albrecht,* dt. Physiologe, 1872–1955. – 2) *Hans Albrecht,* dt.-am. Kernphysiker, *1906; 1967 Nobelpreis für Physik.

Bethel, 1) *Bodelschwinghsche Anstalten,* Wohlfahrtskolonie bei Bielefeld, gegr. v. F. v. → Bodelschwingh; umfaßt Pflegehäuser, Erziehungs- u. Altenheime *(Anstalt Bethel,* für Epileptiker u. sozialgeschädigte Jugendliche, gegr. 1867) sowie Ausbildungs- u. Forschungseinrichtungen vor allem für Epilepsie *(Westfälische Diakonissenanstalt Sarepta,* Mutterhaus für Diakonissen u. Ausbildungsstätte in sozialpfleger. Berufen, gegr. 1819; *Westfäl. Diakonissenanstalt Nazareth,* heilpädagog. Ausbildung von Diakonen u. Diakonissen, gegr. 1877). – 2) → Bet-El.

Bethge, *Hans,* dt. Schriftsteller, 1876–1946; neuromant. Gedichte; Übers. aus dem Japanischen u. Chinesischen.

Bethlehem, 1) → Betlehem. – **2)** (: beßlᵉhᵉm), Stadt im Bundesstaat Pennsylvania (USA), am Lehigh River, 72000 E.; Univ.; Ind.; Sitz der am. Brüdergemeine.

Geburt Jesu im Stall von Betlehem, Gemälde von Gilles van Tilborgh (1625–78)

Beth

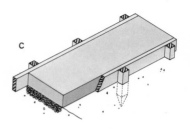

A

B

C

A. Eisenbeton, mit gekrümmten oder geflochtenen Stäben Betoneisen.
B. Vorgespannter Beton mit Zugstücken, die den Beton zusammendrücken.
C. In eine Verschalung geschütteter Beton

Neuerdings geht man mehr und mehr dazu über, schüttfertigen Beton von einer Zentrale zu beziehen, statt den Beton auf der Baustelle selbst zu mischen. Bei den Zentralen werden die LKW-Mischer mit den Bestandteilen des Betons vollgeschüttet. Die LKW mischen, während sie zu der Baustelle fahren, damit der Beton sofort nach Ankunft geschüttet werden kann (Bild rechts). Mit diesen Autos wird der Beton von der Zentrale zur Baustelle transportiert

Bethmann Hollweg, *Theobald v.,* dt. Politiker, 1856–1921; 1909–17 Reichskanzler; betrieb erfolglos Verständigungspolitik gegenüber Engl., unterlag dem Druck der Militärkreise; 1917 entlassen.

Bethsabe → Batseba.

Bethsaida → Betsaida.

Betlehem, *Bethlehem, Bait Lahm,* Stadt in Jordanien, 25000 E.; Heimat Davids u. nach Mt 2,1 Geburtsort Jesu; Geburtskirche v. 326; Fest der Unschuld. Kinder (28.12.) erinnert an Herodes' d.Gr. *Betlehemitischen Kindermord.*

Beton *m* (:-tõ, frz.), Baustoff aus → Zement, Wasser u. Sand, Kies od. Splitt, der kurze Zeit nach der Mischung abbindet, d.h. erhärtet. Je nach der Zumischung unterscheidet man *Schwer-* u. *Leicht-B.,* nach der Verarbeitung *Stampf-, Schüttel-* u. *Rüttel-B.*

Betongläser (Mz.), Glaskörper für Betonbauten.

Betonung, Akzent auf Wortsilben od. Satzteilen; im Deutschen liegt der Hauptton auf der Stamm- od. Wurzelsilbe (meist erste Silbe); die übrigen Silben haben Nebenton od. sind unbetont.

betr., Abk. für betreffend, betreffs, betrifft.

Betrag *m, absoluter B., Math.:* Der B. einer

reellen Zahl x (geschrieben: $|x|$) ist die Zahl x selbst, wenn x größer als od. gleich Null ist; ist x negativ, so ist der absolute B. $-x$.

Betrieb *m*, organisierte Institution moderner Gesellschaften zur Produktion v. Gütern *(Produktionsbetrieb)* u. Dienstleistungen *(Dienstleistungsbetrieb)* unter dem Einsatz v. Produktionsfaktoren (Arbeit, B.smittel, Werkstoffe, Anlage- u. Umlagekapital usw.) nach dem Wirtschaftlichkeitsprinzip. Der *bürokrat. B.* nimmt eine Sonderstellung ein, ihm obliegt vor allem die Verwaltung. Er zeichnet sich durch einen hohen Anteil an Angestellten im Verhältnis zur Gesamtbelegschaft aus. In sozialer Hinsicht ist der B. durch seine Herrschaftsstruktur (→ Betriebshierarchie) u. durch Ausmaß u. Form der betriebl. → Arbeitsteilung bestimmt. Der *kapitalist. B.*, gekennzeichnet durch das Privateigentum an → Produktionsmitteln, wird v. einem od. mehreren Eigentümern bzw. deren Managern od. auch v. beauftragten Banken geleitet. Seine betriebl. Entscheidungen sind an der marktwirtschaftl. Lage der Absatz- u. Beschaffungsmärkte orientiert. Bedürfnisse der Nachfrage werden erfüllt, solange dies im Interesse der betriebl. Gewinnorientierung liegt, da beim marktwirtschaftl.-kapitalist. B. *(erwerbswirtschaftl.*

Unternehmen) die Erzielung v. Gewinnen, die an die Kapitalgeber abgeführt werden, im Vordergrund steht. *Beim sozialist. Produktions-B.* sind die Produktionsmittel weitgehend vergesellschaftet bzw. verstaatlicht. Er ist deshalb in seinen Entscheidungen nicht unabhängig, sondern orientiert sich als ausführendes Organ an zentralen Volkswirtschaftsplänen, die die Produktions- od. Plansolls, die Produktionsfaktoren u. die Preise vorgeben. In der → Sozialen Marktwirtschaft wird das private Wirtschaften durch staatliches Wirtschaften mit öffentl. Produktionsmitteleigentum u. das marktwirtschaftl. Prinzip durch die Einbeziehung sozialer Aspekte unter Beibehaltung des Wettbewerbs ergänzt.

Betriebsabrechnung *w*, innerbetriebliche Wirtschaftlichkeitskontrolle.

Betriebsarzt *m*, → Werksarzt.

Betriebsberater *m*, freiberufl. Fachmann zur Unternehmensberatung in Fragen der Betriebsorganisation, Buchführung, des Rechnungswesens usf.

Betriebsgeheimnis *s*, betriebseigene Herstellungsverfahren, Planungen usw., die der Schweigepflicht Beteiligter unterliegen.

Betriebsgemeinkosten (Mz.), → Gemeinkosten, → Kosten.

Betriebshierarchie *w*, die Herrschafts- bzw.

A. Im 19. und in der ersten Hälfte des 20. Jahrhunderts waren fast alle Betriebe hierarchisch organisiert. Alle Information ging von oben nach unten. Ein Untergebener erhielt Anweisungen von seinem Vorgesetzten, und er gab wiederum Befehle weiter an eine Person, die ihm unterstand.
B. Unter dem Einfluß soziologischer und sozial-psychologischer Untersuchungen ist in der zweiten Hälfte des 20. Jahrhunderts eine große Anzahl neuer Organisationsmodelle entstanden. Diese Theorien gehen davon aus, daß ein gewisses Maß an Zusammenarbeit und Zusammenhang innerhalb einer Gruppe von Menschen, die in einem bestimmten Produktionsprozeß beschäftigt sind, sich auf das Endergebnis einer Unternehmung günstig auswirkt

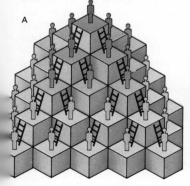

Befehlsstruktur innerhalb des Betriebs v. oben nach unten.

Betriebskapital s, das → Umlaufvermögen.

Betriebsklima s, die Gesamtheit der Arbeitsbedingungen in einem Betrieb in sozialer, psycholog., organisator. u. institutioneller Hinsicht, die sich in Einstellungen der Betriebsangehörigen zu Betrieb, Vorgesetzten u. Kollegen, zu Arbeit u. Lohn niederschlagen. Mit der Analyse u. günstigen Beeinflussung des B. beschäftigen sich nam. → Betriebspsychologie u. → Betriebssoziologie.

Betriebskrankenkasse w, in Betrieben mit mindestens 450 (Landwirtschaft u. Binnenschiffahrt 150) ständigen Arbeitnehmern durch den Arbeitgeber einrichtbare eigenständige Krankenkasse.

Betriebskredit m, kurzfristiger Überbrückungskredit *(Warenumschlags-, Handels-, Saisonkredit)* für die Zeit zw. Ausgaben für Warenbeschaffung u. Verkaufserlös.

Betriebsmittel (Mz.), die gesamten Anlagen eines Unternehmens, die es für seine Betriebszwecke benötigt.

Betriebsordnung w, *Betriebsvereinbarung,*

Betriebswirtschaftslehre. Die rote Kurve zeigt die verschiedenen Kombinationen von Kapital- und Konsumgütern an, die eine Wirtschaft zu einem gegebenen Zeitpunkt maximal produzieren kann. Die Mengen der Konsumgüter sind entlang der horizontalen Achse und die der Kapitalgüter entlang der vertikalen Achse ausgewiesen. Wenn die Produktion von Kapitalgütern als ein Maß für wirtschaftliches Wachstum betrachtet wird, dann gibt der blaue Pfeil einen Wachstumsprozentsatz von 5 an, während der gelbe Pfeil einen Wachstumsprozentsatz von nur 2 darstellt. Der höhere Wachstumsprozentsatz enthält eine Prognose für größeren zukünftigen Konsum. Dafür ist bei den willkürlich gewählten Wachstumsziffern der Abstand AB ein Maß

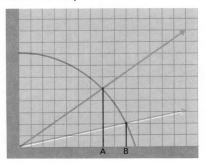

als Ergänzung zum Tarifvertrag auf gesetzl. Grundlage zw. Betriebsleitung u. Betriebsrat getroffene sozialrechtl. Regelungen (betr. Arbeitsschutz, Unfallverhütung u. a.).

Betriebsprüfung w, Steuerprüfung eines Betriebs durch das Finanzamt.

Betriebspsychologie w, Teilgebiet der → Arbeitspsychologie bzw. der → Angewandten Psychologie; beschäftigt sich mit psycholog. Problemen im (Produktions-) Betrieb mit dem Ziel einer für die betriebl. Produktivität günstigen Beeinflussung des → Betriebsklimas, vor allem mit Motivation, Einstellung u. Verhaltensweisen der Betriebsangehörigen sowie mit ihren Beziehungen untereinander. *Hauptarbeitsgebiete:* Auslese u. Plazierung v. Arbeitskräften (Eignungstests), psychol. Beratung der Betriebsangehörigen, Arbeitsplatzanalysen zur Verbesserung der Arbeitsbedingungen, Untersuchungen zur Arbeitsmotivation (Leistungsmotivation), zum Führungsstil u. ä.

Betriebsrat m, ehrenamtlich tätiges Organ u. Vertretung der Arbeitnehmer eines Betriebs, v. diesen geheim u. unmittelbar auf 3 Jahre gewählt; Größe richtet sich nach Anzahl der Arbeitnehmer; hat Kündigungsschutz; rechtl. Grundlage das → Betriebsverfassungsgesetz; soziale, personelle, teilw. auch wirtschaftl. → Mitbestimmung (außer in Tendenzbetrieben).

Betriebsschutz m, technischer Arbeitsschutz in Betrieben gg. Unfälle u. Berufskrankheiten.

Betriebssoziologie w, spezielle Soziologie, die sich mit den sozialen Strukturen u. Beziehungen im betriebl. Arbeitsverhältnis befaßt. *Hauptarbeitsgebiete:* die Analyse des Sozialverhaltens der Betriebsmitglieder in bezug auf Kategorien der Beschäftigten (Arbeiter, Angestellte usw.) u. einzelne Positionen (Meister, Vorarbeiter usw.), auf Arbeitsplatztypen u. auf Industriearten, die Analyse der innerbetrieblichen Sozial- u. Organisationsstruktur u. das soziale Verhältnis zw. Betrieb u. Umwelt. Ihren Ursprung hat die B. in der industriellen Frühzeit, einerseits aufgrund v. Rationalisierungsbestrebungen u. anderseits aufgrund v. sozialreformerischen Bestrebungen.

Betriebsvereinbarung w, → Betriebsordnung.

Betriebsverfassungsgesetz s, *BetrVG,* der BRD v. 1952, Neufassung 1972, regelt die Mitwirkung der Arbeitnehmer in den nicht-öffentlichen, privaten Unternehmen, ist die rechtl. Grundlage für → Betriebsrat, → Betriebsversammlung u. → Mitbestimmung.

Betriebsvermögen s, 1) *allg.:* das → Umlaufvermögen eines Betriebs. – 2) *Steuerrecht:* alle einem Betrieb als Hauptzweck dienenden, dem Betriebsinhaber gehörenden Wirtschaftsgüter.

Betriebsversammlung w, nach dem BetrVG mind. vierteljährlich bzw. auf Antrag des Arbeitgebers od. eines Viertels der Arbeitnehmer einzuberufende Arbeitnehmerversammlung unter Vorsitz des Betriebsratsvorsitzenden, mit Tätigkeitsbericht des Betriebsrats; Durchführung v. Beschlüssen nicht erzwingbar.

Betriebswirtschaftslehre w, Teildisziplin der → Wirtschaftswissenschaften, die sich mit dem wirtschaftl. Aspekt v. Unternehmen u. Betrieben (Industrie, Handel, Banken u. Versicherungen) beschäftigt. Die *allg. B.* befaßt sich vor allem mit den allg. Funktionen der Produktionsmittel (Arbeit, Betriebsmittel, Kapital, Werkstoffe usw.), mit Fragen der Rentabilität u. Produktivität, mit Problemen des Standorts u. der Organisation v. Betrieben. Aufgabe der *speziellen B.* ist es, diese allg. Erkenntnisse u. Zusammenhänge auf die verschiedenen Anwendungsgebiete zu übertragen u. unter Berücksichtigung der Besonderheiten der einzelnen Wirtschaftszweige Anwendungslehren zu entwickeln: *Industrie-, Handels-, Bank- u. Versicherungsbetriebslehre.* Zu den betriebswirtschaftl. *Methoden* gehören insbes.: Buchhaltung, Wirtschaftsrechnen, Kostenrechnung u. Kalkulation, Statistik, Steuerlehre u. Treuhandwesen.

Betrug m, strafbare Vermögensschädigung eines andern durch Vorspiegelung falscher bzw. Entstellung od. Unterdrückung wahrer Tatsachen in der Absicht, sich dadurch einen rechtswidrigen Vermögensvorteil zu verschaffen.

BetrVG, Abk. für **Betr**iebsverfassungsgesetz.

Betsaida, *Bethsaida,* Dorf am See Gennesaret.

Betsäule w, der → Bildstock.

Betschuanaland → Botswana.

Mönche vom Bettelorden der Franziskaner auf einer Missionsfahrt

Betschuanen (Mz.), Stammesgruppe der → Bantu.

Bettelorden (Mz.), die im 13. Jh. gegr. Orden mit Armutsideal auch für die Klostergemeinschaft: Franziskaner, Kapuziner; auch Augustiner, Dominikaner u. Karmeliter.

Bettelordenskirchen (Mz.), v. den Bettelorden gepflegter Kirchenbautyp v. strenger Einfachheit, ähnlich den Zisterzienserkirchen; mit schlichten Innenräumen u. schmucklosem Dachreiter statt des Turms.

Bettendorfsche Arsenprobe w, chem. Nachweismethode für Arsen.

Betti, *Ugo,* it. Schriftsteller, 1892–1953; Gesellschaftsdramen; u.a. *Korruption im Justizpalast* (1950).

Bettina, *Betti,* Koseform für Elisabeth.

Bettnässen s, *Enuresis,* unwillentliche Blasenentleerung: *a) Bettnässen am Tage, Enuresis diurna,* Unfähigkeit, die Funktion der Blase am Tag zu kontrollieren; kommt vor bei Kindern, bei neurot. Erkrankungen, bei Erkrankungen der Blase, des Gehirns od. Rückenmarks. – *b) B. im Schlaf, Enuresis nocturna,* nam. bei Kindern aufgrund seelischer Störungen (meist als Reaktion auf eine Erziehung ohne Liebeszuwendung,

Bett

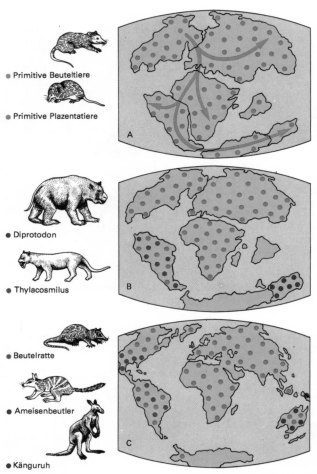

Primitive Beuteltiere

Primitive Plazentatiere

Diprotodon

Thylacosmilus

Beutelratte

Ameisenbeutler

Känguruh

Die Beuteltiere (blaue und violette Punkte) hatten früher eine viel größere Verbreitung als heute. In der Kreidezeit (A) verbreiteten sie sich über alle Kontinente, die damals noch dicht beieinander lagen, und kamen zusammen mit primitiven Placentatieren (rot) vor. Im Tertiär (B) wurden sie jedoch nach und nach aus vielen Gebieten vertrieben durch das Aufkommen neuer Placentatiere, die besser an die Natur angepaßt waren. Nur in Südamerika, das noch durch Meeresarme von Nordamerika getrennt war, und im immer mehr isolierten Australien drangen im Tertiär keine gefährlichen, echten Säugetiere vor. Daher konnten die Beuteltiere sich zu vielerlei Formen entwickeln, z. B. dem riesigen Pflanzenfresser Diprotodon und dem Säbelzahnraubbeuteltier Thylacosmilus. Am Ende des Tertiärs entstand jedoch wieder eine Landverbindung zwischen Nord- und Südamerika, über die primitive Raubtiere und andere Placentatiere einzogen. Gegenwärtig (C) hat sich nur in Australien eine reichhaltige Beuteltierfauna halten können

aber auch als Symptom emotionaler Labilität u. aufgrund v. Angstträumen), allg. bei Psychopathen, Schwachsinnigen u. Verwahrlosten sowie bei Epileptikern. Ca. 15% der 5–6jährigen nässen nachts gelegentlich bzw. mehr od. weniger regelmäßig ein. Die Psychoanalyse weist auf den Zusammenhang zw. der Art der Reinlichkeitserziehung u. der Charakterentwicklung hin (→ analer Charakter). Insbes. eine zu strenge Reinlichkeitsgewöhnung kann zu Störungen des kindl. Geborgenheitsbedürfnisses führen u. zur Ursache v. B. werden.

Bettung *w,* Schotterunterbau bei Gleisanlagen.

Bettwanze *w,* 3–6 mm großes, kurzflügeliges, nachts an Warmblütern blutsaugendes Insekt, tagsüber in Ritzen (z.B. am Bettgestell) versteckt.

Betzdorf, rheinl.-pfälz. Stadt im Reg.-Bez. Koblenz, an der Sieg, 10400, als Verbandsgem. 16000 E.; Eisenindustrie.

Beuel, rechtsrhein. Stadtteil v. Bonn.

Beugemuskeln (Mz.), *Beuger, Flexoren,* Muskeln zur Annäherung der Skeletteile an den Rumpf; z.B. Bizeps des Oberarms, beugt Unterarm; ihre Gegenspieler *(Antagonisten)* sind die *Streckmuskeln.*

Beugereflex *m,* automatisches Zurückziehen der Gliedmaße auf einen Schmerzreiz hin zum Schutz derselben.

Beugniotgestell (: bönjo-), Verbindungsgestänge zw. Achsen v. Schienenfahrzeugen.

Beugung *w*, **1)** *Physik:* Abweichung v. der geradlinigen Ausbreitungsrichtung eines → Wellenvorgangs in der Nähe v. Hindernissen (z.b. Kante od. Spalt). Die B. ist um so stärker, je kleiner die Abmessungen des Hindernisses im Vergleich zur Wellenlänge sind. Von praktischer Bedeutung ist insbes. die B. v. Lichtwellen (→ Interferenz). – **2)** *Grammatik:* → Flexion, → Deklination, → Konjugation.

Beulenpest *w*, → Pest.

Beumelburg, *Werner,* dt. Schriftsteller, 1899–1963; gesellschaftskrit. Erzählungen, Kriegs-, Familien- u. histor. Romane.

Beurkundung *w,* Bestätigung einer zu Protokoll gegebenen Erklärung (Grundstückskauf u.a.) durch Notar, Gericht od. Behörde.

Beuron, b.-württ. Luftkur- u. Wallfahrtsort im oberen Donautal, 1200 E.; 1077 gegr. Augustiner-, seit 1863 Benediktinerkloster, Erzabtei der *B.er Kongregation,* mit Pflege der Liturgie, Kunstverlag u. *Vetus-Latina-Institut* zur Hrsg. des altlat. Bibeltextes.

Beuroner Kunstschule *w, Beuroner Schule,* v. *Peter (Desiderius) Lenz* u. *J. Wüger* 1868 in Beuron gegr.; arbeitete nach strengem Kanon in hieratisch-stilisierenden Formen kirchliche Plastik u. Malerei, in Anlehnung an altägyptische Kunst u. die der Nazarener.

Beutelbär *m, Koala,* baumbewohnendes, ca. 50 cm großes Beuteltier Australiens; besitzt Greiffuß mit daumenartig beweglicher großer Zehe; extremer Nahrungsspezialist, lebt ausschließlich v. Eukalyptusblättern, daher nur schwer in Zoolog. Gärten zu halten.

Beuteldachs *m, Bandikut,* kaninchengroßes, in der Lebensweise Mäusen ähnelndes Beuteltier Australiens; lebt in unterirdischen Gängen u. ernährt sich v. pflanzlicher Kost.

Beutelmarder *m,* marderähnliches Beuteltier Australiens, Tasmaniens u. Neuguineas. *Tüpfelbeutelmarder:* ein Hühnerdieb.

Beutelmaulwurf *m, Beutelmull,* maulwurfähnliches Beuteltier Australiens.

Beutelratten (Mz.), maus- bis katzengroße,

Beuteltiere stehen kaum hinter den höheren Säugetieren zurück. Die Wollbeutelratte (Calumorys lanatus, A) ist ein in Südamerika lebender Insektenfresser, der auch Früchte und Eier verzehrt. Die Beutelspringmaus (Antechnomys spenceri, B) ist der echten Springmaus kaum unterlegen. Zu den besten Springern gehört das Felsenkänguruh (Petrogale penicillata, C), das außerdem wie eine Gemse klettern kann. In der Luft werden die Beuteltiere u. a. vertreten durch das Zuckerhörnchen (Petaurus breviceps, D), das auf seiner Gleitflughaut kurze Segelflüge unternimmt, wobei es Insekten fängt. Der Koala (Phascolarctos cinereus, E) ist ein echter Baumbewohner, der sich ausschließlich vom Eukalyptus ernährt

kletternde Beuteltiere Amerikas; mit Greifschwanz; Nachttiere; Allesfresser. Einzige Beuteltiergruppe, die in neuester Zeit ihr Verbreitungsgebiet vergrößert; als → Kulturfolger dringt das *Opossum* selbst in nordam. Großstädte vor.

Beutelteufel *m,* raubtierähnliches Beuteltier auf Tasmanien.

Beuteltiere (Mz.), *Beutler, Marsupialia,* Gruppe v. altertümlichen Säugetieren; im Erdmittelalter weit verbreitet, heute nur noch in Australien, wenige Arten in Süd- u. Nordamerika. Die B. sind in Australien die wichtigste Säugetiergruppe u. haben dort eine Vielzahl v. Arten entwickelt, die häufig in Aussehen u. Lebensweise höher entwikkelten Säugern anderer Kontinente ähneln. Seit der Mensch in Australien Haustiere (Dingo, Schafe usw.) eingeführt hat, sind einige B. durch diese sich massenweise vermehrenden Konkurrenten vom Aussterben bedroht (→ Beutelwolf, → Rotes Riesenkänguruh). Der namengebende Beutel am Bauch des Weibchens hat seine Öffnung nach vorn od. hinten. Die Jungen werden in wenig entwickeltem Zustand u. blind geboren, klettern in den Beutel, wo sie gesäugt u. vor Feinden geschützt werden. Bei Gefahr schlüpfen auch ältere, schon relativ selbständige Junge in den Beutel zurück; z.B. Känguruh, Beutelbär, Beuteldachs, Opossum, Wombat u.a.

Beutelwolf *m,* größtes lebendes, fleischfressendes Beuteltier; als Schafräuber u. Geflügeldieb vom Menschen verfolgt; daher sowie durch die Konkurrenz des Dingo vom Aussterben bedroht; nur noch selten auf Tasmanien.

Beuthen, poln. *Bytom,* oberschles. Ind.-Stadt, 232000 E.; Steinkohlen- u. Erzbergbau; seit 1945 unter poln. Hoheit.

Beutler (Mz.), → Beuteltiere.

Beuys (: boiß), *Joseph,* dt. Bildhauer, Aktionskünstler, Objektgestalter u. Zeichner, *1921; führend im Neuen Realismus, in Pop u. Concept art.

Bevan (: bäweⁿn), *Aneurin,* brit. linksradikaler Politiker, 1897–1960; 1945–50 Gesundheits-, 1950/51 Arbeitsmin.; sozialisierte das brit. Gesundheitswesen.

Bevatron *s,* Kernteilchenbeschleuniger v. hoher Leistungsfähigkeit (→ Synchrotron).

Bevensen, *Bad B.,* → Bad Bevensen.

Beveridge (: bewᵉriᵈdsch), Lord *William,* brit. Politiker, 1879–1963; sein *B.-Plan* (1942) bereitete brit. Sozialpolitik (Sozialversicherung) nach 1945 vor.

Bevern, niedersächs. Flecken im Ldkr. Holzminden, 4800, als Samtgem. 7300 E.

Beverstedt, niedersächs. Flecken im Ldkr. Cuxhaven, 3400, als Samtgem. 12000 E.

Beverungen, nordrh.-westfäl. Stadt im Kr. Höxter, an der Mündung der Bever in die Weser, 15000 E.

Bevin, *Ernest,* brit. sozialist. Politiker, 1881–1951; 1940–45 Arbeits-, 1945–51 Außenmin.; mitbeteiligt an den Brüsseler Verträgen u. Gründung der NATO.

Bevölkerung *w,* 1) die Gesamtheit aller lebenden Personen innerhalb eines geographisch u./od. politisch abgrenzbaren Gebiets zu einem bestimmten Zeitpunkt. Da der Begriff B. alle Personen erfaßt, die aufgrund ihres Wohnsitzes, ihrer Arbeitsstätte od. ihrer Staatsbürgerschaft einem bestimmten Gebiet zuzuordnen sind, ist B.

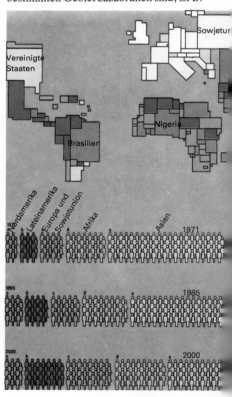

ein umfassenderer Begriff als → Gesellschaft. – 2) *stationäre B.*, B. mit gleichbleibendem Umfang, da sich Geburten- u. Sterblichkeitsrate entsprechen (→ Altersaufbau).

Bevölkerungsbewegungen (Mz.), Veränderungen in der Bevölkerung eines bestimmten Gebiets zu einem bestimmten Zeitpunkt; *natürliche B.:* die Veränderungen durch Geburt u. Tod; *räumliche B.:* die Veränderungen durch Migrationen (Wanderungen u. Umzüge), z.B. Land-, Stadtwanderung. Die natürl. od. auch allgemeine Bevölkerungsbewegung (→ Altersaufbau u. Größe betreffend) wird nam. aufgrund v. Unterlagen der Fruchtbarkeits-, der Sterblichkeits-, der Ehe- u. der Ein- u. Auswanderungsstatistik berechnet. Wichtige Variablen sind Fruchtbarkeit (d.h. die durchschnittl. Kinderzahl pro Frau im gebärfähigen Alter), durchschnittl. Alter der Frau bei der ersten Eheschließung, Häufigkeit der Eheschließungen, Sterblichkeit,

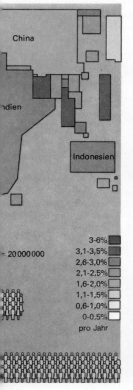

Übersicht über die Bevölkerungszunahme in Prozenten. Der untere Teil der Abbildung zeigt die Bevölkerungsanzahl 1971 (3,7 Mrd.) und die Schätzungen für 1985 und 2000

Ein- u. Auswanderung. *Bevölkerungswellen:* wellenförmige B., die durch Kriege, Wirtschaftskrisen, Pillenknick u.ä verursacht werden.

Bevölkerungsdichte w, die Anzahl v. Menschen, die in einem bestimmten Gebiet durchschnittlich auf einer bestimmten Bodenfläche (meist auf 1 km²) leben.

Bevölkerungsexplosion w, die explosionsartige Zunahme der Bevölkerung, nam. in der Dritten Welt, bedingt durch verbesserte wirtschaftl., soziale u. gesundheitl. Verhältnisse, die zu einer Herabsetzung der Säuglings- u. zu einer Heraufsetzung der Alterssterblichkeit führten. Durch verschiedene Maßnahmen der Familienplanung (Sterilisation, Verhütungsmittel, Pille, Aufklärung u.ä.) versucht man der B. in der Dritten Welt entgegenzuwirken.

Bevölkerungslehre w, → Bevölkerungswissenschaft.

Bevölkerungsoptimum s, bezieht sich auf das Pro-Kopf-Verhältnis zw. Bevölkerungswachstum u. Sozialprodukt. Das B. ist dann gegeben, wenn eine weitere Zunahme der Bevölkerung zu einer Abnahme des Sozialprodukts pro Kopf führen würde.

Bevölkerungspolitik w, staatliche Einflußnahme auf Erhaltung, Wachstum (Familienhilfen) od. Beschränkung (Geburtenkontrolle) der Bevölkerungszahl.

Bevölkerungsprojektion w, die prognostische Berechnung des Bevölkerungsbestands u. seiner Gliederung anhand der Methoden der → Bevölkerungswissenschaft als Grundlage für politisch alternative Maßnahmen (Bildungs-, Wohnungs-, Sozial-, Bevölkerungspolitik usw.). Obwohl die Bevölkerungswissenschaft im Vergleich zu anderen Sozialwissenschaften sehr erfolgreich mit quantitativen Methoden arbeitet, hat sie sich in ihrer Vorausschätzung immer wieder geirrt. Grund dafür ist die sog. 'generative Struktur', die Gesamtheit der psychologischen, sozialen, ökonomischen u. kulturellen Bedingungen, die für das Fruchtbarkeitsverhalten verantwortlich sind u. sich nicht in diesem Maße quantifizieren lassen.

Bevölkerungsschere w, bezieht sich auf die gegenläufige Bewegung der Geburten- u. Sterberaten, z.B. sinkende Sterbeziffern, gekoppelt mit steigender Geburtenrate od. umgekehrt.

Bevö

Bevölkerungsstatistik *w, empirische Demographie,* die Erfassung u. Beschreibung der Bevölkerung anhand statistischer u. mathematischer Verfahren zur Vorhersage der Bevölkerungsentwicklung. Als Zähleinheit dient die Person, die je nach Zählart anhand verschiedener Merkmale (Geschlecht, Staatsbürgerschaft, Wohnsitz, Erwerbstätigkeit, Haushaltszugehörigkeit u. ä.) erfaßt wird.

Bevölkerungsstruktur *w,* Gliederung der Bevölkerung nach Alter (→ Altersaufbau), Geschlecht, Familienstand, Konfession, Familiengröße usw. mit dem Ziel, Daten für → Bevölkerungsbewegungen u. für bevölkerungspolit. Maßnahmen zu bekommen.

Bevölkerungswellen (Mz.), → Bevölkerungsbewegungen.

Bevölkerungswissenschaft *w, Demographie,* Teilgebiet od. Hilfswissenschaft der Soziologie, die sich mit der → Beschreibung, d. h. statistischen Erfassung, des Bevölkerungsaufbaus u. der Bevölkerungsbewegungen (→ Bevölkerungsstatistik) befaßt sowie Ursachen u. Richtungen der Veränderungen mit dem Ziel der → Bevölkerungsprojektion zu erklären versucht.

Bewährungsfrist *w,* befristete Aussetzung

Beim Schleifen eines Metallstücks auf einem Schleifstein ergeben sich zahlreiche Energieumwandlungen. Im Motor, der den Stein antreibt, wird elektrische in kinetische Energie (Bewegungsenergie) umgewandelt. Durch die Reibung zwischen Schleifstein und Metall wird diese kinetische Energie in Wärme umgesetzt. Die Energie, die notwendig ist, um Teilchen aus einem festen Stoff zu lösen, nennt man Deformationsenergie. Es findet also eine Umwandlung von kinetischer in Deformationsenergie statt. Dabei wird auch viel Wärme gebildet. Die gelösten Teilchen sind glühend heiß und werden als Funkenregen sichtbar. Dabei wird Wärme in Licht umgewandelt (elektromagnetische Energie)

einer Freiheitsstrafe, während der ein Straffälliger bei guter Führung Erlaß der Strafe erlangen kann; *bedingte Strafentlassung,* B. nach Teilverbüßung, wobei gute Führung den Erlaß der Reststrafe zur Folge haben kann.

Bewährungshelfer *m,* → Bewährungshilfe.

Bewährungshilfe *w,* psychosoziale Bera-

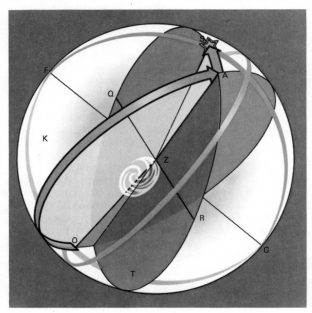

Galaktisches Koordinatensystem. Die Bezugsfläche der Bewegungen von Körpern ist die Symmetriefläche (K) des Milchstraßensystems. Der Nullpunkt (O) wird mit der Linie durch die Sonne (Z) und den Mittelpunkt des Milchstraßensystems gebildet. Die Koordinaten des Himmelskörpers (S) sind die Bogen OA (galaktische Länge) und AS (galaktische Breite). Zum Vergleich wurden auch die Ekliptiken (T) mit dem dazugehörigen Kreis des ekliptikalen Koordinatensystems eingezeichnet. QR ist die Verbindung zwischen den galaktischen Himmelspolen, FG die zwischen den ekliptischen Polen

tung u. Überwachung etwaiger gerichtl. Auflagen bei Verurteilten, deren Strafe aufgrund § 56d des Strafgesetzbuches u. der §§ 23–25 u. 27–30 des Jugendgerichtsgesetzes zur Bewährung ausgesetzt wird. Die B. kann durch einen hauptamtl. od. nebenamtl. *Bewährungshelfer* durchgeführt werden. Meist handelt es sich um einen Sozialpädagogen od. Sozialarbeiter, der dem Verurteilten hilft, sich wieder in die Gesellschaft einzufügen u. seine sozialen u. materiellen Probleme zu bewältigen (Hilfe bei der Wohungssuche, Arbeitsplatzvermittlung, berufl. Fortbildung, Freizeitgestaltung, soziale Kontaktsuche u.ä.).

Bewässerung *w, künstl. B.,* Wasserzufuhr zu landwirtschaftl. Kulturen zur Sicherung des Ertrags in trockenen Sommern u. in regenarmen Gebieten.

Bewegrund *m,* → Motiv.

Bewegung *w,* **1)** *Physik:* die Ortsveränderung eines Körpers od. Massenpunkts, die auf ein → Koordinatensystem bezogen wird. Je nach der auf den Körper od. Massenpunkt wirkenden → Beschleunigung unterscheidet man zw. *gleichförmiger B.* (keine Beschleunigung), *gleichförmig beschleunigter B.* (konstante Beschleunigung) u. *ungleichförmiger B.* (wechselnde Beschleunigung). – **2)** *Biol.:* Eigen-B. v. Pflanzen u. Tieren, Zeichen v. Leben. – **3)** *soziale B.,* Prozeß od. Aktion, die auf die Veränderung bestehender gesellschaftl.

Verhältnisse gerichtet ist. Verschiedene Formen: *Soziale B. als revolutionärer Prozeß* ist auf den Umsturz eines bestehenden Sozialgefüges gerichtet, da die Ursachen der Mißstände beseitigt werden sollen (→ Arbeiterbewegung). – *Soziale B. als kontinuierlicher Prozeß des Protests* richtet sich nicht direkt gg. die Ursachen der Mißstände, sondern zielt auf die Veränderung gesellschaftlich wichtiger Ebenen u. Funktionen, z.B. des Ausbildungssystems, u. will v. daher die Gesamtgesellschaft reformieren (→ Arbeiterbewegung). – *Die charismatische B.* wird vom charismatischen Sendungsglauben eines Führers (Messias) u. seiner Gefolgschaft getragen. Grundlage für die angestrebte Veränderung der sozialen Lebensformen bildet dabei ein prophezeites Heil od. Unheil, das auf die Menschheit zukommt.

Bewegungsapparat *w,* Gesamtheit der der Bewegung dienenden Organe, wie Muskeln, Sehnen, Knochen u. Gelenke.

Bewegungsempfindungen (Mz.), Empfindungen, die das Erleben v. körperl. Bewegungen wiedergeben; entstehen durch Reizung der Nervenendigungen in den entsprechenden Körperorganen, z.B. visuelle B. (Wahrnehmungen) durch Reizung der Netzhaut aufgrund der Strahlen, die v. einem Gegenstand ausgehen.

Bewegungsenergie *w,* → kinetische Energie.

Bewegungskrankheit *w, Kinetose,* durch starke passive Bewegung des Körpers hervorgerufener Schwindel, Übelkeit, Erbrechen; z.B. bei Auto- u. Seefahrten *(Seekrankheit).*

Bewegungsstereotypie *w,* starre Bewegungsfolgen, z.B. ständiges Kopfwackeln; vor allem bei Psychosen das dauernde Wiederholen völlig sinnloser Bewegungen.

Bewegungssternhaufen *m,* Ansammlung v. Sternen, die sich mit gleicher Geschwindigkeit in der gleichen Richtung bewegen.

Bewegungsstudie *w,* psychomotorisches Verfahren der Arbeitswissenschaften zur Ermittlung v. Elementarbewegungen bestimmter Arbeitsvorgänge. Dabei werden anhand v. kinematographischen u. photograph. Methoden die Form u. die Geschwindigkeit v. Körperbewegungen untersucht.

Bewegungstherapie *w,* gezielte Frühbehandlung bei cerebralgeschädigten Körperbehinderten (→ Behinderte) zur Vermeidung od. Reduzierung v. Bewegungsstörungen. Die physiotherapeutischen Übungen *(Krankengymnastik, Heilgymnastik)* gehen v. dem Gesetz aus, daß das Zentralnervensystem v. der Peripherie aus beeinflußt werden kann. Durch B. werden beachtliche Erfolge erzielt, vor allem bei Spastikern hinsichtlich der tonischen Reflextätigkeit, in bezug auf den Muskeltonus, auf die Koordinierung v. Gleichgewichtsreaktionen u. auf die Bewegungsaktivität insgesamt.

Bewehrung *w,* 1) Stahleinlage bei Stahlbeton. – 2) *Elektrotechnik:* Schutzumhüllung eines Kabels gg. mechan. Beschädigung.

Beweis *m* (mhd.), 1) *allg.:* die Begründung einer Behauptung od. die Sicherung einer Erkenntnis durch Tatsachen od. log. Argumentation. – 2) *Wissenschaftstheorie:* das Aufzeigen eines Sachverhalts u. seiner Bedingungen ist an die Struktur des Gegenstands der Wissenschaft gebunden: *a) axiomatische Wissenschaft (Math.):* B. (strenger od. *deduktiver)* als ein → Schluß aus wahren u. gewissen Vordersätzen (Prämissen, → Axiome), durch die ein wahrer u. gewisser Folgesatz gewonnen wird. Der *direkte B.* ermöglicht eine direkte od. indirekte Zurückführung auf Axiome. Ist dies nicht möglich, dann wird versucht, die Gültigkeit

Einadrige Kabel zum Energietransport bei einer Spannung von 35000 Volt (Mittelspannungsbereich).
1. Aluminium
2. Schwach leitender Schutz
3. Thermothen-Isolation
4. Leitende Schicht (Graphit oder Lack)
5. Einbettung
6. Kupferdraht
7. Kupferband
8. Mecavinyl (Bewehrung)

eines Folgesatzes durch das Aufzeigen der Widersprüchlichkeit des Gegenteils zu begründen bzw. eine Folgerung durch eine gegenteilige Begründung zu widerlegen *(indirekter B.).* Hinsichtlich des Sicherheitsgrades unterscheidet man zw. *Gewißheits-* u. *Wahrscheinlichkeitsbeweis. Beweisfehler* sind möglicherweise zurückzuführen auf die Unklarheit der zu beweisenden Behauptung, auf die Unrichtigkeit bzw. Unsicherheit der herangezogenen B.gründe od. auch auf die formale Unrichtigkeit der gemachten Folgerung. – *b) Erfahrungswiss.:* B. als → Hypothesenüberprüfung durch → Verifikation u. → Falsifikation. Die *reine Erfahrungswiss.* (→ Empirismus) bedient sich ausschließlich des induktiven B. (→ Induktion), bei dem v. vielen Einzelereignissen auf eine generelle Aussage geschlossen wird. Die *empirisch-analytische Erfahrungswiss.* verbindet deduktive u. induktive B.führung, indem sie die empir. Hypothesenüberprüfung in einen theoret. Erklärungszusammenhang stellt u. ihre Gültigkeit davon abhängig macht. – **3)** *Recht:* → Eid, → Strafprozeß, → Zivilprozeß.

Beweisfehler *m,* → Beweis 2a).

Bewertung *w,* 1) *allg.: Wertung,* die Beurteilung eines Sachverhalts anhand v. Wertmaßstäben u. -kriterien. – 2) *Betriebswirtschaft:* Schätzung des Werts eines Guts od. einer Gesamtheit v. Gütern; bekannteste B.grundsätze der Bilanzlehre: *a)* Nach dem *Realisationsprinzip* sollen Gewinne u.

Spektakuläre Angriffsbewegungen beim Fechten: Eine Serie schneller Schritte auf Zehenspitzen in Richtung des Gegners. Die Aufnahme kam durch mehrere Belichtungen mit verschieden gefärbten Blitzlampen zustande. Die weißen, roten, grünen und hellblauen Figuren gehören also je zu zweit zueinander

Höhe in km

10
9
8 — 9
7 — 8
6
5 — 7
4 — 6
3 — 5
2 — 4
1 — 3
0

1   2

Bewölkung. Die Wolken werden nach Höhe und Form eingeteilt. Einige Arten sind vertikal ausge-streckt, wie der Cumulonimbus (1) und der Cumulus (2). Die Familie der niedrigen Wolken umfaßt den Stratus (3), Nimbostratus (4) und den Stratocumulus (5). Der Altostratus (6) und der Altocumulus (7) sind mittlere Wolken. Zu der Gruppe der hohen Wolken gehören der Cirrostratus (8), Cirrocumulus (9) und der Cirrus (10)

Verluste erst ausgewiesen werden, wenn sie durch Umsatz (Verkauf) erzielt worden sind, wodurch die Ausschüttung v. Scheingewinnen verhindert werden soll; *b)* für das *Zeitwertprinzip* ist der Wert (Preis) am Bilanzstichtag maßgebend (Tageswert); *c)* Nach dem *Niederstwertprinzip* muß v. den beiden Werten, Anschaffungs- od. Herstellungswert einerseits u. Börsen- od. Marktwert anderseits, der niedrigere angewendet werden. –3) *Steuerwesen:* Festlegung des→ Einheitswerts für die Besteuerung.

Bewertungsgesetz *s, Bew.G,* Gesetz v. 1965 zur neuen Hauptfeststellung der Einheitswerte des land- u. forstwirtschaftlichen sowie des Grundvermögens; die neuen Einheitswerte seit 1.1.1974 angewandt.

Bewetterung *w,* Versorgung der Stollen u. Schächte eines Bergwerks mit Frischluft über ein Pumpensystem.

BewG, Abk. für **Bew**ertungsgesetz.
Bewick (:bjuⁱk), *Thomas,* engl. Holzschneider, 1753–1828; Erneuerer der Holzschnittkunst; führte den Holzstich ein.
Bewirtschaftung *w,* **1)** *Volkswirtschaft:* staatliche Maßnahmen zur Lenkung der Herstellung u. Verteilung v. Rohstoffen u. Wirtschaftsgütern (Investitions- u. Verbrauchsgüter) in Notzeiten (Krieg) durch *Rationierung* zur Konsumbeschränkung. – **2)** *Weltwirtschaft:* internat. Abkommen über Anbau u. Rohstoffabsatz.
Bewölkung *w,* Grad der Bedeckung des Himmels mit Wolken (einschl. Nebel); in Zehnteln od. Achteln der Himmelssicht angegeben.
Bewußtheit *w,* → Bewußtsein.
Bewußtlosigkeit *w,* Zustand, in dem das → Bewußtsein durch Einstellung der Hirnrindenfunktion ausgeschaltet od. mehr od.

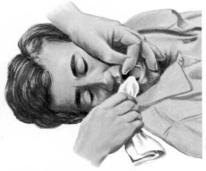

Bewußtlosigkeit. Bei einem Bewußtlosen muß dafür gesorgt werden, daß die Atemwege frei bleiben. Man reinigt dazu den Mund von Schleim und Erbrochenem und entfernt evtl. das Kunstgebiß. Der Verletzte wird in die stabile Seitenlage mit dem Kopf nach hinten gebracht

weniger eingeschränkt ist; verursacht durch Gifte, wie Alkohol, Chloroform u. Äther, die als Narkotika verwendet werden, Opium, Alkohol u. ä., od. Krankheiten u. Verletzungen (Epilepsie, Stoffwechselkrankheiten, wie Zuckerkrankheit, Harnvergiftung, Fieber, Gehirnerschütterung u. andere Gehirnverletzungen). Der Zustand der B. macht systemat. Denken u. willentl. Handeln unmöglich. Man unterscheidet zw. tiefer B. *(Koma),* mittlerer B. *(Sopor)* u. leichter B. *(Somnolenz).* Im Unterschied zum Schlafenden ist der Bewußtlose nicht aufweckbar.

Bewußtsein *s,* traditionsreicher u. vieldeutiger Begriff der Geisteswissenschaften: **1)** *allg.: Bewußtheit,* Wissen od. die Überzeugung v. etwas, z. B. das B., einen Fehler gemacht zu haben. – **2)** *Psychol.:* strittiger Begriff, der sich allg. auf die inneren Vorgänge des Erlebens u. das Gegenwärtighaben v. Erlebnissen bezieht u. damit die Gesamtheit der gegenwärtigen Wahrnehmungen, Vorstellungen, Emotionen, Erinnerungen, Willensäußerungen usw. umfaßt. Man unterscheidet zw. *Innenweltbewußtsein (Ichbewußtsein)* als Gesamtheit der inneren Vorstellungen, die sich der Mensch vergegenwärtigt, zw. *Außenwelt-* od. *Gegenstandsbewußtsein,* das sich auf

das Wissen des Menschen v. den Gegenständen seines Erlebens bezieht, u. zw. *Selbstbewußtsein (Ichbewußtsein)* als Wissen des Menschen v. sich selbst als persönl. Identität. Im einzelnen wird der B.sbegriff innerhalb der verschied. psycholog. Schulen u. Richtungen entsprechend ihrem Forschungsgegenstand verwendet: innerhalb der *Verhaltenspsychologie* B. als meßbarer Zustand der psychischen Wachheit, der Empfindungsfähigkeit od. Reizbarkeit des Gehirns, innerhalb der *Psychoanalyse* B. als psychischer Apparat, der Außenweltinformationen u. Informationen aus dem Unterbewußten (Vorbewußten) empfängt u. verarbeitet (→ Verdrängung), u. innerhalb der *Sozialpsychol.* individuelles B. als weitgehend gesellschaftlich bestimmtes Vorstellungsgebilde. – **3)** *philosoph. Erkenntnistheorie:* B. als reiner Denkvollzug, frei v. jeglicher sinnl. Erfahrung u. Eigenschaft (also unpersönlich, unzeitlich, unabhängig vom Materiellen); seit Descartes ein zentraler Begriff der Philos., im Unterschied zum ,Geist'begriff der Antike u. des MA, wobei das Verhältnis zw. B. u. Sinnlichkeit unterschiedlich gesehen wird: Bei Leibniz ist das sinnl.-wahrnehmbare B. eine Vorstufe des reinen Denkens (B.), während Kant zw. beiden eine scharfe Trennung einführt u. das B. als transzendentale Erkenntnisbedingung (→ Transzendentalphilosophie) betrachtet, die jeder sinnl. Erfahrung vorausgeht. – **4)** *Soziol.: gesellschafl. B.: a)* im Rahmen des *marxistischen* bzw. *materialist. Theorie* als Gesamtheit der in einer Gesellschaft gegebenen Ideen, Anschauungen u. Theorien, die durch das gesellschaftl. Sein, d. h. durch die konkrete historische Situa-

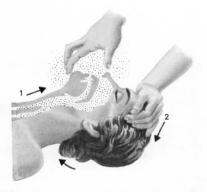

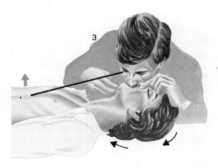

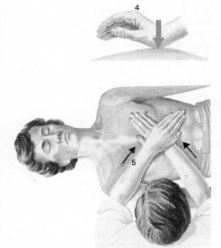

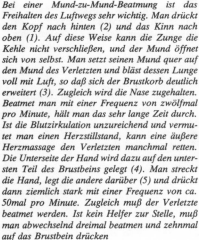

Bei einer Mund-zu-Mund-Beatmung ist das Freihalten des Luftwegs sehr wichtig. Man drückt den Kopf nach hinten (2) und das Kinn nach oben (1). Auf diese Weise kann die Zunge die Kehle nicht verschließen, und der Mund öffnet sich von selbst. Man setzt seinen Mund quer auf den Mund des Verletzten und bläst dessen Lunge voll mit Luft, so daß sich der Brustkorb deutlich erweitert (3). Zugleich wird die Nase zugehalten. Beatmet man mit einer Frequenz von zwölfmal pro Minute, hält man das sehr lange Zeit durch. Ist die Blutzirkulation unzureichend und vermutet man einen Herzstillstand, kann eine äußere Herzmassage den Verletzten manchmal retten. Die Unterseite der Hand wird dazu auf den untersten Teil des Brustbeins gelegt (4). Man streckt die Hand, legt die andere darüber (5) und drückt dann ziemlich stark mit einer Frequenz von ca. 50mal pro Minute. Zugleich muß der Verletzte beatmet werden. Ist kein Helfer zur Stelle, muß man abwechselnd dreimal beatmen und zehnmal auf das Brustbein drücken

tion, bedingt sind; – *b)* im Rahmen der *psycholog. Soziol.* als Gesamtheit der Vorstellungen, Ideen, Gefühle usw., die v. den Mitgliedern einer Gesellschaft geteilt werden u. das individuelle B. weitgehend bestimmen (vgl. B. 2, Sozialpsychol.); – *c)* in der Tradition *Durkheims* als → Kollektivbewußtsein. – 5) *doppeltes B.,* → Doppelbewußtsein. – 6) *gesellschaftl. B.* → Bewußtsein 4).

Bewußtseinsenge – Bewußtseinsweite *w,* meint die Anzahl der Inhalte u. die Art ihrer Verknüpfung, die gleichzeitig ins Bewußtsein treten können.

Bewußtseinslage *w,* umfaßt den → Bewußtseinszustand u. die Struktur der Bewußtseinsinhalte zu einem bestimmten Zeitpunkt (→ Bewußtseinsenge).

Bewußtseinsschwelle *w,* die Grenze zw.

unbewußten u. bewußten Prozessen bzw. der Übergang, von dem ab ein unbewußter zu einem bewußten Prozeß wird.

Bewußtseinsstörung *w,* Einschränkung u. Ausschaltung des Bewußtseins: *a)* als Stufe der →Bewußtlosigkeit, die v. Benommenheit bis zum Koma reicht u. v. Krankheiten, wie Epilepsie, Gehirntumoren, Stoffwechselerkrankungen, Vergiftungen u. ä., verursacht werden kann; – *b)* als Störung od. Verschiebung des Bewußtseinsinhalts in der Form v. Zwangs- od. Wahnvorstellungen u. Halluzinationen. B. wird im Strafrecht als→ verminderte Zurechnungsfähigkeit anerkannt (→ Forensische Psychologie).

Bewußtseinsweite *w,* → Bewußtseinsenge.

Bewußtseinszustand *m,* bezieht sich auf den Grad der Klarheit u. Deutlichkeit des Erlebens; reicht v. → Bewußtlosigkeit bis zum Zustand der hellwachen Klarheit (→ Aufmerksamkeit); vgl. Bewußtlosigkeit.

Bexbach, saarländ. Stadt nordwestl. v. Homburg, im Saar-Pfalz-Kreis, 19 500 E.; u. a. Textil-, Schuh-, keram. Industrie.

Bex-les-Bains (: beläbå), Schweizer Kurort im Kt. Waadt, 5000 E.; Industrie.

Bey, türk. Titel, → Bei.

Beyer, 1) *August v.,* dt. Architekt, 1834–99; u. a. Ausbau der Haupttürme des Ulmer u. des Berner Münsters. – **2)** *Wilhelm,* dt. Bildhauer im Übergang vom Rokoko zum Klassizismus; 1725–1806; Modellmeister der Ludwigsburger Porzellanmanufaktur. – HW: Gartenskulpturen in Schönbrunn.

Beyerlein, *Franz Adam,* dt. Schriftsteller, 1871–1949; naturalist. Erzählungen, Dramen, Romane militär. Gehalts.

Beyle (: bäl), *Henri,* → Stendhal.

Bez., Abk. für: **1)** Bezeichnung; – **2)** Bezirk; – **3)** Bezug.

bez., Abk. für: **1)** bezüglich; – **2)** bezahlt.

Beza, *Theodor,* eig. *Bèze, Théodore,* Schweizer reformierter Theologe, Humanist u. Schriftsteller, 1519–1605; Mitarbeiter u. Nachfolger Calvins; antikath. u. antiluther. Schriften; Biographie Calvins.

Bèze (: bäs), *Théodore,* → Beza, Theodor.

Bezeichnendes *s,* → Bezeichnung.

Bezeichnetes *s,* → Bezeichnung.

Bezeichnung *w,* Vorgang, der sich auf die Zuweisung eines Zeichens *(Bezeichnendes,* → Signifikant) zu einem Gegenstand *(Bezeichnetes,* → Signifikat) durch einen Einzel- od. Klassenbegriff bezieht.

Beziehung *w,* **1)** *allg.:* → Relation. – **2)** *sozial:* → Interaktion.

Beziehungslehre *w, Beziehungswissenschaft, Beziehungssoziologie,* soziolog. Theorien, die v. der sozialen Beziehung als Grundbegriff ausgehen; i. e. S. der soziolog. Ansatz v. L. v. → Wiese.

Beziehungssoziologie *w,* → Beziehungslehre.

Beziehungswahn *m,* gegeben bei einer Person, die alle in ihrer Umwelt wahrnehmbaren Vorgänge (z. B. Äußerungen, Handlungen) auf sich selbst bezieht.

Beziehungswissenschaft *w,* → Beziehungslehre.

Beziehungswort *s,* → Präposition, → Konjunktion.

Béziers (: besje), frz. Stadt im Dep. Hérault, am Canal du Midi, 84 000 E.; Zentrum v. Weinbau u. -handel; Düngemittel- u. Gummiindustrie.

Bézigue *s* (: besig), frz. Kartenspiel.

Bezirk *m,* staatliche od. politische Verwaltungseinheit.

Bezoarsteine (Mz.), Filzkugeln im Magen v. Säugetieren; aus Haaren bestehend, die beim Lecken des Fells verschluckt worden sind. Die Oberfläche wird allmählich stein-

Einige Arten des Beziehungstrainings sind stark mit der Erweiterung der in der westlichen Gesellschaft üblichen, vor allem verbalen Art (mit Worten) der Kommunikation verbunden. Man widmet dann z. B. Aufmerksamkeit der Art und Weise, wie Menschen mit ihrem Körper Gefühle zum Ausdruck bringen können, manchmal einschließlich des direkten körperlichen Kontakts zwischen den Übungsteilnehmern. Dies beinhaltet im allgemeinen ein Durchbrechen bestimmter Berührungstabus: Das Maß, in dem Menschen einander körperliche Kontakte erlauben, hängt im allgemeinen eng mit der Art ihrer Beziehung zusammen. Freunde z. B. erlauben einander andere Berührungen als Freundinnen und beide wieder andere als diejenigen, die in einer Freundschaft zwischen Mann und Frau üblich sind. Auch Väter und Mütter berühren ihre Kinder – wieder abhängig vom Geschlecht – an verschiedenen Körperstellen und mit verschiedener Häufigkeit

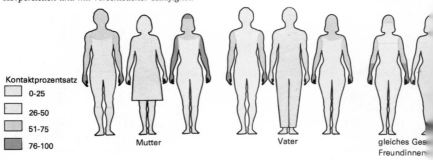

Kontaktprozentsatz

☐ 0–25

☐ 26–50

☐ 51–75

■ 76–100

Mutter Vater gleiches Ges Freundinnen

Eine feste Bezugsperson ist für ein Kind in den ersten Lebensjahren unerläßlich. Dabei setzt sich immer mehr die Erkenntnis durch, daß auch der Vater diese Bezugsperson sein kann

artig glatt u. fest. Vor allem bei Pflanzenfressern (Bezoarziege, Gemse usw.). Die Volksmedizin schrieb den B. n Heilkräfte u. Giftschutz zu.

Bezoarwurzel *w,* Wurzel v. *Dorstenia brasiliensis,* einer südam. Pflanze der Maulbeerbaumgewächse; als Heilmittel gg. Schlangenbisse genutzt.

Bezoarziege *w,* asiat. Wildziege; Stammform der Hausziege.

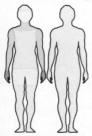
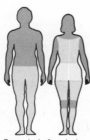

Gleiches Geschlecht: Freunde

Freundschaft zwischen Mann und Frau

Bezogener *m, Trassat,* natürliche od. jurist. Person, auf die ein Scheck od. Wechsel, ‚gezogen' ist, die ihn zu zahlen hat; → Wechsel, → Akzept.

Bezruč (: bäsrutsch), *Peter,* eig. *Vladimir Vašek,* tschech. Schriftsteller, 1867–1958; realist. u. visionäre soziale u. nationale Lyrik über Bauern- u. Bergarbeiterlage seiner Heimat.

Bezug *m,* **1)** Überzug. – **2)** Beziehung. – **3)** Einkauf (Warenbezug).

Bezugsaktie *w* (: -tßi-e), → Bezugsrecht.

Bezugsgenossenschaft *w,* Genossenschaft zum gemeinsamen verbilligten Einkauf v. Rohstoffen u. Waren (Landwirte, Gewerbetreibende, Einzelhändler).

Bezugsgruppe *w, Soziol., Sozialpsychol.:* die → Gruppe, mit der sich eine Person identifiziert u. deren Normen u. Wertvorstellungen sie daher zur Grundlage der Handlungsorientierung macht. Im allg. verfügt der einzelne über mehrere B. n.

Bezugsperson *w,* **1)** *Soziol., Sozialpsychol.:* Person, mit der sich ein Individuum identifiziert, d. h. sein Verhalten aufgrund einer engen Beziehung an deren Normen u. Wertvorstellungen orientiert. – **2)** *Entwicklungspsychol.:* Person, meist die Mutter, die dem Kind in den ersten Lebensjahren seine Bedürfnisse befriedigt u. vor allem Sicherheit u. Geborgenheit vermittelt. Das Fehlen einer B. führt zu → Hospitalismus.

Bezugsrecht *s,* Anspruch v. Aktionären auf anteilmäßige Zuweisung neuer Aktien *(Bezugsaktien)* bei Kapitalerhöhung.

Bezugssatz *m,* → Relativsatz.

Bezugsschein *m,* **1)** Erneuerungsschein bei Wertpapieren. – **2)** Berechtigungsbescheinigung der Behörde zum Bezug v. staatlich bewirtschafteten Gütern.

Bezugssystem *s,* **1)** *allg.:* der begriffliche od. theoret. Rahmen zur Einordnung v. Wahrnehmungen, Erfahrungen, Erkenntnissen, Zusammenhängen u. a. – **2)** *Psychol.:* der durch frühere Erfahrungen gewonnene Vergleichs- u. Bewertungsmaßstab, vor dessen Hintergrund neue Ereignisse eingeordnet werden u. dessen Qualität die Art u. Weise neuer Erfassungsvorgänge mitbestimmt (→ Gestaltpsychologie, → Kognitionspsychologie). So erkennt man Eigenschaften wie warm od. kalt, gut od. böse nur durch den Vergleich mit dem B., das indivi-

Mönche studieren alte Schriften in einem Kloster in Bhutan

duell u. gesellschaftlich verschieden sein kann. Kurzfristige B.e entstehen durch die Anpassung an die Umgebung des Wahrnehmungsgegenstands; vgl. Wahrnehmungstäuschung.

Bezymenskij, *Aleksandr Iljitsch,* sowjet. Schriftsteller, 1898–1973; engagierte sowjet. Dichtung.

BfA, Abk. für → Bundesversicherungsanstalt für Angestellte.

BFH, Abk. für Bundesfinanzhof.

BFS, Abk. für Berufsfachschule.

BG, *Abk.,* **1)** Kfz.-Kennzeichen für Bundesgrenzschutz. – **2)** Nationalitätszeichen für Bulgarien.

BGB, Abk. für → Bürgerliches Gesetzbuch.

BGBl, Abk. für Bundesgesetzblatt.

BGH, Abk. für → Bundesgerichtshof.

BGL, Abk., Kfz.-Kennzeichen für Berchtesgaden Land.

BH, Abk., Nationalitätszeichen für Belize (fr. Brit. Honduras).

Bhagalpur, nordind. Stadt am Ganges, rd. 200000 E.; Handelszentrum; Seiden-Ind.; Eisenbahnknotenpunkt.

Bhagawadgita *w* (Sanskrit), bedeut. indisches frührelig. Lehrgedicht, Teil des → Mahabharata.

Bhagawat (Sanskrit), Ehrentitel Buddhas.

Bhagirathi, 120 km langer Quellfluß des Ganges; vom Himalaja.

Bhagitari, ein Mündungsarm des Ganges.

Bhakti *w* (Sanskrit), im Hinduismus die liebende Hingabe des Menschen an Gott; das gläubige Sichfügen in seinen Willen.

Bhaktivedanta, *Swami Prabhupada,* 1896–1977; gründete die Hare-Krischna-Bewegung außerhalb Indiens.

Bharat (Sanskrit), amtl. Name der Rep. Indien.

Bharawi, ind. Dichter des 6. Jh. n. Chr.; einer der bedeutendsten Epiker der ind. Klassik. – HW: *Kiratarjuniya* (Der Kampf Arjunas mit dem Kitaren).

Bhartrihari, ind. Dichter des 7. Jh. n. Chr.; Lyriker der Lebensklugheit, Liebe u. Weltflucht.

Jahrhundertelang war Bhutan ein isoliertes Land, vom Kontakt mit der Außenwelt fast abgeschlossen. Trotz der langen und schwierigen Wege trieb man jedoch Handel mit den Tibetern im Norden

Bhasa, ind. Dramatiker des 3. od. 4. Jh. n. Chr.

Bhat, ind. Kaste der Barden, haupts. in Rajputana.

Bhatgaon, Stadt in Ostnepal, im Bhagmatital, rd. 90000 E.; hinduist. u. buddhist. Tempelanlagen.

Bhatpara, ind. Stadt nördl. v. Kalkutta, 205000 E.; Zentrum der Juteindustrie.

Bhave, *Vinoba,* ind. Sozialreformer, *1895; Schüler Gandhis; suchte seit 1947 als Wanderprediger erfolgreich an die Großgrundbesitzer zur Bodenreform (Abgabe v. Ländereiteilen an landlose Bauern in Eigenbesitz) zu appellieren.

Bhavnagar, *Bhaunagar,* Hafen- u. Ind.-Stadt im ind. Bundesstaat Gujarat, am Golf v. Cambay, 230000 E.; Metall-, Textil-Ind.; Flughafen.

BHE, Abk. für **B**und der **H**eimatvertriebenen u. **E**ntrechteten, → Gesamtdeutscher Block / BHE.

Bhf., Abk. für → **Bahnhof.**

Bhil, vorarisches Volk im nordwestl. Mittelindien.

Bhima, l. Nebenfluß des Kistna in Vorderindien, 800 km lang.

BHO, Abk. für **B**undeshaushaltsordnung.

Bhopal, Hst. des ind. Gliedstaats Madhya Pradesh, rd. 300000, Aggl. 400000 E.; alte Stadtbefestigung; Naboschloß; Baumwoll- u. Getreidehandel; Textil-Ind., Kunstgewerbe. – War Hst. des früheren Bundesstaats B.

B-Horizont *m, Unterboden,* der Bodenanreicherungshorizont zw. Auslaugungshorizont (A-Horizont) u. dem unentmischten Rohboden (C-Horizont).

Bhubaneswar, Hst. des ind. Gliedstaats Orissa, 105000 E.; hinduist. Pilger- u. Tempelstadt; Flughafen.

Bhumibol Adulyadej → Rama IX.

Bhutan, südasiat. Staat, konstitutionelle Monarchie (Kgr.), tibet. *Druk-Yul,* im östl. Himalaja, 47000 km², 1,23 Mill. E.; Hst. u. Hauptresidenz: Thimbu (Sommer), daneben Paro, Punakha u. Phunchholing. B. liegt zw. Indien u. Tibet; der Hauptkamm des Himalaja erreicht im Kulhagangri 7554 m; in den Tälern an den Berghängen Bewässerungskultur mit Anbau v. Reis, Hirse, Mais, Weizen, Zuckerrohr, Obst u. a.; Viehhaltung; Bergbau auf Kohle. – Seit 1949 v. Indien vertreten.

Leidtragende im Krieg zwischen Biafra und Nigeria waren in der Hauptsache die Kinder, denen jegliche Nahrung fehlte

Bhutto, *Zulfikar Ali-Khan,* pakistan. Politiker, 1928–79 (hingerichtet); 1971–73 Staats-, 1973–77 Min.-Präs.; 1978 nach Verhaftung (1977) zum Tod verurteilt.

BI, Abk., Kfz.-Kennzeichen für **Bi**elefeld.

Bi, Abk., chem. Zeichen für das Element → Wismut.

Bi..., bi... (lat.), als Vorsilbe: doppelt..., zwei...

Biafra, Ostregion v. → Nigeria, 1967–70 unabhängige Rep. B.; kapitulierte 1970.

Biała (:bᶦaᵘa), → Bielsko-Biała.

Bialas, *Günter,* dt. Komponist, *1907; Konzerte, Kantaten, Kammermusik, Lieder, Chorwerke, Streichquartette. – WW: *Serenata* (1955); *Jazzpromenade* (1956); *Sinfonia piccola* (1960); Oper *Hero u. Leander* (1966).

Bialik, *Chajim Nachman,* israel. Schriftsteller, 1873–1934; Zionist; 1891–1921 in Rußland, danach drei Jahre in Dtl.; seit 1924 in Palästina; bedeutend als Erneuerer der hebr. Sprache; u. a. neuhebräische u. jidd. soziale Lyrik.

Białogard (:bᶦaᵘo-), poln. für → Belgard.

Białowiezer Heide (:bᶦaᵘowᶦäschᵉʳ-), *Belowescher Heide,* sumpf. Waldgebiet südöstl. v. Białystok, am Narew; Naturpark.

Biały Kamień (:bᶦaᵘi kamᶦenj), poln. für → Weißstein.

Białystok (:bᶦaᵘi-), **1)** poln. Woiwodschaft,

10055 km², 637000 E.; Hst.: B. – **2)** Hst. v.
1), in Nordostpolen, 218700 E.; TH, Med.
Akad.; Textil-, Holz- u.a. Industrie.
Bianchi (:-ki), **1)** *Baccio*, → Bianco. – **2)**
Mosè, it. Maler, 1845–1904; Genrebilder,
Landschaften, Porträts. – **3)** *Pietro*, Schwei-
zer Baumeister, 1787–1849; klassizist. Bau-
ten in verschied. europ. Ländern.
Bianchi-Ferrari (:-ki-), *Francesco de'*, it.
Maler, um 1460–1510; Altäre u. Altarta-
feln, bes. in Modena.
Bianciardi (:-tschardi), *Luciano*, it.
Schriftsteller, * 1922; sozialkrit. Erzählun-
gen, Romane. – HW: *La vita agra* (1962;
satir. Roman).
Bianco, *Bianchi, Baccio (Bartolommeo)*, it.
Baumeister, vor 1590–1657; führender Ar-
chitekt des 17. Jh. in Genua.
Biarritz, südwestfrz. Stadt, internat. See-u.
Thermalbad am Golf v. Biskaya, 28000 E.;
Flugzeug-Ind.; Flughafen.
bias (:bajˀß, engl.), *empir. Sozialfor-
schung*: ein systemat. Meßfehler, der das
Forschungsergebnis aufgrund subjektiver
Faktoren (einseitiger Auswahl der
Versuchspersonen, suggestiver Fragestel-
lung usw.) verzerrt.
Bias von Priene, griech. Staatsmann des
6. Jh. v. Chr.; einer der sieben Weisen Grie-
chenlands.
Biathlon *s* (lat.-gr.), Wettbewerb in den
olymp. Winterspielen: 20 km Skilanglauf
mit 4 eingeschobenen Schießübungen.
Bibbiena → Bibiena.
Bibel *w* (v. gr. *biblion*, ‚Buch' bzw. lat.
biblia, ‚Bücher'), *Heilige Schrift, Buch der
Bücher*, das verbreitetste Buch der Weltlit.,
Sammlung der v. den christl. Kirchen als
göttl. Offenbarung anerkannten Schriften
des Alten u. Neuen Bundes: das *Alte Testament* (39 bzw. 45 Schriften), meist hebrä-
isch, u. das griech. *Neue Testament* (27
Schriften). Das AT (histor., Gesetzes- u.
prophet. Bücher) entstand in jahrhunderte-
langem Prozeß der israelit. Gesch.; das NT
(histor., theolog. u. prophet. Bücher) wurde im 2. Jh. n.Chr. kanonisiert. Bedeutendste erhaltene *Handschriften* sind: Codex Vaticanus des 4. Jh. (Rom, Vatikan);
Codex Sinaiticus des 4. Jh., v. K. v. Tischen-
dorf im Sinaikloster entdeckt (London);
Codex Alexandrinus des 5. Jh. (→ Qumran). Die B. wurde in alle Weltsprachen u.
zahlr. Volkssprachen u. Dialekte übersetzt

*Im Februar 1956 fanden Beduinen in einer Grotte
in der Nähe von Qumran Rollen, auf denen sich
hauptsächlich Psalmen befanden. Zwischen 10.
und 20. November wurde eine Rolle auf einer
Länge von ca. 4 m vorsichtig aufgerollt; die Oberseite erwies sich als besonders gut erhalten, die
Unterseite dagegen war sehr spröde und brüchig.
Zu den in der Grotte gefundenen Rollen gehörte
auch der längste Psalm der Bibel, Psalm 119, aus
dem einige Verse hier abgebildet sind. Immer acht
aufeinanderfolgende Verse beginnen mit demsel-
ben hebräischen Buchstaben. Auffallend ist außerdem, daß der Name Gottes (Jahwe) in einer anderen Schrift geschrieben ist: auf Althebräisch. Die
Photos der Rolle wurden mit Infrarotlicht aufgenommen, um den Text lesbar zu machen (Palesti-
ne Archaeological Museum, Jerusalem)*

(1981: in 275 Sprachen, Teile in 1710 Sprachen); älteste Übers. des AT ins Griech. →
Septuaginta; des AT u. NT ins Lat. →
Vulgata; bedeut. dt. Übers. v. M. → Luther. – Eine dt. Einheitsübersetzung, die
nach dem 2. Vatikan. Konzil v. kath. u. ev.
Exegeten unter Mitwirkung v. Wissenschaftlern auch anderer Fakultäten u.
Schriftstellern erarbeitet wurde, war 1979
für das NT u. die Psalmen fertiggestellt;
diese Teile gelten als ökumen. Übersetzung
für den liturg. Gebrauch.
Bibelarchiv *s, Deutsches B.*, interkonfessio-
nelles Forschungszentrum über Erschließung u. Dokumentation der bibl. Wir-
kungsgeschichte in Dtl. u. vorluther. Bibel-

übersetzungen; 1931 in Hamburg gegründet.

Bibelchristen (Mz.), → Methodisten.

Bibelforscher (Mz.), *Ernste B.,* → Zeugen Jehovas.

Bibelgesellschaften (Mz.), haupts. ev. Vereine zur Übersetzung, Herstellung u. weltweiten Verbreitung der Bibel.

Bibelinstitut *s, Päpstl. B.,* 1909 in Rom gegr. bibl. Lehr- u. Forschungsanstalt.

Bibelkommission *w, Päpstl. B.,* 1902 gegr. kuriale Behörde zur Förderung u. Überwachung der Bibelforschung.

Bibelkonkordanz *w,* Nachschlagewerk mit Stellenvergleich über alle Wörter *(Verbalkonkordanz)* od. Sachbegriffe *(Realkonkordanz)* der bibl. Bücher.

Bibelkritik *w,* rationale Methode der textkritischen, histor., form- u. traditionsge-

---

Die biblischen Bücher

Altes Testament

Gen	Genesis (1. Buch Mose)	Obd	Buch Obadja
Ex	Exodus (2. Buch Mose)	Jon	Buch Jona
Lev	Levitikus (3. Buch Mose)	Mich	Buch Micha
Num	Numeri (4. Buch Mose)	Nah	Buch Nahum
Dtn	Deuteronomium (5. Buch Mose)	Hab	Buch Habakuk
Jos	Buch Josua	Zef	Buch Zefanja
Ri	Buch der Richter	Hag	Buch Haggai
Rut	Buch Rut	Sach	Buch Sacharja
1 Sam	1. Buch Samuel	Mal	Buch Maleachi
2 Sam	2. Buch Samuel		
1 Kön	1. Buch der Könige	*Neues Testament*	
2 Kön	2. Buch der Könige	Mt	Evangelium nach Mattäus
1 Chr	1. Buch der Chronik	Mk	Evangelium nach Markus
2 Chr	2. Buch der Chronik	Lk	Evangelium nach Lukas
Esr	Buch Esra	Joh	Evangelium nach Johannes
Neh	Buch Nehemia	Apg	Apostelgeschichte
Tob	Buch Tobias [griechisch]	Röm	Brief an die Römer
Jdt	Buch Judith [griechisch]	1 Kor	1. Brief an die Korinther
Est	Buch Ester [griech. Zusätze]	2 Kor	2. Brief an die Korinther
1 Makk	1. Buch der Makkabäer [griech.]	Gal	Brief an die Galater
2 Makk	2. Buch der Makkabäer [griech.]	Eph	Brief an die Epheser
Ijob	Buch Ijob (Job, Hiob)	Phil	Brief an die Philipper
Ps	Psalmen	Kol	Brief an die Kolosser
Spr	Buch der Sprichwörter (Sprüche Salomos)	1 Thes	1. Brief an die Thessalonicher
Koh	Kohelet (Prediger Salomo)	2 Thes	2. Brief an die Thessalonicher
Hld	Hoheslied (Hoheslied Salomos)	1 Tim	1. Brief an Timotheus
Weish	Buch der Weisheit [griech.]	2 Tim	2. Brief an Timotheus
Sir	Buch Jesus Sirach [griech.]	Tit	Brief an Titus
Jes	Buch Jesaja	Phlm	Brief an Philemon
Jer	Buch Jeremia	Hebr	Brief an die Hebräer
Klgl	Klagelieder des Jeremia	Jak	Brief des Jakobus
Bar	Buch Baruch [griech.]	1 Petr	1. Brief des Petrus
Ez	Buch Ezechiel (Hesekiel)	2 Petr	2. Brief des Petrus
Dan	Buch Daniel [griech. Zusätze]	1 Joh	1. Brief des Johannes
Hos	Buch Hosea	2 Joh	2. Brief des Johannes
Joel	Buch Joel	3 Joh	3. Brief des Johannes
Am	Buch Amos	Jud	Brief des Judas
		Offb	Offenbarung des Johannes

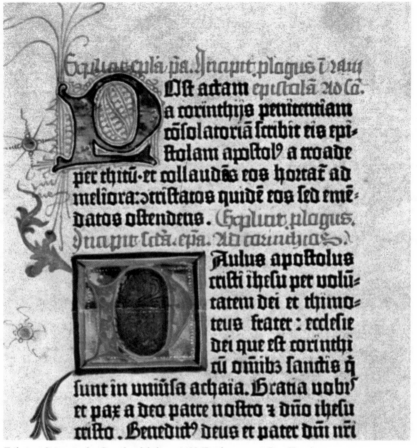

Teil einer Seite aus der Gutenbergbibel von 1455 (Reichsmuseum, Den Haag)

schichtl. Erforschung der Bibel; → Exegese.

Bibelwissenschaft *w, biblische Wissenschaft,* → Exegese, → Theologie.

Biber *m,* bis 1 m langes, 20–30 kg schweres, an Flüssen lebendes Nagetier mit plattem, beschupptem Schwanz. Beim Schwimmen u. Tauchen dient der Schwanz als Steuer. B. fällen Bäume durch allseitiges Annagen u. bauen damit Staudämme u. Nester *(Biberburgen),* die nur durch unter dem Wasser liegende Eingänge erreichbar sind. Durch den gemeinschaftl. Bau v. Dämmen in einer B.kolonie kann der Wasserstand beträchtlich aufgestaut werden. Früher in Europa häufig, jetzt noch an Elbe, Rhône, in Polen, Skandinavien, UdSSR u. Nordamerika. Pelztier.

Biber, *Heinrich Ignaz Franz (v. Bibern),* österr. Komponist u. Violinist, 1644–1704; Kirchen- u. Kammersonaten, Serenaden, Partiten, Violinsonaten, Messen u. Requiems, auch Opern.

Biberach an der Riß, b.-württ. Große Krst., südwestl. v. Ulm, 28100. als Vereinbarte Verw.-Gemeinschaft 47900 E.; u.a. Metall- u. Masch.-Industrie.

Biberbaum *m,* die → Magnolie.

Bibergarn *s,* ein Baumwollgarn.

Biberkelle *w,* abgeplatteter Schwanz des Bibers.

Biberklee *m,* → Bitterklee.

538

Bibernelle *w*, 1) *Pimpinella:* Gattung der Doldengewächse; z. B. *Anis.* – 2) → Wiesenknopf.

Biberratte *m, Sumpfbiber, Nutria,* kaninchengroßes, amphibisch lebendes südam. Nagetier; Pflanzenfresser. Als Pelztier auch in Farmen gezüchtet. Im 20. Jh. haben sich aus Pelztierfarmen entlaufene B.n in Europa eingebürgert.

Biberschwanz *m*, 1) Flachziegel. – 2) Säge, → Fuchsschwanz.

Bibiena, *Bibbiena, Galli da,* it. Künstlerfamilie, Architekten u. Maler: **1)** *Alessandro,* 1687 – vor 1796; Sohn v. 3). – HW: rechter Flügel des *Schlosses* u. *Jesuitenkirche* in Mannheim. – **2)** *Antonio,* 1700–74; Theaterbauten u. -dekorationen. – **3)** *Ferdinando,* 1657–1743. – HW: *Hoftheater* in Mantua. – **4)** *Giuseppe,* 1696–1756; Sohn v. 3); Theaterdekorationen u. a.

Biblia pauperum *w* (lat.), → Armenbibel.

Biblio…, biblio… (gr.), in Wortzusammensetzungen: Buch…, Bücher…

Bibliographie *w* (gr., ‚Buchbeschreibung‘), **1)** *Bücherkunde,* Lehre v. Buch- u. Literaturverzeichnissen. – **2)** *Bücherverzeichnis,* dient zum Nachweis u. als Übersicht über vorhandenes Schrifttum überhaupt od. be-

Ein dichtes Fell schützt den Biber vor Kälte. Durch ein spezielles Fett ist er außerdem in der Lage, sein Fell wasserdicht zu schließen

stimmte Literatur- u. Themengruppen; wichtiger Teil der Dokumentation. *Allgemeine B.n* führen literar. Erzeugnisse jeglichen Fachbereichs, u. U. nach Ländern od. Epochen, Werken od. Zeitschriften gegliedert, *Fach.-B.n* dagegen bieten Werke, Zeitschriften, Beiträge einzelner Wissenschaften; im ganzen werden unterschieden:

Biber bauen Dämme von durchschnittlich 25 m Länge und 1,50 m Höhe dank ihrer meißelförmigen Schneidezähne (A, 1), mit denen sie Stämme und Zweige durchnagen können (A, 2). Die Stämme fallen direkt ins Wasser oder werden in Stücke von einem Meter zernagt und dann transportiert (B). Wenn der Damm fertig ist, wird die Burg angelegt (C). Sie erhält eine Kammer oberhalb des Wasserspiegels (häufig mit Nahrungsvorrat) und einige Ausgänge unter Wasser (D)

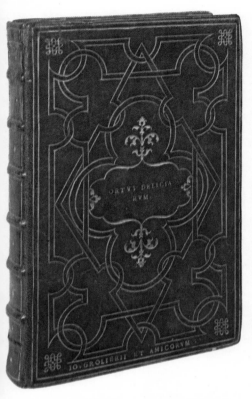

Einer der Buchbände, hergestellt im Auftrag von Jean Grolier de Servin (1479–1565). Der Name des Binders ist unbekannt. Grolierbände sind immer an den Worten auf der Vorderseite zu erkennen: Jo. Grolierii et Amicorum (=Eigentum von J. Grolier und seinen Freunden), Bibliothèque de l'Arsenal, Paris

internationale, nationale B.n; manche erscheinen periodisch. Beachtlich ist oft auch die im einzelnen Buch zusammengestellte B. zum Buchthema. – Grundlegend in der *BRD* die *Deutsche B.* der Dt. Bibliothek, Frankfurt a. M., in der *DDR* die *Deutsche National-B.,* Leipzig, u. das *Deutsche Bücherverzeichnis,* seit 1911 in Leipzig, in Österr. die *Österr. B.* In einer B. werden jeweils zu einem Buch angegeben: Verfasser bzw. Herausgeber (u. Mitarbeiter), Titel (evtl. Untertitel), Auflage, Umfang, Abbildungen, Erscheinungsort u. -jahr, Verlag, Einbandart, Format und Preis.
Bibliographisches Institut AG, dt. Verlag; gegr. 1826 in Gotha durch Joseph Meyer, v. 1826–74 in Hildburghausen, seit 1874 in Leipzig, 1946 volkseigener Betrieb, 1953 Sitzverlegung der AG nach Mannheim. – HW: Meyers Klassiker, Meyers Lexikon, Meyers Atlanten, Brehms Tierleben, Der Große Duden, Duden-Lexikon, Meyers Handbücher, Meyers Enzyklopädisches Lexikon (25 Bde, 1971 ff.) u. a.
Biblioklast *m* (gr.), jemand, der aus Sammelleidenschaft Bücherseiten herausreißt u. damit die Bücher zerstört.
Bibliolatrie *w* (gr.), **1)** übertriebene Verehrung heiliger Bücher. – **2)** Buchstabengläubigkeit.
Bibliomane *m* (gr.), Büchersammler mit krankhafter Sucht.
Bibliomanie *w* (gr.), krankhafte Bücherliebhaberei, die bis zum Verbrechen führen kann.
Bibliomantie *w* (gr.), Wahrsagerei aus beliebig aufgeschlagenen Buchstellen.
Bibliophile *m* (gr.), Bücherfreund u. -sammler.
Bibliophilie *w* (gr.), Bücherliebhaberei.
Bibliothek *w* (gr., ‚Büchergestell‘, ‚Bücherei‘), **1)** Gebäude od. Raum zur Unterbringung v. Büchern. – **2)** Büchersammlung als *öffentl. od. private B., wissenschaftl., Univ.-B., Landes-, Stadt-B., Fach-(Spezial-) B.* u. a. – Älteste B.: Tontafelnsammlung des Königs Assurbanipal (668–626 v. Chr.) in Ninive. Die griech. B. entwickelte sich parallel zur Wissenschaft als Hilfsmittel der Forschung. Neben zahlr. Privat-B.en in Rom erst 39 v. Chr. die erste öffentl. B. Im Früh-MA Kirchen-B. (Jerusalem, Caesarea, Rom) ausschließlich im Dienste kirchl. Wiss. Von Italien ausgehend, wurden fortan Klöster u. Stifte Betreuer der B. (Kopieren v. Handschriften antiker Texte [Palimpseste]). Im Spät-MA Entstehen der späteren Universitäts-B. (Sorbonne 1257, Oxford 1345, Prag 1366, Basel 1460 u. a.). Die Fürsten-B.en der Renaissance kamen der Forderung nach allg. Anteil an Forschung u. Bildung entgegen. Erste öffentl. B. der Neuzeit in Florenz (San Marco). Die Reformation vernichtete viel kostbares B.sgut; dagegen wuchs das Bedürfnis nach B.en seitens der neuen Kirche u. des Bürgertums (Erfindung des Buchdrucks). Anfang der allg. Gebrauchs-B. (Bodleiana 1602, Ambrosiana 1609, Mazarine 1643). Im Barock

u. Rokoko herrliche B.säle in Wien (Hofburg 1727), den Klöstern Schussenried, Wiblingen, St. Gallen, Einsiedeln u.a. Nutznießer der Enteignungen u. Zentralisierungstendenz der Revolutionszeit wurden nam. die Landes-B.en. Im 19. Jh. übernahmen National-B.en systematisch Sammlung u. Verwahrung des enorm gewachsenen Schrifttums. Dem Unterhaltungs- und Bildungsbedürfnis weiter Kreise dienen → Volksbibliothek, Jugendbüchereien u.a.

Bibliothekar *m* (gr.-lat.), Verwalter v. haupts. öffentl. u. wissenschaftl. Bibliotheken als Beamter od. Angestellter; Ausbildung je nach Aufgabenbereich, als Beamter im mittl., gehobenen u. höheren Dienst.

Bibliothekszeichen *s*, das → Exlibris.

Bibliothèque Nationale (:-täk naßjonal), frz. Nationalbibliothek in Paris.

Bibliotherapie *w* (gr.), psychotherapeutische Methode, die zur Behandlung geeigneten Lesestoff zu Hilfe nimmt.

Biblis, hess. Gem. im Ldkr. Bergstraße, 8000 E.

Bibracte, Hst. der Häduer auf dem Mont Beuvray bei Autun; 58 v. Chr. Sieg Cäsars über die Helvetier.

Bicarbonat *s,* → Hydrogencarbonat.

biceps (lat.), zweiköpfig.

Biceps *m* (lat.), → Bizeps.

bichrom (lat.-gr.), zweifarbig.

Bichromate (Mz.), → Dichromate.

Bickbeere *w* (norddt.), Heidelbeere.

Bicuspidalklappe *w, zweizipflige* → Herzklappe zw. linkem Vorhof u. linker Herzkammer; *Bicuspidalatresie:* angeborenes Fehlen der Klappe.

Bida, Stadt u. Markt der Landschaft Nupe in Nigeria; 50 000 E.; einst Hst. des Reichs der Nupe.

Bidault (:bido), *Georges,* frz. Politiker, 1899–1983; seit 1941 in der Widerstandsbewegung; 1944–46 u. 1953/54 Außenmin., 1946 u. 1949/50 Min.-Präs.; in der Algerienpolitik Gegner de Gaulles; 1962–68 im Exil.

Reich geschmückt und mit vielen Ornamenten versehen ist der Sixtinische Saal der Bibliothek im Vatikan. Er wurde im Jahr 1588 von Domenico Fontana (1543–1607) gebaut

Prunkvoll ausgestattet und vielfältig verziert ist die Stiftsbibliothek in St. Gallen (Schweiz), die 1758–67 nach Entwürfen von Peter Thumb (1681–1766) gebaut wurde

Bider, *Oskar,* Schweizer Flugpionier, 1891–1919 (abgestürzt); überflog 1913 als erster die Alpen.

Bidermann, *Jakob,* dt. Schriftsteller, 1578–1639; Jesuit; Vertreter des neulat. barocken Jesuitendramas in Dtl.; Prosa, Lyrik, Dramen. – HW: *Cenodoxus* (1602; Tragödie).

Bidet *s* (: bide, frz.), Sitzwaschbecken.

Biebergemünd, hess. Gem. im Main-Kinzig-Kreis, 6900 E.

Biebertal, hess. Gem. im Lahn-Dill-Kreis, 9700 E.

Biebesheim am Rhein, hess. Gem. im Ldkr. Groß-Gerau, 6000 E.

Biedenkopf, hess. Stadt im Ldkr. Marburg-B., an der oberen Lahn, 14 600 E.; Masch.-, Textilindustrie.

Biedenkopf, *Kurt Hans,* dt. Politiker (CDU), *1930; 1973–77 Generalsekr. der CDU; seit 1976 MdB.

Biedermeier *s,* Bez. für die bürgerliche Kulturperiode der ersten Hälfte des 19. Jh. in Dtl. u. Österr.; auch deren Kunststil, der die bürgerl. Wohnkultur, das Mobiliar, das Kunsthandwerk u. die Mode in einfacher Zierlichkeit v. Form u. Dekor im Ggs. zum steifen frz. Empire prägte; teils noch Berührungen mit der Romantik, nam. in der Malerei, etwa bei Ph. O. Runge, C. D. Friedrich u. bes. bei M. v. Schwind. Vertreter der Malerei des B. sind F. Krüger, J. Oldach, F. G. Kersting, F. Waldmüller, L. Richter. Der erste Bau im B.stil ist das um 1800 v. Gilly errichtete Schloß Paretz bei Potsdam mit seiner schlichten Architektur in Putzflächen u. edlen Verhältnissen u. mit entsprechender Innenausstattung. Die Möbel sind leicht, fast schmucklos, bevorzugt aus hellen Hölzern. Die Tracht der B.zeit war verbürgerlichtes Empire. Frauenkleidung: trichterförmiger Rock, Wespentaille, Puffärmel, breiter Schulterkragen, Schutenhüte; Männerkleidung: Frack mit bunter Weste. Im ganzen strebte das B. nach Gemütlichkeit u. Wohnlichkeit. In der Lit. Genrehaftes, aber auch bei Dichtern wie Stifter, Mörike, Lenau u. a. B.züge: humorvoll, idyllische Verse u. Prosa.

Bièfve (: bʲäw), *Édouard de,* belg. Maler, 1808–82; romant. Historiengemälde.

Biegefestigkeit *w,* Widerstand eines Körpers gg. Formveränderung durch → Biegung.

biegen, v. Hand od. mittels Biegemaschinen spanlos verformen.

Biegung, Formveränderung eines Körpers durch → Biegen.

Biel, frz. *Bienne,* Stadt im Schweizer Kt. Bern, am Nordende des → Bieler Sees, 61 000, als Aggl. 87 500 E.; an der dt.-frz. Sprachgrenze; Uhren-, Fahrzeug-, Masch.-Industrie.

Biel, *Gabriel,* dt. Theologe u. Philosoph, um 1430–95; Propst v. Einsiedel (bei Tübingen) ; vermittelte als ‚letzter Scholastiker' die Lehren W. v. Ockhams in seinem *Collectorium* (1501); hatte großen Einfluß auf die Reformation durch seine Anhänger (‚Gabrielisten') in Erfurt u. Wittenberg.

Biela, *Wilhelm v.,* österr. Astronom, 1782–1856; Entdecker des → Bielaschen Kometen.

Bielascher Komet *m,* 1826 v. W. v. → Biela entdeckter Komet, der in der folgenden Zeit alle 6 ¾ Jahre wieder auftauchte. 1846

zerbrach der B. K. in zwei Teile, die sich immer mehr voneinander entfernten. In den folgenden Jahren zerbrach er in weitere Teile. Die Überreste des B. K. sind wahrscheinlich die Ursache für eine um den 25. November alljährlich auftretende verstärkte Sternschnuppentätigkeit (→ Bieliden).

Bielawa (: bʲeᵘawa), poln. für → Langenbielau.

Bielefeld, nordrh.-westfäl. kreisfreie Stadt, am Teutoburger Wald, 312 400 E.; Univ., PH u. andere Bildungsanstalten; Leinen-, Baumwoll-, Bekleidungs-, Masch.-, Fahrzeug-, Nahrungsmittel- u. Tabak-Ind. – Um 1214 Stadt, Mitgl. der Hanse; wurde 1609 brandenburgisch.

Bieler, *Manfred,* dt. Schriftsteller, *1934; seit 1968 in der BRD; zeitsatir. u. sozialkrit. Romane, Erzählungen, Dramen, Fernseh-, Hörspiele u. a.

Bieler See, Schweizer See im Kt. Bern u. Neuenburg, 429 m ü. M., 39 km², 74 m tief.

Bieliden, alle Jahre Ende November auftretende Sternschnuppen (→Andromediolen).

Bielitz-Biala, dt. für Bielsko-Biała.

Biella, nordit. Ind.-Stadt in der Prov. Vercelli, am Alpenrand, 56 000 E.; Textil-Ind.; Woll- u. Baumwollhandel.

Aus dem Biedermeier stammen diese Möbel. Sie zeigen an drei Beispielen die Vorliebe dieser Zeit für leicht geschwungene Formen und schimmernd poliertes Holz

Bielsko, poln. Woiwodschaft, → Bielsko-Biała.

Bielsko-Biała (:-bⁱaᵘa), dt. *Bielitz-Biala,* Hst. der poln. Woiwodschaft Bielsko (3703 km², 821000 E.), am Nordfuß der Beskiden, 160500 E.; Textilindustrie.

Bienek, *Horst,* dt. Schriftsteller, *1930; nach Haft u. Zwangsarbeit in Sibirien seit 1956 in der BRD; Lyrik u. Prosa, Romane um menschliche Freiheit in Bedrohung. – HW: u.a. *Traumbuch eines Gefangenen* (1957); *Solschenizyn u.a.* (1972; Essays).

Bienen (Mz.), *Immen,* große, über 15000 Arten zählende Familie der Hautflügler, ausgezeichnet durch ihre enge, auf mannigfache Art erreichte Anpassung an Blütennahrung (Nektar, Pollen), die v. den meist dicht behaarten Tieren nicht nur für sich selbst gebraucht, sondern auch für ihre Brut gesammelt u. ins Nest getragen wird.

Eine fast ausgewachsene Honigbienenlarve in ihrer Zelle (Vergrößerung)

Man unterscheidet *Bauchsammler* u. *Beinsammler;* ferner *einzellebende* (solitäre), *staatenbildende* (soziale) u. *Schmarotzer-B.* (Kuckucks-B., die ihre Eier in fremde Nester schmuggeln). – Die Staatenbildung kommt dadurch zustande, daß ein Weibchen (die *Königin*) – im Ggs. zu den meisten übrigen Insekten – nach der Eiablage noch am Leben bleibt (oft noch jahrelang weiter legend) u. daß die weibl. Nachkommen als *Arbeiterinnen* (nicht fortpflanzungsfähige Weibchen) mit der Mutter zusammen im Stock verbleiben. Der *Hummelstaat* ist einjährig; der Staat der *Honig-B.* dagegen perennierend; das ganze *Bienenvolk* überwintert. Der *Bienenstaat* ist daher sehr viel individuenreicher (30000–60000 Tiere), weshalb die Honig-B. *(Apis mellifica)* als Nutztier für die Honigproduktion gezüchtet wird. – Die Weibchen (Königin u. Arbeiterinnen) entstehen aus befruchteten, die Männchen *(Drohnen)* aus unbefruchteten Eiern (→Jungfernzeugung). Die Differenzierung in Königin u. Arbeiterin geschieht durch verschiedene Ernährung der Larven. Königinnen (sog. *Weiseln*) werden in großen *Weiselzellen* aufgezogen u. erhalten die ‚Königinnenspeise‘ als Nahrung. Neben den Zellen zur Larvenaufzucht enthält die *Bienenwabe* Vorratszellen, in denen Nahrung für die Wintermonate gespeichert wird. – Die Vermehrung der B.völker erfolgt durch das *Schwärmen (Hochzeitsflug)* der Königin, wobei sie durch eine Drohne begattet wird. – Unter den Arbeiterinnen gibt es Arbeitsteilung, wobei jede einzelne B. in ihrem Lebensablauf die verschiedenen Tätigkeiten in fest geregelter Reihenfolge ausübt: zuerst Zellen säubern, dann Brutpflege, Torwächter vor dem Flugloch, Sammlerin. Die Sammlerin zeigt andern B. durch den *Schwänzeltanz* – eine Zeichensprache, die auf der Wabe vorgeführt wird – den Weg zu guten Futterplätzen. – Die Anpassung an die Blüten kommt zum Ausdruck in Körperbau, Farben-, Geruchs- u. Geschmackssinn.

Bienenameisen (Mz.), *Mutillidae,* → Spinnenameisen.

Bienenbüttel, niedersächs. Gem. im Ldkr. Uelzen, 5200 E.

Bienenfresser *m,* amselgroßer, bunter Singvogel mit pfriemenförmigem Schnabel u. zwei verlängerten mittleren Schwanzfe-

Wenn eine Honigbiene (Apis mellifera) eine lohnende Nahrungsquelle gefunden hat, kann sie das den andern Arbeiterinnen durch einen Tanz mitteilen. Sie durchläuft dann auf der hängenden Wabe einige Male eine 8förmige Figur und schwänzelt bei Durchlaufen der ,Taille' der 8 mit ihrem Hinterleib. Der Winkel der Taille zu der Schwerkraft (x) gibt im abgebildeten Fall die Richtung der Nahrungsquelle in einem Winkel von 30° zur Richtung der Sonne wieder. Die Länge der Taille und die Frequenz des Schwänzelns geben die Entfernung an

dern; erjagt Insekten im Flug; brütet kolonieweise in Erdhöhlen; verbreitet in Südeuropa; in Dtl. fr. vereinzelter Brutvogel (Kaiserstuhlgebiet).

Bienenfreund *m,* → Büschelschön.

Bienengift *s,* eiweißhaltiges Gift der Honigbiene. Die durch einen Stich zugeführte Giftmenge ist für den Erwachsenen meist ungefährlich; wiederholte Stiche können jedoch zur → Anaphyllaxie führen. Bei Imkern meist erworbene Immunität. In der Medizin gg. Rheuma angewendet.

Bienenhonig *m,* → Honig.

Bienenkäfer *m, Sitaris muralis,* bei Bienen schmarotzender Käfer: die Larve des B. läßt sich in Bienenwaben einschleppen u. ernährt sich v. Honig u. Eiern der Biene.

Bienenkrankheiten (Mz.), die Bienenbrut (Faul-, Sauer-, Sackbrut usw.) od. erwachsene Bienen befallende Krankheiten (Nosema-, Milbenseuche).

Bienenlaus *w, Braula coeca,* lausähnliche

flügellose Fliege, etwa 1 mm lang; lebt parasitisch auf Honigbienen.

Bienenmeise *w,* → Blaumeise.

Bienenmotte *w, Wachsmotte,* Kleinschmetterling, dessen Larve in Bienenstöcken u. a. durch Wachsfraß schadet.

Bienenruhr *w,* bes. im Frühjahr auftretende Bienenkrankheit.

Bienensaug *m,* die → Taubnessel.

Bienenschwärmer *m, Hornissenschwärmer,* hornissenähnlicher Schmetterling; → Glasflügler.

Bienensprache *w,* → Schwänzeltanz der Biene.

Bienenwachs *s,* Drüsensekret der Honigbiene; dient dieser zum Wabenbau; durch Schmelzen der Waben für Kerzen verwendet. → Wachs.

Bienenweide *w,* Pflanzenbestände, die reichlich Pollen u. Nektar liefern; z. B. Linde, Luzernenfeld.

Bienenwolf *m,* 1) *Immenkäfer, Trichodes*

Bien

apiarius, Buntkäfer mit schwarzrot gemusterten Flügeldecken; Larve schmarotzt an den Larven v. Bienen. – **2)** *Philanthus triangulum,* schwarzgelb gemusterte Grabwespe; raubt Bienen als Nahrung für ihre Larven.

Bienenzucht *w, Imkerei;* der B. ging die Benutzung des Honigs wilder Bienenvölker (schon in der Steinzeit) voraus; danach: *Wald-B.,* d. h. die Überwachung u. Ausbeutung der Bienen in ihren natürl. Wohnungen (im MA durch den *Zeidler* ausgeübt). Bei der modernen B. werden die Bienenwohnungen *(Beuten)* an geeignetem Platz aufgestellt: *Klotzbeute* (ausgehöhlte Baumstämme, in Südeuropa gebräuchlich), *Bienenkörbe* (aus Stroh geflochten), *Bienenhäuser* (mit künstlichen Mittelwänden). Die *Wander-B.* nutzt mobile Bienenhäuser, um die Bienen an die mit den Jahreszeiten wechselnden → Bienenweiden zu bringen. Bei schlechter Tracht u. im Winter kann Zuckerlösung teilweise zugefüttert werden. Der jährl. Durchschnittsertrag eines Volkes beträgt in Mitteleuropa 6–9 kg Honig u. 0,5–1,5 kg Wachs. Bedeutender Nutzen entsteht ferner durch die Biene als Bestäuber vor allem in Obstgärten.

Biener, *Gustav,* dt. Komponist, *1926; kirchl. u. weltl. Kompositionen; Chormusik, Orchestersuiten u. Partiten; Messen, Kantaten, Motetten, Dt. Propriengesänge.

bienn (lat.), *zweijährig,* von zweijähriger Lebensdauer.

biennal (lat.), zwei Jahre dauernd, alle zwei Jahre wiederkehrend.

Biennale *w* (it.), die zweijähr. Internat. Ausstellung für bildende Kunst (seit 1895) u. die zweijähr. Internat. Filmfestspiele (seit 1932) in Venedig.

Bienne (: bᵢän), frz. für → Biel.

Biennium *s* (lat.), Zeitraum v. zwei Jahren.

Bier *s,* aus Gerstenmalz (auch Weizenmalz, Reis od. Mais), Hopfen u. Wasser in der → Brauerei hergestelltes, durch Hefe vergorenes alkohol., kohlensäurehaltiges Getränk; schon Babyloniern u. alten Ägyptern bekannt.

Bier, *August,* dt. Chirurg, 1861–1949; führte 1899 die → Lumbalanästhesie *(B.sche Rückenmarksanästhesie)* u. 1903 die *B.sche Stauung* (venöse Blutstauung durch leichtes Abbinden) zur Infektionsbekämpfung ein.

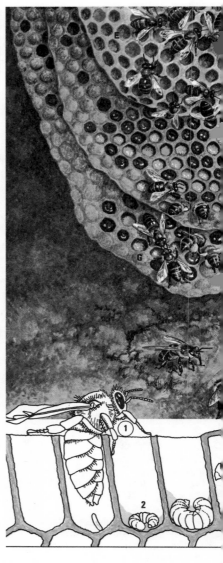

Bierbaum, *Otto Julius,* dt. Schriftsteller, 1865–1910; Natur- u. Liebeslyrik, Erzählungen, satir. Zeitromane, Singspiele, Dramen u. a. – HW: *Stilpe* (1897; Roman); *Prinz Kuckuck* (1906/07; Roman); Zeitschriften *Pan* u. *Insel.*

Bierce (: bⁱᵉrß), *Ambrose Gwinett,* am. Schriftsteller 1842–1914; phantastische Kurzgeschichten u. polit. Satiren.

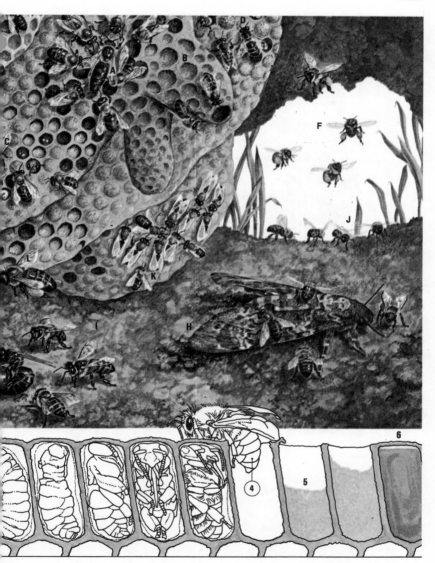

In einem Honigbienenvolk legt nur die Königin Eier (1). Diese durchlaufen ein Larvenstadium (2) und ein Puppenstadium (3), bevor sie als erwachsenes Tier zum Vorschein kommen (4). Königinnen (A) werden in speziellen Königinnenzellen (B) aufgezogen. Aus normalen Brutzellen kommen Arbeiterinnen (C) oder Drohnen (D). Die Drohnen (Männchen) dienen nur zur Fortpflanzung; alle Arbeit machen die Arbeiterinnen (sterile Weibchen). In den ersten 10–12 Tagen beschäftigen sich die Arbeiterinnen vor allem mit der Pflege der Brut. Danach bauen sie neue Zellen (E) oder lagern die Ernte der Flugbienen (F) in speziellen Vorratszellen (G) für Pollen (5) oder Honig (6). Außerdem reinigen sie den Bau und verteidigen ihn vor Eindringlingen, wie dem Totenkopfschmetterling (H). Fremde Königinnen werden von der eigenen Königin bekämpft; die Arbeiterinnen schauen dabei nur zu (I). Im Sommer belüften die Arbeiterinnen den Bau mit ihren Flügeln (J). Im Winter sitzen sie dicht beieinander, um den Bau auf gleichbleibender Temperatur zu halten (K)

Bier

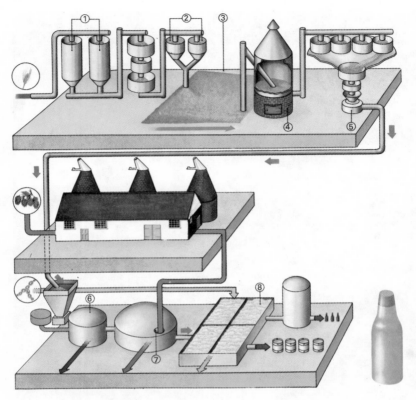

Das Schema zeigt den Produktionsprozeß von Bier:
1. Lagerung der Gerste
2. Weichbottiche
3. Malztenne (heute oft Keimtrommeln)
4. Heizungsanlage
5. Darrtrommeln (Trocknungstrommeln)
6. Maischbottich
7. Braupfanne
8. Gärbottiche

Bieresel m, volkstüml. Bez. für den→ Pirol.
Biermann *Wolf,* dt. kommunist. Liederdichter u. -sänger, *1936; 1953–76 in der DDR, seitdem in der BRD; zeit- u. sozialkrit. Lieder. – WW: *Die Drahtharfe* (1965; Gedichte); *Mit Marx- u. Engelszungen* (1968); *Dtl. Ein Wintermärchen* (1973).
Biermer, *Anton,* dt. Arzt, 1827–92; beschrieb die nach ihm benannte perniziöse B.-→ Anämie (bei Störung der Aufnahme v. Vitamin B_{12}).
Biersteuer w, → Verbrauchsteuern.
Biert, *Cla,* rätoroman. Schriftsteller, *1920; rätoroman. Erzählungen u. Novellen.
Bierut (: b'ä-), *Bolesław,* poln. kommunist. Politiker, 1892–1956; seit 1939 Leiter der Widerstandsbewegung in Polen; 1944 Vors. des Nationalrats; 1947–52 Staats-, 1952–54 Min.-Präsident.
Bierzipfel m, *student.:* Uhranhänger in den Farben der Studentenverbindung.
Biese w (nd.), **1)** Ziersaum an Kleidungsstücken u. Schuhen. – **2)** farbiger Vorstoß an Uniformen.
Biesen s, Flugton der →Dasselfliege.
Biesfliege w, → Dasselfliege.
Biestmilch w, → Kolostrum.
Biet s, schweizerisch für Gebiet.
Bietigheim, b.-württ. Gem. im Ldkr. Rastatt, 5300 E.
Bietigheim-Bissingen, b.-württ. Große Krst., im Ldkr. Ludwigsburg, 34000, als Vereinbarte Verw.-Gemeinschaft 46600

E.; spätgot. Pfarr- u. Friedhofskirche; Linoleum-, Glas-, Keramik- u. a. Industrie.

Bifidumbakterien (Mz.), stäbchenförmige Kleinstlebewesen, die Zucker in Milchsäure umwandeln; → Sauermilch. B. kommen auch in der Scheide vor.

Bifidummilch *w*, Milchpulver, zitronensaftgesäuert unter Zusatz v. Nährzucker; Dauernahrung für gesunde Säuglinge.

bifilar (lat.), zweifädig. – **1)** *bifilare Aufhängung:* Ein Körper wird so an zwei Fäden aufgehängt, daß er bei Verdrehung aus der Ruhelage wieder zurückgedreht wird. – **2)** *bifilare Wicklung:* Wicklung einer elektr. Spule, bei der der Draht in der Mitte umgeknickt wird u. dann so gewickelt wird, daß der Strom in der Nachbarschleife wieder zurückfließt. Dadurch wird die → Induktion des Stroms aufgehoben.

bifokal (lat.), mit zwei Brennpunkten ausgestattet; b.e Brillengläser sind Linsen, die im oberen Teil die Kurzsichtigkeit u. im unteren Teil die Weitsichtigkeit korrigieren.

biform (lat.), doppelförmig.

Biformität *w* (lat.), Doppelgestalt.

Blick in das Innere einer Bierbrauerei

Bighorn

Bifurkation *w* (lat., ‚Zweigabelung‘), **1)** Straßen-, Fluß-, Talgabelung. – **2)** *Anat.:* Aufteilung der Luftröhre in die beiden Hauptbronchien bzw. der Bauchschlagader (Aorta) in die Darmbeinarterien (münden in die Beinarterien).

Bigamie *w* (lat.-gr.), *Doppelehe,* Eingehen einer Zweit- od. Mehrfachehe bei noch bestehender Ehe; auch Eingehen einer Ehe mit einer verheirateten Person; ungültig u. strafbar.

Big Band *w* (:-bänd, engl.), großes Jazz-(Tanz-)orchester.

Big Ben *m* (engl., ‚Großer Benjamin‘), die 13,5 t schwere Glocke v. 1858 im Uhrturm des Londoner Parlamentsgebäudes.

Big Four (:-får, engl.), die ‚großen Vier‘ engl. Banken: Barclays, Lloyds, Midland u. National Westminster Bank; fr. *Big Five* (mit National Provincial Bank).

Biggetalsperre *w*, 16 km lange Talsperre im Sauerland, an der Bigge (zur Lenne), 2 km breit, faßt 150 Mill. m³.

Biggs, *Edward Power,* engl.-am. Organist, 1906–77; Konzertorganist; einer der besten Orgelexperten seiner Zeit.

Bighorn *s*, ein Wildschaf, das Dickhornschaf.

Big Horn Mountains (:-maunt'ns, engl., Mz.), schluchtenreicher Gebirgszug im Staat Wyoming (USA), im Cloud Peak 4013 m.

Big Horn River (:-riwer, engl.), 880 km langer Nebenfluß des Yellowstone in den USA, den Big Horn Mountains entlang.

bigott (frz.), frömmelnd; engherzig; scheinheilig.

Bigotterie *w* (frz.), Frömmelei; Scheinheiligkeit.

Bihar, nordind. Bundesstaat, am unteren Ganges, 173876 km², 58 Mill. E.; Hst.: Patna; Landwirtschaft, Anbau v. Reis, Weizen, Hülsenfrüchten, Jute, Zuckerrohr

Biha

Maha-Bodhi-Tempel in Bihar

u. a.; Kohlen- u. Eisenbergbau; Eisen- u. Stahl-Ind. – 1765 britisch; seit 1947 Gliedstaat der Ind. Union.

Bihar (: bihår), ungar. für → Bihor(gebirge).

Bihorgebirge *s,* ungar. *Bihar,* westrumän.

Gebirgsmassiv in Siebenbürgen, im Curcubăta 1849 m hoch; Silber- u. Goldbergbau; Bauxitlagerstätten.

Bijapur, *Bidschapur,* ind. Stadt im Bundesstaat Maharashtra, 105000 E.; Moscheen, Paläste, Mausoleen aus der islam. Zeit; landwirtschaftl. Handelszentrum.

Bijns (: bеïns), *Anna,* niederl. Schriftstellerin, 1493–1575; geistl. u. weltl. Gedichte, Volksbücher; Gegnerin der Reformation.

Bijou *s* (: bischu, frz.), Schmuckstück.

Bijouterie *w* (: bischu-, frz.), Schmuckwaren, Juweliergewerbe.

Bijsk, sibir. Stadt in der RSFSR, am Nordabhang des Altaigebirges, 212000 E.; Handelsplatz; u. a. Juchten-, Masch.-, Bau-, Zündholz-, Zigaretten- u. Nahrungsmittelindustrie.

Bikaner, ind. Stadt im Bundesstaat Rajastan, 189000 E.; Tempel, Moscheen, Paläste; Teppich- u. Lederindustrie.

Bikarbonat *s,* → Hydrogenkarbonat.

Bikephalus *m* (gr.), → Bizephalus.

Bikini, 1) Atoll der Marshallinseln; 1946 am. Atombombenversuche. – **2)** zweiteiliger Damenbadeanzug.

bikonkav (lat.), zweifach hohl; *b. e. Linse:* Linse, die auf beiden Seiten nach innen gewölbt ist.

bikonvex (lat.), zweifach erhaben; *b. e Lin-*

Einfache Linsen lassen sich wie folgt unterscheiden:
Bikonvexe Linse (1). Plankonvexe Linse. Eine ihrer Flächen ist vollkommen eben (2). Sammelnder Meniskus (konkav-konvexe Linse 3). Die Typen 1, 2 und 3 haben alle eine positive Stärke und werden Sammellinsen genannt. Ein einfaches Kennzeichen ist, daß sie am Rand dünner sind als in der Mitte. Der Lichtstrahl wird zur Achse abgeleitet.
Bikonkave Linse (4). Plankonkave Linse (5). Zerstreuender Meniskus (6). Die Typen 4, 5 und 6 haben alle eine negative Stärke und werden Zerstreuungslinsen genannt. Sie sind am Rand dicker als in der Mitte und leiten einen Lichtstrahl nach außen ab

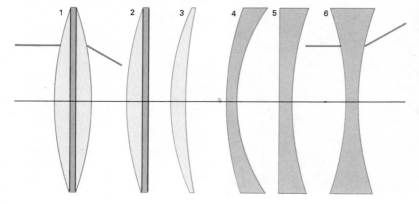

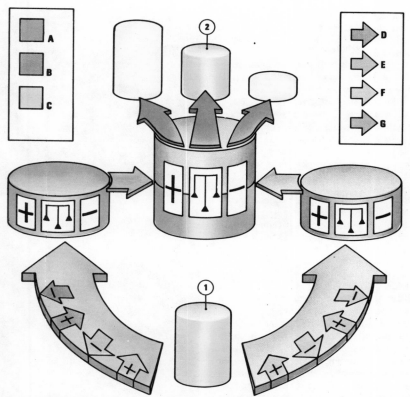

Die Zahlungsbilanz eines Landes stellt einen systematischen Bericht einer bestimmten Periode über alle wirtschaftlichen Transaktionen zwischen diesem Land und der übrigen Welt dar. Sie ist aufgeteilt in Leistungsbilanz und Bilanzen des lang- und kurzfristigen Kapitalverkehrs. Unter Leistungsbilanz (A) fallen die Handelsbilanz (D), die aus Importen (–) und Exporten (+) von Gütern besteht, die Dienstleistungsbilanz (E), die aus Zahlungen für (–) und den Erhalt von (+) Dienstleistungen besteht, wie Schiffahrt, Versicherungen oder Tourismus. Die dritte Bilanz der Leistungsbilanz bilden die Kapitalerträge. Hier sind Zahlungen und Erhalt von Zinsen und Dividenden erfaßt. Die Bilanzen des lang- und kurzfristigen Kapitalverkehrs (B) geben den Kapitalstrom aus dem Ausland an, den das Land erhält (+) und der das Land verläßt (–). Diese Ströme werden aufgeteilt in kurzfristiges Kapital (F) und langfristiges Kapital (G). Indem beide Bilanzen verglichen werden, zeigt sich, ob die Zahlungsbilanz eines Landes negativ oder ob ein Überschuß vorhanden ist. Ein Überschuß würde die Reserven an ausländischen Devisen (C) vergrößern, ein negativer Saldo diese verringern. Wenn die gesamte Zahlungsbilanz ausgeglichen ist, sind die Reserven dieses Jahres (2) denen des vorigen Jahres (1) gleich

se: Linse, die auf beiden Seiten nach außen gewölbt ist.

Bikulturalismus *m* (lat.), das gleichzeitige Angehören zu zwei Kulturen bei Personen od. Gruppen. z. B. bei Einwanderern od. Gastarbeitern.

bilabial (lat.), mit beiden Lippen gebildet: die Laute b, m, p.

Bilac, *Olavo Braz Martins dos Guimarães,* brasil. Schriftsteller, 1865–1918; romant.

Liebeslyrik, melanchol. Sonette, Erzählungen, Essays.

Bilanz *w* (it.), **1)** *Betriebswirtschaft:* die auf bestimmten Zeitpunkt nach bestimmten Bewertungsregeln u. gesetzl. Vorschriften erstellte Bestandsrechnung eines Unternehmens; umfaßt sämtliche Forderungen u. Verpflichtungen gegenüber Kunden, Lieferanten, Betriebsangehörigen, Staat, Gemeinde, Geschäftsinhaber u. die Vermögensbestände des Unternehmens (Bargeld, Vorräte, Anlagen). Die B. stellt die Vermögensbestände *(Aktiva)* den Kapitalbeständen *(Passiva)* gegenüber, wobei sich bei Aktiven u. Passiven stets Summengleichheit ergeben muß. Besondere Formen: *Handels, Steuer-, konsolidierte Konzern-* u. *Fusions-B.* Im weitesten Sinn ist B. jede in Soll u. Haben gegliederte Aufstellung der Kontenumsätze *(Umsatz-B.)* od. Kontensalden *(Saldo-B.).* Die *Inventur-B.* enthält die Inventarwerte der Vermögensbestandteile u. Schulden. – 2) *Volkswirtschaft:* Dienstleistungs-, Handels-, Kapital-, Leistungs- u. Zahlungs-B.

Bilanzanalyse *w* (it.-gr.), Methode der Informationsgewinnung, um aufgrund v. Bilanz u. Gewinn- u. Verlustrechnung Aufschluß über Zahlungsfähigkeit (Liquidität), Rentabilität u. Sicherheit (Verhältnis v. Anlagevermögen zu Eigenkapital, v. Eigen- zu Fremdkapital usf.) eines Unternehmens zu erhalten.

Bilanzklarheit *w,* die nach dem Bilanzrecht geforderte übersichtl. Gliederung u. formelle Ordnungsmäßigkeit einer Bilanz.

Bilanzkontinuität *w* (it.-lat.), der nach Bilanzrecht geforderte Zusammenhang (formell u. materiell) einer Bilanz mit der letztvorausgegangenen.

Bilanzkritik *w* (it.-gr.), Untersuchung der Bilanz auf Ordnungsmäßigkeit u. Übereinstimmung mit den gesetzl. Vorschriften.

Bilanzprüfer *m,* der → Wirtschaftsprüfer.

Bilanzrecht *s,* die handels- u. steuerrechtlichen Vorschriften bez. der Bilanz.

Bilanzstichtag *m,* Datum, zu dem eine Bilanz fällig (z. B. Geschäftsjahrschluß) u. aufgestellt wird.

Bilanzwahrheit *w,* die nach dem Bilanzrecht geforderte materielle Vollständigkeit u. Richtigkeit einer Bilanz.

bilateral (lat.), zweiseitig. – Ggs.: *multilateral,* mehr-, vielseitig.

bilaterale Symmetrie *w,* Symmetrieform, bei der ein Körper durch eine Ebene in zwei spiegelbildliche Hälften zerlegt werden kann; häufig im Tierreich, seltener bei Pflanzen (z. B. Veilchen).

Bilateralismus *m* (lat.), Gegenseitigkeit v. Handelsbeziehungen zweier Länder.

Bilbao, Hst. der nordspan. Prov. Vizcaya, am Nervión, 441 000 E.; Kathedrale (14./15. Jh.) mit got. Kreuzgang. Univ., TH;

1

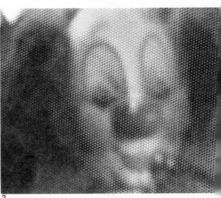
2

Fernsehen und Photographie (Bild).
Ein Objekt (1) und das Fernsehbild des Objekts, das ungefähr ⅓ des gesamten Fernsehbilds einnimmt. Das Fernsehbild ist aus roten, grünen und violetten Punkten (2) aufgebaut, die von drei getrennten Elektronenkanonen erzeugt werden.

Bankenzentrum; zweitgrößter span. Handelshafen; Werften; Eisen-, Stahl-, Metall-Ind.; in der Umgebung reiche Eisenerzvorkommen; Flughafen. – Um 1300 gegr.; 1936–39 Mittelpunkt des bask. Widerstands.

Bilch *m,* Nagetier, → Schläfer.

Bild *s,* 1) *Optik: Abbildung,* Wiedergabe eines durch Spiegel od. Linsen abgebildeten Gegenstands. Das Bild entsteht an der Stelle, an der die v. den einzelnen Punkten des Gegenstands ausgehenden Strahlen sich wirklich od. scheinbar wieder treffen. Treffen sich die Strahlen wirklich, so entsteht ein *reelles Bild;* wenn sich nur ihre

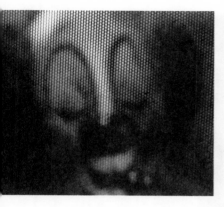

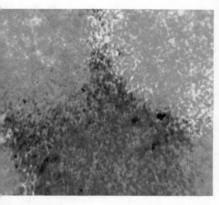

Schaltet man die violette und die rote Kanone aus, bleibt das grüne Teilbild (3) übrig. 4 ist eine Vergrößerung unter dem Mikroskop (90fach) von 2; sie demonstriert das Größenverhältnis zwischen dem ‚Korn' eines Farbfernsehbilds und einem 4×4-Dia dieses Bilds

rückwärtigen (d. h. vom Betrachter abgewandten) Verlängerungen treffen, so entsteht ein *virtuelles Bild.* – **2)** flächenhafte Darstellung v. Gegenständen, Personen in Gemälde, Zeichnung, Photographie od. Druck. – **3)** Stilmittel der Dichtung. – **4)** *Psychol.:* Abbild, die anschauliche u. entsprechende Wiedergabe eines Sachverhalts od. eines Gegenstands; bei L. → Klages im Sinn v. Bedeutungseinheit, die schauend erfaßt werden kann.

Bildablenkung *w,* Führung des Elektronenstrahls beim Fernsehen in der Abtaströhre der Aufnahmekamera u. in der Bildröhre des Empfängers.

Bildbeschreibung *w, Bildbetrachtung, Aufsatzlehre:* sachbezogene → Darstellungsform, die durch → Beschreibung vor allem einen adäquaten Gesamteindruck des Bilds vermitteln will. Farbe u. Form sind dabei als Einheit zu begreifen. Ausgangspunkt der B. ist der beherrschende Eindruck. Erst danach werden Einzelheiten beschrieben. Die B. endet mit einer Abrundung, die sich auf das Wesentliche bezieht.
Bildbetrachtung *w,* → Bildbeschreibung.
bildende Kunst, Sammelbez. für Malerei, Graphik, Plastik, im weiteren Sinn auch Architektur u. Kunstgewerbe, im Ggs. zu Dichtung u. Musik.
Bilderbibel *w,* die → Armenbibel.
Bilderbogen *m,* Bildgeschichten mit kurzem Text, Werke der Volksgraphik; gehen zurück auf Einblattdrucke, die als Belehrung, Bildung, Information, Unterhaltung od. polit. Werbung Ende des MA auf Messen u. Märkten angeboten wurden.
Bilderbuch *s,* ein Buch mit Bildern, dem kein od. nur kurzer Begleittext beigefügt ist; im Ggs. zum bebilderten Buch, in dem das Bild nur Zutat zum Text ist; bes. für Kinder, aus dem ABC-Buch, der Fibel, im 16. Jh. entstanden.
Bilderdienst *m,* → Bilderverehrung.
Bilderdijk (: -deⁱk), *Willem,* niederl. Schriftsteller, 1756–1831; Lyrik; Tragödien nach griech. u. frz. klassizist. Vorbild.
Bildergalerie *w,* → Galerie.
Bilderhandschriften (Mz.), mit Bildern geschmückte handschriftl. Bücher vor Erfindung des Buchdrucks.
Bilderrätsel *s, Rebus,* Rätsel in Bildern u. Zeichen; Lösung ergibt Sprichwort od. ä.
Bilderschrift *w, Piktographie,* Frühstufe der Schrift, Wiedergabe u. Übermittlung v. Gedanken, Nachrichten, Sachverhalten durch wirklichkeitsnahe od. zeichenhafte Bilder; bei vielen, sonst schriftlosen Naturvölkern; auch in frühen Kulturen des Orients (Sumer, Babylon, Ägypten), Amerikas (Azteken, Maya) u. Asiens (Indien, China). Die chinesische Schrift, die Keilschrift u. die ägypt. Hieroglyphen unterscheiden sich v. der echten B. insofern, als sie in ihren einzelnen Zeichen keine Gedanken od. Abläufe darstellen, sondern Wort-, Silben- u. Lautschrift sind.
Bilderstreit *m,* Streit um die → Bilderverehrung relig. Bilder in der byzantin. Kirche

Bild

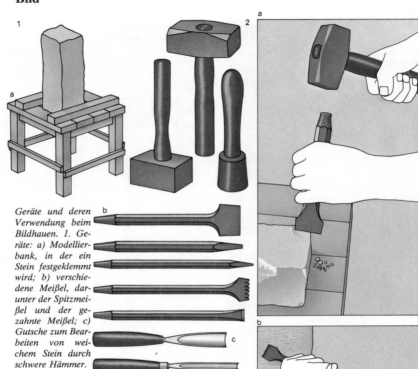

Geräte und deren Verwendung beim Bildhauen. 1. Geräte: a) Modellierbank, in der ein Stein festgeklemmt wird; b) verschiedene Meißel, darunter der Spitzmeißel und der gezahnte Meißel; c) Gutsche zum Bearbeiten von weichem Stein durch schwere Hämmer.

2. Während der ersten Phase, dem Spalten und Trennen, wird mit Meißel und Hammer eine grobe Form gehauen; b) mit einem gezahnten Meißel wird in der zweiten Phase der Stein fein abgekratzt. Für weiche Steinarten wird eine Gutsche verwendet. Die Oberfläche des Steins wird mit Polier- und Scheuermitteln geglättet

726–840 zw. *Ikonodulen* (‚Bilderknechten') u. *Ikonoklasten* (‚Bilderbrechern'); endete mit dem Sieg der Ikonodulen, da die Verehrung nicht dem Bild als solchem, sondern dem in ihm Dargestellten (Person, Geheimnis) gilt. Der B. löste mehrfach → Bilderstürme aus.

Bilderstürme (Mz.), *Ikonoklasmus,* absichtliche Zerstörung od. Beseitigung v. relig. Bildern in Kirchen: **1)** im → Bilderstreit. – **2)** in der Reformation; die reformierte Kirche lehnt Bilderverehrung ab.

Bilderverehrung w, *Bilderkult, Idolatrie, Ikonolatrie,* **1)** in Natur- u. Kulturreligionen übl. relig. Verehrung v. Bildern, Symbolen v. Gott(heiten), übermenschl. Wesen u. Heiligen; Kult gilt der Darstellung selbst . –

2) *christl. B.* wegen der Sinnbildhaftigkeit, wobei die Verehrung den Dargestellten, nicht dem Bilde gilt; in den orthodoxen Kirchen: → Ikonen.

Bilderwand w, die → Ikonostase.

Bildfrequenz w (lat.), Zahl der beim Film-

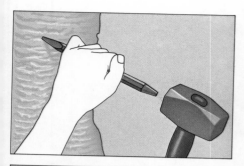

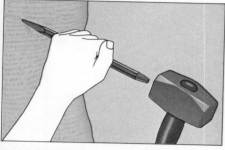

u. Fernsehen übertragenen vollständigen Bilder pro Sekunde (meist 25).

Bildfunk *m*, drahtlose Übertragung v. Bildern. Die zu übertragende Vorlage dreht sich auf einer Trommel, die gleichzeitig in Achsrichtung verschoben wird. Sie wird

dabei v. einer punktförmigen Lichtquelle abgetastet. Das v. der Vorlage reflektierte Licht fällt auf eine→ Photozelle u. wird dort in elektrische Spannungsschwankungen umgewandelt. Diese werden verstärkt u. durch Funk übertragen. Sie steuern im Empfänger eine Lichtquelle, die ein sehr schmales Lichtbündel erzeugt. Dieses Lichtbündel fällt auf eine Trommel, die sich mit der gleichen Geschwindigkeit wie die Trommel im Sender bewegt u. die mit lichtempfindlichem Papier bespannt ist.

Bildgeschichtenmethode *w, psycholog. Diagnostik, Thematischer Apperzeptions-Test,* Abk.: *TAT,* Verfahrensweise, die anhand v. vorgelegten Bildern zu Phantasiegeschichten anreizt u. anhand deren Analyse Persönlichkeitsmerkmale gewinnt. Grundlage ist die Annahme, daß der Mensch dazu neige, mehrdeutige Situationen nach der Richtschnur eigener Vorstellungen u. Bedürfnisse zu interpretieren. Vor allem beim Erfassung des Leistungsmotivs (→ Leistungsmotivation) angewandt.

Bildguß *m*, Gießen v. Bildern in Metall od. Gußstein (Bronze-, Zinn-, Bleiguß).

Bildhauer *m*, Gestalter v. Stein-, Bronze- u. Tonskulpturen; der Holz-B.: *Bildschnitzer.*

Bildhauerkunst *w*, → Plastik.

Bildnis *s, Porträt,* Darstellung einer bestimmten Person, auch des Künstlers selbst *(Selbst-B.),* od. einer Gruppe in Skulptur, Gemälde, Graphik od. Photographie; individuelles B. in der Antike nur in Rom, in der europ. Kunst allg. seit 15. Jh.

Bildpilot *m*, Testbild beim Fernsehen zur genauen Einstellung des Empfangsapparats.

Bildplatte *w*, Kunststoffplatte zur Aufnahme v. Bild- u. Tonsignalen.

Bildröhre *w*, Elektronenröhre im Fernsehempfänger, auf deren Leuchtschirm das Bild entsteht (→ Braunsche Röhre). Von der → Kathode der Röhre geht ein Elektronenstrahl aus, der durch elektromagnetische Linsen zeilenweise über den Schirm geführt wird. Da die Stärke des Elektronenstrahls durch eine Steuerelektrode verändert wird, entsteht so das Fernsehbild.

Bildsamkeit *w, Erziehbarkeit, Lernfähigkeit,* zentraler Begriff der pädagog. Anthropologie, der auf J. F. → Herbart zurückgeht u. einen Ergänzungsbegriff zur → Erziehungsbedürftigkeit darstellt. Er bezieht

Bild

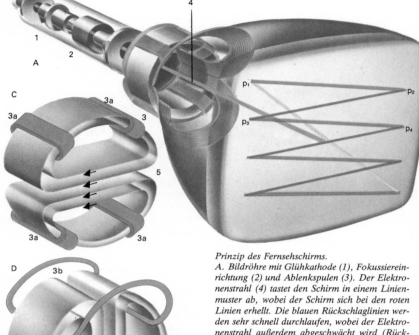

Prinzip des Fernsehschirms.
A. Bildröhre mit Glühkathode (1), Fokussiereinrichtung (2) und Ablenkspulen (3). Der Elektronenstrahl (4) tastet den Schirm in einem Linienmuster ab, wobei der Schirm sich bei den roten Linien erhellt. Die blauen Rückschlaglinien werden sehr schnell durchlaufen, wobei der Elektronenstrahl außerdem abgeschwächt wird (Rückschlagunterdrückung) und der Schirm sich dann nicht erhellt. Das Hin- und Zurücklaufen des Strahls wird dadurch ermöglicht, daß ein Sägezahnstrom durch die horizontale Ablenkspule geführt wird. Die verschiedenen roten Linien liegen dann durch eine Veränderung der vertikalen Ablenkung untereinander. Unten am Schirm angelangt, kehrt der Elektronenstrahl durch einen schnellen Rückschlag von der vertikalen Ablenkung (Rasterrückschlag) zur Oberseite des

sich auf die Plastizität im Sinn v. Anpassungsfähigkeit u. Entwicklung der Anlagen u. Dispositionen; geht davon aus, daß Verhaltensweisen, Einstellungen u. Orientierungen durch planmäßige Erziehung beeinflußbar sind (vgl. Bildungsfähigkeit).

Bildsäule w, → Bildstock.

Bildschirmtext m, Information, die v. der B.zentrale telephonisch abgerufen u. über Fernsprecher u. Adapter mit Hilfe eines speziellen → Decoders auf dem Fernsehbildschirm sichtbar gemacht werden kann.

Bildschirmzeitung w, Informationen, die, statt in einer Zeitung gedruckt zu werden, über den Fernsehbildschirm ausgestrahlt werden; → Bildschirmtext.

Bildschnitzer m, der Holzbildhauer.

Bildschnitzerei w, Teil der Bildhauerkunst

od. → Plastik; arbeitet mit Schnitzwerkzeugen in Holz.

Bildschreiber m, Gerät zur elektr. Übertragung v. Buchstaben u. andern Zeichen.

Bildstock m, *Betsäule*, Kruzifix od. Heiligenfigur(en) u. a. an Wegen, Kreuzungen, Brücken, Häusern in kath. Gegenden; auch → Marterl.

Bildtelegraphie w, elektr. Übertragung v. Bildern über Leitungen; Aufnahme- u. Wiedergabetechnik wie beim → Bildfunk.

Bildteppich m, Wandteppich mit bildlichen Darstellungen, meist in Wirktechnik. Älteste Funde aus dem 2. Jt. aus Ägypten. Der B. wurde bes. wichtig in der frühchristlichen, byzantin. u. mittelalterl. Kunst als Kirchenschmuck; seit der Gotik wurden B.e auch für den Gebrauch in der Wohnung

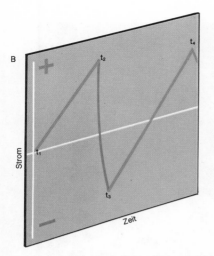

Schirms zurück. Auch dies geschieht mit Rückschlagunterdrückung, so daß auch die gelbe Linie auf dem Schirm nicht sichtbar ist.
B. Graphische Wiedergabe des Sägezahnstroms durch die horizontale Ablenkspule. Horizontal ist hier die Zeit, vertikal der Strom. Die Zeitpunkte t_1–t_4 entsprechen den Punkten p_1–p_4 auf dem Schirm. Die vertikale Ablenkung verläuft in einem langsameren Tempo mit einem gleichartigen Sägezahnstrom.
C. Magnetfeld (5), erzeugt durch einen Strom in den vertikalen Ablenkspulen (3_a). Die Elektronen werden in eine Richtung abgelenkt, die senkrecht zum Magnetfeld verläuft, in diesem Fall nach unten.
D. Magnetfeld (6), erzeugt durch die horizontalen Ablenkspulen (3_b), mit nach unten gerichtetem Feld und Ablenkung nach rechts

angefertigt. Im 15. Jh. entstanden Hauptwerke u. a. am Oberrhein, im 16. u. 17. Jh. war die flämische, im 18. Jh. die frz. B.kunst führend. → Gobelin.

Bildung *w,* traditionsreicher Grundbegriff der *Pädagogik,* der nicht einheitlich bestimmt wird u. der zum *Erziehungsbegriff* nur schwer abgegrenzt werden kann. Allg. werden zwei Aspekte unterschieden: B. als *B.sprozeß,* in dem der Mensch seine geistig-seel. Verfassung erhält, u. B. als *Grad* der Persönlichkeitsentfaltung od. Selbstverwirklichung auf der Grundlage eines allg. u. fachl. Wissensbestandes. Ob ein Mensch als ‚*Gebildeter*' angesehen werden kann oder nicht, hängt vom jeweiligen Idealbild der Kulturepoche ab, da B. als Aneignungsprozeß u. -ergebnis v. Kulturinhalten mit Kul-

tur gleichzusetzen ist. In diesem Zusammenhang müssen vor allem drei traditionelle Sichtweisen des B.sbegriffs unterschieden werden: B. als harmonische Ausbildung aller Kräfte des Menschen im Sinn des neuhumanist. *Bildungsideals,* das – anknüpfend an die Antike (Platon, Sophisten, Cicero, Artes Liberales v. M. T. Varro usw.) – nam. v. W. v. Humboldt als B.sbegriff in die pädagog. Fachsprache um 1800 eingeführt wurde. Im Sinn des neuhumanist., idealist. Bildungsideals ist ein Mensch gebildet, wenn er, seine Triebe beherrschend, sich frei entscheiden kann, über die „Grundverhältnisse der Welt" verfügt u. nam. die Sprache beherrscht, da mit ihrer Hilfe die Welt erschlossen wird. Erreicht wird B. im Sinne humanist. *Allgemeinbildung* bes. durch den Umgang mit der griechisch-römischen Kultur u. ihren Sprachen (→ Humanist. Gymnasium). – Dem steht der mystisch-relig. B.sbegriff des MA als ‚Einbilden' der Bilder Gottes in die Seele des Menschen gegenüber. B. als Angleichung des Menschen an Gott geht auf Paulus zurück, der Moses Aussage „Und Gott schuf den Menschen ihm zum Bilde" entsprechend umdeutete. Der Pietismus versuchte den humanist. u. den mystischen B.sbegriff zu vereinen u. bestimmte B. als seel. Bereicherung des Menschen durch Erfassen der Gottesvorstellung. Ebenso werden beide Traditionen im idealist. Humanitätsbegriff bei G. Herder vereint, der damit die geistige Grundlage für das *Bildungszeitalter* legte. Daß es im 18./19. Jh. zu dieser großen Ausbreitung des B.sbegriffs im dt. Bürgertum *(Bildungsbürgertum)* kam, hatte vor allem soziologische Gründe. Das Bürgertum sah in der B. eine Möglichkeit, die soziale Gleichstellung mit dem geburtsständisch bevorzugten Adel zu erreichen u. einen Anspruch auf Führungspositionen zu erheben. Die große gesellschaftl. Rolle, die B. spielt u. die sich heute in Begriffen wie Bildungsbarrieren, Bildungsreserve od. Chancengleichheit zeigt, fand hier bereits einen starken Niederschlag. – Beide Ansätze verstehen unter B. eine allg. Geistes- u. Seelen-B. *(Allgemeinbildung),* die aus der Beschäftigung mit bildenden Inhalten erwächst, im Unterschied zur beruflichen B., die in Form v. handwerkl. Spezialkenntnissen vorwie-

Bild

‚Der Schulmeister'. Gemälde von Adriaen van Ostade (1610–85). Dargestellt wird eine Zwergschule im 17. Jahrhundert

gend unteren Bevölkerungsgruppen vorbehalten blieb. Eine Aufwertung erfuhr die berufliche B. erst Anfang des 20. Jh. im Zuge der Bewegung der → Arbeitsschule (Kerschensteiner), die den bildenden Wert der Arbeitstätigkeit in bezug auf Selbständigkeit u. Selbstverwirklichung erkannte u. B. als Verbindung v. Allgemein-B. u. Berufs-B. sah. Entsprechend gelten heute in der Pädagogik alle *Bildungstheorien,* die unter B. nur die vollendete Persönlichkeit sehen u. sie in keinen Bezug zu den Mitmenschen u. Gegenständen (Inhalten) setzen, als überholt. Deshalb werden heute Menschen als gebildet bezeichnet, wenn sie auf der Grundlage eines umfangreichen Wissens bei Grundsatzfragen einen eigenen Standpunkt vertreten können. Eine Unterscheidung in Allgemein-B. u. berufliche B. ist in unserer hochtechnisierten u. verwissenschaftlichten Welt nur noch organisatorisch sinnvoll. Inhaltlich ist sie sinnlos geworden, denn Allgemein-B. beruht heute auf speziellen Kenntnissen, u. berufsbezogene *Ausbildung* muß eine allg. Sinngebung umfassen. – **2)** *polytechnische B.,* wichtiges Bildungsprinzip in sozialist. Staaten, das die allseitige Entwicklung des Menschen im Sinn der Marxschen Analyse zum Ziel hat. Vor allem der → Entfremdung der Arbeit,

nam. einem Kennzeichen kapitalist. Arbeitsteilung, soll durch die Verbindung v. Unterricht u. produktiver Arbeit sowie durch die Vermittlung technologisch-theoretischer Grundlagen wichtiger Produktionsprozesse vorgebeugt werden.
Bildungsaufwand *m,* → Bildungsinvestition.
Bildungsbarrieren (Mz.), soziale u. materielle Bedingungen, die Kindern unterer Schichten den Zugang zu einer höheren Ausbildung erschweren, z. B. → Sprachbarrieren, passive Einstellungsmuster, fehlende Aufstiegsmotivation einerseits u. finanzielle u. konkrete Schwierigkeiten anderseits.
Bildungsbürgertum *s,* → Bildung.
Bildungschancen (: -schäßᵉn, Mz.), das Verhältnis zw. individuellen Fähigkeiten u. erreichbaren Ausbildungsmöglichkeiten, bedingt durch das soziokulturelle Milieu u. Bildungsmöglichkeiten; vgl. Begabungsreserve, Bildungsdichte.
Bildungsdichte *w, Bildungsstatistik:* bezieht sich auf das Verhältnis v. Bildungsangebot u. ihrer Nutzung bei bestimmten Bevölkerungsgruppen (Arbeiterkinder, Mädchen, Landbevölkerung usw.) od. Bevölkerungsjahrgängen.
Bildungsexplosion *w,* die explosionsartige

Zunahme qualifizierter Schulabgänger (Abiturienten, Fachschulabsolventen, Realschulabgänger usw.) in den 70er Jahren aufgrund bildungspolitischer Maßnahmen in den 60er Jahren (→ Bildungskatastrophe), die zu restriktiven Maßnahmen an den Universitäten (Numerus clausus) u. auf dem Arbeitsmarkt führte.

Bildungsfähigkeit w, *Sonderpäd.:* Ausmaß u. Stufen der Minderbegabung bei behinderten Kindern (→ Behinderte), meist bestimmt durch die Angabe des Intelligenzbereichs (→ IQ). Man unterscheidet: *Lernbehinderte* (IQ über 60, sonderschulbedürftig), *geistig Behinderte* (IQ unter 60, nur praktisch bildbar) u. *Schwerstbehinderte* (pflegebedürftig, weitgehend bildungsunfähig, befreit v. der Schulpflicht).

Bildungsforschung w, interdisziplinärer Forschungszweig (Päd., Psychol., Soziol., Ökonomie u. a.), der sich als Grundlage für → Bildungsplanung u. → Bildungspolitik anhand v. qualitativen u. quantitativen Analysen mit inhaltl., personellen, strukturellen u. sachl. Faktoren des Bildungsausbaus beschäftigt.

Bildungsgewebe s, *Meristem, Blastem,* → Gewebe aus undifferenzierten, embryonalen Zellen.

Bildungsideal s, → Bildung.

Bildungsinvestition w, *Bildungsaufwand,* Begriff der → Bildungsökonomie u. → Bildungsplanung, der sich auf den Umfang u. die Struktur der Finanzmittel bezieht, die für das Erreichen bestimmter Qualifikationen des Bildungssystems notwendig sind.

Bildungskatastrophe w, *Bildungsnotstand, Bildungsmisere,* Schlagwörter der 60er Jahre, die auf die Krise im Bildungssystem der BRD hinwiesen. Aufgrund zu geringer Effi-

zienz des Bildungswesens, vor allem bedingt durch eine fehlende Koordination der einzelnen Bundesländer sowie der verschiedenen Schultypen u. Schulstufen, schien sich die Gefahr abzuzeichnen, daß zu wenig qualifizierte Kräfte ausgebildet werden u. das Bildungssystem v. der technischen u. wissenschaftl. Entwicklung überholt werde. Dies führte zu einer Reform des Bildungswesens, die nam. auf eine Erhöhung der Abiturientenzahlen gerichtet war (→ zweiter Bildungsweg), sowie zu einem Ausbau v. Bildungsforschung u. Bildungsplanung. Eine Auswirkung dieser bildungspolit. Maßnahmen war eine *Bildungsexplosion* in den 70er Jahren, die zu restriktiven Bedingungen auf den Universitäten (→ Numerus clausus) u. auf dem Arbeitsmarkt führte.

Bildungsmisere w, → Bildungskatastrophe.

Bildungsnotstand m, → Bildungskatastrophe.

Bildungsökonomie w, Teildisziplin der → Bildungsforschung, die sich mit dem ökonomischen u. finanziellen Aspekt der Bildungsplanung u. des Bildungssystems selbst beschäftigt. Ansätze der B.: *a) betriebswirtschaftl.* Analyse der Bildungsausgaben (Verwendung der Finanzmittel, meist im internationalen Vergleich); *b) gesamtwirtschaftl. Analyse:* Rentabilitätsvergleich zw. dem erreichten Bildungsniveau der Bevölkerung u. den Bildungsinvestitionen sowie in bezug auf die Anforderungen der Arbeitsplatzstruktur; *c) individueller Rentabilitätsvergleich* zw. den für die Ausbildung aufgewendeten Kosten u. dem späteren Lebenszeiteinkommen.

Bildungsphilister (Mz.), nach Nietzsche jene Menschen, die zwar glauben, Musensöh-

Der Bildungsnotstand ist in den Ländern der dritten Welt besonders groß

Bild

ne u. Kulturmenschen zu sein, denen es aber an Selbsterkenntnis u. damit an echter Bildung fehlt.

Bildungsplan *m, Strukturplan für das Bildungswesen,* hrsg. vom → Deutschen Bildungsrat, der in systemat. Weise die gegenwärtigen u. zukünftigen Bildungsaufgaben aufzeigt. Hierzu gehören die Vorausschätzung der zükünftigen Qualifikations- u. Arbeitsplatzstruktur u. damit im Zusammenhang die Analyse der quantitativen u. qualitativen Entwicklung des Schul- u. Ausbildungssystems (→ Curriculum, Struktur des Schulsystems, Lehrerausbildung usw.).

Bildungspolitik *w,* die Lenkung des Bildungswesens durch Gesetzgebung u. Verwaltung unter Berücksichtigung kultureller, gesellschaftl., wirtschaftl. u. finanzieller Aspekte u. Ziele, aufbauend auf den Ergebnissen der → Bildungsforschung.

Bildungsprivileg *s,* die Tatsache, daß der Zugang zu einer höheren Schulbildung, die ein allgemeines theoretisches u. daher übertragbares Wissen vermittelt, trotz staatl. Maßnahmen immer noch überwiegend den höheren Schichten der Bevölkerung vorbehalten bleibt. Gründe dafür sind vor allem die Bildungsinhalte u. die Kommunika-

tionsformen, die den Kindern unterer Schichten den Schulerfolg erschweren (→ Sprachbarrieren).

Bildungsprozeß *m,* → Bildung.
Bildungsrat *m,* → Deutscher Bildungsrat.
Bildungsreserve *w,* → Begabungsreserve.
Bildungsroman *m,* dt. Romangattung der Klassik u. Romantik, in der die innere, seelische u. geistige Entwicklung eines Menschen aus einer bestimmten Bildungsidee dargestellt wird. Beispiele: Goethes *Wilhelm Meister,* Kellers *Der grüne Heinrich* u. a.

Bildungssoziologie *w,* untersucht als soziolog. Spezialdisziplin die Bedingungen des gesellschaftl. Qualifizierungsprozesses, vor allem in Hinblick auf den Faktor → Sozialschicht; oft auch als → Pädagog. Soziologie bezeichnet. Hauptfragestellung ist daher die soziale, inhaltl., institutionelle Organisation des Bildungssystems in bezug auf schichtspezifische Mechanismen (→ Bildungsbarrieren, → Bildungschancen, → Bildungsdichte, → Sprachbarrieren usw.).

Bildungssystem *s,* der Aufbau u. die Gliederung aller Bildungseinrichtungen eines Staates. Man unterscheidet zw. der *vertikalen* Gliederung, die den Aufbau u. Verlauf

Französischer Wandteppich aus einer Bildwirkerei im 15. Jahrhundert

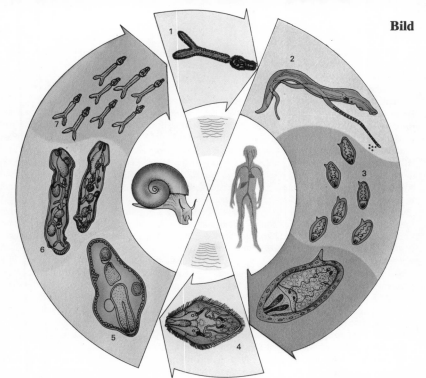

Bilharziose ist eine Infektion, die durch Saugwürmer verursacht wird. Im verseuchten Wasser befinden sich Larven der zweiten Generation (Zerkarien, 1). Kommt man mit ihnen in Berührung, dringen sie über die Haut in den Körper ein, wo sie vom Blut zur Pfortader transportiert werden. Hier entwickeln sie sich zu erwachsenen männlichen oder weiblichen Würmern (2), die in den kleinen Adern des Darms oder der Blase Eier legen (3) und Abszesse oder innere Blutungen verursachen. Die Eier verlassen den Körper mit Urin oder Kot und entwickeln sich im Wasser zu Larven der ersten Generation (Miracidium-Larven, 4). Diese dringen in Süßwasserschnecken ein, in denen sie sich zu Sporozysten entwickeln (5). Daraus entstehen (6) Tausende Zerkarien (7), die ins Wasser gelangen (1) und auf diesem Weg wieder neue Infektionen verursachen.

verschiedener nebeneinanderbestehender Schularten (Hauptschule, Realschule, Gymnasium) beschreibt, u. der *horizontalen* Gliederung, die aufzeigt, wie die Schularten aufeinander aufbauen. Im Unterschied zum vertikalen System, das nur eine begrenzte Durchlässigkeit zw. den verschiedenen Schularten ermöglicht, verweist das horizontale nur auf Bildungsbereiche, (Elementar-, Primär-, Sekundarbereich), die ein späteres Umspringen der Schüler leichter macht.

Bildungstechnologie *w*, → Unterrichtstechnologie.

Bildungstheorien (Mz.), → Bildung.

Bildungsunfähigkeit *w*, vgl. Bildungsfähigkeit.

Bildungszeitalter *s*, → Bildung.

Bildwandler *m*, Gerät zur Umwandlung v. Licht- u. andern Bildern (insbes. Infrarotbildern) in Elektronenbilder. Anwendung: Helligkeitssteigerung v. Röntgenbildern, Nachtsehgeräte.

Bildweberei *w*, → Bildwirkerei.

Bildwerfer *m*, → Projektionsapparat.

Bildwirkerei *w*, kunstgewerbliche Herstellung v. Geweben mit ornamentalen od. figürl. Darstellungen; maschinell als *Bildweberei;* meist als Wandbehang; → Bildteppich, → Gobelin, → Kelim.

Bildzerleger, Geräte zur Umwandlung v. Bildern in eine Folge v. elektr. Stromstößen zur Fernsehübertragung. In modernen B.n geschieht dies mit Hilfe einer Braunschen Röhre, in der ein Elektronenstrahl zeilenweise über den Leuchtschirm geführt wird.

Bile

Der dabei entstehende Lichtfleck dient als Lichtquelle, deren vom Gegenstand reflektiertes Licht in einer Photozelle in elektrische Stromstöße umgewandelt wird.

Bileam, *Balaam,* Prophet im AT.

Bilge *w* (engl.), tiefstgelegener Schiffsraum, wo sich das Leckwasser *(Bilgewasser)* sowie Reste v. Öl, Schmierfett u. Treibstoff sammeln.

Bilharz, *Theodor,* dt. Arzt, 1825–62; entdeckte die nach ihm ben. → Bilharziose.

Bilharziose *w, Schistosomasis,* Wurmerkrankung, durch Pärchenegel Schistosomum, die in den Venen der *Blase* (verursacht ägypt. Blutharnen), des *Darms* (Vorkommen in Afrika, Mittel- u. Südamerika) u. der *Leber* (Japan) leben (verschiedene Unterarten); die Wurmlarven reifen in Wasserschnecken (Zwischenwirte) und dringen durch die Haut in den Körper ein; können Krebs hervorrufen *(Bilharziakrebs* der Blase u. des Darms).

biliär (lat.), durch Galle *(bilis)* bedingt.

bilinear (lat.), doppellinig; ein algebraischer Ausdruck mit 2 Variablen ist b., wenn jede der Variablen nur in der 1. Potenz auftritt.

Bilingualismus *m* (lat.), Zweisprachigkeit.

Bilirubin *s,* orangeroter Gallenfarbstoff; wird beim Abbau des Blutfarbstoffs Hämoglobin in der Leber gebildet u. über Galle u. Darmtrakt mit dem Stuhl ausgeschieden.

Bilitong, indones. Insel, → Belitung.

Bill *w* (engl.), im angelsächs. Recht vor allem der dem Parlament vorgelegte Gesetzesentwurf (Gesetzesvorlage), der durch königl. Zustimmung zur *Act* (Gesetz) wird.

Bill, *Max,* Schweizer Maler, Bildhauer, Architekt, Graphiker u. Kunstschriftsteller, *1908; führender Vertreter moderner, am Bauhaus orientierter Baukunst, in Plastik u. Malerei der ‚konkreten Kunst'. – WW: *Ulmer Hochschule für Gestaltung* (die er 1951–56 leitete); konstruktivistische Plastiken. – *Von der abstrakten zur konkreten Kunst* (1946); *Form* (1952) u. a.

Billard *s* (:bijar, frz.), Kugelspiel (mit 3 Elfenbeinkugeln u. *Billardstock (Queue),* auch der mit grünem Tuch bezogene B.spieltisch.

Billbergia *w,* südam. Gattung der Ananasgewächse; meist epiphytisch lebend; wegen der blau u. rosa gefärbten Blütenstände als Zierpflanze gehalten.

Billerbeck, nordrh.-westfäl. Stadt im Kr. Coesfeld, 9500 E.; Kleinindustrie.

Billet *s* (:bije, frz.; biljet), **1)** Eintritts- od. Fahrkarte. – **2)** Briefchen, Kurznachricht; *B. doux,* Liebesbrief.

Billetdoux (:bijedu), *François,* frz. Schriftsteller, *1927; absurde Dramen, Romane. – WW: *Tschin Tschin* (1959; Komödie); *Durch die Wolken* (1964; Drama) u. a.

Billiarde *w* (frz.), tausend Billionen: $1\,000\,000\,000\,000\,000 = 10^{15}$.

billiges Geld, zinsgünstige Kreditgewährung zur Belebung der Konjunktur.

Billigkeit *w,* in richterlicher Entscheidung die Rücksicht auf die Besonderheit des Einzelfalls im Rahmen der rechtl. Möglichkeiten.

Billing, *Hermann,* dt. Architekt des Jugendstils, 1867–1946. – HW: *Kunsthalle* in Mannheim (1907); *Univ.* in Freiburg i. Br. (1906–11); *Rathaus* in Kiel (1911).

Billinger, *Richard,* österr. Schriftsteller, 1890–1965; barockisierende Lyrik, Erzählungen u. Dramen: *Rauhnacht* (1931); *Das nackte Leben* (1953).

Billion *w* (frz.), 1 Million Millionen: $1\,000\,000\,000\,000 = 10^{12}$.

Billiton, indones. Insel, → Belitung.

Bill of rights (:-raitß, engl.), das engl. Staatsgrundgesetz v. 1689.

Billardspieler mit Queue

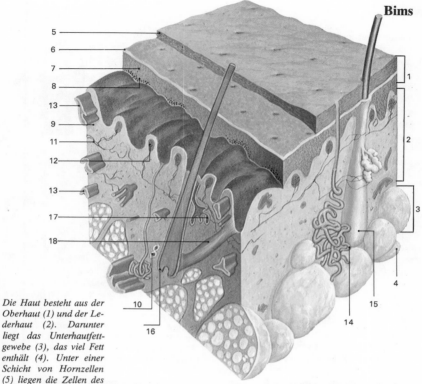

Bims

Die Haut besteht aus der Oberhaut (1) und der Lederhaut (2). Darunter liegt das Unterhautfettgewebe (3), das viel Fett enthält (4). Unter einer Schicht von Hornzellen (5) liegen die Zellen des Stratum granulosum (6) und des Stratum spinosum (7). In den untersten Zellschichten haben manche Zellen Melaninkörner (8). Die dickere Lederhaut enthält Bindegewebe (9) mit Lymphgefäßen (10), Nervenfasern (11), Enden der Gefühlsnerven (12), Hautpapillen (13), Schweißdrüsen (14) und Haardrüsen (15). Diese Haardrüsen sind als Einstülpungen der Oberhaut (16) anzusehen. An der Außenseite befinden sich eine Talgdrüse (17) und ein Musculus erector pili, ein kleiner Muskel, der das Haar in eine aufrechtstehende Position bringen kann (18)

Billroth, *Theodor,* dt.-österr. Chirurg, 1829–94; erste Kehlkopfexstirpation 1874, erste Magenresektion 1881 (*B.sche Operation*).

Billrothbatist *m,* wasserdichter Verbandsstoff.

Billunger, altes dt. Fürstengeschlecht: *Hermann Billung* († 973) wurde 950 Hzg. v. Sachsen; die B. starben 1106 aus.

Bilsenkraut *s, Hyoscyamus,* krautiges Nachtschattengewächs mit gelblichen, violett geäderten Blüten; Vorkommen: Eurasien; enthält giftige Alkaloide; Heilpflanze.

Biluxlampe *w,* Glühlampe mit zwei Glühfäden in den Scheinwerfern v. Kraftfahrzeugen für Fern- u. Abblendlicht.

Bimester *s* (lat.), Zeitraum v. zwei Monaten.

Bimetall *s,* aus zwei Metallen, die sich bei Erwärmung verschieden stark ausdehnen, zusammengesetzter Streifen, der sich bei Wärmezufuhr nach der Seite mit der geringeren Ausdehnungszahl krümmt. Anwendung: Thermometer, Schalter.

Bimetallismus *m* (lat.), *Doppelwährung,* auf zwei Metallen ruhendes Währungssystem (in der Regel Gold u. Silber), die beide als gesetzl. Zahlungsmittel gültig sind.

Bimini Islands (:-ailänds), zu den Bahamainseln gehörende Gruppe kleiner Inseln, östl. v. Miami, 22 km²; Hauptort: Alice Town.

bimolekulare Reaktion *w,* chem. Reaktion, bei der zwei Moleküle als Reaktionspartner zusammenstoßen.

Bims *m,* **1)** der Bimsstein. – **2)** umgangssprachlich: Geld, Brot.

Bimsbeton *m* (:-tõ), poröser Leichtbeton

Bims

aus Zement u. Bimskies (= grobkörniger Bimsstein); für Hohlziegel verwendet.

Bimsstein *m,* schaumig-poröses Vulkangestein; meist weißlich bis gelbbraun; schwimmt wegen der zahlreichen Poren auf Wasser; dient als Schleif-, Putz- u. Scheuermittel u. wärmeisolierendes Baumaterial.

binär (lat.), aus zwei Einheiten zusammengesetzt.

binäre Nomenklatur *w* (lat.), erstmals v. Linné konsequent durchgeführtes System der biologischen Nomenklatur mit zweiteiligen Namen: Pflanzen wie Tiere erhalten einen *Gattungsnamen,* der sie ihrer Verwandtschaftsgruppe zuordnet; der zweite Name *(Artname)* gibt häufig eine spezifische Eigenschaft der Art an; z. B. *Apis mellifica,* die Honigbiene. Auf den Artnamen kann der Name des Erstbeschreibers folgen, er wird oft mit wenigen Buchstaben abgekürzt.

Binchois (: bǎsch°a), *Gilles,* niederl. Komponist am Hof v. Burgund, um 1400-1460; geistl. u. weltl. Musik, bes. dreistimmige Chansons im neuen burgund. Stil.

Bindegewebe *s,* vom mittleren Keimblatt (Mesenchym) gebildetes Gewebe mit weitmaschigen Zellverbänden, die v. gallertiger Grundsubstanz mit eingelagerten Fasern umgeben sind (wird v. den Bindegewebszellen gebildet). Das B. dient als Füllgewebe zw. u. in den einzelnen Organen. Aus dem B. entwickeln sich Knorpel u. Knochen.

Bindehaut *w, Conjunctiva,* Schleimhaut der Lidinnenseite u. der Vorderfläche des Augapfels bis zur Hornhaut.

Bindehautentzündung *w, Conjunctivitis,* durch chem. od. physikal. Reize bzw. Keime verursachte Erkrankung der Bindehaut mit Rötung, Lichtscheu, Brennen u. Tränenfluß.

Bindemittel (Mz.), *Binder,* chem. Stoffe, die durch Erhärten *(Abbinden)* eine dauerhafte Verbindung fester Teile untereinander od. mit anderen Materialien bewirken. Das Abbinden geschieht durch Trocknen, Erstarren od. chem. Reaktion (z. B. bei Kunstharzen). Lehm, Gips, Kalkmörtel erhärten nur an Luft, Zement u. hydraulischer Kalk *(hydraulische B.)* auch unter Wasser. *Bituminöse B.* (Asphalt, Teer) werden im Straßenbau verwendet. B. sind in → Klebstoffen u. → Leimen enthalten.

Bindenschwein *s,* südasiat. Unterart des

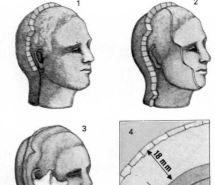

Anwendung von Bindemitteln. Der Gipsguß eines Tonmodells kommt auf gleiche Art und Weise zustande wie ein Bronzeguß. In beiden Fällen wird eine mehrteilige Form aus Gips oder Lehm, die Negativform, um das ursprüngliche Modell aufgebracht. Zuerst wird eine Teillinie aus dünnen Kupferstückchen über das Tonmodell gelegt (1), danach eine dünne Schicht gefärbter Gips (6 mm) auf das Modell geschmiert (2), dann eine

euras. Wildschweins, mit heller, v. der Wange zur Schnauze verlaufender Gesichtsbinde; eine der Stammarten des Hausschweins.

Binder *m,* **1)** im Mauerwerk senkrecht gesetzter Stein. – **2)** Dachtragbalken. – **3)** → Bindemittel. – **4)** → Binderfarbe. – **5)** Krawatte. – **6)** der → Böttcher.

Binder, 1) *Heinz Georg,* dt. ev. Theologe, *1929; seit 1977 Bevollmächtigter der EKD am Sitz der Bundesregierung. – **2)** *Julius,* dt. Rechtsphilosoph, 1870–1939; seit 1919 Prof. in Göttingen; war der Rechtsphilosophie des dt. Idealismus, bes. der Hegels verhaftet. – WW: *Philos. des Rechts* (1925); *Einf. in Hegels Rechtsphilos.* (1931).

Binderfarbe *w, Binder,* Anstrichfarben, enthalten Kunstharz als → Bindemittel.

Bindewort *s,* → Konjunktion.

Bindigkeit *w, Valenz,* Anzahl der → Atombindungen, die ein Atom innerhalb eines Moleküls ausbilden kann. Die B. wird bestimmt durch die Anzahl der Elektronen in der äußersten Elektronenhülle (→ Bohrsches Atommodell). Beispiel: Sauerstoff ist im Wassermolekül zweibindig.

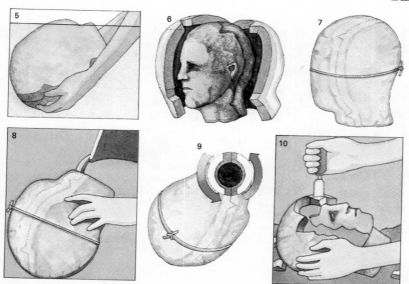

dickere Schicht aus weißem Gips (18 mm; 3 und 4). Die gefärbte Schicht markiert die Trennung zwischen Negativform und Modell. Das Ganze wird in Wasser getaucht (5), so daß die Gipsform entlang der Teillinie aufspringt und das Originalmodell aus der Form geholt werden kann (6). Dann wird die Form mit Eisendraht zugebunden (7), vollgegossen mit Gips (8) und herumgedreht, damit alle Ecken gefüllt werden (9). Wenn der Gips getrocknet ist, wird die Form entfernt (10)

Binding, *Rudolf G(eorg),* dt. neuklassizist. Schriftsteller, 1867–1938; Novellen, Legenden, Lyrik. – WW: u. a. *Keuschheitslegende* (1919; Erzählungen); *Unsterblichkeit* (1921; Novelle); *Reitvorschrift für eine Geliebte* (1924).

Bindung *w,* **1)** → Bindungsenergie. – **2)** Art der Fadenvereinigung (Kette u. Schuß) zum Gewebe: Leinwand-, Köper-, Atlas-, Rips-B. – **3)** Verbindung v. → Ski mit Schuh. – **4)** Chemie: → chemische Bindung.

Bindungsenergie *w, Bindung,* **1)** *Physik:* Zusammenhalt v. Teilchen durch Bindungskräfte, insbes. der Nukleonen im

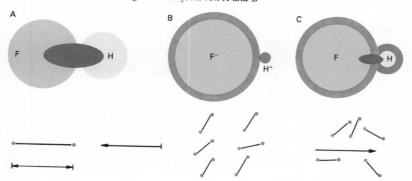

Verschiedene Modelle für die Verbindung von HF (Wasserstoff–Fluorid):
A. Kovalente Bindung; H und F teilen sich ein Elektronenpaar;
B. Ionogene Bindung; Elektronenpaar aus F⁻ und positivem H⁺-Ion;
C. Polare kovalente Verbindung: Zwischenform von A und B

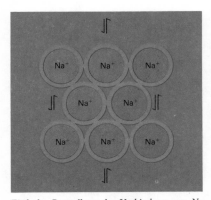

Einfache Darstellung der Verbindung von Natriummetall. Die Natriumatome haben ein Elektron abgegeben und bilden positiv geladene Atomgruppen in einem Kristallmuster. Die abgegebenen Elektronen (symbolisiert durch die Pfeile) bewegen sich mehr oder weniger frei zwischen den Körpern und funktionieren als ein negativ geladener ,Leim', der die Atomgruppen zusammenhält

Atomkern, der Elektronen im Atom u. der Atome im Molekül. – **2)** *Chemie:* Energie, die bei der Bildung einer chem. Bindung frei wird u., umgekehrt, für die Spaltung einer Bindung aufgebracht werden muß.

Binet (: binä), **1)** *Alfred,* frz. Psychologe, 1857–1911; Begr. der Intelligenzprüfungen bei Kindern u. Jugendlichen, die er durch Testreihen in Zusammenarbeit mit dem Arzt T. Simon ermittelte *(Binet-Simon-Test).* Die Bedeutung B.s liegt darin, daß er als erster jedem Lebensalter einen Intelligenztest zuordnete, dessen Lösung als altersnormal, -unternormal od. -übernormal bewertet wurde, um das sog. *Intelligenzalter* (IA) zu erhalten. Dieses bezeichnet den individuellen Intelligenzstand im Verhältnis zum altersmäßigen Intelligenzdurchschnitt. Der individuelle Intelligenzvorsprung od. -rückstand ergibt sich dann, wenn man das IA zum Lebensalter in Beziehung setzt. Diese ab 1908 v. Binet u. Simon entwickelten Staffeltests, die Funktionen wie Sehen, Hören, Sprache, Gedächtnis, logisches Denken, Kritikfähigkeit usw. überprüfen, werden heute noch verwendet, wenn auch stark verbessert (→ Binetarium). – **2)** *Jean,* Schweizer Komponist, 1893–1960; Lieder, Chor-, Kammer-, Instrumental-, Orchestermusik.

Binetarium *s, Intelligenzforschung:* Bez. für Intelligenztestserien v. A.→ Binet u. T. Simon, zusammengestellt in der für die jeweiligen Länder gebrauchsfertigen Form. Die dt. Form des B. geht auf I. Norden zurück.

Binet-Simon-Test *m* (: binäßimō-), → Binet, A.

Bingel, *Horst,* dt. Schriftsteller, *1933; skurril-phantast. u. iron. Gedichte u. Erzählungen. – WW: u. a. *Kleiner Napoleon* (1956; Gedichte); *Herr Sylvester wohnt unter dem Dach* (1967; Erzählung).

Bingelkraut *s,* in Mittel- u. Südeuropa beheimatetes Wolfsmilchgewächs; mit zweihäusigen → Blüten.

Bingen, rheinl.-pfälz. Große kreisangehörige Stadt, an der Mündung der Nahe in den Rhein, 23 800 E.; Weinbau u. -handel; Hafen; unterhalb die Rheinstromschnelle des *Binger Lochs;* auf einer Rheininsel bei B. der *Mäuseturm.*

Bingen-Land, rheinl.-pfälz. Verbandsgem. im Ldkr. Mainz-Bingen, 13 900 E.

Binger Loch *s,* → Bingen.

Bingerwald *m,* Teil des Hunsrücks.

Bin Gorion, *Micha Josef,* urspr. *Berdyczewski,* hebr. Schriftsteller u. Forscher, 1865–1921; sammelte jüd. Märchen u. Mythen.

Binnengewässer (Mz.), Flüsse u. Seen im Ggs. zum Meer.

Binnenhafen *m,* Hafen an Fluß od. See.

Binnenhandel *m,* Güteraustausch innerhalb eines Staatsgebiets im Unterschied zum → Außenhandel. Gegenstand des B. sind sowohl im Inland erzeugte wie auch

Binnenschiff auf der Waal

Sumpflandschaft mit Binsen

importierte Güter, soweit sie im Inland gehandelt werden. B. bezeichnet man auch den Güterverkehr zw. wirtschaftlich integrierten Ländern (z. B. innerhalb der EG) im Unterschied zum Handel dieser Staaten mit Drittländern.

Binnenhof *m,* ein allseits v. Gebäuden bzw. Gebäudeteilen umschlossener Hof.

Binnenklima *s,* das Kontinentalklima.

Binnenland *s,* Festlandsteil ohne Meeresküsten.

Binnenmeere (Mz.), größere, mit dem Ozean nur durch schmale Engen verbundene Meeresteile (Mittelmeer, Ostsee, Schwarzes Meer); auch *Binnensee.*

Binnenreim *m,* ein Reim innerhalb einer Verszeile.

Binnenschiffahrt *w,* die Schiffahrt auf Binnengewässern.

Binnensee *w,* → Binnenmeere.

Binnenstaat *m,* allseits v. andern Staaten umgebener Staat, ohne Zugang zum Meer; z. B. die Schweiz.

Binnentief *s, Binnenfleet,* Wassersammelgraben hinter einem Deich.

Binnenverkehr *m,* Flug-, Schiffs-, Bahn- u. Kraftverkehr innerhalb der Landesgrenzen.

Binnenwanderung *w,* Wanderungsbewegungen mit Wohnsitzveränderung innerhalb der Grenzen eines Staats; nam. aus wirtschaftlichen u. sozialen Gründen.

Binnenwasserstraßen (Mz.), Flüsse u. Kanäle der Binnenschiffahrt.

Binnenwirtschaft *w,* die Wirtschaftsbereiche eines Landes, die ohne außenwirtschaftliche Beteiligung aus binnenländ. Stoffen, Waren, Zulieferungen, Geldmitteln usw. zu wirtschaften vermögen.

Binnenzoll *m,* im Binnenhandel eines Landes erhobener Zoll; fr. an bestimmten Orten, Brücken, Straßen, Grenzen v. Landesteilen.

Binokel (lat.), **1)** *m,* Schweizer Kartenspiel (2–4 Spieler). – **2)** *s,* Brille, Lupe, Fernrohr (für beide Augen).

binokular (lat.), zweiäugig; unter einem b.en Instrument versteht man ein optisches Gerät, durch das man mit beiden Augen sehen kann. – *Binokulares Sehen* zur Tiefenwahrnehmung notwendig.

Binom *s* (lat.-gr.), zweigliedrige Summe.

Binomialkoeffizient *m* (gr.-lat.), Koeffizient bei Gliedern einer → Binomialreihe.

Binomialreihe *w,* Darstellung der Potenz eines → Binoms durch eine Summe, z. B.: $(a+b)^2 = a^2+2ab+b^2$.

binomischer Satz, die → Binomialreihe.

Binse *w,* mit Lilien und Gräsern verwandte Pflanzengattung; mit grasartigem, drehrundem Stengel, dessen Inneres porös u. luftgefüllt ist; sumpfige Standorte. Die Verbreitung der klebrigen Samen geschieht durch Vögel, an deren Füßen sie hängenbleiben.

Binsenwahrheit *w,* Selbstverständlichkeit; → Midas.

Binswanger, *Ludwig,* Schweizer Psychiater, 1881–1966; in Anschluß an die phänomenolog. Methode E. Husserls u. beeinflußt v. der Existenzphilosophie M. Heideggers, begründete er die ,psychiatr. Daseinsanalyse', indem er Lebensgeschichte u. Lebensfunktion in bezug auf psychiatr. Tatbestände untersuchte. – WW: *Einf. in die Probleme der Allg. Psychol.* (1922); *Grundformen u. Erkenntnis menschl. Daseins* (1942); *Drei Formen mißglückten Daseins* (1956).

Bintan, *Bintang,* Hauptinsel der indones. Riauinseln, 1075 km²; Bauxitabbau.

Binturong *m,* → Marderbär.

Binz, Ostseebad auf Rügen, 6500 E.

Bio

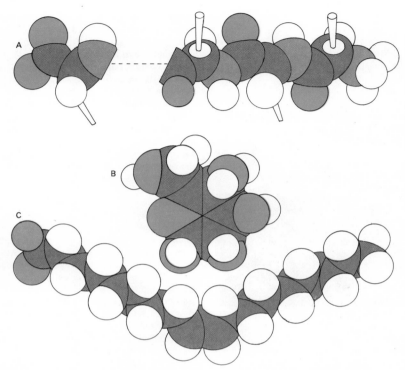

Biochemie. Alle lebenden Wesen enthalten große Mengen gleichartiger Kohlenstoffverbindungen, die Biomoleküle. Drei wichtige Gruppen Biomoleküle sind Zucker, Eiweiße und Fettsäuren. Neben den Atomen des Elements Kohlenstoff (grau) enthalten diese Moleküle immer Wasserstoffatome (weiß), fast immer Sauerstoffatome (rot) und oft noch andere Atome, wie Stickstoff (blau). Bearbeitet man die Eiweiße chemisch (A), kann man diese Einheiten voneinander lösen und erhält Aminosäuren. Eines der wichtigsten Zuckermoleküle ist die Glukose (B) mit einer Ringstruktur von 5 Kohlenstoffatomen und einem Sauerstoffatom. Die meisten Kohlenstoffatome haben noch Hydroxylgruppen, die aus einem Sauerstoff- und einem Wasserstoffatom bestehen. Diese Hydroxylgruppen können mit anderen Molekülen verbunden werden, wodurch Stärke, Zellulose, Gallensäure und andere Verbindungen entstehen. Die Fettsäuren (C) sind die Bausteine der Fette. Das abgebildete Molekül ist Ölsäure

Bio..., bio... (gr.), in Wortzusammensetzungen: Leben(s)...
bioaktiv (gr.-lat.), Eigenschaft z. B. v. Waschmitteln, die Enzyme zum Abbau bestimmter Flecken (Blut, Eiweiß, Kakao, Fett u. a.) enthalten.
Bioanalyse *w* (gr.), die Anwendung psychoanalytischer Verfahren auf physiologische Vorgänge.
Bioastronautik *w* (gr.), Bereich der Raumfahrtmedizin zur Erforschung der gesamten Technologie, die für das Leben v. Raumfahrern wichtig ist.
Bío-Bío, 1) mittelchilen. Region, 36823 km², 1,47 Mill. E.; Hst.: Concepción. – **2)**

Río B.-B., 380 km langer Fluß in Mittelchile, zum Stillen Ozean.
Biochemie *w* (gr.), Teilgebiet der Biologie; untersucht den molekularen Aufbau der Zelle als kleinste Einheit des Lebens sowie die Stoffwechselvorgänge in Zelle, Organen u. Organismen.
Bioelektrizität *w* (gr.), die im lebenden Organismus auftretenden elektr. Vorgänge als Grundlage für die Funktion v. Nervenleitung u. Muskelkontraktion. → elektrische Organe.
Bioelemente (Mz.), → *Spurenelemente*.
biogen (gr.), durch Tätigkeit v. pflanzlichen od. tier. Lebewesen entstanden.

biogene Amine (Mz.), in lebenden Organismen vorkommende → Amine; entstehen durch Abspaltung v. Kohlendioxid aus Aminosäuren; Adrenalin u. Histamin sind bedeutend als Hormone.
Biogenese w (gr.), Entwicklung v. Lebewesen: **1)** Entwicklung des Einzelindividuums, die *Ontogenese.* – **2)** stammesgeschichtliche Entwicklung, die *Phylogenese.*
biogene Sedimente (Mz.), *biogene Gesteine,* → Biolithe.

biogenetisches Grundgesetz s, v. Haeckel (1866) postulierte Regel, daß in der Individualentwicklung eines Organismus entscheidende Schritte der Stammesgeschichte wiederholt werden; z.B. wird beim menschl. Embryo im 2. Monat der Schwangerschaft Behaarung (*Lanugo*) gebildet, die vor der Geburt wieder verlorengeht.
Biogenie w (gr.), Entwicklungsgeschichte.
Biogeographie w, Lehre v. der Verbreitung der Lebewesen; erforscht das Vorkommen

Bioelektrizität. Elektrische Erscheinungen spielen bei lebenden Wesen eine große Rolle. Lebende Zellen können bei Reizen enorme Spannungsunterschiede aufweisen. Im Ruhezustand (A) besteht innerhalb und außerhalb der Zelle eine ungleiche Aufteilung von Natrium- (Na^+) und Kaliumionen (K^+). Dadurch ist ein Potentialunterschied (Ruhepotential) vorhanden, der durch Aktivität der Zelle selbst geregelt wird: Ein aktiver Mechanismus, die Natrium-Kaliumpumpe, pumpt Natriumionen aus der Zelle hinaus und Kaliumionen in die Zelle hinein. Die Größe des Ruhepotentials ist im wesentlichen abhängig vom Konzentrationsgradienten der Kaliumionen (K^+). Wird das Gleichgewicht durch einen Reiz (B) gestört, kann ein Potentialsprung (Aktionspotential) eintreten. Die Störung wird jedoch schnell beseitigt, indem K^+-Ionen aus der Zelle hinausströmen und die Zellwand sich wieder teilweise für Natriumionen schließt (C). (Die Ionenkonzentrationen sind in Milli-Äquivalent/Liter angegeben)

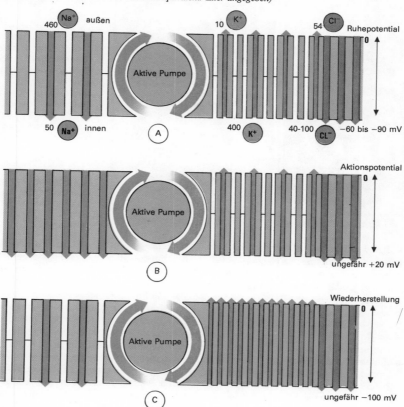

Taf.XX. **Keimesgeschichte des Antlitzes.** *(Erklär.S.830)*

M. Mensch. F. Fledermaus. K. Katze. S. Schaaf.

Ernst Haeckel stellte sein biogenetisches Grundgesetz auf. Diese Zeichnung der embryologischen Entwicklung des Menschen (M), der Fledermaus (F), der Katze (K) und des Schafs (S) zeigt, daß sich die Embryonen des Menschen und der verschiedenen Tiere stark ähneln. Später wurde das Gesetz in seiner ursprünglichen Form aufgrund genauer embryologischer Forschung modifiziert

v. Arten u. versucht die bestehenden Verbreitungsgrenzen anhand geographischer, klimatischer u. erdgeschichtlicher Faktoren kausal zu erklären; unterteilt in Pflanzen- u. Tiergeographie.

Biographie *w* (gr.), **1)** Lebensbeschreibung; B. des eigenen Lebens: *Selbst-* od. *Auto-B.* – **2)** alphabet. Sammlung v. Einzel-B.n; so die *Allg. Dt. B.*

biographische Methode, *Psychodiagnostik:* die Erfassung v. Persönlichkeitsmerkmalen anhand des Lebenslaufs u. seiner erlebnismäßigen Wiedergabe; haupts. verwendet v. der Tiefenpsychologie.

Biokatalysatoren (gr., Mz.), → Enzyme.

Bioklimatologie *w* (gr.), Teilgebiet der Klimatologie; untersucht die Einwirkungen des Klimas auf lebende Organismen, vor allem auf den Menschen.

Biolithe (gr., Mz.), *biogene Sedimente, biogene Gesteine,* aus Resten v. Lebewesen (Pflanzen-, Tierreste) entstandene Gesteine u. Sedimente: Torf, Braun- u. Steinkohle, Bernstein, Seekreide, Travertin sowie Kieselgur v. Pflanzen herrührend, Korallen- u. Muschelkalk v. Tieren. Brennbare B. nennt man *Kaustobiolithe* im Ggs. zu den → Akaustobiolithen.

Wirkung biologischer Kampfstoffe: Früchte und Blätter vertrocknen und fallen von den Bäumen ab

Biologie w (gr.), Lehre vom Leben; befaßt sich mit Bau, Funktion u. Lebensäußerungen v. Lebewesen sowie mit deren Wechselbeziehungen zur Umwelt. Im Altertum u. MA war die B. beherrscht v. der Beschreibung der Organismen u. deren Einordnung in eine Systematik. Seit der Entdeckung der Zelle (Hooke 1665) u. der Einführung des Experiments als wissenschaftl. Untersuchungsmethode (Malpighi, 17. Jh.) tritt die kausale Erforschung der Lebensvorgänge in den Vordergrund. Entscheidende Hilfs-

Pflanze aus einem biologischen Handbuch des 6. Jahrhunderts n. Chr.

mittel der biolog. Forschung sind u. a. das Mikroskop sowie mathematische, chem. u. physikal. Untersuchungsmethoden. – Untergliederung nach Untersuchungsobjekten: Mensch (Anthropologie), Tier (Zoologie), Pflanze (Botanik), Mikroorganismen (Mikrobiologie), u. nach Methodik: die *Biochemie* untersucht Stoffwechselvorgänge in der Zelle u. im ganzen Organismus; die *Genetik* die Struktur des Erbguts, seine ‚Übersetzung' in Lebensvorgänge u. Weitergabe v. einer Generation zur nächsten; die *Physiologie* die Funktion v. Organen; die *Morphologie* beschreibt → Baupläne der Organismen; die *Systematik* ordnet die Mannigfaltigkeit der Lebewesen in Gruppen; die *Evolutions-B.* erforscht die Entstehung u. Höherentwicklung v. Lebewesen; die *Ökologie* sucht unter Zuhilfenahme aller biolog. Teilgebiete die Wechselwirkung der Organismen untereinander u. mit ihrer Umwelt zu erfassen.

biologisch-dynamische Wirtschaftsweise, landwirtschaftl.-gärtner. Wirtschaftsweise nach Angaben v. R. Steiner, dem Begründer der Anthroposophie: organ. Düngung, Kompostierung, standortgemäßer Pflanzenanbau. Biolog. Pflegemittel sollen chem. Pflanzenschutz u. Mineraldüngung ersetzen.

biologische Abwasserreinigung, → Kläranlagen.

biologische Kampfstoffe (Mz.), Kampfmittel (Bakterien, Viren, tier. od. pflanzl. Schädlinge), welche die Bevölkerung, Tiere u. Pflanzen mit Krankheitserregern (z. B. Pest) verseuchen; ihr Einsatz gilt als völkerrechtswidrig.

biologischer Rasen, in der biolog. Abwasserreinigung (→ Kläranlagen) verwendete Mikroorganismen, die – auf einer festen Unterlage aufsitzend – im Wasser enthaltene Schmutzstoffe abbauen.

biologischer Sauerstoffbedarf, *BSB,* Meßgröße für die Konzentration organischer Substanzen in Wasser. In einer geschlossenen Flasche wird untersucht, wieviel Sauerstoff Gewässerbakterien verbrauchen, um die organischen Substanzen zu zersetzen. Meist wird der BSB v. 5 Tagen gemessen (=BSB_5).

biologische Schädlingsbekämpfung, Methode des Pflanzenschutzes, bei der natürliche Feinde, Krankheitserreger od. Parasiten des Schädlings eingesetzt werden. Klassisches Beispiel: Die v. Australien nach Kalifornien eingeschleppte Wollschildlaus (Schädling an Zitrusfrüchten) wurde durch einen Marienkäfer, der ebenfalls in Australien, urspr. jedoch nicht in Kalifornien vorkam, erfolgreich bekämpft.

biologische Selbstreinigung, natürlicher Abbau v. organ. Substanzen in Gewässern mit Hilfe v. Mikroorganismen; in Gegenwart v. ausreichenden Mengen Sauerstoff können stark verdünnte Abwässer gereinigt werden. Bei hoher Schmutzstoffbelastung od. Sauerstoffmangel entsteht Faulschlamm.

biologische Station, wissenschaftl. Institut für die Beobachtung u. experimentelle Untersuchung v. Pflanzen u. Tieren in ihrer natürl. Umwelt.

biologische Uhr → Biorhythmus.

Biolumineszenz. Lichterzeugende Pilze aus der äquatorialen Zone Asiens (Bild oben). Käfer der Gattung Luciola (Bild unten) besitzen ein lichterzeugendes Organ an der Unterseite des Hinterleibs

biologische Waffen → biologische Kampfmittel.

biologische Wertigkeit, nach K. Thomas Maß für den Nährwert v. Eiweiß; gibt an, wie viele Gramm Körpereiweiß durch das betreffende Eiweiß der Nahrung ersetzt werden können.

Biologismus *m* (gr.-lat.), **1)** *allg.:* Übertragung v. biolog. Begriffen u. Methoden auf andere Wissensgebiete. – **2)** philosoph., psycholog. Weltanschauung, die das geistige Sein v. biolog. Standpunkt, d. h. v. der bio-physischen Erscheinungsweise des Menschen (bes. Erbanlage u. Umweltfaktoren), aus erklärt. Damit wird jede Normkraft des Geistes über das biolog. Leben geleugnet u. die geistige Erkenntnis nur nach ihrer lebensfördernden od. -hemmenden Bedeutung befragt. Vertreter des B. sind Anhänger der → Lebensphilosophie, insbes. F. Nietzsche u. L. Klages. Der B., nam. in den Theorien v. E. Kolbenheyer u. E. Krieck, diente der nationalsozialist. Rassenideologie zur wissenschaftl. Untermauerung.

Biolumineszenz *w* (gr.-lat.), die Lichtausstrahlung lebender Organismen; die Lichtenergie stammt aus enzymatisch katalysierten Oxidationsreaktionen im Organismus; → Leuchtorganismen.

Biom *s* (gr.), Lebensgemeinschaft in einem großen, einer Klimazone entsprechenden → Biotop, z. B. tropischer Regenwald, Savanne.

Biomasse *w*, gesamte in Tieren u. Pflanzen eines Lebensraums (Teich, Wiese, Wald usw.) enthaltene organische Substanz.

Biomembran *w* (gr.-lat.), → Zellmembran.

Biometeorologie *w* (gr.), Zweig der Meteorologie, der sich mit den Wirkungen des

Wetters u. der atmosphär. Vorgänge auf Lebewesen befaßt. Dazu gehören die medizinische, die Landwirtschafts- u. Agrarmeteorologie.

Biometrie w (gr.), *Biometrik,* quantitative Untersuchung v. Lebewesen (Zählen, Messen, biolog. Statistik).

Biometrik w (gr.), → Biometrie.

Bion, griech. Dichter, Ende des 2. Jh. v. Chr.; Schäferlyrik; Trauergedicht auf Adonis.

Bionomie w (gr.), Lehre v. den Lebensgesetzen.

Biophysik w (gr.), **1)** Teilgebiet der Biologie; untersucht physiologische Vorgänge (Bewegungsabläufe, Nerven- u. Erregungsleitung) mit Hilfe physikalischer Methoden. – **2)** therapeutisch angewandte Physik.

Biopsie w (gr.), mikroskop. Untersuchung v. Gewebe, das dem Lebenden zur medizin. Diagnosestellung entnommen wurde.

Biopsychismus m (gr.), die Auffassung, daß alle Lebenserscheinungen einen sowohl biolog. als auch psychischen Prozeß darstellen.

Biorhythmus m (gr.), *biologischer Rhythmus, biologische (physiologische) Uhr,* der v. äußeren Einflüssen z. T. unabhängige rhythm. Ablauf v. Lebensvorgängen, z. B. weibl. Zyklus, Wanderung v. Zugvögeln; auch Wechsel v. Wachsein u. Schlaf; der Rhythmus wird z. B. nach Flugreisen längs eines Breitengrads trotz Zeitverschiebung beibehalten; Umgewöhnung erst nach Tagen.

Biosen (gr., Mz.), organ.-chem. Verbindungen, einfachste Vertreter der Gruppe der → Monosaccharide.

Biosoziologie w (lat.), übergreifende Disziplin v. Biologie u. Soziologie, die sich mit dem Verhältnis zw. biolog. u. gesellschaftl. Faktoren beschäftigt.

Biosphäre w (gr.), der v. Lebewesen bewohnte bzw. bewohnbare Raum der Erde (die oberste Schicht der Erdkruste, Wasser, Atmosphäre).

Biosstoffe (Mz.), veraltete Bez. für wachstumsfördernde Stoffe in Pflanzengeweben u. bei Pilzen.

Biostratigraphie w (gr.), Teilgebiet der Geologie; versucht mit Hilfe v. Fossilien das Alter v. Gesteinsschichten zu bestimmen.

Biosynthese w (gr.), **1)** Aufbau v. organ.-

Biometrie. Die zentralen, fruchtbaren Blüten der Korbblütler (Familie Compositae) sind nach einer sogenannten genetischen Spirale geordnet, die sich auch beim Tannenzapfen wiederfindet. Man nimmt an, daß diese spiralförmige Anordnung dazu dient, um den gegenseitigen Abstand der Blüten gleich und so groß wie möglich zu halten. Der Winkel zwischen den Verbindungslinien von zwei aufeinanderfolgenden Blüten in der Spirale, der Divergenzwinkel, ist bei jeder Pflanzengruppe verschieden und innerhalb einer Gruppe konstant

chem. Verbindungen in der lebenden Zelle. – **2)** Herstellung organischer Stoffe mit Hilfe lebender Organismen (bes. Mikroorganismen), z. B. Gewinnung v. Milchsäure mittels Bakterien, v. Antibiotika mittels Pilzen.

Biot (: bio), *Jean-Baptiste,* frz. Physiker, 1774–1862; Hauptarbeitsgebiete: Polarisation des Lichts, Elektromagnetismus. → Biot-Savartsches Gesetz.

Biotechnologie w (gr.), Lehre v. der Biotechnik, d. h. der techn. Nutzung v. Lebe-

Biot

wesen; z. B. → biologische Abwasserreinigung, Käserei, Weingärung.

Biotin *s* (gr.), *Vitamin H,* wichtig für Wachstumsvorgänge bes. der Haut; in der Natur weit verbreitet, wird auch v. Darmbakterien gebildet; B.mangel nur bei einseitiger Ernährung mit rohen Eiern (Resorptionsstörung). → Vitamine.

biotisch (gr.), **1)** *allg.:* auf Lebensvorgänge bezogen bzw. gerichtet. **–2)** *Biol.:* die an die Anwesenheit v. Lebewesen gebundenen chem. u. physikal. Vorgänge. **–3)** *Psychol.:* biotische Methode: Verfahrensweise, die lebensbezogen ausgerichtet ist.

biotischer Faktor (gr.-lat.), Begriff der Ökologie; durch Wechselbeziehung v. Organismen entstehender Umweltfaktor in einem Biotop.

Biotit *m* (gr.), Mineral aus der Gruppe der → Glimmer; blättrig, dunkelglänzend; nach Verwitterung goldgelb *(Katzengold).*

Birke

Biotop *m* (gr.), durch bestimmte Umweltbedingungen charakterisierter Lebensraum, der den Ansprüchen der in ihm wohnenden Pflanzen- u. Tierarten entspricht; z. B. Bergbach, Urwald, Korallenriff, Steppe usw.

Biotropie *w* (gr.), → Wetterfühligkeit.

Biot-Savartsches Gesetz *s* (: bioßawar-), physikalisches Gesetz zur Berechnung der Stärke des Magnetfelds in der Umgebung eines stromdurchflossenen Leiters.

Biotyp *m* (gr.), Gruppe v. Lebewesen mit gleichem Erbgut; entsteht durch Selbstbefruchtung u. Jungfernzeugung.

biozentrisch (gr. *bios,* ‚Leben', lat. *centrum,* ‚Mittelpunkt'), v. biolog. Leben aus gedacht u. nicht vom Geist od. v. der Vernunft aus; → Biologismus.

Biozide (gr., Mz.), für lebende Organismen giftige Chemikalien; verwendet zur Schädlingsbekämpfung u. Unkrautvernichtung.

Biozönologie *w* (gr.), Lehre v. den Lebensgemeinschaften zw. Pflanzen od. Tieren verschied. Artzugehörigkeit; → Biozönose.

Biozönose *w* (gr.), Lebensgemeinschaft aller Tiere u. Pflanzen in einem Lebensraum (Biotop). Es bestehen wechselseitige Anpassungen u. Abhängigkeiten zw. den Mitgliedern der B. untereinander u. mit ihrem Lebensraum. Innerhalb der B. besteht ein → ökologisches Gleichgewicht.

Bipeden (lat., Mz.), Zweifüßer.

bipolar (lat.), zweipolig.

bipolare Nervenzelle *w,* zwei Fortsätze aufweisende → Nervenzelle.

Biquadrat *s* (lat.), die 4. Potenz einer Zahl od. Variablen.

BIR, Abk., Kfz.-Kennzeichen für **Bir**kenfeld (Nahe).

Bircher-Benner, *Maximilian Oskar,* Schweizer Arzt, 1867–1939; erkannte den Heilwert lebensfrischer Pflanzennahrung u. entwickelte daraus die *B.-B.-Diät.*

Birch-Pfeiffer, *Charlotte,* dt. Schauspielerin u. Schriftstellerin, 1800–68; Dramen (Rührstücke) nach Romanen.

Birck, *Sixt(us),* Pseud. *Xystus Betulius,* dt. Schriftsteller, 1501–54; Kirchenlieder; dt.-lat. prot. Schuldramen u. a.

Bird (: bö'd), *Robert Montgomery,* am. Schriftsteller, 1806–54; histor. u. realist. Romane u. Dramen. – HW: *Nick of the Woods* (1837; Roman).

Trotz ihrer Armut geben die Dorfbewohner den Bettelmönchen jeden Morgen genügend Nahrung

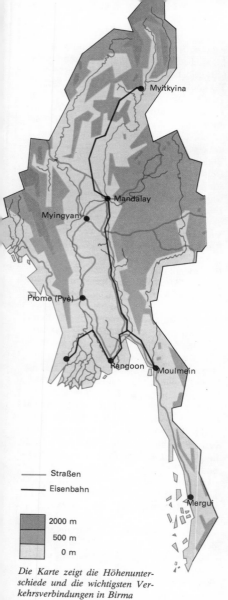

Straßen
Eisenbahn

2000 m
500 m
0 m

Die Karte zeigt die Höhenunter-schiede und die wichtigsten Ver-kehrsverbindungen in Birma

Bireme *w* (lat.), Zweiruderer; antikes Kriegsschiff mit zwei Ruderbänken über-einander.
Birendra Bir Bikram, König v. Nepal, *1945; seit 1972 König.
Birett *s* (lat.), Barett der kath. Geistlichen.
Birgel, *Willy,* dt. Schauspieler, 1891–1973; Charakter- u. Heldendarsteller; auch zahlr.

Filmrollen: ... *reitet für Dtl.* (1941); *Vom Teufel gejagt* u. a.
Birgit (schwed.), *Birgitta,* weibl. Vorname.
Birgitta, *Brigitta,* schwed. Mystikerin, 1303–73; Gründerin des *Birgittenordens;* seit 1350 in Rom; bekannt durch ihre Visio-nen. – HW: *Revelationes* (1492).
Birke *w,* vor allem auf der Nordhalbkugel verbreitete Holzpflanzengattung; Bäume *(Weiß-B.* od. *Hänge-B,* in mitteleurop. Gebirgswäldern, *Moor-B.* vor allem in Ge-birgen) u. Sträucher *(Zwerg-B.* in arkti-schen Tundren) mit weißer, abblätternder Rinde. *B.nholz* wird in der Möbelschreine-rei, *B.nsaft* als Haarwasser, *B.nblätter* als Heiltee verwendet.
Birkeland-Eyde-Verfahren *s,* Verfahren zur Herstellung v. Salpetersäure durch Ver-brennung v. Luftstickstoff.
Birkenau, 1) hess. Gem. im Odenwald, im Ldkr. Bergstraße, 9900 E. – **2)** poln. *Brze-zinka,* zu Auschwitz gehörendes ehem. nat.-soz. KZ.
Birkenfeld, 1) b.-württ. Gem. im Enzkreis, 9000 E.; Metall-Ind. – **2)** rheinl.-pfälz. Landkreis. – **3)** rheinl.-pfälz. Stadt, am Fuß des Hochwalds, 5900, als Verbandsgem. 18 200 E.; Barock- u. klassizistische Bauten, eh. Großherzogl. Schloß u. a.; Klinker-, Lederwaren-Ind. – 1817–1937 Hst. der ol-denburg. *Exklave B.*
Birkenhead (:bö‍rk‍nh‍ᵈd), nordwestengl. Hafenstadt am Mersey, 145 000 E.; durch Unterwassertunnel mit Liverpool verbun-den; Schiffswerften; u. a. Masch.-Industrie.
Birkenpilz *m, Kapuzinerpilz,* Speisepilz mit braunem Hut u. weißlichem, mit schwarzen

575

Birk

Schuppen besetztem Stiel; in Laubwäldern, häufig unter Birken.

Birkenspanner *m*, Nachtfalter aus der Familie der → Spanner; Raupe ist Schädling an Birken u. Eichen.

Birkenspinner *m*, *Endromis*, spinnerartiger Nachtfalter; die Larven leben u. a. auf Birken, Erlen.

Birkenstecher *m*, Käfer aus der Gruppe der Blattwickler.

Birkentäubling *m*, Speisepilz mit grünem Hut; leicht mit dem grünen Knollenblätterpilz zu verwechseln.

Birkenwasser *s*, in Alkohol gelöster Birkensaft; Verwendung zur Haarpflege.

Birkenwerder, Gem. im DDR-Bez. Potsdam, nördl. v. Berlin, ca. 8000 E.

Birkhäher *m*, → Tannenhäher.

Birkhuhn *s*, Waldhuhn mit seitlich gekrümmten Schwanzfedern; kleiner als das Auerhuhn; kreuzt sich bisweilen mit diesem, die Bastarde heißen *Rackelhühner*. Der balzende Birkhahn heißt *Spielhahn*. Vorkommen: Europa, Asien in Mischwald, Heide u. Moor, im Gebirge; ernährt sich v. Beeren u. Knospen.

Birma, *Burma*, südostasiat. Staat, *Sozialist. Rep. der Birman. Union*, 678033 km², 32,9 Mill. E.; Hst.: Rangun; umfaßt den nordwestl. Teil v. Hinterindien u. wird begrenzt im N v. China, im O v. Laos u. Thailand, im W v. Indien u. Bangladesch u. dem Golf v. Bengalen. Zwischen nordsüdlichen Gebirgen im O u. W fruchtbare Täler (Irawadi u. a.), Monsunklima; Ackerbau mit Anbau

Birmingham wurde im zweiten Weltkrieg sehr zerstört. Das Photo zeigt das wiederaufgebaute Zentrum der Stadt

v. Reis, Sesam, Erdnüssen, Baumwolle u. Mais; Rinderzucht; reiche Bodenschätze (Erdgas, Erdöl, Blei, Silber, Edelsteine); Teakholzgewinnung; Nahrungsmittel-, Textil- u. Baustoff-Ind.; Ausfuhr v. Reis, Teakholz, Kautschuk u. Wolfram. Die *Birmastraße* verbindet als Autostraße B. mit China. Über 70% der *Bev.* sind *Birmanen* mit eigener Sprache u. Dialekten, über 85% Buddhisten. – *Geschichte*. Im Altertum fünf Reiche. 1054–1387 unter der Pagandynastie, danach bis 1531 unter den chines. Schan; im 18. Jh. Streitobjekt zw. Fkr. u. Engl., 1886 mit Brit.-Indien vereint; 1937 davon abgetrennt, 1948 unabhängig; Staatspräs. seit 1962 U Ne Win (*1911).

Birmakatze *w*, langhaarige Hauskatzenrasse.

Birmanen (Mz.), *Burmesen*, mongol.-malaiisches Mischvolk in Birma, mit vorwiegend ind. Kultur; Sprache tibeto-birmanisch.

Birmastraße *w*, v. China 1937–39 erbaute Gebirgsstraße v. strategischer Bedeutung, wichtige Verbindungsstraße zw. China u. Birma.

Birmingham (: bö'rm'ng³m), **1)** zweitgrößte Stadt Englands, Zentrum der engl. Metall-Ind., eine, als Aggl. 2,8 Mill. E.; got. St.-Martins-Kirche (13. Jh.); zwei Univ. und mehrere Hochschulen; u. a. Eisenhütten-, Stahl- u. Walzwerke; Elektrolokomotiven-, Eisenbahnwagen-, Traktorenherstellung u. sonstige Ind.; Flughafen. – **2)** Ind.-Stadt in Alabama (USA), am Fuß der Red Mountains, 301000 E.; Zentrum der Schwer-Ind.; in der Nähe Eisenerz-, Kohlen- u. Kalksteinlager; bes. Flugzeugindustrie.

Birnau, barocke Wallfahrtskirche am Bodensee bei Überlingen, 1747–49 v. Peter Thumb erbaut; Rokokoausstattung v. J. A. Feichtmayr.

Birne *w*, **1)** *Bot*.: *Birn(en)baum*, Kernobstbaum aus der Familie der Rosengewächse, mit weißen Blüten, gefurchtem Stamm u. ovalen, gezähnten Blättern; Frucht mit hohem Zucker- u. im Vergleich zum Apfel geringem Säuregehalt. Stammform der Kultur-B. vermutlich aus Vorderasien; zahlreiche Zuchtbirnen: *Bergamotte, Glokken-B., Rost-B. Birnbaumholz* wird für Drechselarbeiten verwendet. – **2)** elektrischer Glühkörper.

Birnenblütenknospen werden besonders gern von der Birngallmücke für die Eiablage benutzt

Birnengallmücke *w*, → Birngallmücke.

Birnengitterrost *m*, → Birnenrost.

Birnenrost *m, Birnengitterrost,* Pilzerkrankung des Birnbaums; erzeugt rote Flecken auf den Blättern.

Birngallmücke *w*, Obstbaumschädling; das Weibchen legt die Eier in Birnenblütenknospen, die befallenen Früchte fallen vor der Reife vom Baum. → Gallmücken.

Birnstab *m*, stabförmiger Bauteil der got. Architektur, als Rippe od. Dienst, mit birnähnlichem Profil.

Birobidschan, Hst. der Autonomen Prov. der Juden in der sibir. Region Chabarowsk der UdSSR, an der Transsibir. Bahn, 64 000 E.; Holz- u. Bekl.-Industrie.

Birolli, *Renato,* it. Maler 1906–79; Hauptvertreter der it. abstrakten Malerei; v. Cézanne u. Picasso beeinflußt.

Birr *m*, äthiop. Währungseinheit (seit 1976).

Birs *w*, Schweizer l. Nebenfluß des Rheins; vom Jura; mündet bei Birsfelden.

Birsch *w, Jagdw.:* → Pirsch, → Jagd.

Birsfelden, Schweizer Gem. im Kt. Basel-Land, am Rhein, 15 000 E.; Textil-, Nahrungsmittel- u. chem. Industrie.

Birstein, hess. Gem. im Main-Kinzig-Kreis, 5700 E.

bis (lat.), **1)** zweimal. – **2)** *Musik:* zu wiederholen.

Bisam *m*, **1)** → Moschus. – **2)** Fell der Bisamratte.

Bisamratte *w, Zibetratte,* nordam., amphibisch lebende Wühlmaus; rattenähnlich, mit Schwimmschwanz; in Europa aus Pelztierfarmen entwichen u. verwildert; schadet durch Unterwühlen v. Dämmen u. Uferverbauungen.

Bisamschwein *s, Weißbandpekari,* kleine am. Schweineart; sondert aus seiner Moschusdrüse ein nach Bisam duftendes Sekret ab; liefert Pekarileder.

Bisamspitzmaus *w, Myogale,* Insektenfresser Südeuropas; besitzt einen ruderartig abgeplatteten Schwanz u. Schwimmhäute zw. den Zehen.

Bisanz, alter dt. Name für →Besançon.

Bisaya, *Bissaya,* malaiischer Volksstamm auf den mittl. Philippinen.

Biscaya, 1) span. Prov., → Vizcaya. – **2)** Golf v. → Biskaya.

Bisceglie (: bischelje), südit. Hafenstadt am Adriat. Meer, 46 000 E.; roman. Dom (13. Jh.); Ruine eines normann. Kastells.

Bischof (v. gr. *episkopos*, ,Aufseher'), **1)** Inhaber des obersten kirchl. Amts eines Bistums der kath. Kirche, hat Weihegewalt u. ist Träger der geistl. Gerichtsbarkeit. Insignien: Ring, Stab (Krummstab), Brustkreuz, Inful od. Mitra. → Erzbischof, → Titularbischof, → Weihbischof. – **2)** anglikan. u. schwed. Kirche u. a. haben das B.samt beibehalten. – **3)** in der ev. Kirche v. der Synode gewählter Landesbischof.

Bischof *m*, ein lilaroter Gewürzwein aus Rotwein mit Zucker, Gewürzen u. Pomeranzenschale.

Bischoff, *Friedrich,* dt. Schriftsteller, 1896–1976; vor 1933 Rundfunkintendant in Breslau, 1946–65 des Südwestfunks; myst.-romant. Gedichte, Erzählungen. – WW: *Schles. Psalter* (1936; Gedichte); *Der Wassermann* (1937; Roman); *Der Rosenzauber* (1964; Erzähl.).

Bischofsburg, poln. *Biskupiec,* Stadt in Masuren, 7900 E.; seit 1945 unter poln. Hoheit.

Bischofsheim, hess. Stadt im Ldkr. Groß-Gerau, 12 100 E.; bedeut. Bahnumschlagplatz.

Bischofshofen, österr. Marktgem. u. Kurort in Salzburg, an der Salzach, 9600 E.; Metallindustrie.

Bischofskonferenzen (Mz.), Versammlungen der Bischöfe eines größeren kirchl. Bereichs, eines Staats usf. zu gemeinsamen Beratungen. → Deutsche Bischofskonferenz; ev. B. seit 1948.

Bischofsmütze *w*, 1) Kakteenart Mexikos. – 2) *Mitra episcopalis*, Meeresschneckenart. – 3) die → Mitra.

Bischofsring *m*, Fingerring des kath. Bischofs als Zeichen der bischöfl. Würde.

Bischofsstab *m, Krummstab*, langer Stab mit gekrümmtem oberem Ende, Insignie des kath. Bischofs; heute noch bei Pontifikalamt benützt.

Bischofssynoden (Mz.), Versammlungen v. Vertretern des kath. Gesamtepiskopats in Rom zur Beratung des Papstes u. als Äußerung der bischöfl. Kollegialität; seit 1965.

Bischofswerda, Ind.-Stadt in der Oberlausitz, im DDR-Bez. Dresden, 13300 E.; Textil-, Glas-, Masch.-, Eisen-, keram. Ind.

Bischofswiesen, oberbayer. Gem. u. Luftkurort im Ldkr. Berchtesgadener Land, 7400 E.

Bischweier-Kuppenheim, b.-württ. Nachbarschaftsverband, Ldkr. Rastatt, 9900 E.

Der Bischof von Paris segnet die Kaufleute auf dem Markt, der im Juni in St-Denis abgehalten wird

Bise *w*, in Fkr. u. Schweiz übliche Bez. für Nordostwind.

biserial (lat.), zweireihig, zweizeilig.

Biserta, frz. *Bizerte,* tunes. Hafenstadt, Festung u. Seebad am Mittelmeer, 63000 E.; Fischerei; Erdölraffinerie u. a.

Bisexualität *w* (nlat.), Zweigeschlechtlichkeit: 1) *Biol.:* Vorkommen v. männl. u. weibl. Individuen. – 2) *Med.:* Nebeneinander v. homo- u. heterosexuellem Trieb. → Hermaphroditismus, → Heterosexualität, → Homosexualität, → Androgynie.

bisexuell (nlat.), 1) doppelgeschlechtig. – 2) mit beiden Geschlechtern sexuellen Verkehr pflegend.

bisexuelle Potenz *w*, Fähigkeit der Organismen, sich in männliche od. weibliche Richtung zu entwickeln; wird deutlich bei der Umwandlung v. Geschlechtern durch Hormongaben; bei einigen Tierarten werden zunächst männliche, dann weibliche Geschlechtsorgane ausgebildet, z. B. → Pantoffelschnecke.

Bishop (: bischᵉp), 1) *Elizabeth,* am. Schriftstellerin, *1911; Lyrik, Kurzgeschichten. – 2) *Henry Rowley,* engl. Komponist, 1786–1855; zahlr. Bühnenstücke (Opern, Ballette).

Bishopscher Ring *m* (: bischᵉp-), braunrot erscheinender Ring um die Sonne nach Vulkanausbrüchen, Folge der Beugung des Sonnenlichts durch Staubteilchen in der hohen Erdatmosphäre; erstmals v. *S. E. Bishop* 1883 beobachtet.

Bisingen, b.-württ. Gem. in Hohenzollern, im Zollernalbkreis, 7000, als Vereinbarte Verw.-Gemeinschaft 8700 E.; u. a. Metall- u. Schuhindustrie.

Biskaya, *Biscaya,* 1) *Golf v. B.,* große Bucht des Atlant. Ozeans zw. Südwest-Fkr. u. Nordspanien, bis über 5000 m tief. – 2) span. Prov., → Vizcaya.

Biskotte *w* (lat.-it.), Löffelbiskuit.

Biskra, 1) alger. Verw.-Gebiet, 109728 km², 545000 E.; Hst.: B. – 2) Hst. v. 1), Oasenstadt in Südalgerien, am Rand der Sahara, 91000 E.; Flughafen.

Biskuit *m* u. *s* (: bißküi, frz.), leichtes Gebäck aus Eiern, Zucker, Weißmehl; → Zwieback.

Biskuitporzellan *s* (: bißküi-), hartgebranntes unglasiertes Porzellan; bes. im 18. Jh. hergestellte plast. Figuren u. dünnschichtige Reliefmotive.

Biskupiec (:-jetß), poln. für → Bischofsburg.

Bismarck, Hst. des Bundesstaats North Dakota (USA), am Missouri, 35000 E.; Handelsplatz u. Hafen; Erdöl, Braunkohle; Getreidehandel.

Bismarck, 1) *Herbert,* Fürst v. B., ältester Sohn v. 3), 1849–1904; Mitarbeiter seines Vaters; 1886–90 Staatssekr. des Auswärt. Amts. – **2)** *Klaus v.,* *1912; Großneffe v. 3); 1960–76 Intendant des Westdt. Rundfunks, Köln. – **3)** *Otto* Fürst *v. B.-Schönhausen,* dt. Staatsmann, 1815–98; 1851–58 preuß. Gesandter beim Dt. Bund in Frankfurt a. M., 1859 in Petersburg, 1862 in Paris; 1862 Min.-Präs. u. Außenmin.; setzte gg. Abg.haus Heeresreform durch; Bündnis mit Österr. im Krieg gg. Dänemark 1864 (Schleswig-Holstein); 1866 Krieg gg. Österr., 1870/71 gg. Fkr.; erreichte dabei Anschluß der süddt. Staaten an den Norddt. Bund; 1871 Gründung des dt. Kaiserreichs; B. dessen erster Kanzler; 1871–78 → Kulturkampf; 1874–76 → Sozialistengesetze; 1878 → Berliner Kongreß; 1879 Zweibund mit Österr.-Ungarn, der 1882 um Italien zum Dreibund erweitert wurde; 1887 Rückversicherungsvertrag mit Rußland (1890 nicht mehr erneuert); der Ggs. zu Kaiser Wilhelm II. zwang B., den ,eisernen Kanzler', 1890 zum Rücktritt. Bedeutend u. vorbildlich blieb die fortschrittliche Sozialgesetzgebung der achtziger Jahre (Sozialversicherung). B.s geschickte, aber autokratische Politik ver-

Bison

Otto von Bismarck (Postkarte)

hinderte in Dtl. die Entwicklung eines echten Parlamentarismus; seine Bündnispolitik war so sehr auf ihn selbst abgestellt, daß sie nach seiner Verabschiedung zusammenbrach. – *Gedanken u. Erinnerungen* (3 Bde).

Bismarckarchipel *m,* nach O. v. Bismarck benannte, zu Papua-Neuguinea gehörende melanes. Inselgruppe (Neubritannien, Neuirland, Neuhannover u. zahlr. kleine Inseln), 47100 km², 240000 E.; Hst.: Rabaul; Ausfuhr: Kopra, Kokosnüsse, Kakao u. a. – 1884–1918 zu Dt.-Neuguinea, im 2. Weltkrieg v. Japan besetzt.

Bismarckgebirge *s,* Gebirgskette im östl. Neuguinea, bis 4267 m hoch.

Bismuthin *m,* Mineral, → Wismutglanz.

Bismut(um) *s* (lat.), → Wismut.

Bison *m,* am. Wildrind; größtes Landsäugetier der Neuen Welt; nächster Verwandter des vom Aussterben bedrohten europ. Wisents. Die einst gewaltigen Herden wurden v. den Indianern gejagt, aber erst durch die modernen Waffen der weißen Siedler vom Aussterben bedroht (1890 lebten noch ca. 1000 Stück). Die überlebenden B.s vermehren sich neuerdings wieder in Reservaten. Der B. läßt sich mit Yak, Wisent u. Hausrind bastardisieren.

Bispingen, niedersächs. Gem. im Ldkr. Soltau-Fallingbostel, 5600 E.

Bissagoinseln, zu Guinea-Bissau gehörige vulkan. Inselgruppe vor der westafrikan. Küste.

Bissau, Hst. v. Guinea-B., Westafrika, 110000 E.; Hafenstadt; Ausfuhr v. Erdnüssen, Kautschuk, Kopra; Flughafen.

Bissendorf, niedersächs. Gem. im Ldkr. Osnabrück, 12400 E.

Bissier (: biß¹e), *Julius,* dt. Maler, 1893–1965; abstrakte Arbeiten in Tusche, v. fernöstl. Kunst beeinflußt; farbige ‚Miniaturen‘, Gouache-, Aquarellmalereien; Teppich- u. Webentwürfe.

Bissière (: biß¹är), *Roger,* frz. Maler der informellen Kunst, 1888–1964; abstrakte Kompositionen; beeinflußte moderne frz. Malerei. – HW: *Glasfenster* der Kathedrale v. Metz.

Bisson (: bißō), *Alexandre,* frz. Schriftsteller, 1848–1912; Komödien.

Bißwunde *w,* wegen der hohen Infektionsrate sehr gefährliche Verletzung durch Tiere od. Menschen; → Wundstarrkrampf, → Gasbrand, → Tollwut.

Bistriţa, rumän. Stadt, → Bistritz.

Bistritz, rumän. *Bistriţa,* Hst. des nordrumän. Distrikts *B.-Năsăud,* an der B., 45000 E.; Holz-, Leder-, Nahrungsmittel-Ind.; ehem. *Năsen,* Zentrum der Siebenbürger Sachsen (bis 1945), die im 12. Jh. die Stadt mit Gründung durch den Dt. Orden anlegten. – **2)** *Goldene B.,* r. Nebenfluß des Sereth in Rumänien, durch die Ostkarpaten, 226 km lang.

Bistro *s* (frz.), kleine frz. Kaffee- od. Schankwirtschaft, Kneipe.

Bistum *s, Diözese,* Sprengel, Amtsgebiet eines kath. Bischofs. → Erzbistum.

Bisulfat *s* (lat.), alte Bez. für → Hydrogensulfat.

Bisulfit *s* (lat.), alte Bez. für → Hydrogensulfit.

bisyllabisch (lat.-gr.), zweisilbig.

BIT, Abk., Kfz.-Kennzeichen für **Bit**burg (Eifel).

Bit *s* (engl.), *bit,* Abk. für engl. **b**inary dig**it, 1)** kleinste Informationseinheit, die nur zwei Möglichkeiten zuläßt. – **2)** der einzelne Zweierschritt.

B.I.T., Abk. für frz. **B**ureau **I**nternational du **T**ravail, das Internationale Arbeitsamt.

Bitburg, rheinl.-pfälz. Stadt im Reg.-Bez.

Trier, 10700 E.; Textil-, Masch.-Ind.; urspr. keltische Siedlung.

Bitburg-Land, rheinl.-pfälz. Verbandsgem. im Ldkr. Bitburg-Prüm, 14900 E.

Bitburg-Prüm, rheinl.-pfälz. Ldkr., 89300 E.; Krst.: Bitburg.

bitemporal (lat.), beidseitig im Schläfenbereich.

Biterolf, mhd. Epiker des 13. Jh.; im Sängerkrieg auf der Wartburg erwähnt.

Biterolf und Dietleib, mhd. Heldenepos aus der Mitte des 13. Jh.; Verf. unbekannt; nur in der → Ambraser Handschrift erhalten.

Bithynien, antike Landschaft im nordwestl. Kleinasien, begrenzt durch Schwarzes Meer, Bosporus, Marmarameer u. Phrygien.

Bitlis, 1) türk. Prov., 8010 km², 258200 E.; Hst.: B. – **2)** Hst. v. 1), südwestl. des Vansees, 27000 E.; Tabakindustrie.

Bitola, *Bitolj,* türk. *Monastir,* jugoslaw. Stadt in Makedonien, 70000 E.; Handel u. etwas Industrie.

Bitolj, jugoslaw. Stadt, → Bitola.

Bitterling

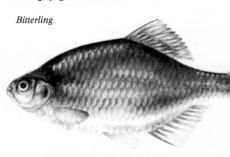

Bitonto, südit. Stadt in der Prov. Bari, 48000 E.; apul.-roman. Kathedrale.

Bittage (Mz.), die drei Tage vor Christi Himmelfahrt, an denen → Bittgänge durchgeführt werden.

Bittel, *Kurt,* dt. Archäologe, *1907; 1960 Präs. des Dt. Archäolog. Inst. Berlin; Forschungsarbeiten zur kleinasiat. Vorgesch. u. Frühantike.

Bitterbier *s,* hopfenreiches Bier.

Bittererde *w,* → Magnesiumoxid.

Bitterfäule *w,* durch einen Pilz verursachte Krankheit an Äpfeln u. anderem Obst.

Bitterfeld, Krst. im DDR-Bez. Halle, nördl. v. Leipzig, 26500 E.; Braunkohlenabbau; Tonwaren-, chem., Masch.-, Farbu. a. Industrie.

Biwak im Jahr 1830

Bitterholzbaum *m*, → Quassia, → Simarubra.

Bitterklee *m*, → Fieberklee.

Bitterling *m*, **1)** Karpfenfisch der Teiche Mitteleuropas, bis 9 cm lang. Das Weibchen legt seine Eier in den Kiemenraum v. Teichmuscheln, wo sie vom Männchen befruchtet werden. Die Jungfische wachsen vor Feinden geschützt in der Muschelschale heran, bis sie mit dem Atemwasser ausgestoßen werden. – **2)** gelbblütiges Enziangewächs auf Torfwiesen. – **3)** Pfefferpilz.

Bittermandelöl *s*, **1)** aus bitteren Mandeln gewonnenes äther. Öl; enthält 2–4% Blausäure, 80–90% Benzaldehyd. – **2)** *künstliches B.*, synthetisch hergestellter Benzaldehyd. B. wird in der pharmazeutischen u. Lebensmittelindustrie verwendet.

Bittermittel *s*, *Amarum*, Extrakt aus Pflanzen, die → Bitterstoffe enthalten (Enzian, Wermut); appetitanregend.

Bitterquellen (Mz.), → Bitterwässer.

Bittersalz *s*, *Magnesiumsulfat, Epsomsalz*, Mineral, Vorkommen in Salzlagerstätten; unter dem Namen Magnesium sulfuricum als Abführmittel verwendet.

Bitterspat *m*, Mineral, → Magnesit.

Bitterstoffe (Mz.), in Bitterklee, Enzian, Kalmus u. a. Korbblütlern; verwendet in Getränkeherstellung (Bier, Limonade, Magenbitter) u. für → Bittermittel.

Bittersüß *s*, Nachtschattengewächs; Gift- u. Heilpflanze.

Bitterwässer (Mz.), *Bitterquellen*, magnesium- od. natriumsulfathaltige Mineralquellen; wirken abführend.

Bitterwurz *w*, der → Enzian.

Bittgänge (Mz.), kirchl. *Bittprozessionen*, Flurumgänge um Segen für Feldfrüchte am Markustag (25. 4.) u. an den drei *Bittagen* vor Christi Himmelfahrt.

Bittner, *Julius*, österr. Komponist, 1874–

1939; Opern, Singspiele, Lieder, Kammermusik.

Bitumen *s* (lat.), **1)** natürliche, aus Zersetzung v. organ. Substanzen entstandene brennbare, hochsiedende Kohlenwasserstoffgemische v. dunkler Farbe: Asphalt, Erdwachs, Montanwachs, Erdharz. – **2)** Rückstände der Erdöldestillation sowie die in Schwefelkohlenstoff löslichen Teile der Asphaltgesteine. Als Isolier- u. Kittmassen für Dachpappen sowie im Straßenbau verwendet; krebserregend. *Bituminöse Stoffe* enthalten u. a. B., z. B. Ölschiefer.

bituminös (lat.), bitumenhaltig; *b.e Gesteine*, Bitumen enthaltende Gesteine.

Bituriger, ehem. kelt. Volk in Gallien; Hst. Avaricum, das heutige Bourges.

Bitzius, *Albert*, → Gotthelf, Jeremias.

Biuretreaktion *w*, chem. Nachweisreaktion für Eiweiße, die in alkal. Kupfersalzlösung violett gefärbt werden.

bivalent (lat.), zweiwertig; → Wertigkeit.

Biwa, mandolinenartiges jap. Musikinstrument, mit vier Saiten.

Biwak *s* (nd.), Lager v. Truppen od. Gruppen im Freien.

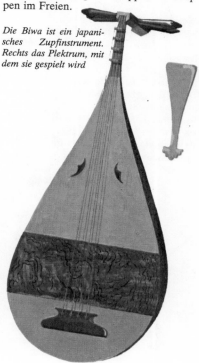

Die Biwa ist ein japanisches Zupfinstrument. Rechts das Plektrum, mit dem sie gespielt wird

Biwasee *m*, größter jap. See, auf Hondo, 671 km², bis 96 m tief.

BIZ, Abk. für **B**ank für **I**nternationalen **Z**ahlungsausgleich.

bizarr (it.-frz.), absonderlich, verschroben.

Bizephalus *m* (gr.), *Bikephalus*, Mißbildung mit zwei Köpfen.

Bizeps *m* (lat., ,zweiköpfig'), *Biceps*, zweiköpfiger Beugemuskel des Oberarms bzw. des Oberschenkels, beugt im Ellenbogen bzw. Kniegelenk; → Bizepssehnenreflex.

Bizepssehnenreflex *m* (lat.), bei Beklopfen der Sehne des Bizepsmuskels in der Ellenbeuge reflektorische Beugung des Unterarms.

Bizerte (: bisärt), frz. Name für → Biserta.

Bizet (: bise), *Georges*, frz. Komponist, 1838–75; Opern, Orchester-, Klavier-, Kirchenmusik, auch Lieder. – WW: *Die Perlenfischer* (1863); *Das schöne Mädchen v. Perth* (1875); zwei Suiten zu Daudets *L'Arlésienne* (1873); *Carmen* (1875); *Sinfonie C-Dur* u. a.

Bizone *w*, 1947–49 das Vereinigte Wirtschaftsgebiet der am. u. engl. Besatzungszone in Dtl.

Bjelaja *w*, → Belaia.

Bjeloje Osero → Beloje Osero.

Bjelorussische SSR → Weißrussische SSR.

Bjelorußland, Belorußland, → Weißrußland.

Bjerknes, *Vilhelm,* norweg. Geophysiker, 1862–1951; Hauptarbeitsgebiete: Wetteru. Meereskunde.

Björkö, finn. *Koivisto,* Insel an der Nordküste des finn. Meerbusens, südl. v. Wiborg.

Björling, 1) *Gunnar Olof,* finn.-schwed. Schriftsteller, 1887–1960; moderne Gedankenlyrik; Protestaphorismen. – **2)** *Jussi,* schwed. Sänger, 1911–60; Heldentenor.

Black and tan Terrier

Georges Bizet

Björneborg (: -borj), schwed. für die finn. Stadt → Pori.

Bjørnson (: björn-), *Bjørnstjerne*, norweg. Schriftsteller u. Politiker, 1832–1910; Verfechter der Völkerfreiheit u. eines selbständigen Norwegen; Vorkämpfer einer realist. Kunstauffassung; volkstümliche Romane, bürgerl. u. histor. Dramen, Epen, Lyrik; 1903 Nobelpreis für Literatur. – WW: u. a. *Über die Kraft* (1883, 1895; psycholog. Drama); *Paul Lange* (1898; Drama); *Auf Gottes Wegen* (1889; Roman).

Björnsson, *Sven,* isländ. Politiker, 1881–1952; seit 1944 Staatspräs. v. Island.

BK, Abk. für → **B**ekennende **K**irche.

Bk, Abk., chem. Zeichen für→ **Berk**elium.

BKS, Abk. für **B**lut**k**örperchen**s**enkungsreaktion; → Blutsenkung.

BL, Abk., Kfz.-Kennzeichen für **Bal**ingen (B.-Württ.).

Bl., Abk. für **Bl**att.

B.L., Abk. für engl. **B**achelor of **L**aws.

Blaas, *Karl v.,* österr. Maler, 1815–94; Nazarener; Kirchen-, Genre-, Historienbilder.

blach (mhd.), flach.

Blacher, *Boris,* dt. Komponist, 1903–75; Rhythmiker; seit 1948 Prof., 1953–70 Dir. der Berliner Hochschule für Musik; Orchester-, Klavier-, Kammermusik, Oratorium, Opern u. Ballette. – WW: *Concertante Musik* (1937); *Hamlet* (1949) u. *Tristan u. Isolde* (1965; Ballette); *Abstrakte Oper* (1953).

Blachfeld *s* (mhd.), flaches Feld.

Blachfrost *m*, Frost ohne Schneedecke.

Black and tan Terrier *m* (: bläk änd tän-, engl.), *Manchester-Terrier*, Hunderasse,

34–40 cm hoch, schwarz mit gelbem Abzeichen (*black and tan*) u. kurzem, dichtem Glatthaar.

Black Bottom (: bläk bot'm, engl.), nordam. Gesellschaftstanz der 20er Jahre.

Blackburn (: bläkbö'n), **1)** *Mount B.*, tätiger Vulkan der Wrangell Mounts in Alaska, 4920 m hoch. – **2)** engl. Stadt nördl. v. Manchester, 102 000, mit *Darwen* als Aggl. 131 000 E.; u. a. Textil-, Eisen-, Papier- u. Gummiindustrie.

Black Dome *m* (: bläkdo^{u}m), Berg in den → Black Mountains.

Blackett (: bläk't), *Patrick Maynard Stuart*, engl. Physiker, 1897–1974; Hauptarbeitsgebiet: Kernphysik (Elektron-Positron-Paarbildung); 1948 Nobelpreis für Physik.

Blackfeet (: bläkfit, engl., Mz.), die Schwarzfußindianer.

Black Hills (: bläk-, Mz.), erzreiche Gebirgslandschaft im Grenzgebiet der Bundesstaaten Süd-Dakota u. Wyoming in den USA; im *Harney Peak* 2207 m hoch; Gold, Blei, Eisenerze, Kohlen.

Black Mountains (: bläk maunt'ns), Gebirgskette in den südl. Appalachen (USA); im *Black Dome* 2045 m hoch.

Blackpool (: bläkpul), engl. Stadt u. Seebad an der Irischen See, nördl. v. Liverpool, 152 000 E.; Flugzeug-, Masch.-, Textilindustrie.

Black Power (bläk pau^{er}, engl.), radikale Freiheitsbewegung der am. Farbigen; seit 1966.

Black River Falls (: bläk riw^{er} fåls), Wasserfälle u. Stromschnellen im Bundesstaat Wisconsin (USA); v. industrieller Bedeutung.

Blaga, *Lucian*, rumän. Schriftsteller u. Philosoph, 1895–1961; mystische Lyrik, Dramen nach rumän. Volksmythen, kulturphilosoph. Essays; auch Übersetzungen.

Blagowjeschtschensk, Hst. des sowjet. Verw.-Gebiets Amur der RSFSR, in Ostsibirien, 172 000 E.; Kulturzentrum; Ind.; Flughafen.

Blähhals *m*, Halsverdickung durch Kropf.

Blähsucht *w*, *Meteorismus*, Ansammlung v. Gasen im Magen-Darm-Kanal.

Blähung *w*, **1)** *Med.: Flatus,* → Blähsucht. – **2)** *Tierzucht:* → Trommelsucht. – **3)** *Molkerei:* zu starke, abnormale Gasbildung in der Käsemasse; ergibt Ausschußkäse.

Blaich, *Hans Erich,* → Owlglaß.

Blaichach, bayer. Gem. in Schwaben, im Ldkr. Oberallgäu, 5000 E.

Blair (blä^{er}), *Robert,* schott. Schriftsteller, 1699–1746; Geistlicher; Blankversdichtung *The grave* (1743) in der zeitmodischen ‚Friedhofspoesie‘.

Blake (: ble'k), **1)** *Robert,* engl. Admiral, 1599-1657; siegte 1653 über die holländische, 1657 die span. Flotte. – **2)** *William,* engl. Schriftsteller, Maler u. Graphiker, 1757–1827; Vorläufer der Präraffaeliten u. des Jugendstils; mystisch-allegor. Dichtungen u. myth. Erzählungen zur Weltschöpfung; Illustrationen zu Dantes *Göttl. Komödie,* zu bibl. Themen (Ijob u. a.). – Literar. WW: *Lieder der Unschuld* (1789); *Lieder der Erfahrung* (1794); *Milton* (1804; Epos).

blamabel (frz.), beschämend.

Blamage *w* (frz.), Beschämung, Bloßstellung, Schande.

Verteidigung des Glaubens war ein wichtiger Grund der Kriege Philipps II. gegen England, die Niederlande und die Türken. 1588 wurde die ‚unbesiegbare‘ spanische Armada in der Nordsee von Engländern (Admiral Blake) und Niederländern vernichtet. Detail aus einem Wandteppichentwurf eines unbekannten Künstlers des 16. Jahrhunderts (National Maritime Museum, London)

Blaman, *Anna,* niederl. Schriftstellerin, 1905–60; Gedichte, Dramen, düstere Romane.

blamieren (frz.), beschämen, bloßstellen.

Blanc *s* (: blå, frz.), **1)** helle Fleischbrühe v. Kalbfleisch u. Geflügel. – **2)** Mischung v. Wasser mit Mehl.

Blanc (blå), *Louis,* frz. Politiker u. frühsozialist. Theoretiker, 1811–82; war 1848

Blan

Eisenherstellung bei den Ägyptern (A) und alten Griechen (B).
A. Holzkohlenfeuer mit Eisenerz, das mit Tretblasebälgen geschürt wird. Durch abwechselndes Treten auf einen der Bälge und gleichzeitiges Hochziehen des anderen mit einem Seil wird Luft unter das Feuer geblasen.
B. Einfacher Ofen mit Blasebalg, in dem Eisenschwamm erhitzt wird, damit er geschmiedet werden kann

Mitgl. der provisor. frz. Regierung; erließ Dekret über Recht auf Arbeit.

Blanc de Chine *s* (: blä d⁰ schin, frz.), ein bes. weißes, feines u. durchsichtiges chines. Porzellan des 17. u. 18. Jh.

Blanc fixe *s* (: bläfikß, frz.), Barytweiß, eine haltbare Malerfarbe.

Blanchard (: bläschar), *François,* frz. Ballonfahrer, 1753–1809; überquerte 1785 mit J. Jeffries als erster mit einem Luftballon den Ärmelkanal.

Blanchet (: bläschä), *Alexandre,* Schweizer Maler u. Bildhauer, 1882–1961; Landschaften, Porträts, Akte, Stilleben, monumentale Wandbilder.

blanchieren (: bläschi-, frz.), **1)** weißen, bleichen. – **2)** abbrühen. – **3)** *Leder:* Fleischseite v. feinem Leder glätten.

Blanchot (: bläscho), *Maurice,* frz. Schriftsteller, *1907; Vorläufer des Antiromans mit metaphys.-myth. Romanen u. Essays. – WW: *Die Frist* (1948; Roman); *L'espace littéraire* (1955) u. *Les Amitiés* (1971; Essays).

blanco (span.), weiß; → blanko.

Blanco Fombona, *Rufino,* venezolan. Schriftsteller, 1874–1944; Erzähler, Kritiker, Chronist u. Historiker; kam vom Modernismus zum Naturalismus; Lyrik, Romane, Essays u. a.

blande (lat.), mild, leicht verlaufend (v. Krankheit).

Blank, *Theodor,* dt. Politiker (CDU), 1905–72; seit 1949 MdB; 1955/56 erster Bundesmin. für Verteidigung, 1957–65 Bundesmin. für Arbeit u. Sozialordnung.

Blankaal *m,* grauweiß gefärbtes Entwicklungsstadium des Aals, kurz bevor das geschlechtsreife Tier ins Meer wandert.

Blankenburg, 1) *Bad B.,* → Bad Blankenburg. – **2)** *B.(Harz),* Stadt u. Kurort im DDR-Bez. Magdeburg, 18800 E.; Eisenindustrie.

Blankenese, Stadtteil v. Hamburg.

Blankenhain, Stadt u. Luftkurort im DDR-Bez. Erfurt, ca. 4000 E.; Porzellanindustrie.

Blankenheim, nordrh.-westfäl. Gem. im Kr. Euskirchen, 7400 E.

Blankett *s* (frz.), **1)** *allg.:* nur mit Unterschrift des Ausstellers versehener Vordruck, der mit der Ermächtigung an Empfänger übergeben wird, das Fehlende zu ergänzen. – **2)** bei *Wertpapieren:* unvollständiger Vordruck, in dem noch wesentliche Teile fehlen, um das Papier rechtsgültig zu machen. → blanko.

Blankleder *s,* zähes Leder, vegetabilisch gegerbt; für Aktenmappen u. a.

blanko (span., ,weiß'), *blanco,* it. *bianco,* leer, nicht ausgefüllt; vorab bei Urkunden; vgl. Blankett.

Blankoakzept *s, Blankwechsel,* noch nicht ausgefülltes Akzept (Wechsel), nur mit Annahmevermerk versehen.

Blankoindossament *s,* Übertragung eines Orderpapiers ohne Angabe des Nachmanns.

B

Blankokredit *m*, ohne Stellung v. Sachsicherheiten gewährter Personalkredit.
Blankopapier *s*, nur teilweise ausgefülltes, doch unterschriebenes Wertpapier.
Blankoscheck *m*, nicht vollständig ausgefüllter, doch unterschriebener Scheck.
Blankovollmacht *w*, unbeschränkte Vollmacht *(Generalvollmacht)*.

Eine Blasenentzündung kann u. a. verursacht werden durch: 1. Ausbreitung einer Nierenbekkenentzündung über die Urinleiter; 2. fremde Gegenstände oder Blasensteine, die die Blasenwand irritieren; 3. Geschwür; 4. Urinrückstand, z. B. bei Prostatahypertrophie; 5. Ausbreitung einer Entzündung der Scheide; 6. Gebrauch eines Katheters zur Leerung der Blase

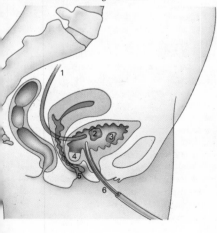

Blankvers *m*, reimloser, ‚blanker‘, fünffüßiger Jambus mit urspr. nach der zweiten Hebung fester, später freier Zäsur; zuerst bei Shakespeare, Milton in der engl. Literatur; dann im klass. dt. Drama bei Lessing, Goethe u. Schiller.
Blanton (: blänt°n), *Jimmy*, am. Jazzmusiker, 1921–42; bedeut. Bassist.
Blantyre (: bläntai^{er}), bedeutende Handels- u. Ind.-Stadt, größte Stadt v. Malawi, 1070 m ü. M., 230000 E.; Flughafen.
Blarer von Giersberg, *Ambrosius*, süddt. Reformator, 1492–1564; verfaßte geistliche Lieder.
Bläschenatmen *s, Vesikuläratmen,* normalerweise über der Lunge hörbares Atemgeräusch.
Bläschenflechte *w*, → Herpes.
Blasco-Ibáñez (: -iwanjeß), *Vicente,* span. Schriftsteller, 1867–1928; erfolgreiche gesellschaftskrit., teils antiklerikale u. sozialistische, später histor. u. kosmopolit. Romane. – WW: *Die Kathedrale* (1903); *Die Bodega* (1905); *Cristóbal Colón* (1929).
Blase *w*, bei Mensch u. Tier: **1)** Flüssigkeit od. Luft enthaltendes Hohlorgan; → Gallenblase, → Harnblase, → Schwimmblase. – **2)** blut-, eiter- od. serumhaltiger Hohlraum in der oberen Hautschicht, z. B. bei Ausschlägen, Verbrennungen, mechan. Abscherung.
Blasebalg *m*, einfachstes Gebläse: Zwei durch Lederbalg verbundene Platten; gegeneinander bewegt, blasen sie die Luft zw. ihnen durch Düse aus.
Blasendivertikel *s*, sackartige Ausstülpung der Harnblasenwand; begünstigt Harnweginfektionen.
Blasenektopie *w*, angeborene Mißbildung: die innere Blasenwand liegt ausgestülpt an der Hautoberfläche, oft gleichzeitig mit fehlendem Symphysenschluß.
Blasenentzündung *w, Zystitis, Blasenkatarrh,* durch Krankheitserreger (meist Darmkeime) verursachte Entzündung der Harnblasenschleimhaut.
Blasenfarn *m, Cystopteris,* weltweit verbreitete Farngattung.
Blasenfistel *w*, krankhafte Verbindung der Blase zur Körperoberfläche od. mit andern Organen (Darm, Scheide).
Blasenfüßer (Mz.), *Fransenflügler, Thripse, Thysanoptera,* 0,5–10 mm lange Insekten; mit Haftblasen an den Füßen u. häufig

Blas

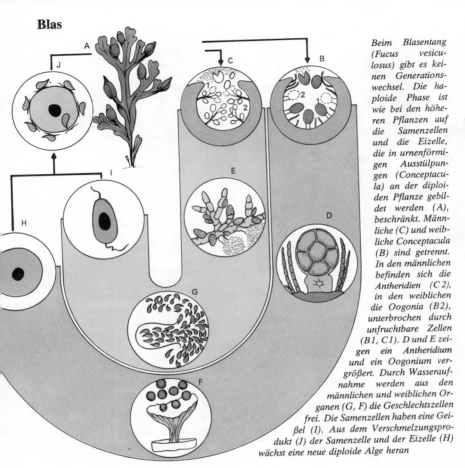

Beim Blasentang (Fucus vesiculosus) gibt es keinen Generationswechsel. Die haploide Phase ist wie bei den höheren Pflanzen auf die Samenzellen und die Eizelle, die in urnenförmigen Ausstülpungen (Conceptacula) an der diploiden Pflanze gebildet werden (A), beschränkt. Männliche (C) und weibliche Conceptacula (B) sind getrennt. In den männlichen befinden sich die Antheridien (C 2), in den weiblichen die Oogonia (B2), unterbrochen durch unfruchtbare Zellen (B1, C1). D und E zeigen ein Antheridium und ein Oogonium vergrößert. Durch Wasseraufnahme werden aus den männlichen und weiblichen Organen (G, F) die Geschlechtszellen frei. Die Samenzellen haben eine Geißel (I). Aus dem Verschmelzungsprodukt (J) der Samenzelle und der Eizelle (H) wächst eine neue diploide Alge heran

ausgefransten Flügeln; saugen an Pflanzen.

Blasenhals m, Ausgang der Harnblase; den B. umschließt beim Mann die → Vorsteherdrüse.

Blasenhalsadenom s, Vergrößerung der Vorsteherdrüse, → Prostatahyperplasie.

Blasenkäfer m, → Ölkäfer.

Blasenkammer w, 1952 v. D. A. Glaser erfundenes Gerät zum Nachweis geladener Kernteilchen. Die Spuren der Teilchen werden als Dampfbläschen in einer Flüssigkeit (meist flüssiger Wasserstoff) sichtbar gemacht.

Blasenkatarrh m, → Blasenentzündung.

Blasenkeim m, → Blastula.

Blasenkrebs m, bösartige Geschwulst der Harnblasenschleimhaut.

Blasenlähmung w, Unvermögen, die Blase willkürlich zu entleeren, bei Nerven- u.

Rückenmarkserkrankungen, bes. Wirbelsäulenbrüchen (→ Querschnittlähmung).

Blasenmole w, Traubenmole, seltene blasenbildende Wucherung des Mutterkuchens, führt meist zur Fehlgeburt.

Blasenpunktion w, → Punktion der Harnblase über der Symphyse mittels einer feinen Nadel zur Uringewinnung.

Blasenqualle w, Physalia, → portugiesische Galeere.

Blasenruptur w, Platzen der gefüllten Harnblase bei Traumen u. durch Knochensplitter bei Beckenbrüchen; Krankheitszeichen: starker Harndrang, aber Unfähigkeit des Wasserlassens; Blutabgang.

Blasenschnitt m, Sectio alta, operativer Zugang zur Blase oberhalb der Symphyse, ohne Eröffnung des Bauchfells.

Blasenspiegel m, Zystoskop, dünnes, mit

einer Optik versehenes Rohr zur Besichtigung der Harnblase; wird durch die Harnröhre in die Blase eingeführt.

Blasensprung *m*, Platzen der Fruchtblase mit Abgang des Fruchtwassers bei der Geburt; *vorzeitiger B.* vor der vollständigen Öffnung des Muttermunds bedeutet Gefahr für das Kind.

Blasenspülung *w*, Auswaschen der Harnblase mit einer keimtötenden Flüssigkeit mittels eines Katheters; zur Bekämpfung v. Blasenentzündungen.

Blasenstein *m*, Steinbildung in der Blase durch Ablagerung v. im Urin gelösten Stoffen; Entstehung bei chron. Harnstau, Harnwegentzündung u. Stoffwechselstörungen (z. B. Gicht); auch durch Anlagerung an abgegangene Nierensteine u. an Fremdkörper.

Blasenstrauch *m, Colueta, Blasenschote*, gelbblühender, strauchförmiger Schmetterlingsblütler mit pergamentartigen, blasig aufgeblähten Hülsenfrüchten, die aufgrund ihres geringen Gewichts leicht vom Wind verbreitet werden; im Mittelmeergebiet.

Blasentang *m, Fucus vesiculosus*, an der

Die Trompete ist ein Blasinstrument mit drei Ventilen. Das erste (1) ist dem Mundstück am nächsten und senkt den Ton um zwei kleine Sekunden, das zweite (2) um eine kleine Sekunde, das dritte (3) um drei kleine Sekunden. Abb. A und B zeigen die Ventile in eingedrücktem bzw. losgelassenem Zustand. Der blaue Pfeil gibt in beiden Fällen den Luftstrom wieder. Der Querschnitt des Ventils (C) zeigt die zusätzliche Länge des Rohrs von außen (4, 7) und von innen (5). Wenn das Ventil nicht eingedrückt ist, strömt die Luft von 8 nach 6 (siehe A). Das Ventil selbst (D) hat zwei Anschlüsse für die eigene zusätzliche Rohrlänge (9, 12) und zwei für die Verbindung zu den andern Ventilen (10, 11). Das Ventil (13) ist mit einer Taste (14) und einer Achse (15) ausgestattet

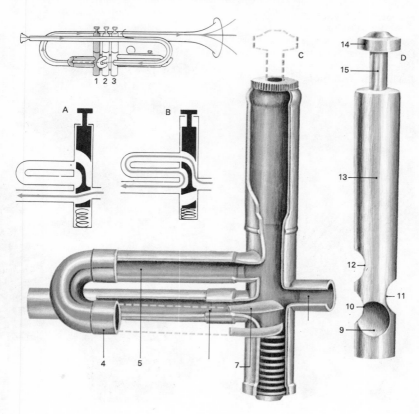

nordatlant. Küste auf Felsen wachsende Braunalge mit gasgefüllten Schwimmblasen, die den Tang im Wasser aufrechthalten; bedeutend durch hohen Jodgehalt.

Blasenwurm *m, Finne,* Jugendstadium der →Bandwürmer, bes. des Hundebandwurms.

Blasetti, *Alessandro,* it. Filmregisseur, *1900; u. a. *Mutter Erde* (1860); ferner Dokumentarfilme.

Blasinstrumente (Mz.), Musikinstrumente, bei denen Töne durch eingeblasene schwingende Luft erzeugt werden: Orgel, Harmonium, Ziehharmonika; *Holz-B.:* Flöte, Oboe, Klarinette, Fagott; *Blech-B.:* Trompete, Posaune, Tuba.

Blasius, 1) Bischof v. Sebaste, Märtyrer, † 316; einer der 14 Nothelfer; hl. (3.2.); an seinem Gedenktag Erteilung des *B.segens* gg. Halserkrankungen. – 2) danach männl. Vorname.

Blasphemie *w* (gr.), Gotteslästerung.

Blasrohr *s,* 1) Waffe v. Naturvölkern. – 2) *Pfeife,* Rohr des Glasbläsers zum Aufblasen der geschmolzenen Glasmasse. – 3) bei Dampfkesseln Rohr zum Ablassen des Überdruckdampfs.

Blaß, *Ernst,* dt. Schriftsteller, 1890–1939;

formstrenge expressionist.-aktivistische, intellektuelle Lyrik, Sonette, Essays.

Bläßhuhn *s, Bleßralle, Belchen,* Wasserhuhn, entengroßer, schwarzer Wasservogel mit weißer Stirnplatte u. Schnabel; bewohnt schilfreiche Gewässer Europas, Asiens u. Australiens.

Blastomeren (gr., Mz.), bei der Entwicklung v. vielzelligen Tieren durch → Furchung aus der Eizelle entstehende Zellen.

Blastomykose *w,* infektiöse Erkrankung v. Haut, Lunge, Gehirn u. a.; Erreger der Pilz → Blastomyces.

Blastula *w* (gr.), *Blasenkeim,* in der Entwicklung v. vielzelligen Tieren auftretende flüssigkeitsgefüllte Blase, bestehend aus einer einschichtigen Zellage.

Blatt *s,* 1) *Bot.:* meist flächige Organe der höheren Pflanzen, an der Sproßspitze in gesetzmäßiger Folge entstehend; unterteilt in die flächenhafte *Blattspreite,* den *Blattstiel* u. den am Stengel ansitzenden *Blattgrund.* Man unterscheidet: a) *Keimblatt*

Eines der wichtigsten Bestimmungsmerkmale einer Pflanze sind die Blätter. Diese können ungeteilt sein, wie ein Eichenblatt (1) und eine Tannennadel (2), aber auch zusammengesetzt, wie das Blatt der Roßkastanie (3), und federförmig, wie das des Farns (4). 5. Zu Ranken umgeformte Blätter. 6. Stacheln eines Kaktus

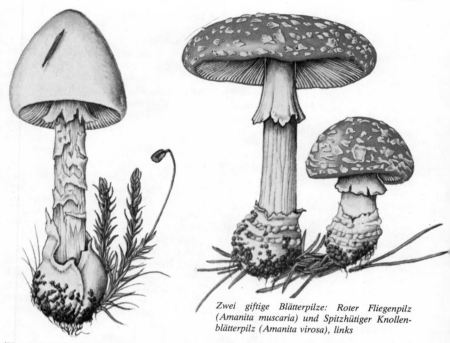

Zwei giftige Blätterpilze: Roter Fliegenpilz (Amanita muscaria) und Spitzhütiger Knollenblätterpilz (Amanita virosa), links

(Kotyledo), als Speicherorgan schon im Samen angelegt. *b) Laubblatt,* blattgrünhaltig, Ort der Photosynthese, Atmung u. Transpiration. Es ist begrenzt v. der Epidermis, welche unterseits Spaltöffnungen trägt, die den Gasaustausch regulieren; darunter liegen oberseits chlorophyllreiche *Palisadenzellen,* unterseits lockeres Durchlüftungsgewebe *(Schwammparenchym).* Leitbündel *(Blattnerven)* sorgen für die Nährstoff- u. Wasserversorgung u. die Ableitung der Photosyntheseprodukte. Je nach Pflanzenart u. Lebensbedingungen sind großflächige Schattenblätter od. kleine ledrige Hartlaubblätter ausgebildet. Es gibt glattrandige, gesägte, finger- od. fiederförmig geteilte Blätter. *Sukkulente Blätter* dienen der Wasserspeicherung. *c) Niederblatt,* schuppenförmig, meist chlorophyllfrei, an unterirdischen Sprossen u. an Knospen, oft fleischig verdickt (Zwiebelschuppen). *d) Hochblatt,* in der Blütenregion, aber nicht zur Blüte gehörig, oft lebhaft gefärbte Schauapparate (Weihnachtsstern). *e) Blütenblätter,* → Blüte. – 2) *Jägersprache:* Schultergegend v. Haarwild.

Blattachsel w, *Blattwinkel,* die Stelle, wo

die Blattoberseite in den Sproß übergeht; meist mit Achselknospe.

Blattbräune w, Pilzkrankheit bei Pflanzen; die Blätter werden braun u. vertrocknen; bei Süßkirschen: *Blattseuche,* bei Kartoffeln: *Dürrfleckenkrankheit.*

Blattdornen (Mz.), zu spitzen Dornen umgewandelte Blätter; z. B. bei Kakteen, deren Sproß die Aufgaben der Blätter als Assimilationsorgane übernommen hat.

Blätterkohle w, 1) dünnschichtige Braunkohle des Tertiärs. – 2) *Papierkohle,* oft tierische u. pflanzl. Reste enthaltendes Faulschlammgestein.

Blättermagen m, *Omasus, Psaltermagen, Psalterium,* dritter Abschnitt des → Wiederkäuermagens, gehört zu den Vormägen.

Blattern (Mz.), → Pocken.

Blätterpilze (Mz.), *Lamellenpilze,* Gruppe der → Ständerpilze; besitzen an der Unterseite des Huts sporentragende Lamellen; z. B. *Knollenblätterpilz, Fliegenpilz, Täubling;* wertvolle Speisepilze sind *Champignon, Riesenschirmpilz, Pfifferling.*

Blätterteig m, Wasserteig, mehrmals mit Butter ausgerollt; für Pasteten u. Teegebäck.

Blat

Blattfallkrankheit *w*, vorzeitiger Blattfall bei Pflanzen, verursacht durch Pilzbefall od. Wurzelbeschädigung.

Blattfarbstoffe (Mz.), Farbstoffe der Blätter, z. B. Chlorophyll, Xantophylle, Anthocyane.

Blattfeder *w*, Feder, die aus mehreren parallelliegenden Metallblättern zusammengesetzt ist.

Blattfisch *m*, → Segelflosser.

Blattflechten (Mz.), *Laubflechten*, → Flechten mit blattartiger Gestalt. Die dünnen Flechten sind entweder flächenhaft ausgebreitet od. stark verzweigt u. häufig gekräuselt.

Blattflöhe (Mz.), *Psyllina*, Familie der Schnabelkerfe, mit Springbeinen; saugen kolonieweise an Pflanzen; Obstschädling: Apfelblattsauger, Birnensauger.

Blattfüßer (Mz.), *Blattfußkrebse, Phyllopoden*, Ordnung der niederen Krebse, meist mit zweiklappiger Schale; breite Schwimmfüße dienen gleichzeitig zum Atmen; im → Plankton v. Tümpeln, aber auch in Salzlachen. Wichtigster Vertreter: *Wasserfloh* (Daphnia).

Blattgalle *w*, durch schmarotzende Insekten entstandene Galle an Blättern.

Blattgold *s*, bis zu einer Stärke v. 0,0001 mm ausgeschlagenes Gold.

Blattgrün *s*, grüner Blattfarbstoff, → Chlorophyll.

Blatthornkäfer (Mz.), *Scarabaeiformia, Lamellicornia*, weltweit verbreitete artenreiche Käferfamilie; tragen am Fühler fächerartig angeordnete, reich mit Sinneszellen besetzte Lamellen. Einheimische Vertreter: *Mistkäfer, Maikäfer, Junikäfer, Walker, Rosenkäfer, Nashornkäfer, Hirschkäfer.*

Blattkäfer (Mz.), kleine, meist bunte pflanzenfressende Käfer.

Blattkaktus *m, Flügelkaktus, Epiphyllum*, Kakteengattung des trop. Amerika mit blattartig verbreiterten Sprossen; oft epiphytisch; z. B. der Weihnachtskaktus.

Blattkapitell *s*, → Kapitell.

Blattkiemer (Mz.), größte Gruppe der → Muscheln mit blattförmigen Kiemen. Vertreter: *Flußmuschel, Wander-, Herz-, Riesen-, Tell-, Venusmuschel* u. viele andere.

Blattkohl *m, Blätterkohl, Winterkohl*, Kulturformen des Kohls mit hohem Stengel. Die Blätter stehen einzeln u. bilden keinen Kopf. *Ritterkohl* u. *Baumkohl* wird als Viehfutter, *Krauskohl* als Gemüsepflanze, *Palm-* u. *Federkohl* als Zierpflanze verwendet.

Blattläuse (Mz.), *Aphiden*, artenreiche Gruppe der Schnabelkerfe; Ober-u. Unter-

Blattgrün ist in Blattgrünkörnern oder Chloroplasten gelagert. Diese ordnen sich entlang der Zellenwand so, daß sie in bezug auf das Sonnenlicht die günstigste Position einnehmen. Sie liegen tagsüber, wenn die Photosynthese stattfindet, an der Ober- und Unterwand der Zellen, wo sie das meiste Licht erhalten (A). Abends und nachts befinden sich die Chloroplasten an den Seitenwänden (B). In den Zellen von Blättern und Stielen grüner Pflanzen (A) befinden sich Blattgrünkörner (B), die aus einer äußeren Membran (1) und einer darin befindlichen körnigen Masse, dem Stroma (2), bestehen, das die Grana (3) enthält. Die Grana bestehen aus Lamellen, die lichtabsorbierende Pigmente enthalten. Die Lichtabsorption schafft die Energie für die Photosynthese

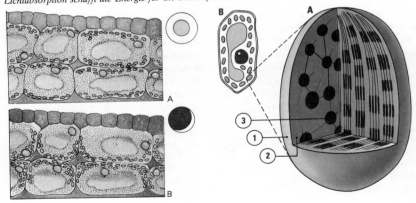

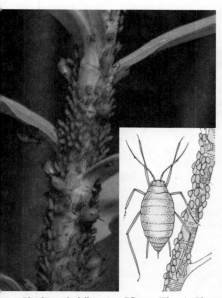

Blattläuse befallen eine Pflanze (Photo). Blattlaus in der Vergrößerung (rechts)

kiefer sind zu Stechborsten umgewandelt, mit denen sie Pflanzenteile anstechen u. aussaugen. Durch massenweise Vermehrung (entweder zweigeschlechtlich od. durch Jungfernzeugung) bilden sie dichte Kolonien u. sind Pflanzenschädlinge. Im Winter legen B. meist frostresisente Eier, während die B. absterben. Einige Arten bilden Gallen; andere sondern zuckerhaltige Flüssigkeit *(Honigtau)* ab, der v. Ameisen gefressen wird. Natürliche Feinde der B. sind die räuberischen Larven v. Marienkäfer, Florfliege *(Blattlauslöwe)* u. die Schlupfwespen; chem. Bekämpfung z. B. durch Winterbespritzung der Obstbäume mit Karbolineum, durch Bespritzen mit Nikotin. Vertreter: *Reblaus, Blutlaus, Apfelblattlaus.*

Blattlauslöwe *m,* Larve der *Florfliege,* ernährt sich ebenso wie die Larve des Marienkäfers v. Blattläusen durch Aussaugen.

Blattmetalle (Mz.), *Folien,* Metallbleche, v. unter 0,1 mm Dicke, hergestellt durch Auswalzen v. Metallblöcken; Verwendung: zum Belegen v. Holz u. Metallen mit *Blattgold, Blattsilber,* für Verpackung *(Stanniol* aus Zinn, *Alufolie),* für Spiegelbeläge (B. aus Zink).

Blattminierer (Mz.), Fliegen u. Motten, deren Larven das zw. den Epidermisschichten v. Blättern liegende Gewebe fressen u. dadurch → Minen erzeugen.

Blattnasen (Mz.), tropisch-am. Fledermäuse mit blattförmigen Hautaufsätzen auf der Nase.

Blattnerven (Mz.), → Blatt 1b).

Blattornament *s, Blattwerk,* Ornament in Blattform.

Blattpflanzen (Mz.), Zierpflanzen, die nicht ihrer Blüten, sondern der Größe, Gestalt u. Färbung ihrer Blätter wegen gezogen werden; z. B. Blattbegonien, Gummibaum.

Blattrandkäfer *m, Sitona,* ca. 5 mm großer brauner Rüsselkäfer; Schädling an Klee u. Luzerne, frißt deren Blätter vom Rand her.

Blattranke *w,* durch Umwandlung eines Blatts od. Blatteils entstandene Ranke, z. B. bei Erbse u. Wicke.

Blattroller (Mz.), Gruppe der Rüsselkäfer. Die Weibchen zerschneiden Blätter, rollen sie zu Tüten od. Paketen zusammen u. legen ihre Eier darin ab; z. B. *Birkenblattroller, Eichenkugelrüßler.*

Blattrollkrankheit *w,* Viruskrankheit der Kartoffel, verursacht zigarrenförmiges Einrollen der Blätter.

Blattscheide *w,* den Stengel umhüllender Blattgrund (→ Blatt), bes. häufig bei Gräsern.

Blattschneiderameisen (Mz.), südam. Ameisen; tragen zerschnittene Blätter in ihre unterirdischen Bauten; die Blattstückchen werden zerkaut u. dienen als Düngung für eine Pilzkultur, v. der sich die B. ernähren.

Blattschneiderbiene *w, Megachile,* Gruppe v. europ. Bienen, deren Weibchen die Zellen ihrer unterirdischen Nester mit ausgeschnittenen Blattstücken tapezieren.

Blattseuche *w,* → Blattbräune.

Blattsilber *s,* in dünne Blättchen ausgewalztes Silber; → Blattmetalle.

Blattskelett *s, Blattnervatur,* das Gerippe der Leitbündel in der Blattspreite (→ Blatt).

Blattspreite *w,* → Blatt.

Blattsteckling *m,* durch Knospung aus einem abgeschnittenen Blatt hervorgegangene Pflanze; bei einigen Zierpflanzen (z. B. Begonien) zur Vermehrung angewandte Methode.

Blat

Die Blattwespe (Nematus ribesii) befällt Stachel- und Johannisbeersträucher. Sie frißt die Blätter von den Rändern bis auf die Stiele ab. Ganze Sträucher können von einem Tag auf den andern kahlgefressen werden

Blattstellung *w, Bot.: Phyllotaxis:* die Blätter werden am Sproß gesetzmäßig angelegt: **1)** *spiralige B.:* jedes Blatt steht einzeln am Stengel, das nächstfolgende darüber od. darunter, um einen bestimmten Winkel versetzt; der seitliche Abstand zweier Blätter heißt *Divergenz;* beträgt dieser ein Drittel des Sproßumfangs, so steht das 4. Blatt wieder über dem ersten. – **2)** *wirtelige B.:* mehrere Blätter stehen am Sproß auf gleicher Höhe. – **3)** *alternierende B.:* die Glieder des nächsten Wirtels stehen über den Zwischenräumen des unteren. Zweiblättrige Wirtel heißen *gegenständig,* alternierende zweigliedrige Wirtel *kreuzgegenständig* od. *dekussiert.*

Blattstiel *m,* → Blatt 1).

Blattsukkulenz *w,* bei Pflanzen: Ausbildung dicker fleischiger Blätter zur Wasserspeicherung; z. B. bei Fetthenne, lebenden Steinen (Lithops), Aloe.

Blattvögel (Mz.), Gattung *Chloropsis,* grün- u. buntgefärbte → Haarvögel der Dschungel Indiens u. der malaiischen Inseln.

Blattwerk *s,* → Blattornament.

Blattwespen (Mz.), *Tenthredinidae;* zu den → Hautflüglern gehörende artenreiche Fam. der Pflanzenwespen; Larven raupenähnlich *(Afterraupen),* vielfach gefürchtete Pflanzenschädlinge; Larven der *Rüben-B.*

Blaualgen sind mit den Bakterien die primitivste Gruppe der Einzeller. Die Arten der Gattungen Nostoc und Chroococcus bilden mit Schimmeln symbiotische Einheiten, genannt Flechten (Klasse Lichenes).
A. Chroococcus turgidus, eine koloniebildende Blaualge, lebt meistens mit einem Schimmelpilz zusammen.
B. Die Alge Oscillatoria margaritifera kann sich durch Ausstoßen von Schleimpfropfen fortbewegen.
C. Arten der Gattung Anabaena leben in Symbiose mit dem Wasserfarn Azolla caroliniana; 1. Heterozygote; 2. Spore.
D. Rivularia atra bildet Kolonien auf kahlen Felsen an der Küste (1). Bei einer 10fachen Vergrößerung der Kolonie (2) ist der Aufbau sichtbar.
E. Brachytrichia balani ist eine der Arten, die durch das Pigment Phycoerythrin eine rote Farbe haben.
F. Dermocarpa prasina lebt mit andern Algen (1) zusammen oder bildet eigene klumpenförmige Kolonien; 2. Querschnitt einer Kolonie

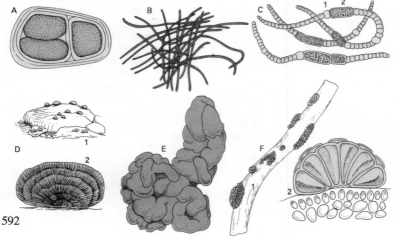

Wasserfall des Blauen Nils in Äthiopien

(*Athalia colibri*) können ganze Raps- u. Rübenfelder kahlfressen; *Kiefern-B. (Lophyrus pini), Gespinst-B. (Cephaleia)* u. *Buschhorn-B. (Diprion)* sind gefürchtete Waldschädlinge.

Blattwickler *m*, **1)** Rüsselkäfer, → Blattroller. –**2)** Schmetterlingsfamilie, → Wickler.

Blattzeit *w*, Zeit der Rehbrunst, Ende Juli bis Anfang August. → Brunst.

Blau *w*, 20 km langer l. Nebenfluß der Donau; aus dem *Blautopf.*

Blau *s*, Farbempfindung in den Wellenlängen 440–490 nm, bei 470 Urfarbe B.; Komplementärfarbe: Orange. B. ist Symbolfarbe der Treue.

Blaualgen (Mz.), *Blaugrüne Algen, Cyanophyta;* einzellige Algen ohne Zellkern (→ Prokaryonten); wegen ihrer Vermehrung durch einfache Querteilung auch *Spaltalgen* genannt; besitzen wie die höheren Pflanzen das Pigment Chlorophyll u. ernähren sich durch → Photosynthese. Die blaue (auch rötliche) Färbung kommt durch zusätzliche Pigmente zustande. Die B. bilden häufig Kolonien: gallertige Überzüge auf Steinen od. feuchter Erde (*Gallertalge Nostoc*) od. Fäden (*Schwingalge Oscillatoria* in verschmutzten Gewässern). Die mikroskopisch kleinen Algen werden dann augenfällig, wenn sie in Massen auftreten: blauschwarze *Tintenstriche* auf Kalkfelsen, → Wasserblüte, als → Flechten in Gesellschaft mit Pilzen.

Blauamsel *w*, → Blaudrossel.

Blaubart, *Ritter B.,* frz. Märchengestalt.

Blaubeere *w*, → Heidelbeere.

Blaubeuren, b.-württ. Stadt westl. v. Ulm, im Alb-Donau-Kreis, 11 800, als Vereinbarte Verw.-Gemeinschaft 13 500 E.; ehem.

Bened.-Kloster (1095; Neubau 1466–1502), heute ev.-theolog. Seminar.

Blaubock *m*, **1)** *Hippotragus equinus,* seit 1800 ausgerottete Antilopenart der Buschwälder Südafrikas. – **2)** *Gaurotes virginea,* → Bockkäfer der mitteleurop. Gebirge.

Blaubücher (Mz.), → Farbbücher.

Blaudrossel *w, Blauamsel, Blaumerle,* Singvogel des Mittelmeergebiets mit amselähnlichem, melodischem Gesang.

Blaudruck *m*, Zeugdruck mit weißem Muster auf Blaugrund; für Schürzen usf.

Blaue Berge, engl. *Blue Mountains,* **1)** Teil der Appalachen im SO der USA. – **2)** Bergland im SO v. Australien, Teil der austral. Kordillere.

blaue Blume, Symbol der Sehnsucht in der romant. Dichtung; nach Novalis' Roman *Heinrich v. Ofterdingen* (1802).

Blaue Division, *División Azul,* span. Freiwilligenverband; kämpfte 1941–43 in Rußland auf dt. Seite.

blaue Erde, im Tertiär entstandene tonreiche Sande, grau bis dunkelgrün, mit hohem Gehalt an Bernstein.

Blaue Grotte, Brandungshöhle an der Nordostküste der Insel Capri; azurblau erleuchtet.

Blaueisenerz *s, Vivianit,* Mineral; chem. Formel: $Fe_3(PO_4)_2 \cdot 8H_2O$.

Blauen *m*, Name mehrerer Berge: **1)** im südl. Schwarzwald bei Badenweiler, 1167 m hoch. – **2)** bei Zell im Wiesental, 1079 m hoch. –**3)** Bergzug des Schweizer Jura, 880 m hoch.

Bläuen *s*, optisches → Bleichen v. gelblichen Tönungen bei Geweben, Zucker od. Papier mit blauen Farbstoffen (Blaupulver).

Blau

blauer Brief, Kündigungsbrief, fr. in blauem Umschlag zugestellt.

blauer Montag, im MA der Fastnachtsmontag; später jeder arbeitsfreie Montag. – *blau machen,* nicht arbeiten, feiern.

Blauer Nil, der östl. Quellfluß des Nils.

Blauer Reiter, 1912 in München gegr. Gemeinschaft v. expressionist. Künstlern, zu denen u. a. gehören: Campendonk, Kandinsky, Klee, Macke, Marc, Münter, Kubin; bedeutend für die Entwicklung der modernen Kunst.

Blaues Band, 1) *B.B. des Ozeans,* Auszeichnung für schnellstes Schiff der Atlantikstrecke Cherbourg–New York. – **2)** auf den Hosenbandorden zurückgehende brit. u. am. Auszeichnung bei Wettrennen u. -fahrten.

blaues Blut, *Blaublütigkeit,* adelige Abstammung.

Blaues Kreuz, ev. Vereinigung zur Rettung v. Alkoholikern, 1877 durch Pfarrer L. Rochat in Genf gegründet; verlangt totale Enthaltsamkeit v. alkohol. Getränken u. arbeitet gg. Alkoholismus; Abzeichen: ein blaues Kreuz.

Blaues Ordensband, Nachtfalter aus der Gruppe der → Eulen.

blaue Zone, in einigen Ländern innerstädtische blau gekennzeichnete Parkzone mit besond. Parkscheibe.

Tiere waren das Hauptmotiv Franz Marcs (1880–1916), eines der führenden Maler des ,Blauen Reiter'. Die Abbildung zeigt sein Gemälde ,Das blaue Pferd' (Ausschnitt)

Blaufäule *w,* Pilzerkrankung gefällter Nadelhölzer.

Blaufelchen *m, Renke,* Felchenart; bis 50 cm lang u. 2–3 kg schwer; mit blauem Rücken, unterseits rötlichweiß; häufig im Bodensee u. in Alpenseen; wichtiger Speisefisch.

Blaufichte *w,* → Blautanne.

Blaufisch *m,* Meeresfisch aus der Gruppe der Thunfische; Speisefisch.

Blaufuchs *m,* in Kanada als Pelztier gezüchtete Farbvariante des Polarfuchses. Das langhaarige Winterfell ist blaugrau.

Blaugas *s,* nach seinem Erfinder *Hermann Blau* benanntes Gas; Gemisch aus Paraffin u. Olefine-Kohlenwasserstoffen; Verwendung zur Beleuchtung v. Fahrzeugen, Seezeichen usw. sowie als Treibgas. Heute vorwiegend durch → Propangas verdrängt.

Blaugel *s,* blaues Kieselgel; stark wasseranziehend, daher Verwendung als Trockenmittel; wird bei Feuchtigkeitsaufnahme rosa gefärbt; kann durch Erhitzen entwässert u. in die blaue Form zurückverwandelt werden.

Blaugrüne Algen (Mz.), → Blaualgen.

Blauhai *m, Menschenhai,* für den Menschen gefährlicher räuberischer → Hai; 3–5 m lang; im Mittelmeer u. Atlant. Ozean.

Blauholz *s,* Holz v. Bäumen der Gattung Haematoxylum; Heimat: trop. Amerika. Das Holz verfärbt sich an der Luft schwarz u. dient zur Gewinnung des blauen Farbstoffs Hämatoxylin, der zum Anfärben mikroskopischer Präparate verwendet wird.

Blauhusten *m, Stickhusten,* → Pertussis.

Blaukehlchen *s,* mit Nachtigall u. Rotkehlchen verwandter Singvogel; in Europa u. Asien.

Blaukissen *s,* → Aubrietie.

blaukochen → blausieden.

Blaukohl *m,* → Rotkohl.

Blaukreuz *s, Diphenylarsinchlorid,* chem. Kampfstoff, Giftgas, das die Luftwege reizt; im 1. Weltkrieg als chem. Waffe eingesetzt.

Blaulicht *s,* **1)** *Med.:* kurzwelliger Teil des sichtbaren Lichtspektrums, kaltes Licht wegen Fehlens der Wärmestrahlen; *B.bestrahlung* gg. Nervenentzündung u. Juckreiz. – **2)** Warnlicht bei Polizei-, Kranken- u. Feuerwehreinsatzwagen.

Bläulinge (Mz.), Familie der Tagfalter; kleine bis mittelgroße Arten; die Männchen

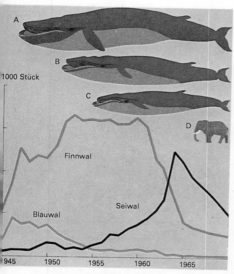

Einreihung nach Größe von drei Walarten: A. der Blauwal, B. der Finnwal, C. der Seiwal und zum Vergleich mit ihrer Größe ein Elefant (D). Darunter eine Graphik, die den dramatischen Rückgang der Walarten infolge der modernen Fangmethoden zeigt. Der Blauwal ist sogar fast völlig ausgerottet

sind oft blau u. rot, die Weibchen eher unscheinbar braun gefärbt. Die Raupen einiger Arten leben in Symbiose mit Ameisen. Einheim. Vertreter: *Dukatenfalter, Feuerfalter, Brombeerzipfelfalter, Geißkleebläuling.*

Blaumeise *w,* kleiner Singvogel mit hellblauer, weiß eingefaßter Kopfplatte; brütet in Baumhöhlen, ernährt sich v. Insekten; in ganz Europa u. Nordafrika verbreiteter Zugvogel.

Blaumerle *w,* → Blaudrossel.

Blaupause *w,* Lichtpause auf blauem Grund.

Blaupulver *s,* Indigocarmin- u. Ultramarinfarbstoff zum → Bläuen v. Wäsche u. a.

Blauracke *w, Mandelkrähe, Mandelhäher,* zu den Raken gehörender, prächtig gefärbter, fast taubengroßer Vogel; in Süd- u. Osteuropa u. Ost-Dtl. beheimatet, selten in Süd-Dtl.

Blausäure *w, Cyanwasserstoff,* organische Säure; chem. Formel HCN; farblose Flüssigkeit, Bittermandelgeruch; Vorkommen im Pflanzenreich, gebunden an Glykoside (z. B. Amygdalin der Mandel u. anderer Steinobstkerne) u. in ungereinigtem Leuchtgas. B. ist hochgiftig, ebenso wie ihre Salze (Cyanide), da sie mit Wasser B. freisetzen. Verwendung für Kunststoffherstellung u. zur Schädlingsbekämpfung.

Blausäurevergiftung *w,* Vergiftung mit Bittermandeln, in der chem. Industrie od. durch Einatmen v. Verbrennungsgasen verschiedener Kunststoffe (Flugzeugunfälle); hemmt die Sauerstoffverwertung in der Zelle (innere Vergiftung); Symptome: Kopfschmerzen, Angst, Atemnot, Bewußtlosigkeit, Tod durch Atemlähmung; Erste Hilfe: Beatmung, Sauerstoff, durch Arzt Amylnitrit u. Natriumthiosulfat.

Blauschimmel *m,* durch den Pilz *Peronospora* hervorgerufene Blattkrankheit des Tabaks; vernichtet in regenreichen Sommern bisweilen große Teile der Tabakernte.

Blauschlamm *m, Blauschlick,* blaugrau gefärbtes Meeressediment in 2000–2500 m Tiefe; tonhaltig.

Blauschlick *m,* → Blauschlamm.

blausieden, *blaukochen,* Süßwasserfische in Essigwasser garen.

Blauspat *m,* Mineral, → Lazulith.

Blauspecht *m,* → Kleiber.

Blaustein *m,* Mineral, → Kupfervitriol.

Blaustein, b.-württ. Gem. im Alb-Donau-Kreis, 13 700 E.

Blaustern *m, Scilla,* kleines blaublühendes Liliengewächs; beliebte Zierpflanze, blüht im zeitigen Frühjahr.

Blaustrumpf *m,* engl. *Blue stockings,* iron. Bez. für sich intellektuell gebärdende Frau.

Blausucht *w, Cyanose,* bläuliche Verfärbung v. Haut, Schleimhäuten u. Nägeln infolge Sauerstoffmangels im Blut bei Herz- u. Lungenleiden.

Blautanne *w,* Stech- od. *Blaufichte, Picea pungens,* blauweißnadelige Fichte aus den Rocky Mountains; beliebt als Zierbaum u. für Schmuckreisig.

Bläuungsmittel (Mz.), Farbstoffe, wie Ultramarin, Zuckerblau, zum Bläuen v. Zucker, Papier, Wäsche u. a.

Blauwal *m,* graublauer Bartenwal des Nordatlantik (→ Wale); größtes Säugetier der Erde; lebt vom → Krill.

Blavatsky, *Helene Petrowna,* russ. Theosophin, 1831–91; gründete 1875 in New York die Theosoph. Gesellschaft.

Blaz

Herstellung von Konservenbüchsen ▷
A. Fettfreies, sauberes Eisenblech.
B. Aufbringen einer Zinnschicht auf beiden Sei-
ten durch Elektrolyse.
C. Nach Erhitzung auf 210° C ist die Außen-
schicht des Zinns oxidiert, während im Grenzbe-
reich zwischen Zinn und Eisen durch Diffusion
ein Übergangsbereich entstanden ist, der eine gute
Haftung ermöglicht.
D. Eine dünne Schicht Palmöl vereinfacht die
maschinelle Verarbeitung des Blechs.
E. Nach der Verarbeitung kann die Innenseite der
Konservendose zum Schutz vor sauren Pflanzen-
säften noch lackiert werden

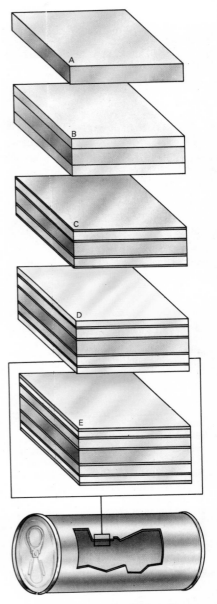

Blazer *m* (:bleⁱsᵉʳ, engl.), leichte Klub- u.
Sportjacke.
Blech *s*, aus walzbaren Metallen (Stahl,
Kupfer, Zink, Aluminium) hergestellte
dünne Platten. *Fein-B.:* 0,3–3 mm stark
(darunter → Blattmetalle), *Mittel-B.:* 3–5
mm, *Grob-B.:* über 5 mm. Nach Form unterscheidet man *Riffel-B., Well-B., Gitter-
B., Loch-B. Weiß-B.* ist verzinntes Stahl-B.
Blech, *Leo*, dt. Komponist u. Dirigent,
1871–1958; Spielopern, Lieder. – HW:
Aschenbrödel (1905; Oper).
Blechen, *Karl*, dt. Maler, 1798–1840; Vorläufer des Impressionismus; romantische,
später realist. Landschaftsmalerei.
Bleckede, niedersächs. Stadt an der Elbe,
im Ldkr. Lüneburg, 7700 E.; Schloß.
Bled, *Veldes*, jugoslaw. Luftkurort in Slo-
wenien, am Ostrand der Julischen Alpen;
4100 E.; Thermalquellen.
Bleeker, *Bernhard*, dt. Bildhauer u. Maler,
1881–1968; realist. Bildnisse, monumentale
Plastiken, Denkmäler.
Blei, 1) *s, Pb*, chem. Element, Ordnungszahl 82, Massenzahlen zw. 204 u. 212; ein
weiches, glänzendes Metall v. hohem
→spezif. Gewicht mit niedrigem Schmelz-
punkt (327° C). Anwendungsgebiete: Was-
serleitungsrohre, Kabelummantelungen,
Akkumulatorenplatten u. ä. – **2)** *m*, Fisch
europäischer Flüsse, → Brachsen.
Blei, *Franz*, österr. Schriftsteller 1871–
1942; amouröse Novellen der galanten Zeit,
Lustspiele, geistvolle zeitkrit. Essays. –
HW: *Das Kuriosenkabinett der Literatur*
(1924; Anthologie).
Bleianämie *w*, → Bleivergiftung.
Bleiarsenat *s*, Bleiverbindung der chem.
Formel $Pb_3(ASO_4)_2$; giftig; Pflanzenschutz-
mittel gg. den Kartoffelkäfer.

Bleiazid *s*, Bleisalz der Stickstoffwasser-
stoffsäure, $Pb(N_3)_2$; explodiert bei Erschüt-
terung, daher als Zündstoff in Sprengladun-
gen verwendet.
bleibende Härte *w*, → Wasserhärte.
Bleibtreu, 1) *Georg*, dt. Maler, 1828–92;
Schlachtenbilder. – **2)** *Karl*, dt. Schriftstel-

Blei

ler, 1859–1928; Mitgründer 1890 der Dt. Bühne in Berlin; Kritiker, Erzähler, Dramatiker u. Vorkämpfer des Naturalismus; Romane. – HW: *Revolution der Literatur* (1886).

Bleibtreu-Paulsen, *Hedwig,* österr. Schauspielerin 1868–1958; seit 1893 am Wiener Burgtheater; spielte auch in Filmen.

Bleichen *s,* Entfernen v. Farbe aus Gewebe, Papier u. a. Die Farbstoffe werden *1)* durch Oxidations- u. Reduktionsmittel zerstört: Chlorkalk, Eau de Javelle, Wasserstoffperoxid, Perborate (häufig in Waschmitteln) zur Oxidation, schweflige Säure zur Reduktion; bei der früher üblichen *Rasenbleiche* bildeten sich über der feucht ausgebreiteten Wäsche im Sonnenlicht Wasserstoffperoxid u. Ozon, welche als Oxidationsmittel wirkten; – *2)* an Aktivkohle adsorbiert; – *3)* bei der *opt. Bleiche* durch → Komplementärfarben zu Weiß ergänzt (Bläuen der Wäsche).

Bleicherde *w, Grauerde, Podsol,* Bodenart in kaltfeuchtem Klima mit ausgebleichtem A-Horizont unter der Humusdecke; darunter B-Horizont, mit Eisen angereichert.

Bleicherode, Stadt im DDR-Bez. Erfurt, im NO des Eichsfelds, ca. 9000 E.; Kalibergbau.

Bleichkalk *m,* der → Chlorkalk.

Bleichromat *s,* gelbes Bleisalz der Chromsäure; als Malerfarbe (Chromgelb) verwendet.

Bleichsucht *w, Chlorose,* 1) *Bot.:* Unterbleiben der Blattgrünbildung bzw. krankhafte Gelb- od. Weißfärbung v. Blättern u. Sprossen als Folge v. Licht- od. Eisenmangel. – 2) *Med.:* heute seltene Blutarmut (Eisenmangelanämie) bei jungen Mädchen in der Pubertät.

Bleiessig *m,* wäßrige Lösung v. Bleiacetat; in der Medizin zu Umschlägen u. Spülungen verwendet.

Bleifarben (Mz.), Bleiweiß, Mennige u. Bleiglätte; besitzen hohe Deckkraft; dunkeln jedoch an der Luft durch Bildung v. braunschwarzem Bleisulfid.

Bleigießen *s,* Volksbrauch an Silvester (31.12.): aus geschmolzenem, in Wasser gegossenem Blei wird Zukunft orakelt.

Bleiglanz *m,* häufigstes Bleierz, in der Chemie *Bleisulfid* genannt; besteht zu über 86% aus Blei.

Bleiglas *s,* stark lichtbrechendes Glas mit hohem Bleioxidgehalt. Verwendung für Glasgefäße (Bleikristall) u. als Röntgenschutz.

Bleiglasur *w,* → Glasur.

Bleiglätte *w,* → Bleioxid.

Bleikammern (Mz.), 1) mit Blei ausgekleidete Räume zur Gewinnung v. Schwefelsäure. – 2) ehem. venezian. Staatsgefängnis unter dem Bleidach des Dogenpalasts; 1797 zerstört.

Bleikammerverfahren *s,* heute veraltetes Verfahren der Schwefelsäuregewinnung: Schwefeldioxid wird durch ein Gemisch aus Luft u. Stickstoffoxiden oxidiert. Die entstehende Schwefelsäure wird in *Bleikammern* (mit dem säureunempfindlichen Blei ausgekleidete Behälter) gesammelt.

Bleikolik *w,* → Bleivergiftung.

Bleikrankheit *w,* → Bleivergiftung.

Bleikristall *s,* geschliffenes → Bleiglas.

Bleilochtalsperre *w, Saaletalsperre,* Talsperre im DDR-Bez. Erfurt, an der oberen Saale; Stausee 28 km lang, faßt 215 Mill. m³.

Bleimennige *s,* → Mennige.

Bleioxid *s, Bleiglätte,* PbO, gelbes od. rotes Pulver; Ausgangsstoff für Bleiverbindungen; → Bleifarben.

Bleipapier *s,* mit Bleisalzen getränktes Papier; Verwendung zum Nachweis v. Schwefelwasserstoff: durch Bildung v. Bleisulfid entsteht schwarze Färbung.

Ein in der Chemie viel verwendetes Mittel, um Wasserlösungen zu entfärben (bleichen), ist die Aktivkohle (Norit u. ä.). Hier hat man Tee eine gewisse Zeit mit Aktivkohle gekocht. Die Farbstoffe des Tees haben sich jetzt an die Oberfläche des Tees geheftet. Indem man die Flüssigkeit filtert, wird sie vollkommen klar

Blei

Bleiplattennaht *w,* Naht v. unter Spannung stehenden Hautwunden, wobei zwei Bleiplatten dem Faden (Draht) auf der Haut als Widerlager dienen.

Bleirot *s,* → Mennige.

Bleisaum *m* → Bleivergiftung.

Bleispat *m,* Mineral, Weißbleierz.

Bleistift *m,* Graphitstift zum Schreiben u. Zeichnen; Graphitmine in Holzfassung.

Bleisulfid *s,* → Bleiglanz.

Bleitetraäthyl *s,* Antiklopfzusatz zum Benzin.

Bleivergiftung *w, Bleikrankheit,* Berufskrankheit bei Malern (alte Farben), Schriftsetzern, Akkumulatoren- u. Hüttenarbeitern; auch durch bleihaltige Antiklopfmittel im Benzin; geht einher mit Kopfschmerzen, Magen-Darm-Krämpfen *(Bleikolik),* Lähmungen, Blutarmut *(Bleianämie)* u. grauen Ablagerungen am Zahnfleischrand *(Bleisaum);* Vorbeugung durch Rauch- u. Eßverbot am Arbeitsplatz (Hände waschen!); Behandlung durch Calciumgabe u. Chelatbildner.

Bleiweiß *s, Kremser Weiß,* weiße Bleifarbe mit hoher Deckkraft; chem. Zusammensetzung: $2Pb\ CO_3 \cdot Pb(OH)_2$; giftig.

Bleiwurz *w, Plumbago,* Pflanzengattung mit violetten bis blauen Blüten; Wurzel früher als Heilmittel verwendet; Zierpflanze.

Blendarkade *w,* → Blende 1).

Blendbogen *m,* → Blende 1).

Blende *w,* 1) *Architektur:* nischenartiges Bauelement: *Blendarkade, -bogen* u. a. – 2) *Optik:* Vorrichtung zur Veränderung der Objektivöffnung.

Blenden (Mz.), alter bergmänn. Name für metall- u. schwefelhaltige Mineralien (Metallsulfide), so Zink-, Manganblende, Rotgüldigerz.

Blendling *m,* Bastard v. Haus- u. Wildtier, z. B. Wolf u. Hund.

Blendmaßwerk *s,* dekorativ vor eine nicht durchfensterte Mauerzone gesetztes Maßwerk, nam. an Bauwerken der Gotik.

Blendung *w,* 1) durch intensive Strahlenwirkung hervorgerufene Minderung der Sehkraft: *a)* vorübergehend durch Verengung der Pupille u. Erschöpfung der Sehnervenzellen (Störung der Adaptation z. B. durch entgegenkommendes Fahrzeug); evtl. mit Bindehautreizung (Schweißen → verblitztes Auge, Hochgebirge → Schnee-

Die Abteikirche von St-Denis (1137 begonnen) bei Paris wird allgemein als das früheste Beispiel der gotischen Architektur angesehen. Die Abtei Suger hatte an deren Entwurf großen Anteil. Der Spitzbogen, das Blendmaßwerk, das Kreuzrippengewölbe und der Lichtbogen als typische Kennzeichen der Gotik, kamen vereinzelt schon früher vor, wurden aber in St-Denis zum erstenmal kombiniert

blindheit); *b)* Zerstörung der Netzhaut (Brennglaswirkung der Linse). – 2) Zerstörung des Sehvermögens als Strafe (Antike u. MA) u. Verbrechen.

Blennorrhagie *w* (gr.), → Blennorrhöe.

Blennorrhöe *w* (gr.), *Blennorrhagie, Eiterfluß, Schleimfluß;* speziell die eitrige Bindehautentzündung durch Gonokokken, früher bei Neugeborenen häufig; durch Einführung der Credéschen Prophylaxe fast verschwunden.

Blepharitis *w* (gr.), Lid-(rand-)entzündung, häufig wegen falscher od. fehlender Brille.

Blepharoplast *m* (gr.), → Geißel.

Blepharospasmus *m* (gr.), krampfartiger Lidschluß (z. B. bei Fremdkörpern im Bindehautsack).

Blériot (: bler'o), *Louis*, frz. Flugtechniker, 1872–1936; überflog 1909 als erster den Ärmelkanal v. Calais nach Dover.

Bléry, *Eugène,* frz. Maler u. Radierer, 1805–87; u. a. bes. Radierungen.

Bles, 1) *David,* niederl. Maler, 1821–99; haupts. Genrebilder. – **2)** *Herri met de,* niederl. Maler, um 1510 – nach 55; phantastische u. realist. farbfrohe Bilder mit bibl. Szenen.

Blesse *w, Blässe,* heller Stirnfleck bei Pferden u. Rindern; auch die Tiere mit dem Stirnfleck selbst heißen B.

Bleßhuhn *s,* ein Wasserhuhn, → Bläßhuhn.

blessieren (frz.), verwunden.

Bleßralle *w,* → Bläßhuhn.

Blessur *w* (frz.), Verwundung.

bleu (: blö, frz.), blaßblau, bläulich.

Bleuler, *Egon,* Schweizer Psychologe, 1857–1939; Prof. in Zürich u. Leiter der dortigen Heilanstalt; Vertreter einer Entwicklungstheorie des Lebens, wonach erworbene Eigenschaften durch die Bildung v. ‚Engrammen‘ vererbt werden können. – WW: *Lehrbuch der Psychiatrie* (1916); *Die Naturgeschichte der Seele* (1921).

Blicher (: bleg'r), *Steen Steensen,* dän. Schriftsteller, 1782–1848; heimatl. Novellen u. a.

Blickfeld *s,* das durch die Bewegungen des Auges bei fixer Kopfhaltung erweiterte Sehfeld. – Ggs.: → Gesichtsfeld.

Blida, 1) nordalger. Verw.-gebiet, 3704 km², 910000 E.; Hst.: B. – **2)** Hst. v. 1), am Nordfuß des Atlas, 161000 E.; Handelsplatz.

Blieskastel, saarländ. Stadt, an der Blies, im Saar-Pfalz-Kreis, 22600 E.; barocke Schloßkirche u. Rathaus.

Bligger von Steinach, mhd. Minnesänger aus Neckarsteinach, urkundlich belegt 1152–1209; wenige Gedichte erhalten.

Bligh (: blai), *William,* engl. Seefahrer,

1753–1817; 1772–75 Begleiter J. Cooks auf dessen 2. Weltumsegelung; 1787 auf Rückfahrt auf ‚Bounty‘ v. Tahiti v. seiner meuternden Mannschaft bei den Tofoainseln ausgesetzt, erreichte er im Boot Batavia.

Blindboden *m,* Bretterboden, über dem der Fußboden (Parkett u. a.) verlegt wird.

Blinddarm *m, Coecum,* sackartige Ausstülpung des Dickdarms hinter der Einmündung des Dünndarms, im rechten Unterbauch; hat beim Menschen einen → Wurmfortsatz, der sich leicht entzündet → Blinddarmentzündung.

Blinddarmentzündung *w,* falsche Bezeichnung für die Entzündung des → Wurmfortsatzes *(Appendicitis),* meist akut mit Übelkeit, Brechreiz, Temperaturanstieg u. Schmerzen im rechten Unterbauch; wegen Gefahr einer Bauchfellentzündung meist Operation *(Appendektomie).*

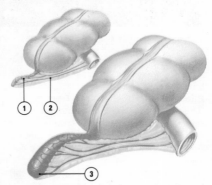

Der Wurmfortsatz (1) ist eine Ausstülpung des Blinddarms (2). Bei einer Blinddarmentzündung (3) ist der wurmförmige Fortsatz rot und geschwollen

Blinddiagnose *w, Blindverfahren, Psychodiagnostik:* Diagnose ohne Kenntnis v. Untersuchungspersonen u. Fragestellung.

Blinde (Mz.), Menschen mit angeborenem od. erworbenem Fehlen des Sehvermögens; ihnen gleichgestellt sind Menschen mit einer so starken Verminderung des Sehvermögens, daß ein Zurechtfinden in fremder Umgebung ohne Hilfen nicht möglich ist; ihnen werden Hilfen angeboten durch die → Blindenfürsorge u. in → Blindenschulen; spezielle Hilfen: Blindenschrift, -uhren, -abzeichen, -hunde u. a. m.

(→ Blindenpädagogik).

,Die Parabel von den Blinden' nannte Pieter Bruegel d. Ä. (1520–69) das 1568 entstandene Gemälde

Blindenabzeichen *s,* weißer Stock, gelbe Armbinde mit drei schwarzen Punkten am linken Arm.

Blindenfürsorge *w,* öffentl. od. private Hilfeleistungen für Blinde, unterhalten spezielle Anstalten, Heime u. Werkstätten zur Betreuung, Ausbildung od. Umschulung.

Blindenhilfsmittel (Mz.), → Blindenpädagogik.

Blindenhund *m,* speziell abgerichteter Hund zum Führen v. Blinden.

Blindenpädagogik *w, sonderpädagog.* Disziplin, die auf der → Blindenpsychologie aufbaut. Ihre pädagog. u. didakt. Maßnahmen zielen darauf, den Blinden an die Welt der Sehenden anhand verschiedener *Blindenhilfsmittel* anzupassen: *Blindenschrift,* (Blindennotenschrift, -kurzschrift), 1825 v. L. Braille entwickelt: ein erhabenes u. abtastbares Zeichensystem, das sich aus einer sechspunktigen Grundeinheit (,Zelle') u. deren Kombinationen zusammensetzt; *Blindenschreibtafel:* eine der Blindenschrift angepaßte Lochplatte, in die Buchstaben u. andere Zeichen mit einem Griffel gedrückt werden können; *Blindenschriftmaschine:* eine Schreibmaschine, die dem Punktesystem der Blindenschrift entspricht. Dazu kommen andere techn. Hilfsmittel, wie

elektron. Schreib- u. Lesegeräte *(Braillocord),* Lichtprothesen u. elektron. Blindenführgeräte, die unterschiedl. Lichtintensität für den Blinden in spezif. hörbare od. fühlbare Strukturen umwandeln.

Blindenpsychologie *w,* Teilgebiet der Angewandten Psychologie, das sich mit den Auswirkungen des Blindseins bzw. einer hochgradigen Sehbehinderung (→ Behinderte) in bezug auf den Erlebens- u. Verhaltensaspekt beschäftigt (verzögerte räuml. Orientierung, Formdifferenzierung, Beeinträchtigung der Sprachentwicklung bei Blindgeborenen, bes. Tast- u. Hörvermögen, der Mangel des Erlebens visuell-künstlerischer od. -ästhetischer Eindrücke usw.).

Blindenschreibtafel *w,* → Blindenpädagogik.

Blindenschrift *w,* → Blindenpädagogik.

Blindenschriftmaschine *w,* → Blindenpädagogik.

Blindenschulen (Mz.), Sonderschulen für Sehbehinderte u. Blinde (ca. 0,5% der Schulpflichtigen), die anhand blindenpädagog. Bildungsarbeit (→ Blindenpädagogik) den Lehrstoff der Haupt- u. Realschule vermitteln u. in Marburg an der Lahn (Sitz der Dt. Blindenstudienanstalt) sogar bis zum Abitur führen.

Blindenselbsthilfe w, → Blindenvereine.

Blindenuhr w, Uhren ohne Deckglas, an denen der Blinde die Zeit ertasten kann.

Blindenvereine (Mz.), private Organisationen der Blindenhilfe; auch *Blindenselbsthilfe: Dt. Blindenverband e. V.*, Bonn; seit 1948 *Bund der Kriegsblinden e. V.*, Bonn.

blinder Fleck m, Eintrittstelle des Sehnervs in die Netzhaut des Auges; lichtunempfindlich.

blinder Passagier (: - sehir, frz.), nichtzahlender Fahrgast auf Transportmitteln.

Blindflug m, Fliegen ohne Sicht, nur nach B.geräten des Bordinstrumentariums.

Blindgänger m, durch Zünderdefekt nicht explodierte Geschosse mit Sprengladung.

Blindheit w, *Amaurose*, Fehlen des Sehvermögens, → Blinde.

Blindholz s, billiges Füllholz zw. Edelholzfurnierplatten (bei Möbeln u. a.).

Blindlandung w, Landen v. Luftfahrzeugen bei mangelnder Bodensicht mittels der Bordinstrumente u. der Flugnavigation; auch *Allwetterlandung*.

Blindleistung w, die durch → Blindstrom verursachte Verlustleistung in Wechselstromanlagen.

Blindmaus w, *Spalax*, *Blindmull*, maulwurfähnliches Nagetier mit winzigen funktionslosen, unter der Haut liegenden Augen; gräbt mit den Krallen u. Schneidezähnen; in Europa nur zwei Arten.

Blindmull → Blindmaus.

Blindschleiche

Blindprägung w, → Blindpressung.

Blindpressung w, *Blindprägung*, ein Verfahren bes. der Lederschmückung (bei Bucheinbänden z. B.): eine heiße Metallplatte mit Relief ohne Farbe od. Gold wird dem Leder aufgepreßt; die gepreßten Stellen bleiben vertieft.

Blindprobe w, bei chemischen Nachweisreaktionen od. biologischen, vor allem biochem. Experimenten: Kontrollversuch, bei dem die zu untersuchende Substanz weggelassen wird. Die B. wird mit dem eigentl. Experiment verglichen, um zu sehen, ob in Anwesenheit der untersuchten Substanz eine Reaktion stattgefunden hat.

Blindrebe w, einjähriges Rebholz zur Vermehrung.

Blindschleiche w, *Glasschlange*, fußlose, daher schlangenähnliche, harmlose Eidechse; bis 50 cm lang; frißt Schnecken u. Würmer; die Jungen schlüpfen unmittelbar nach der Eiablage. Auf der Flucht vor Feinden kann die B. ihren Schwanz abwerfen *(Autotomie)*, der nur unvollständig nachwächst.

Blindschreiben s, Maschinenschreiben ohne Blick auf die Tasten.

Blindsee m, ein See mit Abfluß durch poröse Gesteinsschichten.

Blindspiel s, Schachspiel, ohne daß der Spieler das Brett sieht; Züge aus dem Gedächtnis unter Angabe der Felder.

Blindstrom m, der Teil des Stroms in einer mit Wechselstrom betriebenen Anlage, der nicht genutzt wird. Der andere Teil heißt → Nutzstrom.

Blindverfahren s, → Blinddiagnose.

Blindversuche (Mz.), *Scheinversuche*, Versuche, bei denen Scheinpräparate (→ Placebo) verabreicht werden, um psychisch bedingte Fehlerquellen auszuschalten; werden meist parallel zu echten Versuchen durchgeführt; → Doppelblindversuch.

Blindwühlen (Mz.), *Gymnophionen*, wurmähnliche Lurche ohne Beine, mit verkümmerten Augen; leben unterirdisch in den Tropen.

Blindwurf m, Bombenabwurf ohne Zielsicht.

Blinkfeuer s, → Blinklicht.

Blinklicht s, 1) *Blinkfeuer, Leuchtfeuer*, v. Leuchttürmen u. ä. ausgesandte period. Lichtsignale zur Erleichterung der Orientierung im See- u. Luftverkehr. – 2) Fahrtrichtungsleuchten an Kraftwagen. – **3)** Signalanlagen an Fußgängerüberwegen u. vor schienengleichen Bahnübergängen.

Bliss, Sir *Arthur,* engl. Komponist, *1891; Ballette, Kammer-, Filmmusik, 1 Oper. – WW: u. a. *Farbensymphonie* (1922).

Blitz *m,* elektr. Entladung zw. zwei entgegengesetzt geladenen Wolken od. einer Wolke u. der Erde. Wegen der dabei herrschenden Spannungen v. mehreren Millionen Volt u. den hohen Stromstärken des Entladungsstroms (bis 100000 Ampere) ist ein B. mit großer Hitze u. starker Geräuschentwicklung (Donner) verbunden. Die häufigste Form des B. der *Linienblitz.*

Blitzableiter *m,* 1752 v. B. Franklin erfundene Vorrichtung an Gebäuden u. Fahrzeugen zur Ableitung des Blitzes in den Erdboden. Der Blitz wird v. der *Fangleitung* aufgenommen u. über die *Gebäudeleitung* zur *Erdleitung* abgeleitet.

Blitzgespräch *s,* ein bevorzugt vermitteltes Ferngespräch (erhöhte Gebühr).

Blitzlicht *s,* für Photoaufnahmen verwendetes künstliches Licht v. großer Stärke u. kurzer Dauer, heute meist in Gasentladungsröhren erzeugt (→ Blitzröhrengerät).

Blitzröhren (Mz.), *Fulgurite,* dünne, mehrere Meter lange Röhren, die in Sand durch Blitzeinschlag entstanden sind. Diese B.

Eine der interessantesten elektrischen Erscheinungen ist der Blitz. Täglich werden enorme Mengen Elektrizität zwischen Atmosphäre und Erdoberfläche ausgetauscht. Für die Art und Weise, wie Ladungsunterschiede in einer Cumulonimbuswolke (Donnerwolke) entstehen, spielen die Temperaturen eine wichtige Rolle (A). Durch das Abregnen aus der Wolke kann sich die Verteilung der Ladung in der Wolke und auf der Erde verändern. Da Teile einer Wolke unterschiedlich geladen sein können, blitzt es oft innerhalb der Wolke selbst. Wenn der Blitz zum Boden schlägt (mit Stromstärken von durchschnittlich fast 20000 Ampere), ist aus der Wolke zuerst eine Spur aus Vorionisation ausgetreten (B). Von der Erde aus kann der Blitz dann zu dieser Spur schlagen (C)

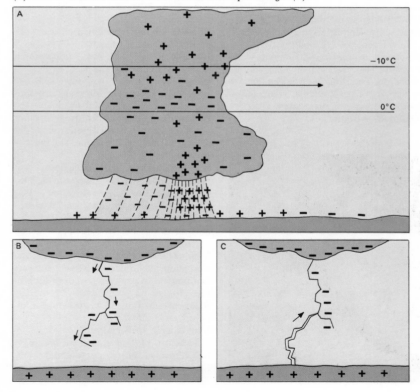

haben meist eine Wand aus Quarzglas, das durch die Hitze des Blitzes entstanden ist.

Blitzröhrengerät *s*, Gerät, in dem durch einen Funken in einer Gasentladungsröhre kurzzeitig ein sehr heller Lichtblitz erzeugt wird.

Blitzschlag *m*, **1)** Entladung eines Blitzes über einen Gegenstand am Boden, geht mit starker Hitzeentwicklung einher, die zur Entzündung führen kann. – **2)** *Med.:* Durch (selten direkte) Blitzeinwirkung kommt es zur Schädigung des Zentralnervensystems u. des Herzens (Kammerflimmern), meist tödlich; auf der Haut oft Verbrennungen in Form feiner Verästelung; im Freien Schutz vor B. durch Meiden v. hohen Gegenständen (Bäume), Metallen u. durch Hinhocken.

Blitztelegramm *s*, vorrangig durchgegebenes Telegramm (erhöhte Gebühr), am Bestimmungsort telephonisch dem Adressaten übermittelt.

Blixen (: blegß^{e}n), *Tania*, eig. *Karen B.-Finecke*, dän. Schriftstellerin, 1885–1962; eigengeprägte Erzählungen u. Novellen, Erlebnisberichte über Natur u. Tierleben Afrikas. – WW: u. a. *Schicksalsanekdoten* (1955); *Schattenwandern übers Gras* (1960); *Ehrengard* (1963; Novellen).

Blizzard (: blis^{e}rd, engl.), kalte Schneestürme Nordamerikas.

Bloch, 1) (: blok), *Ernest*, am. Komponist Schweizer Herkunft, 1880–1959; schuf nationaljüdische Musik; Sinfonien, Klavierwerke u. a. – WW: *Israel* (1917; Sinfonie); *Schelomo* (1917; Rhapsodie); *Baal Shem* (1923). – **2)** *Ernst*, dt. Philosoph, 1885–1977; 1933 Emigration, 1948 Prof. in Leipzig, 1955 Nationalpreis der DDR, 1957 Zwangsemeritierung u. 1961 Übersiedlung in die BRD nach Tübingen (Gastprof.), 1967 Friedenspreis des dt. Buchhandels; Ausgangspunkt seiner Philosophie ist die Kategorie ‚Noch-Nicht', vor deren Hintergrund er vor allem die Begriffe ‚Tendenz', ‚dialektisch-materieller Prozeß', ‚Utopie' u. nam. ‚Hoffnung' erläutert. Beeinflußt v. der jüd.-christl. Eschatologie u. auf der Grundlage des dialekt. Materialismus insbes. des jungen Marx, entwirft er eine ‚*Philos. der Hoffnung*'. Sein ‚schöpferischer Marxismus' (Hoffnung als Antriebskraft des Marxismus), den er mit Postulaten der Aufklärung verbindet, will Möglichkei-

Das abgebildete Blockhaus wurde auf eine Steinerhöhung gebaut, um Feuchtigkeit und Ungeziefer abzuhalten

ten der Humanisierung u. ihrer Verhinderung aufzeigen. Dies setzt eine stets neu zu begründende ‚Ontologie des Noch-Nicht-Seienden' voraus. – WW: u. a. *Geist der Utopie* (1918, 2. Fassung 1964); *Thomas Münzer als Theologe der Revolution* (1922, 1963); *Durch die Wüste* (1922, 1964); *Spuren* (1922, 1930); *Das Prinzip Hoffnung* (3 Bde, 1954–59); *Naturrecht u. menschl. Würde* (1961); *Verfremdung* (2 Bde, 1962–64); *Atheismus u. Christentum* (1968); *Über Karl Marx* (1968). – **3)** (: blok), *Felix*, am. Physiker Schweizer Herkunft, *1905; Arbeiten über die Präzisionsmessung magnet. Kernmomente; 1952 mit E. M. Purcell Nobelpreis für Physik. – **4)** (: blok), *Jean-Richard*, frz. kommunist. Schriftsteller, 1884–1947; sozialkrit. Romane, Erzählungen u. Dramen; Essays. – **5)** (: blok), *Konrad*, dt.-am. Biochemiker, *1912; erforschte mit F. Lynen den Cholesterin- u. Fettsäurestoffwechsel; 1964 mit jenem Nobelpreis für Medizin.

Block *m*, **1)** Metallblock. – **2)** → Blocksystem. – **3)** Zusammenschluß v. Parteien od. Ländern zu gemeinsamer polit. Aktion.

Blockade *w* (frz.), Absperrung v. Häfen u. Küsten durch feindl. Kriegsmarine, auch v. Landverkehrswegen durch feindl. Streitkräfte zur Verhinderung der Einfuhr lebens- bzw. kriegswichtiger Güter.

Blockbau *m*, Holzbauart mit Wänden aus runden od. kantigen Hölzern; meist mit Stützen od. Untermauerung gg. Erdfeuchtigkeit. → Blockhaus.

Bloc

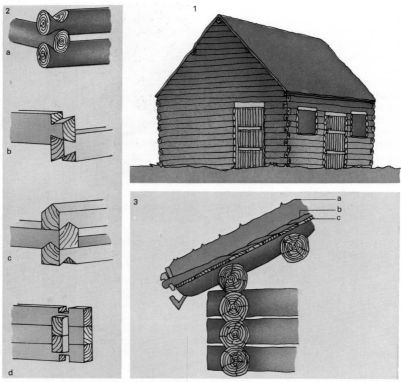

Blockbau. Die Blockhütte (1) entstand in Skandinavien und wurde von Schweden und Finnen im 17. Jahrhundert in Amerika eingeführt. Sie entwickelte sich dort zur typischen Siedlerbehausung. Normalerweise hatte die Blockhütte nur ein Zimmer, dessen Boden aus festgestampfter Erde bestand. Die Ecken konnte man verschieden verbinden (2): a) Sattelverband; b) Schwalbenschwanz; c) V-Verband; d) Doppelverband. Das Dach (3) bestand aus mehreren Schichten: a) Torfschicht; b) Birkenbast; c) Bretter

Blockbücher (Mz.), v. Holztafeln einseitig bedruckte Bücher des frühen 15. Jh. mit unterhaltsamen od. relig.-erbaulichen Bildern u. Texten; Vorläufer des Buchdrucks.

Blockdiagramm *s, Geol.:* schematisierte Darstellung eines blockförmigen Ausschnitts der Erdoberfläche, um den Verlauf der Schichten sichtbar zu machen.

Blocker *m, Bohnerbesen,* schwere Bodenbürste zum Polieren v. gewachstem Holzboden, Linoleum u. a.

Blöcker, *Günter,* dt. Schriftsteller *1913; Essayist u. Literaturkritiker. – WW: u. a. *Die neuen Wirklichkeiten (³1961); Literatur als Teilhabe* (1966).

Blockfloating *s* (:-flo°ting, engl.), gemeinsames → Floating v. mehreren Staaten.

Blockflöte *w, Schnabelflöte,* Blasinstrument aus Holz od. Bambus, ohne Klappen, mit 7 Grifflöchern u. einem Überblasloch; mit Schnabel angeblasen, bes. in Renaissance u. Barock; heute beliebt in Laien- u. Schulmusik; als Sopran-, Alt-, Tenor- u. Baßflöte gebaut.

Blockfreie (Mz.), *b.Staaten,* Gruppierung v. zahlr. haupts. afrik. u. asiat. Ländern, die sich gegenüber Ost- u. Westblock neutral halten.

Blockhaus *s,* älteste Form des Wohnhauses; aus waagrecht liegenden Holzstämmen erstellt; schon bei den Pfahlbauern.

blockieren, 1) *allg.:* sperren, abschließen, einschließen, hemmen. – **2)** *Verkehr:* eine Bahnstrecke durch Blocksignale, eine Straße durch Hindernisse sperren. –3) *Technik:* Räder b., d. h. gleiten, statt zu rollen, bei scharfem Abbremsen. – 4) *Druckerei:* bei Satzherstellung unklare od. noch offene Textstellen auffällig durch Zeichen markieren; fr. bei Handsatz durch→ Fliegenkopf. – 5) → Blockade.

Blockmeer *s, Felsenmeer,* durch Absonderung u. Verwitterung entstandene Felsanhäufung in Gebirgen.

Blockpolymerisation *w,* zur Herstellung v. Polystyrol, Polyvinylchlorid u. anderen Kunststoffen verwendetes Verfahren der Polymerisation.

Blocksberg *m,* volkstüml. Bez. mehrerer Berge in Dtl., bes. des → Brockens als sagenhaften Versammlungsorts der Hexen.

Blockschrift *w,* lat. Druckschrift mit gleichmäßig starken Schriftzügen.

Blocksystem *s* (gr.), Sicherheitseinrichtung der Eisenbahn für bereits befahrene Gleisstrecke durch *Blockstellen* u. *-signale.*

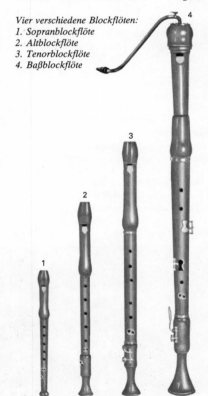

Vier verschiedene Blockflöten:
1. Sopranblockflöte
2. Altblockflöte
3. Tenorblockflöte
4. Baßblockflöte

Blockunterricht *m, Berufsschule:* nicht wöchentl. Unterricht an ein bis zwei Tagen neben der betriebl. Ausbildung, sondern durchgängiger Unterricht (,in einem Block') während mehrerer Wochen pro Schuljahr; bes. in ländl. Gebieten, um den Fahrschülern den Weg zu ersparen (meist mit Internat).

Blockwand *w,* Holzwand in Blockbauweise, → Blockbau.

Blockwirbel *m,* Verschmelzen zweier Wirbelkörper z. B. nach Wirbelbrüchen u. Tuberkulose.

Bloedorn (: blu-), *Fernando F.,* am. Mediziner, 1914–75; Mitbegr. der modernen Strahlentherapie; Krebsforscher.

Blois (: bloˈa), Hst. des frz. Dep. Loir-et-Cher, an der Loire, 50000 E.; Schokolade-u. Handschuhfabrikation, Weinhandel; Schloß des 13.–17. Jh., 1498–1589 kgl. Residenz.

Blok, *Alexander Alexandrowitsch,* russ. Schriftsteller, 1880–1921; Vertreter des russ. Symbolismus; Lyrik, Versdramen, Übersetzungen. – WW: u. a. *Die Unbekannte* (1906; Drama); *Die Zwölf* (1917; Versepos, verherrlicht die russ. Revolution); *Der Untergang der Humanität* (1919; Essays).

Bloemart (: blu-), *Abraham,* niederl. Maler des Spätmanierismus, 1564–1651; biblische u. mytholog. Landschafts-, Porträtbilder u. Stilleben.

Blomberg, nordrh.-westfäl. Stadt im Kr. Lippe, 14700 E.; Möbel-, Textil- u. andere Industrie.

Blomberg, 1) *Barbara,* Geliebte Karls V., um 1527–97; Mutter des Don Juan d'Austria. – 2) *Erik Axel,* schwed. Schriftsteller, 1894–1965; Lyrik, Kritiken. – 3) *Harry,* schwed. Schriftsteller, 1893–1950; Lyrik, Erzählungen. – WW: *Volk in der Fremde* (1928; Erzähl.). – 4) *Werner v.,* dt. Generalfeldmarschall, 1878–1946; 1933 Reichswehr-, 1935–38 Reichskriegs-Min.; v. Hitler entlassen (wegen nicht standesgemäßer Heirat).

Bloemberg (: blumböˈg), *Nikolaas,* am. Physiker, *1920; Beiträge zur Laserspektroskopie; 1981 mit K.M. Siegbahn u. A.L. Schawlow Nobelpreis für Physik.

Blomdahl (: blum-), *Karl Birger,* schwed. Komponist, 1916–68; Sinfonien, Kammer-, Ballett- u. Filmmusik.

Bloe

Bloemfontein (: blum-), Hst. des Oranje-freistaats der Rep. Südafrika, 1390 m ü. M., 160000 E.; Univ.; Wollhandel; Masch.-, Glas-, Mühlen-, Fleischkonserven-Ind.; Luftkurort.

Blondeel, *Lancelot,* fläm. Maler, Bildhauer u. Architekt, 1496–1561; Renaissance-künstler Flanderns; Teppichentwürfe, Holzschnitte, Glasgemälde.

Blondel (: blõdäl), **1)** Jacques-François, frz. Architekt u. Architekturtheoretiker, 1618–86; – HW: *Porte Saint-Denis* in Paris; mit *Cours d'architecture* (1675) begründete er den Klassizismus als Kunstprogramm. – **2)** *Maurice,* frz. Philosoph, 1861–1949; Prof. in Aix-en-Provence. Vom Konkreten ausgehend, entwickelte er eine Philosophie der Tat (action), die das menschl. Sein u. die Aktivität als dynamisch-dialekt. Einheit mit transzendierendem Charakter auffaßt, so daß für die Offenbarung Gottes Raum bleibt. B. überwindet damit Rationalismus u. Positivismus u. wird zu einem der einfluß-reichsten Religionsphilosophen. – WW: u. a. *L'action* (2 Bde, 1893); *La pensée* (2 Bde, 1934); *La philosophie et l'esprit chré-tien* (1944–46).

Blondel de Nesle (: blõdäld°näl), pikardi-scher Troubadour, * um 1155; Minnelieder; davon 25 erhalten.

Blondin (: blõdã), *Antoine,* frz. Schriftstel-ler, *1923; Romane.

Blonski, *Pawel Petrowitsch,* sowjet. Päd-agoge, 1884–1941; begr. nach der russ. Revolution die → Arbeitsschule, die er als sich selbst tragende Produktionsschule im Sinn des polytechn. Bildungsprinzips (→ Bildung, polytechn.) konzipierte.

Bloesch, *Hans,* Schweizer Schriftsteller, 1878–1945; Erzähl. u. Reisebücher; literar- u. kulturhistor. Schriften.

Blouson *s* (: blusõ, frz.), lockere → Bluse, über Rock od. Hose.

Bloy (: bl°a), *Léon,* frz. Schriftsteller, 1846–1917; Vorkämpfer des ‚renouveau catholi-que‘; psycholog. Romane, zeitkrit. Tagebü-cher u. Streitschriften. – WW: *Der Verzwei-felte* (1886); *Das Heil u. die Armut* (1892); *Die Armut u. die Gier* (1897).

Blücher, 1) *Franz,* dt. Politiker (F.D.P., seit 1956 Freie Volkspartei, später Dt. Partei), 1896–1959; 1949–57 Vizekanzler u. Min. für europ. wirtschaftl. Zusammenarbeit; seit 1958 Mitgl. der Hohen Behörde der Mon-tanunion. – **2)** *Gebhardt Leberecht v. Wahlstatt,* preuß. Feldherr der Befreiungs-kriege, 1742–1819; Sieger an Katzbach u. in Leipzig, unterlag bei Ligny, erfocht mit Wellington den entscheidenden Sieg bei Waterloo (Belle-Alliance); ‚Marschall Vorwärts‘. – **3)** *Wassilij Konstantinowitsch,* eig. *Gurow,* sowjet. General, 1889–1938; 1927–37 Oberbefehlshaber der sowjet. Fernostarmee; unter Stalin vermutlich hin-gerichtet.

Bludenz, österr. Stadt in Vorarlberg, 550–680 m ü. M., 13000 E.; u. a. Metall- u. Textil-Ind.; Fremdenverkehr.

Blue jeans (: blu dschins, engl., Mz.), enge, anliegende blaue Hosen aus Baumwolle.

Blue Mountains (: blu maunt'ns, Mz.), → Blaue Berge.

Bluff *m* (: blaf, blöf, engl.), dreistes Täuschmanöver.

bluffen, *blüffen,* täuschen, verblüffen.

Blüher, *Hans,* dt. Philosoph mit großem Einfluß auf die Jugendbewegung, 1888–1955; unter dem Einfluß v. Kant, Nietzsche u. Schopenhauer entwickelte er Theorien zum Problem des geistigen Führertums im Sinn des ‚heldischen Menschen‘ u. zum Sinn der Wandervogelbewegung. – WW: u. a. *Wandervogel. Geschichte einer Ju-gendbewegung* (1912); *Die Rolle der Erotik in der männl. Gesellschaft* (2 Bde, 1917–19); *Die Achse der Natur* (1949).

Blühhormon *s,* Wirkstoff bei Pflanzen, der die Blütenbildung auslöst.

Blum, 1) *Ferdinand,* dt. Chemiker u. Phy-siologe, 1865–1959; Arbeitsgebiet: Neben-nieren, Schild- u. Bauchspeicheldrüse. – **2)** *Léon,* frz. Politiker, 1872–1950; Führer der Linkssozialisten; 1936/37 u. 1938 Min.-

Tulpenfeld in Holland

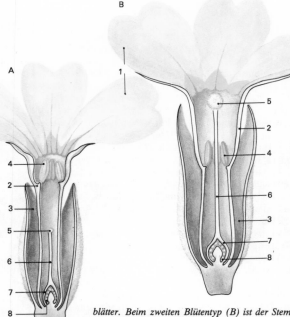

Jede zweigeschlechtliche Blüte besteht aus einem Kelch (3) und einer Krone (1) mit einer Anzahl darin befindlicher Staubblätter (4). Der Stempel setzt sich aus einer meistens klebrigen Narbe (5), dem Griffel (6) und dem Fruchtknoten (7) zusammen, in dem auch die Staubbeutel liegen. Für diesen allgemeinen Bauplan gibt es zahlreiche Varianten. Die hier abgebildeten Blüten stammen von der stiellosen Schlüsselblume (Primula vulgaris). Beide Blüten haben einen etwas unterschiedlichen Aufbau. Das eine Exemplar (A) hat ein kürzeres Kronenrohr (2) und über den Stempel hinausragende Staubblätter. Beim zweiten Blütentyp (B) ist der Stempel länger als die Staubblätter. Diese Erscheinung, Heterostylie genannt, ist eine der Methoden, mit denen in der Natur eine Selbstbefruchtung vermieden wird

Präs.; 1943–45 in dt. KZs, u. a. Dachau; 1946/47 erneut Min.-Präs.; wirkte als Pazifist für Völkerverständigung. – **3)** *Robert,* dt. demokrat. Politiker, 1807–48; in der Nationalversammlung 1848 Führer der Linksliberalen; wegen Beteiligung am Wiener Aufstand 1848 hingerichtet. – **4)** *Robert,* Schweizer Komponist, *1900; Kantaten, Orchester-, Kammer- u. Filmmusik.

Blüm, *Norbert,* dt. Politiker (CDU), *1935; seit 1977 Vors. der Sozialausschüsse der CDU; seit 1982 Bundesarbeitsminister.

Blumberg, b.-württ. Stadt im Schwarzwald-Baar-Kreis, 10 100 E.; u. a. Metallindustrie.

Blume *w,* **1)** *Jagdw.:* Schwanz v. Hase u. Kaninchen, auch weiße Luntenspitze des Fuchses. – **2)** volkstüml. Bez. für Blüte, vor allem bei Ausbildung auffälliger Blütenblätter od. Blütenstände; auch auf die ganze Pflanze übertragen. – **3)** Bukett, Duft des Weins. – **4)** Schaum des Biers.

Blumenau, brasil. Stadt im Bundesstaat Santa Catarina, am Rio Iajal-Açu, 87 000 E.; dt. Siedlung (1850); Textil-, Glas-, Porzellan- u. a. Industrie.

Blumenfliegen (Mz.), *Anthomyidae,* artenreiche Gruppe der → Fliegen, dazugehörig die bekannte *Kleine Stubenfliege (Fannia canicularis);* darunter zahlreiche Pflanzenschädlinge: *Kohlfliege, Rübenfliege, Fritfliege,* deren Larven bei Massenauftreten an Getreidepflanzen großen Schaden anrichten, sowie *Brachfliege.*

Blumenhagen, *Wilhelm,* dt. Schriftsteller, 1781–1839; Erzählungen, Dramen, Lyrik.

Blumenkäfer (Mz.), *Anthicidae,* auf Blüten u. unter faulenden Pflanzenstoffen lebende Käfergattung.

Blumenkohl *m, Karfiol,* Kultursorte des Kohls; der fleischig verdickte u. gestauchte Blütenstand bildet den weißen Kopf, der v. einem Kranz grüner Blätter umgeben ist.

Blumenkresse *w,* Arten der Kapuzinerkresse.

Blumenpilze (Mz.), → Pilzblumen.

Blumenstück *s, Kunst:* Blumengemälde od. -stilleben.

Blumenthal, 1) *Hermann,* dt. Bildhauer, 1905–42 (in Rußland gefallen); archaisierende Figuren. – **2)** *Oskar,* dt. Schriftsteller,

Blum

1852–1907; Gründer des Berliner Lessing-theaters; leichte Lustspiele, witzige Epigramme, Theaterkritiken. – WW: u. a. *Frau Venus* (1893); *Im weißen Rößl* (1898; mit G. Kadelburg).

Blumentiere (Mz.), veraltete Bez. für → Seerosen *(Aktinien), eine Gruppe der Korallentiere.

Blumenwespen, die Bienen.

Blumenzwiebel *w,* → Zwiebel v. Zierpflanzen, wie Tulpe, Hyazinthe, Narzisse, Krokus, Schneeglöckchen.

Blumhardt, dt. ev. Theologen: **1)** *Christian Gottlieb,* 1779–1838; gründete 1804 mit C. F. Spittler die Baseler Bibelgesellschaft u. 1805 die Basler Missionsgesellschaft. – **2)** *Christoph,* 1842–1919; Sohn v. 3), übernahm 1880 die Leitung v. Bad Boll; seit 1899 MdL Württemberg (Sozialdemokrat); Wegbereiter des relig. Sozialismus. – **3)** *Johann Christoph,* 1805–80; Neffe v. 1); erwarb Bad Boll; Heilungsversuche durch Handauflegen; Zentrum des württ. Pietismus.

Blümlisalp *w,* Schweizer Berggruppe im Berner Oberland; im *B.horn* 3670 m hoch.

Blumner, *Martin,* dt. Komponist, 1827–1901; Kirchenmusik (A cappella).

Blunck, *Hans Friedrich,* dt. Schriftsteller 1888–1961; Lyrik, Dramen, nam. Erzählungen, geschichtl. Romane (nat.-soz. Tendenz).

Blunden (: blandᵉn), *Edmund,* engl. Schriftsteller, 1896–1974; Lyrik, Literaturkritik; Tagebuch.

Blunt (: blant), *Wilfried,* engl. Schriftstel-

Mikroskopische Aufnahme von normalem Blut. Die roten Blutkörperchen überwiegen. Es sind nur drei weiße Blutkörperchen zu sehen

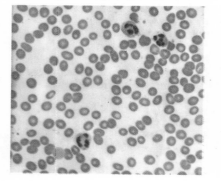

ler, 1840–1922; polit. Schriften, Sonette u. andere Gedichte.

Blues (: blus, engl., Mz.), **1)** schwermütiger nordam. Negergesang, Höhepunkt um 1920; ging in die moderne Schlagermusik ein. – **2)** Gesellschaftstanz im ¼-Takt.

Bluse *w* (frz.), **1)** Frauenoberbekleidungsstück aus leichtem Stoff, locker sitzend. – **2)** Teil der Matrosenuniform. – **3)** Kittel.

Bluntschli, 1) *Alfred,* Schweizer Architekt, 1842–1930; Wohnbauten, Villen. – **2)** *Hermann Hans,* Schweizer Anatom, 1877–1962; Enkel v. 3). – WW: u. a. *Zoolog. Forschungsreisen in die Urwälder v. Madagascar* (1932). – **3)** *Johann Caspar,* dt. Jurist u. Politiker Schweizer Herkunft, 1808–81; Prof. in Zürich, München u. Heidelberg. – WW: u. a. *Staats- u. Rechtsgesch. der Stadt u. Landschaft Zürich* (2 Bde, 1888/89); *Dt. Staatswörterbuch* (11 Bde; Hrsg.).

Blut *s, Anat. u. Physiol.:* die im Körper zirkulierende Flüssigkeit, die dem Gewebe Sauerstoff u. Nährstoffe zu-, Abbaustoffe u. Verbrennungsprodukte abführt; des weiteren transportiert das B. Hormone, Abwehrstoffe u. evtl. Medikamente, es ist an der Wärmeregulation beteiligt; das B. besteht ungefähr je zur Hälfte aus den *Blutzellen* (rote u. weiße Blutkörperchen sowie Blutblättchen) u. aus flüssigem *Blutplasma,* das ca. 90% Wasser, 6–7% Eiweiße (Albumin, Globuline mit den Antikörpern, Fibrinogen zur Blutgerinnung), nicht ganz 1% anorgan. Stoffe, Nähr- u. Abbaustoffe, Vitamine, Hormone u. Enzyme enthält; das Voll-B. enthält pro mm³ rund 5 Mill. rote Blutkörperchen (*Erythrozyten,* zum Sauerstofftransport), 6000–8000 weiße Blutkörperchen (*Leukozyten,* zur Infektabwehr) u. 200 000 bis 300 000 *Blutplättchen* (*Thrombozyten,* zur Blutgerinnung); die gesamte *Blutmenge* beträgt beim Menschen etwa ¹⁄₁₂ seines Körpergewichts, bei einem Gewicht v. 70 kg also ca. 5 l.

Blutader *w,* → Vene.

Blutalgen (Mz.), einzellige Grünalgen der Gattung Haematococcus u. Chlamydomonas; mit reichlich rotem Farbstoff; verursachen → Blutschnee u. → Blutregen.

Blutalkohol *m,* Äthylalkoholgehalt des Bluts, nach Alkoholgenuß erhöht; ab 0,8 Promille ist v. Gesetzes wegen das Führen eines Fahrzeugs im Straßenverkehr nicht mehr zulässig.

Blutarmut w, → Anämie.

Blutauffrischung w, *Tierzucht:* Kreuzung zw. verschiedenen Stämmen der gleichen Tierrasse, um Degenerationserscheinungen zu verhindern.

Blutauge s, *Comarum palustre,* häufig an sumpfigen Stellen wachsende krautige Pflanze aus der Familie der Rosengewächse; mit sternförmiger, blutroter Blüte.

Blutausstrich m, Aufbringen einer dünnen Schicht Bluts auf einem Objektträger u. Einfärbung, zum Betrachten unter dem Mikroskop u. Auszählung der Blutkörperchen (Differenzial → Blutbild).

Blutbank w, Sammelstelle, Aufbewahrung u. Ausgabestelle für Blutkonserven; an vielen großen Kliniken.

Blutbann m, im MA Königsrecht, später Landesherrenrecht über Leben u. Tod.

Blutbild s, *Hämogramm,* Zusammenstellung der Hämoglobinwerte u. der Zahl der roten u. weißen Blutkörperchen; *Differenzial-B.:* prozentuale Verteilung der weißen Blutkörperchen.

Blutbildung w, → Blutkörperchen.

Blutblase w, eine mit Blut angefüllte Hauterhebung.

Blutblume w, Zwiebelgewächs der Amaryllisgewächse der Tropen, mit wenigen starken Blättern u. z. T. farbenprächtigen Blütendolden; Zimmerpflanze.

Blutbrechen s, Erbrechen v. Blut aus Speiseröhre od. Magen (Magengeschwür, -krebs).

Blutbuche w, Buche mit braunrotem Laub.

Blutdorn m, der → Rotdorn.

Blutdruck m, Druck des Bluts in den Arterien, meßbar nach *Riva-Rocci* (it. Arzt,

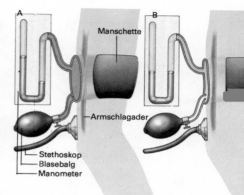

Bei der Blutdruckmessung wird eine Hohlmanschette um den Oberarm gelegt. Diese wird dann mit Luft vollgepumpt. Der Druck in der Manschette läßt sich mit einem Manometer messen. Mit einem Stethoskop hört man die Gefäßtöne ab (das Klopfen der Schlagader).
A. Die Manschette wird bis über den systolischen Druck aufgepumpt, wodurch die darunter befindlichen Schlagadern abgedrückt werden. Es sind dann keine Gefäßtöne zu hören.
B. Danach läßt man die Manschette langsam leerlaufen, wonach man zu einem gewissen Zeitpunkt den Gefäßton hört. Der Druck, bei dem dies geschieht, ist der systolische Blutdruck. Die Gefäßtöne werden bei niedriger werdendem Manschettendruck zuerst stärker, dann schwächer. Das ist der Zeitpunkt des diastolischen Blutdrucks

1863–1937) an dem Gegendruck, der die Pulsation in den Arterien unterdrückt, durch z. B. am Oberarm angelegte, aufblasbare Manschette; *systolischer B.:* größter Druck während der Herzkontraktion durch

Verglichen mit der Mikroskopaufnahme von normalem Blut (1) sind im Fall von Blutarmut durch Eisenmangel (2) auffallende Unterschiede im Blutbild zu erkennen. Durch den Mangel an Hämoglobin sind die roten Blutkörperchen bleicher und kleiner als normal. Bei einem Mangel an Vitamin B_{12} oder Folsäure (3) ist der Aufbau der roten Blutkörperchen ebenfalls gestört. In diesem Fall ist der Gehalt an Hämoglobin jedoch kompensierend höher, und die Zellen sind größer als normal

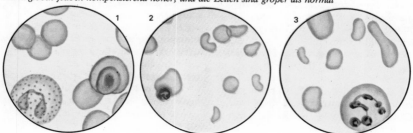

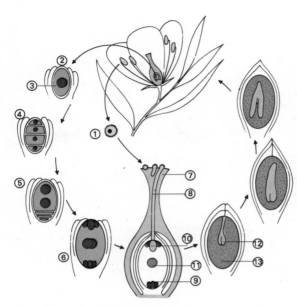

Das Reifen einer Blüte besteht aus der Bildung von Pollen (1) und der Entwicklung von Eizellen (2). Die Embryosackmutterzelle (3) teilt sich mehrmals (4, 5) und bildet einen Embryosack (6). Gelangt Pollen auf die Narbe, bildet dieser einen Pollenschlauch (8), und der männliche Kern senkt sich dort zum weiblichen Kern ab, wobei er sich zweiteilt. In der Eizelle (9) verschmilzt der eine Kern mit dem Eikern (10), der andere mit dem Kern des Embryosacks (Endospermkern; 11). Der Embryo (12) ernährt sich vom Nährgewebe (13)

Blutauswurf; *diastolischer B.:* kleinster Druck während der Herzfüllung; meist notiert als systol./diastol. B., Normalwerte: 120/80 mmHg, nach den neuen SI-Einheiten ca. ¹⁶⁄₁₁ kPa; → Hypertonie.

Blüte *w,* Fortpflanzungsorgan der Samenpflanzen, in der Bildung der Geschlechtszellen, Befruchtung u. Entwicklung der jungen Tochterpflanze bis zum Samen stattfinden. B. leitet sich v. Blättern her, die entsprechend umgebildet sind. Es stehen in mehreren Kreisen an der stark gestauchten Sproßachse (,Blütenboden') v. außen nach innen: *Kelchblätter* als Schutz der Blütenknospe, die meist farbigen *Blütenblätter,* (Kronblätter), *Staubblätter* als männliche Geschlechtsorgane mit dem Blütenstaub (Pollen) u. die *Fruchtblätter* als weibliche Organe. Bei Bedecktsamern verwachsen diese zum *Fruchtknoten,* bei Nacktsamern bleiben sie frei. Bestimmte B. werden als → Blumen bezeichnet. – *1) Zwittrige B.* enthält Staub- (männlich) u. Fruchtblätter (weiblich), z. B. Obstbäume; *2) einhäusige B.:* männl. u. weibl. B. getrennt, aber auf derselben Pflanze, z. B. Hasel; *3) zweihäusige B.:* männl. u. weibl. B. befinden sich auf zwei Pflanzen getrennt, z. B. Salweide.

Blutegel *m, Hirudo medicinalis,* blutsaugender Kieferegel (→ Egel), bis 20 cm lang,

lebt in Teichen; ausgewachsene B. saugen an Warmblütern bis zum Sechsfachen ihres Körpergewichts Blut. Der B. wurde daher in der Heilkunde zum Schröpfen bei Entzündungen, Blutstauungen u. Krampfadern verwendet.

Bluten *s, Weinen,* das Austreten des Safts aus Schnittwunden v. Bäumen od. der Rebe; findet vor allem im Frühjahr statt.

Blütenbildung *w,* 1) *Bot.:* Ausbildung v. Blütenanlagen; kann bereits im Jahr vor dem Aufblühen erfolgen; die B. ist abhängig vom Ernährungszustand einer Pflanze u. v. der Tageslänge (Lang-, Kurztagpflanzen). – **2)** *Mineralogie: Ausblühung,* → Kobaltblüte, Nickelblüte.

Blütenbiologie *w,* Lehre v. den Wechselbeziehungen zw. Blüte u. Blütenbesucher bei der → Bestäubung.

Blütenblätter (Mz.), → Blüte.

blutendes Brot *s, Bacterium prodigiosum* bildet auf feuchtem Brot rote Flecken.

Blütendiagramm *s,* schematischer Querschnitt durch eine Blüte; zeigt die Stellung der Blütenblätter zueinander.

Blütenfarbstoffe (Mz.), Farbstoffe, die die Färbung der Kronblätter v. Blüten bewirken; blau u. rot durch im Zellsaftraum gelöste Anthocyane; gelb durch Xanthophylle der Chromoplasten od. Flavone des

Zellsaftraums; weiße Blüten sind ohne B., sie reflektieren das ganze Spektrum des Sonnenlichts.

Blütenhülle w, Kelch- u. Kronblätter bei der → Blüte.

Blütenpflanzen (Mz.), *Samenpflanzen*, hochentwickelte Pflanzen, die sich durch den Besitz v. Blüten u. vor allem durch Bildung v. Samen auszeichnen. Sie werden unterteilt in die Unterabt. der → *Nacktsamer* (Gymnospermen) u. *Bedecktsamer* (Angiospermen).

Blütensporn m, sackförmige Ausstülpung der Blütenblätter, z. B. bei Veilchen, Akelei; enthält oft Nektar, der die bestäubenden Insekten anlockt.

Blütenstand m, *Infloreszenz;* Vereinigung v. meist kleineren Blüten; Sproßverbände, die sich durch Unterdrückung der Laubblätter u. vielfach durch sehr reiche Verzweigung auszeichnen. Hierdurch wird optische Auffälligkeit sowie starke Vermehrung der unscheinbaren Einzelblüten bewirkt. Man unterscheidet *Rispen* (Weintraube), *Ähren* (Wegerich), *Dolden* (Doldengewächse), *Körbchen* (Korbblütler).

Blütenstaub m, der → Pollen.

Blütenstecher m, Rüsselkäfer, entwickelt sich in Blüten u. Knospen fressend; in Dtl. der *Alpfelblütenstecher*, in Amerika der *Baumwollblütenstecher;* Pflanzenschädlinge.

Bluter m, wer an → Bluterkrankheit leidet.

Bluterguß m, *Hämatom*, Ansammlung v. Blut in Körpergeweben nach Zerreißen v. Blutgefäßen; B. unter der Haut erscheint zuerst blau, wird später durch Abbau des roten Blutfarbstoffs grünlich, dann gelb u. verschwindet durch Resorption.

Bluterkrankheit w, *Hämophilie*, erbliches rezessives, geschlechtsgebundenes Fehlen eines der Gerinnungsfaktoren des Bluts, dadurch Verblutungsgefahr bei kleinsten Verletzungen; fast nur bei Knaben bzw. Männern, die es z. B. vom kranken mütterl. Großvater über die gesunde Mutter (Konduktorin) geerbt haben; bei Mädchen nur durch → Vererbung v. beiden Elternteilen. Historisch berühmte Bluterlinie: Königin Viktoria v. England u. deren Nachfahren.

Blutersatz m, Ersatz v. Blutflüssigkeit nach größeren Blutverlusten durch → Infusion v.

Bei den Bedecktsamigen stehen die Staubfäden (1) und der Stempel (2) innerhalb des Kelchs (3) und der Krone (4). In den Staubbeuteln (5) wird der Pollen in speziellen Pollensäckchen gebildet. Der Stempel besteht aus einer Narbe (2), einem Griffel (4) und einem Fruchtknoten (6), in dem sich ein oder mehrere Samen (7) befinden. Der Fruchtknoten wird vom Blütenboden (8) umschlossen. Mit dem Wind oder durch Insekten kommt der Pollen einer Pflanze auf den Stempel einer Pflanze der gleichen Gattung.

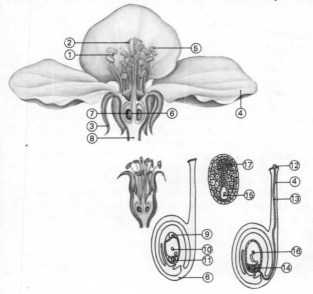

Durch Teilung ist in der Samenanlage der Embryosack entstanden, der sich wiederum in drei Antipoden (9), zwei Pollenkerne (10) und drei andere Kerne teilt. Von diesen wächst einer zu dem eigentlichen Eikern heran (11). Der Pollen, der auf die Narbe gelangt (12), bildet einen Pollenschlauch (13), der in den Fruchtknoten hineinwächst. Über diesen Schlauch gelangen die beiden Pollenkerne zu den Samenanlagen. Ein Kern verschmilzt mit dem Eikern (14) zum Embryo (15), der andere Kern bildet mit den beiden Pollenkernen (16) die Nährreserve (17)

Blut

Durch die Existenz verschiedener Blutgruppen sind die Möglichkeiten bei einer Bluttransfusion beschränkt. Wenn z. B. Zellen mit dem Antigen A in Kontakt kommen mit gegen A gerichteten Agglutininen (α), entsteht eine Agglutinationsreaktion. Wie in der Zeichnung zu sehen ist, kommen diese α-Agglutinine im Serum der Personen mit Blutgruppe B und 0 vor. Auch die Transfusion von Blut mit positivem Rhesusfaktor an einen Empfänger mit negativem Rhesusfaktor kann eine Agglutination verursachen. Im allgemeinen geschieht das erst bei einer zweiten Transfusion, nachdem bei der ersten Agglutinine entstanden sind

physiologischer Kochsalzlösung od. Blutplasma bzw. Plasmaersatz, wie Dextranod. Gelatinepräparate (Macrodex, Haemaccel).

Blutfarbstoff m, das dem Sauerstofftransport dienende → Hämoglobin in den roten Blutkörperchen.

Blutfink m, 1) → Dompfaff. – 2) Blutastrild, Amarant, Prachtfinkenart des tropischen Afrika.

Blutfleckenkrankheit w, rote Flecken an Haut u. Schleimhäuten aufgrund v. punktförm. Blutaustritt aus den Haargefäßen; Folge v. bestimmten Krankheiten, Infektionen, Vergiftungen.

Blutgase (Mz.), die im Blut gebundenen Gase, wie Sauerstoff u. Kohlendioxid.

Blutgefäße (Mz.), die das Blut aufnehmenden → Arterien (Schlagadern), → Kapillaren (Haargefäße) u. → Venen (Blutadern); → Blutkreislauf.

Blutgerinnsel s, die durch → Blutgerinnung sich bildende feste Masse aus Fibrin u. Blutzellen; entsteht nach Austritt des Bluts aus den Gefäßen od. in den Gefäßen nach Eintritt des Tods.

Blutgerinnung w, Erstarrung des Bluts, erfolgt normalerweise nur nach seinem Austritt aus einem verletzten Blutgefäß u. dient der Verhütung größerer Blutverluste. Durch eine vom Gewebe u. v. Blutplättchen freigesetzte Kinase werden die im Blut befindlichen Gerinnungsfaktoren nacheinander aktiviert, bis schließlich Thrombin entsteht, welches das im Blutplasma gelöste Fibrinogen zu Fibrinfasern umwandelt; in ihrem Netzwerk verfangen sich die Blutkörperchen. Bei entzündlicher Veränderung der Blutgefäßwände od. Verlangsamung des Blutstroms kann es zur B. innerhalb des Gefäßes kommen (→ Thrombose).

Blutgerüst s, das → Schafott.

Blutgeschwür s, der →Furunkel.

Blutgruppen (Mz.), erbliche Merkmale des Bluts (aber auch aller andern Körperzellen); Substanzen an der Oberfläche der roten Blutkörperchen, denen sich Antikörper aus dem Serum v. Personen mit einer andern B. anlagern können u. dadurch ein Zusammenklumpen der Blutkörperchen (Agglutination) bewirken; dadurch kann es bei Bluttransfusionen ungleicher B. zu schweren Zwischenfällen kommen. Die wichtigsten B. sind das AB0-System (mit den B.: A, B, AB – d. h. sowohl A als auch B – u. 0 – d. h. weder A noch B – u. einigen Untergruppen) u. der Rhesusfaktor (Rh-positiv); die Antikörper gg. A u. B werden bei Personen mit A- bzw. B-freien Blutkörperchen immer gebildet, die Antikörper gg. den Rhesusfaktor (bei Rh-negativen Personen) nur nach Kontakt mit Rh-positivem Blut (Transfusionen, Schwangerschaft, Rhesusinkompatibilität). Zur Vermeidung von Zwischenfällen müssen bei Transfusionen die B. ausgetestet u. auf ihre Verträglichkeit *(Kompatibilität)* geprüft werden *(Kreuzprobe)*. Die übrigen B.merkmale, die keine Unverträglichkeit (Inkompatibilität) hervorrufen, können zum Vaterschaftsnachweis herangezogen werden.

Bluthänfling m, mit den Finken verwandter europ. Singvogel; das Männchen ist an Scheitel u. Brust rot gefärbt.

Blutharnen s, *Hämaturie, Med.:* beim Menschen: Abgang roten bluthaltigen Harns, wichtiges Krankheitszeichen.

Blüthgen, *Viktor,* dt. Schriftsteller, 1844–1920; Lyrik, Novellen, Romane.

Bluthirnschranke w, *Blutliquorschranke,* Mechanismus zur Verhinderung des Übertritts gewisser Stoffe vom Blut in das Hirn u. in das Hirnwasser.

Bluthirse w, *Panicum sanguinale,* Hirse mit fingerförmig angeordneten Ähren; fr. als Brotgetreide kultiviert, heute Unkraut.

Blüthner, *Julius,* dt. Klavierbauer, 1824–1910; gründete 1853 seine Klavierfabrik.

Bluthochzeit w, *Pariser B.,* → Bartholomäusnacht.

Blutholz s, → Blauholz.

Bluthund m (engl. *bloodhound),* Schweißhund mit ‚reinem Blut‘, engl. Jagdhundrasse; 60–70 cm Schulterhöhe.

Die roten Blutkörperchen, die meisten weißen Blutkörperchen und die Blutplättchen werden im Knochenmark (1) gebildet. Lymphozyten (bestimmte weiße Blutkörperchen) werden vor allem in der Milz (3) und Lymphdrüsen (4) gebildet. Der Abbau der Blutkörperchen erfolgt u. a. in der Milz (3), den Lymphdrüsen (4), im Knochenmark (1) und in der Leber (2)

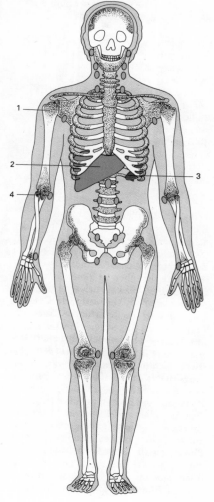

Blut

Bluthusten s, *Hämoptoe,* Aushusten v. Blut aus den Luftwegen, z. B. bei Lungentuberkulose u. Bronchialkrebs.

Blutjaspis m, durch Eisenoxid rot gefärbter → Jaspis.

Blutkonserve w, Spenderblut für Bluttransfusion, gebrauchsfertig abgepackt, durch gerinnungshemmende Zusätze u. Kühlung ca. drei Wochen haltbar.

Blutkörperchen (Mz.), die festen (zellulären) Elemente des →Bluts; es gibt: *rote B. (Erythrozyten),* die den roten Blutfarbstoff (→ Hämoglobin) enthalten u. den Sauerstoff transportieren, u. *weiße B. (Leukozyten),* die vorwiegend Abwehrfunktionen gg. Infektionen erfüllen (die weißen B. werden unterteilt in → Granulozyten, → Lymphozyten u. → Monozyten); *Bildung* der Erythrozyten, Granulozyten (u. Thrombozyten) im Knochenmark (beim Menschen), der Lymphozyten in Milz u. Lymphknoten, der Monozyten im retikuloendothelialen System.

Blutkörperchensenkungsreaktion w, *BKS,* → Blutsenkung.

Blutkrankheiten (Mz.), Veränderung des Blutbilds durch Störung der Bildung, des Stoffwechsels od. des Abbaus der Blutzellen (z. B. Anämie, Leukämie, Untergang des blutzellbildenden Knochenmarks); auch Störung der Blutgerinnung (Bluterkrankheit, Werlhofsche Krankheit).

Blutkreislauf m, Bewegung des Bluts v. der linken Herzkammer durch die → Arterien (Schlagadern) zu den Organen u. Geweben des Körpers (durchströmt hier die → Kapillaren) u. weiter über die Venen zur rechten Herzkammer (bzw. Vorhof; *großer B., Körperkreislauf*); von der rechten Herzkammer über Lungenarterien durch die Lunge (Kapillaren, Sauerstoffbeladung) u. über Lungenvenen zurück zum linken Herzen *(kleiner B., Lungenkreislauf).*

Blutkuchen m, *Placenta sanguinis,* geronnenes Blut (Fibrin u. Blutkörperchen), das sich vom → Serum abscheidet.

Blutkultur w, Anzüchtung v. Bakterien aus dem Blut bei verschiedenen Infektionskrankheiten (Blutvergiftung); zur Bestimmung eines wirksamen Antibiotikums.

Blutlaugensalz s, 1) *gelbes B., Kaliumferrocyanid,* zitronengelbe Kristalle; ungiftig; früher durch Glühen v. Blut od. Hornspänen mit Eisenspänen u. Pottasche herge-

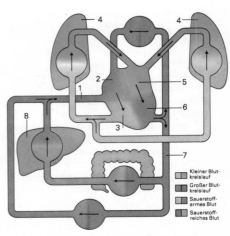

Schema des großen und kleinen Blutkreislaufs. Ein solcher doppelter Kreislauf findet sich bei Menschen, Fischen und Säugetieren. Der große Kreislauf hat die Aufgabe, Sauerstoff und Nahrungsstoffe zu den Zellen des Organismus zu bringen und Abfallstoffe wegzuführen. Über den kleinen Kreislauf wird Sauerstoff aufgenommen und Kohlensäure entfernt. Das Blut durchläuft immer beide Systeme hintereinander.

Sauerstoffarmes Blut kommt über die Hohlvenen (1) in den rechten Vorhof des Herzens (2) und wird über die rechte Herzkammer (3) zu beiden Lungen gepumpt (4). Von dort erreicht das inzwischen sauerstoffreiche Blut den linken Vorhof (5). Durch die linke Herzkammer (6) wird es mit großer Kraft in die Aorta (7) gepumpt, und von dort breitet es sich im ganzen Körper aus. Nachdem es Sauerstoff abgegeben hat, fließt das Blut wieder zurück zum Herzen. Das Blut aus den meisten Bauchorganen durchfließt zuvor noch die Leber (8)

stellt (Name); Verwendung zur Gewinnung v. → Berliner Blau, zum Färben v. Textilien. – 2) *rotes B., Kaliumferricyanid;* rubinrote Kristalle; giftig; Gewinnung durch Oxidation v. gelbem B.; Verwendung in der Photographie, als Holzbeize, zur Herstellung v. Blaupausen.

Blutlaus w, *Eriosoma lanigerum,* zu den → Blattläusen gehörig, bis 2 mm groß; Apfelbaumschädling, verursacht als Larve grindige Stellen u. Wucherungen an den Zweigen. Ursprüngliche Heimat Nordamerika, jetzt über die ganze Erde verbreitet.

Blutleere w, 1) verminderte od. aufgehobene Blutzufuhr zu Organ od. Körperteil. – 2) *künstl. B.,* Ausdrücken des Bluts aus Glied

u. Abschnüren des Blutzustroms nach *F. Esmarch* (dt. Chirurg, 1823–1908) zur Blutstillung bei Operationen; höchstens für zwei Stunden, da sonst Gewebstod.

Blutmal *s,* umgangssprachlich für → Muttermal.

Blutmelken, Blutspuren in Milch; Ursache z. B. Blutfülle des Euters nach der Geburt, Vitamin-C-Mangel, nach Aufnahme bestimmter Giftpflanzen.

Blutpfropf *m,* → Thrombus, → Embolie.

Blutplasma *s,* → Blut.

Blutplättchen *s, Thrombozyt,* kleinster geformter Blutbestandteil, wichtig für die Blutgerinnung; Bildung im Knochenmark; → Blut.

Blutprobe *w,* 1) *allg.:* Blutuntersuchung. – 2) Entnahme v. Blut zur Feststellung des → Blutalkoholspiegels bei Verdacht auf Trunkenheit bei Personen, die an strafbaren Handlungen beteiligt waren (z. B. Verkehrsunfall). – 3) B. zum Nachweis v. Blut im Stuhl od. Urin.

Blutrache *w,* bei Naturvölkern u. heute noch in Albanien, Korsika, Süditalien der Brauch, Mord v. Blutsverwandten am Mörder od. seiner Familie zu rächen.

Blutregen *m,* durch Grünalgen der Gattung Haematococcus hervorgerufene Rotfärbung v. Pfützen. Die Algen bilden bei Nährstoffmangel u. schlechten Lebensbedingungen einen roten Farbstoff aus.

Blutreizker *m,* Speisepilz, → Reizker; mit rotem Milchsaft; in der Nähe v. Kiefern vorkommend.

Blutsauger, Schmarotzertiere, die sich durch Absaugen v. Blut an anderen Tieren od. am Menschen ernähren, so: Blutegel, Stechmücken, Zecken, Wanzen, Flöhe.

Blutschande *w,* → Inzest.

Blutschnee *m,* durch rotgefärbte Grünalgen, u. a. der Gattung Chlamydomonas, hervorgerufene Rotfärbung v. Gletschern im Hochgebirge u. in der Arktis.

Blutschwamm *m, Hämangiom,* gutartige Blutgefäßgeschwulst.

Blutseen (Mz.), Seen, deren Wasser durch massenweises Auftreten v. → Blutalgen od. rotgefärbten Blaualgen rót verfärbt ist.

Blutsenkung *w,* auch *B. sreaktion (BSR)* od. *B. sgeschwindigkeit (BSG),* Messung der Absetzgeschwindigkeit der roten Blutkörperchen in einem senkrecht stehenden dünnen Rohr, das mit durch Citrat ungerinnbar gemachtem Blut gefüllt. ist; die Senkung beträgt nach einer Stunde bei Männern 3–7 mm, bei Frauen 5–10 mm u. ist bei entzündlichen Krankheiten, Tuberkulose u. Krebs größer.

Blutserum *s,* die bei der Blutgerinnung sich abscheidende klare Flüssigkeit, enthält Immunstoffe, Mineralien u. Nahrungsstoffe.

Blutspender *m,* gesunder Mensch, der frei-

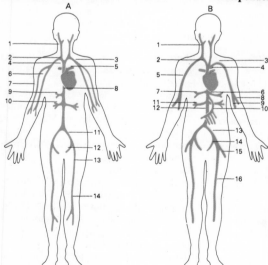

A

B

A. Wichtigste Venen: Halsvene (1), Armkopfvene (2), Schlüsselbeinvene (3), Obere Hohlvene (4), Lungenvene (5), Armvene (6), Oberflächliche Armvene (7), untere Hohlvene (8), Lebervene (9), Nierenvene (10), gemeinsame Hüftvene (11), innere Hüftvene (12), äußere Hüftvene (13), Schenkelvene (14)
B. Wichtigste Schlagadern: Halsschlagader (1), Armkopfarterie (2), Schlüsselbeinarterie (3), Lungenarterie (4), Oberarmarterie (5), Milzarterie (6), Leberarterie (7), Speichenarterie (8), Ellenarterie (9), obere Darmarterie (10), Nierenarterie (11), Aorta (12), gemeinsame Hüftarterie (13), innere Hüftarterie (14), äußere Hüftarterie (15), Schenkelarterie (16)

Blut

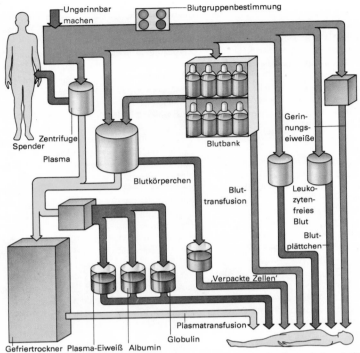

Ungerinnbar machen

Blutgruppenbestimmung

Zentrifuge
Spender
Plasma

Blutbank

Blutkörperchen

Blut-transfusion

Gerin-nungs-eiweiße

Leuko-zyten-freies Blut

Blut-plättchen

'Verpackte Zellen'

Plasmatransfusion

Globulin

Gefriertrockner Plasma-Eiweiß Albumin

Um das Blut möglichst günstig verwenden zu können, wird es in seine Bestandteile aufgelöst, und daher erhalten die Patienten bei einer Transfusion nur die Stoffe, die sie benötigen. Spender können außer Blut nur Plasma abgeben; und nach Zentrifugierung des Bluts erhalten sie die Blutkörperchen zurück. Patienten mit Blutarmut brauchen oft nur Blutkörperchen ('verpackte Zellen'). Aus Plasma kann man Bluteiweiße gewinnen; auch kann man es nach dem Gefriertrocknen jahrelang für Plasmatransfusionen u. a. für Patienten mit Brandwunden aufbewahren. Manchen Patienten gibt man besser leukozytenfreies Blut (ohne weiße Blutkörperchen). Blutkörperchen werden u. a. bei Leukämie verwendet. Patienten mit Hämophilie wird mit aus Blut gewonnenen Gerinnungseiweißen geholfen

willig einen Teil seines Bluts (500 ml) für Bluttransfusionen abgibt.

Blutspiegel *m,* Konzentration eines Stoffs im Blut.

Blutspucken *s,* → Bluthusten.

blutstillende Mittel (Mz.), *Hämostatika,* Mittel zur Steigerung der Gerinnbarkeit des Bluts, z. B. weiße Gelatine, Sangostop, Manetol, Clauden, Coagulen; → Blutstillung.

Blutstillung *w,* Beendigung einer Blutung durch direkten Druckverband *(Tamponade),* Abbinden der zuführenden Gefäße, Hochlagern des betreffenden Körperteils, Zufuhr gerinnungsfördernder Medikamente; natürliche B. durch Blutgerinnung u. Zusammenziehen der eröffneten Gefäße.

Blutströpfchen *s,* → Widderchen.

Blutstuhl *m,* mit Blut vermischter Stuhl; bei Magen-Darm-Entzündungen, Tumoren, Hämorrhoiden u. a.

Blutsturz *m,* starke Blutung, die zum Kreislaufversagen führen kann; z. B. aus Lunge *(Hämoptoe),* Speiseröhre u. Magen *(Hämatemesis).*

Bluttaufe *w,* Märtyrertod eines noch Ungetauften für Christus.

Bluttransfusion *w,* Blutübertragung v. einem Spender zu einem Empfänger; direkte B. od. mittels gelagerter Blutkonserven; erstmals an Tieren durch *R. Lower* (1631–91) in London 1666; nach Erkennung der Bedeutung der Blutgruppen (1906) medizinisch v. großer Bedeutung.

Blutung *w, Hämorrhagie,* Ausfließen v. Blut aus verletzten Blutgefäßen; *Sickerblu-*

tung (tropfenweise) aus Haargefäßen, in stetem Fluß aus größeren Adern (Venen), rhythmisch spritzend (Puls) aus den Schlagadern. Es gibt äußere u. innere B., z.B. Magen-Darm-B., Gehirn-B. (Schlaganfall). Folgen starker B. können sein: → Schock, → Kollaps, → Verbluten; bei chron. B.: Eisenmangel, → Anämie.

Blutvergiftung w, *Sepsis*, Einschwemmung v. Bakterien u. ihren Giften aus einem Eiterherd in die Blutbahn, mit Fieber u. Schüttelfrost; evtl. Bildung neuer Herde durch Keimablagerung; Behandlung chirurgisch u. mit Antibiotika.

Blutwäsche w, Verfahren zur Blutreinigung (durch künstliche Niere).

Blutwasser s, volkstüml. für → Blutserum.

Blutweiderich m, *Lythrum salicaria*, in Mitteleuropa an sumpfigen Stellen wachsende krautige Pflanze mit blutroten Blütenständen.

Blutwurz w, 1) *Potentilla erecta*, gelbblühendes krautiges Rosengewächs Eurasiens. Die gerbstoffreiche rote Wurzel (Tormentillwurzel) wurde für Heilzwecke verwendet. – 2) *Sanguinaria canadensis*, nordam. Pflanze der Mohngewächse; der rote Milchsaft wird als Farbstoff verwendet.

Blutzellen (Mz.), → Blutkörperchen.

Blutzeuge m, der Märtyrer.

Blutzirkulation w, die durch das Herz unterhaltene Bewegung des Bluts im → Blut-

Blutzirkulation. Sauerstoffarmes Blut, das in das Herz (1) im rechten Vorhof (A) durch die obere (B) und die untere Hohlvene (C) einströmt, wird von der rechten Herzkammer (D) zu den beiden Lungen (2) gepumpt. Dort wird das Blut mit Sauerstoff angereichert. Von der Lunge aus erreicht das sauerstoffreiche Blut den linken Vorhof (E). Dann wird es von der linken Kammer (F) mit großer Kraft in die Aorta (G) gepumpt, und von dort breitet es sich in den Körperteilen, wie Kopf (3), Gliedern (4, 5) und Bauchorganen (6), aus

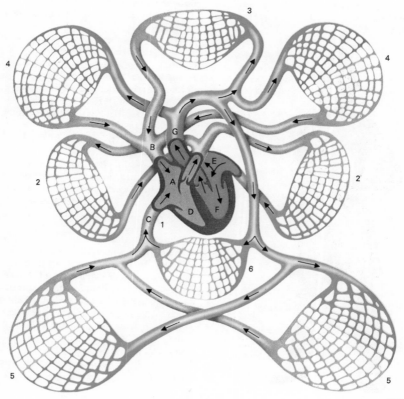

kreislauf; Gesamtumlaufzeit des Bluts ca. 1 Minute.

Blutzucker *m,* Gehalt des Bluts an → Traubenzucker (normal ca. 100 mg/100 ccm); erhöht bei → Zuckerkrankheit (Diabetes).

Blyth (: blaiß), nordostengl. Hafenstadt, an der Nordsee, 36 000 E.; Seebad; Kohleausfuhr u. Fischerei.

Blyton (: blait'n) *Enid (Mary),* engl. Schriftstellerin, 1896–1968; populäre Kinder- u. Jugendbuchautorin; ihre Bücher in 63 Sprachen übersetzt.

BLZ, Abk. für → **B**ank**l**eit**z**ahl.

BM, Abk., Kfz.-Kennzeichen für **B**erg**h**ei**m** a. d. Erft.

B.M.V., Abk. für lat. **B**eata **M**aria **V**irgo: selige Jungfrau Maria.

BMW, Abk. für **B**ayerische **M**otoren**w**erke AG.

BN, Abk., Kfz.-Kennzeichen für **B**on**n**.

BND, Abk. für **B**u**nd**es**n**achrichten**d**ienst.

BO, Abk., Kfz.-Kennzeichen für **B**och**o**m.

Bö *w, Böe,* heftiger, plötzlicher Windstoß.

Boa *w, Abgottschlange,* → Königsschlange.

BOAC, Abk. für engl. → **B**ritish **O**verseas **A**irways **C**orporation.

Englischer Bobby

Boardinghouse *s* (: bå'd'nghaus, engl.), Gästehaus, Pension.

Boarding School (: bå'd'ng ßkul, engl.), in England höhere Schule mit Internat, meist gegliedert nach Hausgemeinschaften mit Schülern verschiedener Altersstufen, z. B. die berühmten Public Schools *Eton* u. *Harrow.*

Boas, 1) *Franz,* dt.-am. Ethnologe, 1858–1942; erforschte am.-asiat. Kulturzusammenhänge; Gegner des Rassismus. – **2)** *Ismar,* dt. Arzt, 1858–1938; führte mit E. A. Ewald das *B.sche Probefrühstück* zur Magenfunktionsprüfung ein.

Bob *m* (engl.), → Bobsleigh.

Bobathsche Gymnastik *w,* Übung v. Bewegungsabläufen, bes. bei bewegungsgestörten Kleinkindern.

Bobby *m* (: bobi, engl.), **1)** Spitzname für die engl. Polizisten (nach Robert [Bobby] Peel, der die Londoner Polizei reorganisierte). – **2)** engl. männl. Vorname, Kosename für Robert.

Bobenheim-Roxheim, rheinl.-pfälz. verbandsfreie Gem. im Ldkr. Ludwigshafen, 8800 E.

Bober *m,* l. Nebenfluß der Oder, vom Riesengebirge; mündet nach 268 km bei Crossen.

Bober-Katzbach-Gebirge *s,* Bergland vor der Nordostabdachung des Riesengebirges.

Bobigny (: bobinji), Hst. des frz. Dep. Seine-Saint-Denis, bei Paris, 44 000 E.; Industrie.

Bobinet *m* (:-nä, frz.-engl.), Tüll für Gardinen in verschiedener Bindung.

Bobingen, bayer. Stadt in Schwaben, im Ldkr. Augsburg, 13 000 E.; Industrie.

Böblingen, b.-württ. Große Krst. bei Stuttgart, 41 100 E.; Textil-, Masch.-, Metall-, Schuh-, Elektronik- u. chem. Ind.; Flughafen.

Böblinger, dt. Baumeister- u. Steinmetzfamilie: **1)** *Hans,* Baumeister, um 1410–82. – HW: got. Turm der Frauenkirche in Esslingen (1463). – **2)** *Matthäus,* um 1450–1505; Sohn v. 1); ab 1478 Baumeister am Münster zu Ulm; aus Ulm verbannt, da für Fehler seines Vorgängers verantwortlich gemacht; Turm nach seinen Plänen im 19. Jh. vollendet.

Bobo, 1) *Bwa,* Sudannegerstamm in NW-Afrika. – **2)** *m* (span.), Narrenfigur im span. Theater.

Boborykin, *Pjotr Dimitrijewitsch,* russ. Schriftsteller, 1836–1921; zahlr. Romane, Dramen, Novellen, Skizzen der russ. Gesellschaft; Theaterkritiken. – WW: *Wassilij Tjorkin* (1892; Roman); *Am Scheideweg.*

Bobr *m,* 180 km langer r. Nebenfluß des Narew in Polen.

Bobrek-Karf, poln. *Bobrek Karb,* oberschles. Ind.-Stadt, rd. 25 000 E.; Steinkohlebergbau, Hüttenwerke, chem. Ind.; seit 1945 unter poln. Hoheit.

Bobrowski, *Johannes,* dt. Schriftsteller, 1917–65; Lyrik u. Erzählungen der osteurop. Landschaft u. der Probleme ihrer Menschen im dt.-slaw. Grenzbereich. – WW: *Sarmatische Zeit* (1961; Gedichte); *Schattenland Ströme* (1962; Gedichte); *Levins Mühle* (1964; Roman); *Lipmanns Leib* (1973; Erzählungen).

Bobruisk, sowjet. Stadt in Weißrußland, an der Beresina, 192 000 E.; vielseitige Industrie.

Bobsleigh *m* (: bobßle', engl.), *Bob, Bobschlitten,* mehrsitziger lenkbarer Sport- u. Rennschlitten aus Stahl auf Stahlkufen.

Bocage (: -kasch', frz.), frz. Heckenlandschaft, Heckenreihen als Flurumgrenzung, bes. in Normandie u. Vendée.

Bocage (: bukaschj), *Manuel Maria de Barbosa du,* portug. Schriftsteller, 1765–1805; Dichter des Übergangs vom Klassizismus zur Romantik.

Boccaccino (: -tschino), *Boccaccio,* it. Renaissancemaler, 1467–1524; relig. Fresken, Heiligen- u. Altarbilder, Porträts.

Boccaccio (: katscho), *Giovanni,* it. Schriftsteller, 1313–75; einer der ersten Humanisten; erste bukolische Dichtungen,

Giovanni Boccaccio

Plastik von Umberto Boccioni (Museum of Modern Art, New York)

gelehrte lat. Werke u. a.; 1348–53 die Novellensammlung *Decamerone* mit hundert freimütigen Geschichten, ein Werk, mit dem B. das literar. Modell der Novelle schuf, das Gültigkeit behielt. – Weitere WW: u. a. *Fiammetta* (1344; Roman um ‚Fiammetta‘, seine Jugendgeliebte Maria d'Aquitano); *Filostrato, Teseide* u. *L'amorosa visione* (um 1341; Dichtungen); *Filocolo* (1338) u. *Ninfale Fiesolano* (1344; Prosa); *Leben Dantes* (um 1360).

Boccalini, *Traiano,* it. Schriftsteller, 1556–1613; Kritiker der Politik u. Literatur seiner Zeit. – HW: *Ragguagli de Parnaso* (1612/13); *Pietra del paragone politico* (1615).

Boccherini (: boke-), *Luigi,* it. Komponist u. Cellist, 1743–1805; Kammermusik, Cellokonzerte, Streichquartette, Quintette, Sinfonien u. a.

Boccia *s* u. *w* (: botscha, it.), in Italien u. Süd-Fkr. beliebtes Kugelspiel zw. zwei Mannschaften (höchstens je 6 Spieler); wird auf ebenem Rasen, auf Plätzen u. Straßen gespielt.

Boccioni (: botscho-), *Umberto,* it. Maler, Bildhauer u. Kunstschriftsteller, 1882–1916; theoret. u. prakt. Vertreter des Futurismus.

Boche *m* (: bosch, frz.), abwertend: der Deutsche.

Boch

Bocheński (:-chenjßki), *Joseph Maria,* poln. Philosoph, *1902; Dominikaner; 1945 Prof. in Fribourg; befaßt sich mit Forschungen zur modernen Logik u. Wissenschaftstheorie (nam. mit der log. Struktur der empirischen Theoriebildung als Verbindung deduktiver u. induktiver Denkansätze) u. zur marxist. Philosophie. – WW: *Europ. Philos. der Gegenwart* (1947); *Der sowjetruss. dialekt. Materialismus* (1950); *Die zeitgenöss. Denkmethoden* (1954); *Formale Logik* (1956); *Wege zum philosoph. Denken* (1959).

Bocher *m* (jidd.), → Bacher.

Bochmann, *Gregor v.,* estn.-dt. Maler, 1850–1930; estländ. u. niederl. Strand- u. Landschaftsbilder.

Bocholt, nordrh.-westfäl. Stadt im Münsterland, 65 300 E.; Renaissance-Rathaus (17. Jh.); Eisen-, Masch.-, Elektro- u. Baumwollindustrie.

Bochum, nordrh.-westfäl. kreisfreie Stadt, im Reg.-Bez. Arnsberg, westl. v. Dortmund, 403 000 E.; Ruhr-Univ. u. weitere Bildungsanstalten; Museen; Stadttheater; Sitz der Ruhrknappschaft u. sonstiger bergbaulicher Einrichtungen; Steinkohlenbergbau, Schwer- (Eisen-, Stahl-), Textil-, Bau-, Fernseh-, Automobil-, chem. u. a. Ind.

Bock *m,* **1)** *Zool.:* männliches Tier v. Ziege, Schaf, Reh, Gemse, Steinbock, Kaninchen usw. – **2)** *Sport:* Turngerät für Sprünge.

Bock, 1) *Alfred,* dt. Schriftsteller, 1859–1932; Komödien, hess. Heimaterzählungen. – **2)** *Hieronymus,* dt. Botaniker, 1498–1554; untersuchte die Flora v. Süd-Dtl., beschrieb Habitus, Vorkommen u. Heilwirkung der Pflanzen. – **3)** *Werner,* dt. Schrift-

Bockkäfer

,Villa am Meer' (1864). Gemälde von Arnold Böcklin (Neue Pinakothek, München)

steller, 1893–1962; Sohn v. 1); Gedichte, Erzähl. (u. a. *Blüte am Abgrund,* Prosaauswahl 1951).

Boeck-Besnier-Schaumann-Krankheit *w,* *Morbus Boeck,* → *Sarkoidose,* nach dem norweg. Dermatologen C. Boeck (1847–1917), dem frz. Dermatologen *E. Besnier* (1831–1909) u. dem schwed. Dermatologen *J. Schaumann* (1879–1953) benannte Krankheit unbekannter Ursache; mit Bindegewebsknötchen, Befall v. Lunge, Leber, Milz, Haut u. a.; Ähnlichkeiten mit der Tuberkulose; heilt in den meisten Fällen.

Bockelmann, *Rudolf,* dt. Sänger, 1892–1958; Heldenbariton.

Bockenem, niedersächs. Stadt im Ambergau, Ldkr. Hildesheim, 11 200 E.

Böckh, *August,* dt. Philologe u. Altertumsforscher, 1785–1867; Begründer der wissenschaftl. griech. Inschriftenkunde.

Bockhorn, niedersächs. Gem. im Ldkr. Friesland, 7400 E.

Bockhuf *m,* steilstehender Huf des Pferdes, Ursache: Sehnen- u. Gelenkleiden od. erblich bedingt.

Bockkäfer *m,* artenreiche Familie der Käfer; kräftige u. auffallend lange Fühlerglieder; Larven bohren im Holz, können in Waldungen schädlich werden, Zahl der Forstschädlinge ist jedoch nicht groß, da die meisten B. kranke od. abgestorbene Bäume befallen. Häufigster einheimischer B.: *Pappel-B.,* hat rindenähnliche Färbung; am Tag fliegende Arten lebhaft gefärbt: geschützter *Alpenbock, Purpurbock* usw.; metallisch-grüner *Moschusbock;* große Schädlinge: *Hausbock,* dessen Larve in verarbeitetem Nadelholz lebt; ferner *Blauer Scheibenbock,* lebt ebenfalls in Bauholz.

Boeckl, *Herbert,* österr. Maler, 1894–1966; v. Jugendstil, Expressionismus u. abstrakter Kunst beeinflußt; Landschaften, Stilleben, Akte, Porträts; Aquarelle. – HW: Fresken der Engelskapelle der Abtei Seckau (1952–64).

Böckler, *Hans,* dt. Gewerkschaftsführer, 1875–1951; 1927–33 Vors. des Allg. Dt. Gewerkschaftsbunds; 1928–33 MdR (SPD); 1949 erster Vors. des DGB.

Böcklin, *Arnold,* Schweizer Maler, 1827–1901; v. Einfluß auf Surrealisten; romantische, später ,heroische' Landschaftsbilder, mytholog. u. symbol. figürliche Szenen, Porträts u. a. – HW: *Gefilde der Seligen* (1878); *Toteninsel* (mehrfach, ab 1880); *Spiel der Wellen* (1883) u. a. m.

Bocksbart *m,* **1)** Gattung der Korbblütler mit behaarten Samen: *Wiesenbocksbart,* mit großen gelben Blütenköpfchen, die sich nur mittags bei Sonnenschein öffnen; *Haferwurz,* mit haferähnlichen Blättern u.

blauen Blütenköpfchen; fr. als Wurzelgemüse angebaut. – **2)** Ziegenbart.

Bocksbeutel *m, Boxbeutel,* bauchige Flasche für Frankenweinsorten, auch für badische (Neuweierer) Weine.

Boecksche Borkenkrätze *w, Scabies norwegica,* Milbenerkrankung der Haut; → Krätze.

Bocksdorn *m, Teufelszwirn,* aus den Tropen stammender Strauch aus der Familie der Nachtschattengewächse; mit dornigen Zweigen; Zierstrauch.

Böckser *m,* Weinfehler, fauliger Geruch u. Geschmack.

Bockshornklee *m, Schabziegerklee, Trigonella,* haupts. in Klein- u. Vorderasien verbreitete Gattung der Schmetterlingsblütler. Die schleimhaltigen Samen wurden als schmerzlinderndes Mittel verwendet. Das getrocknete Kraut ist ein Käsegewürz.

Bocksriemenzunge *w,* in Mitteleuropa unter Naturschutz stehende grünblühende Orchideenart.

Bodden *m* (nd.), seichte, oft weit ins Land

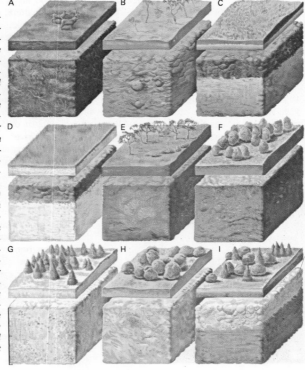

Einteilung der Böden aufgrund von Farbe und Zusammensetzung. Ein Tundraboden (A) hat eine dunkle, torfartige Oberfläche. Der hellfarbige Wüstenboden (B) ist grob und arm an organischen Stoffen. Der kastanienbraune Boden (C) und der Tschernosem – russisch für Schwarzerde – (D) ist ein humusreicher Graslandboden, typisch für die russische Steppe und die amerikanische Prärie. Der rote, ausgelaugte Latosol (E) der tropischen Savannen hat eine sehr dünne Humusschicht. Podsolböden sind kennzeichnend für regenreiches nördliches Klima mit langsamer Verdunstung. Hierzu gehört der humusreiche braune Waldpodsol (F), der parabraune Podsol (H) und der steinige, graue Podsol (I). Alle diese Böden sind relativ sauer. Der rotgelbe Podsol (G) der Nadelwälder ist stark ausgelaugt

Bode

Bodenfräse

dringende Meeresbuchten, bes. an der Ostseeküste (Mecklenburg, Vorpommern).
Bode *w,* l. Nebenfluß der Saale, vom Brocken, mündet bei Nienburg; 169 km lang; zw. Treseburg u. Thale das *Bodetal;* mehrere Talsperren.
Bode, 1) *Arnold,* dt. Maler, 1900–77; ‚Vater' der *documenta* (seit 1955), der internat. Ausstellung moderner Kunst in Kassel. – **2)** *Johann Elert,* dt. Astronom, 1747–1826; Hrsg. des ersten größeren Sternatlas (1801). – **3)** *Rudolf,* dt. Gymnastiklehrer, 1881–1970; begründete die rhythm. Ausdrucksgymnastik u. gründete mit seiner Gattin *Elly B.* (1886–1983) in München 1911 die *Bode-Schule* für Gymnastik. – **4)** *Wilhelm v.,* dt. Kunsthistoriker, 1845–1929; begründete 1904 das Kaiser-Friedrich-Museum in Berlin; zahlr. kunsthistor. Arbeiten.
Bodega *w* (span.), Weinschenke, Keller; Lager; Schiffsladeraum.
Bodel, *Jehan (Jean),* altfrz. Dichter, um 1165–1210; Epen, Dramen, Gedichte. – WW: *Saisnes* (vor 1202; Epos über Karls d. Gr. Sachsenkrieg); *Li jus de Saint-Nicolas* (um 1199–1201; Mirakelspiel).
Bodelschwingh, *Friedrich v.,* dt. ev. Theologe, 1831–1929; schuf die Wohlfahrts-, Missions- u. Ausbildungsanstalten in → Bethel bei Bielefeld.
Bodelschwinghsche Anstalten → Bethel.
Boden *m,* **1)** *Bodenkunde:* lebenerfüllte oberste Schicht der Erdoberfläche, entstanden durch Verwitterung des darunterliegenden Gesteins, pflanzl. u. tier. Verwesungsprodukte (Kohlensäure, Ammoniak, Salpetersäure, humussaure Verbindun-

gen), die auf viele Gesteine lösend wirken. Die *B.bakterien* wandeln freien Luftstickstoff in Aminosäuren bzw. Ammoniak in Nitrite u. Nitrate um; ferner wirken Zellulose-, Fäulnis-, Schwefel-, Eisen- u. a. Bakterien; Endprodukte der chem. Verwitterung sind meist Kolloide (Tone, Lehme), die Wasser u. mineral. Lösungen zu binden vermögen. Für B.bildung sind Gesteinsart, Klima, mechan. Verwitterung u. Wasserhaushalt wesentlich. Als *B.arten* sind zu unterscheiden: Stein-, Sand-, Staub-, Lehm- u. Tonböden mit zahlr. Zwischenstufen. Geologisch entstehen durch Verwitterung *eluviale,* unter anders gearteten Deckschichten *illuviale,* aus der Verwitterung v. Flußablagerungen *alluviale* u. durch Abspülung *kolluviale* Böden. Nach der *B.farbe* unterscheidet man: *Grauerden (Bleicherden), Podsol-B. (Trockentorf), Braunerden, Schwarzerden (Tschernosjem);* nach den bei ihrer Bildung vorwiegenden Faktoren: *Feucht-* od. *Trocken-B.;* nach Vegetationsbodentypen: Steppen-, Wald-, Heide-B. u. a. – **2)** *Volkswirtschaft:* Grundfaktor der Produktion neben → Kapital u. → Arbeit; bezieht sich auf den Aspekt der landwirtschaftlichen, der energiemäßigen Nutzung (Bodenschätze, naturgegebene Energiequellen) u. der Verwertung als Bauland (→ Bodenspekulation, → Bodenreform). Aus der wirtschaftl. Nutzung des B. bei Privatbesitz ergibt sich die *Bodenrente (Grundrente).* Auch dem unbearbeiteten B. kommt ein Wert zu, obwohl er – da kein Arbeitsprodukt – an sich keinen Wert besitzt (Marx in Anschluß an Ricardo), da Grund u. Boden nicht frei verfügbar ist u. daher zum Monopol des privaten Grundeigentums führt. Von der B.rente ist die *Differentialrente* zu unterscheiden, die sich auf die Bodenbeschaffenheit bzw. -bearbeitung u. den damit verbundenen Kapitaleinsatz bezieht.
Bodenabtragung *w,* → Abtragung.
Bodenanalyse *w, Bodenuntersuchung,* die physikalische, chem. u. biolog. Untersuchung des → Bodens auf seine Eigenschaften.
Bodenanzeiger (Mz.), Pflanzen, die nur auf bestimmten Bodenarten (z. B. kalkreich, lehmig, humos) wachsen, v. deren Vorkommen also auf die Eigenschaften des Bodens rückgeschlossen werden kann.

Bodenatmung w, Aus- u. Eintritt der Luft in den obersten Bodenschichten.

Bodenbakterien (Mz.), Sammelbezeichnung für verschiedene Gruppen im Boden lebender → Bakterien. B. sind ausschlaggebend am Stoffhaushalt des Bodens beteiligt. Sie bauen organ. Substanzen (z. B. aus Fallaub) zu *Humus* ab u. verwandeln sie in für Pflanzen nutzbare mineralische Nährstoffe *(Remineralisierung)*. Von großer Bedeutung für den Stickstoffhaushalt sind die → Knöllchenbakterien.

Bodenbearbeitung w, Urbarmachung u. Behandlung (Lockern, Düngen usw.) v. Boden für Land- u. Forstwirtschaft.

Bodenbiologie w, Lehre v. den Vorgängen im Boden, die durch die Tätigkeit v. Lebewesen verursacht werden. Pflanzenwurzeln entziehen dem Boden Wasser u. Nährstoffe u. zersetzen durch ihre Ausscheidungen (z. B. organ. Säuren) die Bodensubstanz. Pilze u. Bakterien verarbeiten organ. Reste zu → Humus; nitrifizierende Bakterien machen den Stickstoff für Pflanzen zugänglich. Bodentiere (z. B. Regenwurm) bewirken Lockerung u. Durchmischung der Bodenschichten.

Bodenbonitierung w, → Bodenschätzung.

Bodenbrüter (Mz.), Vögel, die ihr Nest am Boden bauen; z. B. Enten, Kiebitz, Lerche.

Bodendruck m, 1) Druck, den eine Gas-

od. Flüssigkeitssäule auf den Boden des Gefäßes, in dem sie sich befindet, ausübt. Der B. ist um so größer, je höher die Säule u. je größer das spezif. Gewicht des Gases od. der Flüssigkeit ist. – **2)** bei Fahrzeugen das Verhältnis v. Gesamtgewicht zur Auflagefläche.

Bodeneffektfluggerät s, das → Luftkissenfahrzeug.

Bodenerosion w, *Bodenzerstörung*, der Verlust an Boden durch Abholzen, Ackerbau usf., Wind u. Wasser.

Bodenfauna w, → Bodenorganismen.

Bodenfeuchtigkeit w, → Bodenwasser.

Bodenflora w, im Frühjahr am Boden v. Laubwäldern sich entwickelnde krautige Vegetation, blüht u. trägt Früchte, bevor sie v. den austreibenden Bäumen beschattet wird; überdauert den Sommer zumeist durch unterirdische Speicherorgane.

Bodenfluß m, *Solifluktion*, Erdfließen, Abgleiten des Verwitterungsschutts auf geneigter Fläche.

Bodenfräse w, landwirtschaftl. Maschine zur Bodenlockerung.

Bodenfruchtbarkeit w, *Landwirtschaft:* Ertragsfähigkeit eines Bodens, abhängig v. dessen bodenkundl. Eigenschaften u. andern Standortfaktoren, wie Klima, Bepflanzung u. Pflegemaßnahmen.

Bodengare w, *Ackergare*, die für Kultur-

Bodenorganismen können Gestein sowohl bilden als auch abbauen. Das erste ist der Fall, wenn Steinkohle aus faulenden Sumpfvegetationen (1) gebildet wird oder wenn Vogelmist (2) sich zu Phosphatlagern (Guano) aufhäuft. Im Meer bilden Kalkalgen (3) Kalksteinablagerungen, während Skelette von Fischen (4) sich zu Phosphatschichten ansammeln. Korallen (5) und Globigerinskelette (6) bilden Kalksedimente, während Radiolarien (7) Kieselbänke aufschütten. Mangroven (10) und Dünengräser (11) halten lose Sedimente fest, so daß diese verhärten können. Bohrmuscheln (9) und Baumwurzeln (8) beschleunigen den Zerfall von Gestein

Gesteinbildende Organismen

Gesteinabbauende Organismen

Gesteinanschwemmende Organismen

Bode

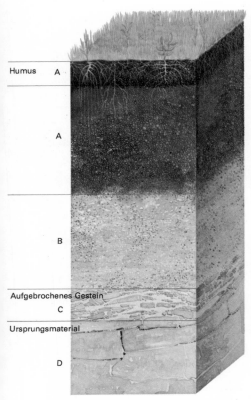

Humus A

A

B

Aufgebrochenes Gestein
C

Ursprungsmaterial

D

Ein Bodenprofil besteht aus vier Hauptschichten: Der A-Horizont mit Humus, der B-Horizont mit Anreicherung von Ionen, der C-Horizont mit zerbröckelndem Gestein und der D-Horizont mit unverändertem Gestein

pflanzen chemisch, physikalisch u. biologisch günstige Bodenbeschaffenheit: Krümelstruktur, Nährstoffgehalt, ausreichende Feuchtigkeit u. Belüftung.

Bodenheim, rheinl.-pfälz. Gem. am Rhein, im Ldkr. Mainz-Bingen, 5300, als Verbandsgem. 13300 E.

Bodenheizung, Zufuhr v. Wärme in den Boden: Warmwasser-, Dampf-, elektr. Leitungen; in Gewächshäusern, Frühbeeten, auch in Wohnungen.

Bodenkredit *m,* Realkredit, durch Grund u. Boden gesicherter Kredit.

Bodenkreditbanken, öff.-rechtl. Hypothekenbanken, gewähren → Bodenkredite.

Bodenkunde *w, Pedologie,* Lehre vom → Boden, d. h. der obersten Erdschicht, die

sich unter dem Einfluß v. klimatischen, topograph., biolog. u. chronolog. Faktoren entwickelt; umfaßt: Bodenökologie, -morphologie als physikalische, chem. u. biolog. Analytik, Bodengenetik u. -klassifikation.

Bodenmüdigkeit *w,* Erkrankung des Bodens durch Verarmung an Mineralsalzen u. Anreicherung mit Schädlingen infolge v. Monokultur.

Bodennutzungssystem *s,* nach bestimmten Grundsätzen erfolgende räuml. u. zeitl. Verteilung der Kulturpflanzen über das gesamte Kulturland.

Bodenorganismen (Mz.), die in den obersten Schichten des Bodens lebenden Bodenbakterien, Bodenmilben, Süßwasserborstenwürmer, Spinnen, Regenwürmer, Tausendfüßler, Insekten mit Larven.

Bodenpolitik *w,* Teil der Agrarpolitik; die Maßnahmen betr. Verteilung u. Nutzung, Verbesserung u. Erhaltung des Bodens.

Bodenprofil *s,* die durch senkrechten Schnitt durch den Boden sich zeigenden verschiedenen Schichten des Bodens.

Bodenreaktion *w,* verschiedene Reaktion des Bodens: sauer, alkalisch od. neutral.

Bodenrecht *s,* Rechtssätze, die die Rechtsverhältnisse für Grundstücke regeln.

Bodenreform *w,* Änderungen der Rechtsverhältnisse (Besitz- u. Eigentumsverhältnisse) bei landwirtschaftlich genutztem Boden u. bei Wohnungsbau- u. Siedlungsland durch Umverteilung (z. B. Aufteilung v. Großgrundbesitz in kleine Bauerngüter), durch Überführung in Gemeineigentum (Verstaatlichung, Übertragung an Gemeinden od. Genossenschaften) od. durch Besteuerung (Abschöpfung der → Bodenrente, des Bodenwertzuwachses [→ Bodenspekulation]) u. a. m. Bestrebungen zur B. kamen bereits im 18. u. 19. Jh. (J. S. Mill, K. Marx u. a.) auf. Auswirkungen dieser Bestrebungen sind z. B. die Reformen im Sinne des → Agrarkommunismus in den sozialist. Volksrepubliken nach dem 1. u. 2. Weltkrieg, die Aufnahme des Erbbaurechts in das BGB u. 1945 in Dtl. die Landbeschaffung für heimatvertriebene Bauern; heute verstärkte Bestrebungen nach B.en, ausgelöst durch einen enormen Bodenwertzuwachs vor allem in den Großstädten u. deren Randgebieten als Ergebnis eines großen Wohnungsbedarfs u. einer Verknappung des Baulands.